リハビリテーション
医学・医療
コアテキスト

第2版

監修｜一般社団法人 日本リハビリテーション医学教育推進機構
公益社団法人 日本リハビリテーション医学会

総編集｜久保　俊一
一般社団法人日本リハビリテーション医学教育推進機構・理事長
京都府立医科大学・特任教授

編集（50音順）
角田　亘　国際医療福祉大学・主任教授
佐浦　隆一　大阪医科薬科大学・教授
三上　靖夫　京都府立医科大学・教授

編集協力（50音順）
安保　雅博　東京慈恵会医科大学・主任教授
伊藤　修　東北医科薬科大学・教授
海老原　覚　東北大学・教授
加藤　真介　徳島赤十字ひのみね医療療育センター・園長
上月　正博　山形県立保健医療大学・理事長／学長
佐伯　覚　産業医科大学・教授
千田　益生　かがわ総合リハビリテーションセンター・センター長
田島　文博　ちゅうざん会・理事長／ちゅうざん病院・院長
辻　哲也　慶應義塾大学・教授
津田　英一　弘前大学・教授
西村　行秀　岩手医科大学・教授
芳賀　信彦　国立障害者リハビリテーションセンター・総長
正門　由久　東海大学・教授

イラスト作画・編集｜徳永　大作　京都府立城陽リハビリテーション病院・院長

医学書院

特に出典の記載がない限り，本書掲載のイラストの著作権は一般社団法人日本リハビリテーション医学教育推進機構にあります．転載等の二次利用には日本リハビリテーション医学教育推進機構の許諾が必要です．利用をご希望の場合は下記にご連絡ください．
一般社団法人日本リハビリテーション医学教育推進機構
TEL 03-6273-7007　E-Mail office@jrmec.or.jp

総編集者略歴

久保　俊一（くぼ　としかず）
1978 年京都府立医科大学卒業．1983 年米ハーバード大学留学，1993 年仏サンテチエンヌ大学留学などを経て，2002 年京都府立医科大学整形外科学教室教授に就任．2003～2008 年厚生労働省特発性大腿骨頭壊死症研究班主任研究者（班長），2012 年日本整形外科学会学術総会会長などを歴任．2014 年より京都府立医科大学リハビリテーション医学教室教授，2015 年より同大学副学長を兼任．2016 年日本リハビリテーション医学会学術集会会長，2016～2022 年日本リハビリテーション医学会理事長．2019 年退官．現在，日本リハビリテーション医学教育推進機構理事長，日本リハビリテーション医学会監事，京都府立医科大学特任教授，和歌山県立医科大学特命教授，京都地域医療学際研究所（がくさい病院）所長，京都中央看護保健大学校学校長．

リハビリテーション医学・医療コアテキスト
発　行　2018 年 4 月 15 日　第 1 版第 1 刷
　　　　2021 年 4 月 15 日　第 1 版第 6 刷
　　　　2022 年 3 月 15 日　第 2 版第 1 刷©
　　　　2023 年12月 1 日　第 2 版第 2 刷
監　修　一般社団法人日本リハビリテーション医学教育推進機構
　　　　公益社団法人日本リハビリテーション医学会
総編集　久保俊一
編　集　角田　亘（かくだ　わたる）・佐浦隆一（さうらりゅういち）・三上靖夫（みかみやすお）
発行者　株式会社　医学書院
　　　　代表取締役　金原　俊
　　　　〒113-8719　東京都文京区本郷 1-28-23
　　　　電話　03-3817-5600（社内案内）
印刷・製本　真興社

ISBN978-4-260-04959-7

一般社団法人 日本リハビリテーション医学教育推進機構

理事長
久保　俊一　京都府立医科大学・特任教授

副理事長
田島　文博　ちゅうざん会・理事長／ちゅうざん病院・院長

理事 (50音順)

海老原　覚	東北大学・教授		橋本　康子	日本慢性期医療協会・会長
角田　亘	国際医療福祉大学・主任教授		半田　一登	訪問リハビリテーション振興財団・理事長
佐浦　隆一	大阪医科薬科大学・教授		深浦　順一	日本言語聴覚士協会・会長
佐伯　覚	産業医科大学・教授		三上　靖夫	京都府立医科大学・教授
島田　洋一	医療法人久幸会・常務理事		村上　信五	日本耳鼻咽喉科頭頸部外科学会・理事長
中村　春基	日本作業療法士協会・前会長		山下　敏彦	札幌医科大学・学長
池口　良輔	京都大学・准教授		上月　正博	山形県立保健医療大学・理事長/学長
石垣　泰則	日本在宅医療連合学会・代表理事		近藤　國嗣	東京湾岸リハビリテーション病院・院長
出江　紳一	東北大学・名誉教授		斉藤　秀之	日本理学療法士協会・会長
伊藤　修	東北医科薬科大学・教授		斉藤　正身	日本リハビリテーション病院・施設協会・会長
植木　美乃	名古屋市立大学・教授		坂井　孝司	山口大学・教授
内山　靖	名古屋大学・教授		酒井　朋子	東京医科歯科大学・准教授
梅本　安則	横浜市立大学・准教授		佐々木信幸	聖マリアンナ医科大学・主任教授
大高　洋平	藤田医科大学・主任教授		沢田光思郎	京都府立医科大学・准教授
岡村　吉隆	和歌山県立医科大学・名誉教授		篠田　裕介	埼玉医科大学・教授
緒方　徹	東京大学・教授		下堂薗　恵	鹿児島大学・教授
緒方　直史	帝京大学・教授		神野　哲也	獨協医科大学・教授
尾川　貴洋	愛知医科大学・教授		菅野　伸彦	日本股関節学会・理事長

●

杉山　肇	神奈川県総合リハビリテーションセンター 神奈川リハビリテーション病院・病院長	花山　耕三	川崎医科大学・教授
千田　益生	かがわ総合リハビリテーションセンター・センター長	東　憲太郎	全国老人保健施設協会・会長
高橋　泰	国際医療福祉大学・教授	藤原　俊之	順天堂大学・教授
辻　哲也	慶應義塾大学・教授	北條　達也	同志社大学・教授
津田　英一	弘前大学・教授	牧田　茂	埼玉医科大学・教授
土井　勝美	医療法人医誠会・顧問	正門　由久	東海大学・教授
道免　和久	兵庫医科大学・主任教授	三上　幸夫	広島大学・教授
徳永　大作	京都府立城陽リハビリテーション病院・院長	美津島　隆	獨協医科大学・主任教授
仲井　培雄	地域包括ケア病棟協会・会長	三橋　尚志	回復期リハビリテーション病棟協会・会長
中村　健	横浜市立大学・教授	百崎　良	三重大学・教授
新見　昌央	日本大学・教授	山内　克哉	浜松医科大学附属病院・教授
西田　修	日本集中治療医学会・理事長	山上　裕機	和歌山県立医科大学・教授
西村　行秀	岩手医科大学・教授	山本　伸一	日本作業療法士協会・会長
野坂　利也	日本義肢装具士協会・会長	吉村　芳弘	熊本リハビリテーション病院サルコペニア・低栄養研究センター長
西田　修	日本集中治療医学会・理事長	山上　裕機	和歌山県立医科大学・教授
西村　行秀	岩手医科大学・教授	山本　伸一	日本作業療法士協会・会長
野坂　利也	日本義肢装具士協会・会長	吉村　芳弘	熊本リハビリテーション病院サルコペニア・低栄養研究センター長
服部　憲明	富山大学・教授	和田　郁雄	名古屋市立大学・名誉教授

アドバイザー

赤居　正美	国際医療福祉大学・教授	武久　洋三	日本慢性期医療協会・前会長
木村　彰男	慶應義塾大学・名誉教授		

社員団体

日本リハビリテーション医学会	日本リウマチリハビリテーション研究会
日本急性期リハビリテーション医学会	日本骨転移研究会
日本生活期リハビリテーション医学会	京都リハビリテーション医療・介護フォーラム
日本義肢装具学会	日本慢性期医療協会
日本脊髄障害医学会	日本リハビリテーション病院・施設協会
日本集中治療医学会	回復期リハビリテーション病棟協会
日本股関節学会	地域包括ケア病棟協会
日本在宅医療連合学会	全国老人保健施設協会
日本耳鼻咽喉科頭頸部外科学会	日本理学療法士協会
日本骨髄間葉系幹細胞治療学会	日本作業療法士協会
日本スティミュレーションセラピー学会	日本言語聴覚士協会
日本CAOS研究会	日本義肢装具士協会

木村　彰男	慶應義塾大学・名誉教授		

社員団体

日本リハビリテーション医学会	日本リウマチリハビリテーション研究会
日本急性期リハビリテーション医学会	日本骨転移研究会
日本生活期リハビリテーション医学会	京都リハビリテーション医療・介護フォーラム
日本義肢装具学会	日本慢性期医療協会
日本脊髄障害医学会	日本リハビリテーション病院・施設協会
日本集中治療医学会	回復期リハビリテーション病棟協会

公益社団法人 日本リハビリテーション医学会

執筆者（50 音順）

安倍　基幸　熱田リハビリテーション病院リハビリテーション科

安保　雅博　東京慈恵会医科大学・主任教授

新井　祐志　京都府立医科大学・准教授

池田　　巧　京都第一赤十字病院リハビリテーション科・部長

井手　　睦　聖マリアヘルスケアセンター・院長

伊藤　　修　東北医科薬科大学・教授

伊藤　倫之　京都田辺記念病院リハビリテーション科・部長

井口はるひ　東京大学医学部附属病院リハビリテーション部

植木　美乃　名古屋市立大学・教授

梅津　祐一　小倉リハビリテーション病院・院長

梅本　安則　横浜市立大学・准教授

海老原　覚　東北大学・教授

大高　洋平　藤田医科大学・主任教授

大橋　鈴世　京都府立医科大学・講師

緒方　直史　帝京大学・教授

岡本　隆嗣　西広島リハビリテーション病院・院長

尾川　貴洋　愛知医科大学・教授

角田　　亘　国際医療福祉大学・主任教授

加藤　真介　徳島赤十字ひのみね医療療育センター・園長

上條義一郎　獨協医科大学埼玉医療センター・主任教授

河﨑　　敬　京都府立医科大学・講師

川手　信行　昭和大学・教授

城戸　　顕　奈良県立医科大学・教授

木村　郁夫　国際医療福祉大学三田病院リハビリテーション科・医長

木村　慎二　新潟大学医歯学総合病院・病院教授

久保　俊一　京都府立医科大学・特任教授

倉田　慎平　奈良県立医科大学

幸田　　剣　和歌山県立医科大学・准教授

上月　正博　山形県立保健医療大学・理事長／学長

巷野　昌子　東京慈恵会医科大学附属病院リハビリテーション科

佐浦　隆一　大阪医科薬科大学・教授

佐伯　　覚　産業医科大学・教授

酒井　良忠　神戸大学・特命教授

佐々木信幸　聖マリアンナ医科大学・主任教授

沢田光思郎　京都府立医科大学・准教授

篠田　裕介　埼玉医科大学・教授

島田　洋一　医療法人久幸会・常務理事

下堂薗　恵　鹿児島大学・教授

菅本　一臣　大阪大学・教授

隅谷　　政　和歌山県立医科大学紀北分院・病院教授

千田　益生　かがわ総合リハビリテーションセンター・センター長

竹川　　徹　東京慈恵会医科大学・准教授

武原　　格　東京都リハビリテーション病院リハビリテーション科・部長

田島　文博　ちゅうざん会・理事長／ちゅうざん病院・院長

田中宏太佳　中部ろうさい病院リハビリテーション科・部長

中馬　孝容　滋賀県立総合病院リハビリテーション科・部長

陳　　隆明　兵庫県立総合リハビリテーションセンター・所長

辻　　哲也　慶應義塾大学・教授

津田　英一　弘前大学・教授

土井　勝美　近畿大学・主任教授

峠　　　康　和歌山ろうさい病院リハビリテーション科・第二部長

冨岡　正雄　大阪医科薬科大学・准教授

中川　周士　京都府立医科大学・講師

中原　康雄　帝京大学・准教授

中村　　健　横浜市立大学・教授

新見　昌央　日本大学・教授

西郊　靖子　京都府立医科大学・講師

西田圭一郎　岡山大学・准教授

西村　行秀　岩手医科大学・教授

芳賀　信彦　国立障害者リハビリテーションセンター・総長

萩野　　浩　鳥取大学・教授

服部　憲明　富山大学・教授

花山　耕三　川崎医科大学・教授

藤井　良憲　京都近衛リハビリテーション病院・診療部長

藤谷　順子　国立国際医療研究センター病院リハビリテーション科・診療科長
藤原　俊之　順天堂大学・教授
堀井　基行　音羽リハビリテーション病院・副院長
前田　博士　がくさい病院リハビリテーション科・部長
牧田　　茂　埼玉医科大学・教授
正門　由久　東海大学・教授
松瀬　博夫　久留米大学・准教授
馬庭　壯吉　島根大学・教授
真野　浩志　東京大学医学部附属病院リハビリテーション部
三上　靖夫　京都府立医科大学・教授
三上　幸夫　広島大学・教授
美津島　隆　獨協医科大学・主任教授
宮越　浩一　亀田総合病院リハビリテーション科・部長
宮村　紘平　河北リハビリテーション病院・院長
村上　信五　日本耳鼻咽喉科頭頸部外科学会・理事長
百崎　　良　三重大学・教授
森山　利幸　産業医科大学
山内　克哉　浜松医科大学附属病院・教授
山下　敏彦　札幌医科大学・教授
横関　恵美　京都府立医科大学附属病院リハビリテーション部
吉村　芳弘　熊本リハビリテーション病院サルコペニア・低栄養研究センター長

はじめに

初版が出版されてから4年の月日が流れた．人口の高齢化は加速し，日本は超々高齢社会に突入しようとしている．

この間，リハビリテーション医学・医療の対象はさらに増加した．脳血管障害，運動器疾患（脊椎・脊髄を含む），脊髄損傷，神経・筋疾患，切断，小児疾患，リウマチ性疾患，循環器・呼吸器・腎臓・内分泌代謝疾患（内部障害），がん，摂食嚥下障害，聴覚・前庭・顔面神経・嗅覚・音声障害，スポーツ外傷・障害，周術期の身体機能障害の予防・回復，サルコペニア，ロコモティブシンドローム，フレイルなど，ほぼ全診療科に関係する疾患，障害，病態を扱う領域になっている．しかも，疾患，障害，病態は重複的，複合的に絡み合い，その発症や増悪に加齢が関与している場合も少なくない．そして，その診療の場は急性期病院，回復期リハビリテーション病棟・地域包括ケア病棟，施設・在宅などに広がっている．今やリハビリテーション医学・医療は，医学・医療・介護・福祉のインフラストラクチャといっても過言ではない．

日本リハビリテーション医学会では2017年度に，リハビリテーション医学を「活動を育む医学」と再定義している．すなわち，疾病・外傷で低下した身体的・精神的機能を回復させ，障害を克服するという従来の解釈の上に立って，ヒトの営みの基本である「活動」に着目し，その賦活化を図り，ADL（activities of daily living）・QOL（quality of life）をよりよくする過程がリハビリテーション医学の中心であるとする考え方を示している．

「日常での活動」としてあげられる，起き上がる，座る，立つ，歩く，手を使う，見る，聞く，話す，考える，服を着る，食事をする，排泄する，寝る，などが組み合わさり，掃除・洗濯・料理・買い物などの「家庭での活動」，就学・就労・スポーツ活動・地域活動などの「社会での活動」につながっていく．ICFにおける「参加」は，「社会での活動」に相当する．

リハビリテーション医学という学術的な裏づけのもとにエビデンスが蓄えられ，根拠のある質の高いリハビリテーション医療が実践される．リハビリテーション医療の中核がリハビリテーション診療であり，診断・治療・支援の3つのポイントがある．

急性期・回復期・生活期を通してヒトの活動に着目し，病歴，診察，評価，検査などから活動の現状を把握し，問題点を明らかにする．そして，活動の予後予測をする．これがリハビリテーション診断である．また，各種治療法を組み合わせ，リハビリテーション処方を作成して治療を行い，活動を最良にするのがリハビリテーション治療である．さらにリハビリテーション治療と並行して，環境調整や社会的資源の活用などにより活動を社会的に支援していくのがリハビリテーション支援である．

リハビリテーション医学・医療の専門家がリハビリテーション科医である．リハビリテーション診療において，リハビリテーション科医は的確なリハビリテーション診断のもと，適切なリハビリテーション治療やリハビリテーション支援を行わなければならない．その際，患者および家族にface to faceでその効用と見通しを説明しながら患者の意欲と家族の協力を高める努力が欠かせない．また，理学療法士，作業療法士，言語聴覚士，義肢装具士，看護師，薬剤師，管理栄養士，公認心理師/臨床心理士，臨床検査技師，臨床工学技士，社会福祉士/医療ソーシャルワーカー，介護支援専門員/ケアマネジャー，介護福祉士，などの専門の職種，担当診療科の医師，歯科医，歯科衛生士，からなるリハビリテーション医療チームの要として，チーム内の意思疎通を図り，それぞれの医療機関の特性を踏まえて，医療資源をバランスよく差配する役目を担っている．

リハビリテーション医学・医療を修得するためには，まず，基本となる知識や技能を学ぶ必要があり，そのためのテキストが不可欠である．本書では，リハビリテーション医学・医療のコアの部分を臨床面を中心に取り上げ，カラーイラストを配置しながらわかりやすく記載している．幸いにして，2018 年の初版発行以来，各所からよい評価をいただき，今回の改訂に至った．本改訂版においては 4 年間の進歩も踏まえ，その内容の充実に努めた．リハビリテーション診療の記述を増やし，新しい項目として COVID-19 やデジタルトランスフォーメーションなどの最新のトピックスも収載している．

日本リハビリテーション医学教育推進機構と日本リハビリテーション医学会の監修のもと，編集および執筆をこの分野に精通した多くの先生方にお願いした．リハビリテーション科医ばかりでなく，医学生，研修医，各診療科の医師，歯科医，リハビリテーション医療チームを構成する専門の職種，行政職などに幅広く活用していただきたいテキストである．

本書が，リハビリテーション医学・医療の発展と普及に役立つことを心から願っている．

2022 年 2 月

一般社団法人 日本リハビリテーション医学教育推進機構　理事長
公益社団法人 日本リハビリテーション医学会　理事長　久保　俊一

はじめに（初版）

出生数が減り高齢化が進むわが国では，疾病構造が急速に変化しつつあり，必要とされる医療の内容も大きく移り変わってきた．なかでも，リハビリテーション医学・医療は少子高齢化の影響が大きい分野である．わが国におけるリハビリテーション医学・医療の原点は戦前の急性灰白髄炎（脊髄性小児麻痺：ポリオ），骨・関節結核，脳性麻痺などの肢体不自由児に対する療育にあるとされている．戦中は戦傷により，戦後と高度成長期には労働災害や交通事故により対象となる患者が増加した．四肢の切断・骨折，脊髄損傷のリハビリテーション医学・医療が大きな課題となった．そして，超高齢社会となった現在，リハビリテーション医学・医療の対象として，小児疾患や切断・骨折・脊髄損傷に加え，中枢神経・運動器（脊椎・脊髄を含む）・循環器・呼吸器・腎臓・内分泌代謝・神経筋疾患，リウマチ性疾患，摂食嚥下障害，がん，スポーツ外傷・障害などの疾患や障害が積み重なり，さらに周術期の身体機能障害の予防・回復，フレイル，サルコペニア，ロコモティブシンドロームなども加わり，ほぼ全診療科に関係する疾患，障害，病態を扱う領域になっているといっても過言ではない．しかも，疾患，障害，病態は複合的に絡み合い，その発症や増悪に加齢が関与している場合も少なくない．

日本リハビリテーション医学会では 2017 年度から，リハビリテーション医学について「機能回復」「障害克服」「活動を育む」の 3 つのキーワードをあげている．すなわち，疾病・外傷で低下した身体的・精神的機能を回復させ，障害を克服するという従来の解釈のうえに立って，ヒトの営みの基本である「活動」に着目し，その賦活化を図る過程がリハビリテーション医学の中心であるという考え方を示している．日常での「活動」としてあげられる，起き上がる，座る，立つ，歩く，手を使う，見る，聞く，話す，考える，服を着る，食事をする，排泄する，寝る，などが組み合わさり有機的に行われることにより，家庭での「活動」，学校・職場・スポーツなどにおける社会での「活動」につながっていく．

リハビリテーション医学・医療の専門家がリハビリテーション科医である．リハビリテーション診療において，リハビリテーション科医は的確なリハビリテーション診断のもと，適切なリハビリテーション治療を行わなければならない．その際，患者および家族に face to face でその効用と見通しを説明しながら患者の意欲と家族の協力を高める努力は欠かせない．また，理学療法士，作業療法士，言語聴覚士，義肢装具士，歯科医，看護師，薬剤師，管理栄養士，臨床心理士，社会福祉士/医療ソーシャルワーカー，介護支援専門員/ケアマネジャー，介護福祉士などの専門職からなるリハビリテーション医療チームの要として，専門職の特性を熟知したうえで，チーム内の意思疎通を図り，それぞれの医療機関において，リハビリテーション医療という資源をバランスよく差配する役目を担っている．さらに，近年，リハビリテーション科医の活躍の場は急性期病院，回復期リハビリテーション病棟，在宅など広い範囲にわたっている．加えて，国の施策として構築が急がれている地域包括ケアシステムの中核で大きく活躍を期待されているのもリハビリテーション科医である．

しかしながら，リハビリテーション科医のための教育体制は十分とは言いがたい状況である．全国の大学・医科大学の医学部のなかで，リハビリテーション医学の講座があるのは半数に満たない状況であり，医学生のうちの半数以上はリハビリテーション医学の基本的な教育を受けないまま卒業する．卒後臨床研修においても，リハビリテーション科は必修ではない．また，急性期，回復期，生活期のリハビリテーション医療施設はそれぞれ独立していることが多く，一貫した教育体制が取りにくくなっている．リハビリテーション医学に基づく質の担保されたリハビリテーション医療を行っていくためにも，リハビリテーション科専門医の教育体制の整備が喫緊の課題になっており，日本リハビリテーション医学会の役割は従来にも増して大きくなっている．

2018 年度から日本専門医機構による専門医養成教育が始まる．リハビリテーション科は 19 基本領域の 1 つであり，その研修プログラムを日本リハビリテーション医学会が日本専門医機構とともに管理している．「活動を育む」優れたリハビリテーション科医を育成していく好機であり，大きな節目となる．

専門医養成教育には学術的な裏付けのある知識や技能が必須であり，その道しるべとして基本となる書籍は不可欠である．本書はリハビリテーション科の専門医養成教育開始にあたって学ぶべき多くの事項に関して，そのコアとなる部分について臨床面を中心に取り上げ，カラーイラストを配置しながらできるだけわかりやすく記載することを目的としたテキストである．日本リハビリテーション医学会の監修のもと，リハビリテーション科医ばかりでなく，医学生，研修医，他の領域の専門医，さらには，リハビリテーション医療チームを構成する専門職にも活用してもらえるよう企画してある．

編集には，日本リハビリテーション医学会の特任理事であり，他のリハビリテーション医学関連の教科書の編集に携わっていない加藤真介先生と角田亘先生に務めてもらい，section editor には，自身の執筆を含む執筆者の選定と section の編集をしていただける先生方を募った．カラーイラスト作画は優れた才能を持つ徳永大作先生にイラスト編集を含めお願いした．出来上がった原案をもとに，理事会で内容を検討し仕上げを行った．議論の残る用語，説明が必要な部分，リハビリテーション医学・医療に関係する情報については，巻末にリハビリテーション医学・医療便覧という項目を設けた．ご活用いただければ幸いである．

計画から発刊まで約 1 年という無理なお願いにもかかわらず，快くお引き受けいただき献身的な努力をされた編集者・section editor・執筆者の先生方に敬意と感謝の意を表したい．また，医学書院の関係者の方々のご尽力に深くお礼を申し上げる．本書が，質の高いリハビリテーション医学・医療を必要としている患者と家族のために働くリハビリテーション科医と専門職に役立つことを心から願っている．

2018 年 2 月

公益社団法人 日本リハビリテーション医学会
理事長　久保　俊一

目 次

I. 総論

II. 各論

III. 展望・社会貢献

凡例

- 固有名詞の疾患名や症状名は英語表記を基本とするが，英語だけでは読み方がわかりにくいものは例外的に読み方も併記した．
- 脳卒中は脳血管障害に統一した．
- 頭部外傷に関して，脳損傷が生じている場合は，外傷性脳損傷の用語も使用した．
- 「廃用症候群」は本書では「不動による合併症」と置き換えるが，保険診療での「廃用症候群リハビリテーション料」に該当するものについては「廃用症候群」を使用した．
- 日常生活活動，日常生活動作はADLと表記した．
- 日常生活関連動作，IADLは手段的ADLと表記した．
- 国際生活機能分類（International Classification of Functioning, Disability and Health；ICF）での「参加」は，「活動を育む」リハビリテーション医学での「社会での活動」に相当する．本書では「参加」に相当するものを「社会での活動」とした．
- リハビリテーション医療チームが行う行為は原則「診療」「診断」「治療」「支援」という用語を用いた．
- リハビリテーション治療を行う場所には，訓練室，機能訓練室，リハビリテーション室と複数の表現があるが，本書ではリハビリテーション室で統一した．
- 就業・就労は類似しているが，就業はその日の業務を始めること，職業につくことを指し，就労は仕事につくこと，仕事を始めることを指している．復職は職業復帰（広義の復職，転職を含めた職業生活への復帰），職場復帰（狭義の復職，同一企業内の配置転換を含む復帰）に区分して用いるべきであるが，同義として使われる場合もある．これらの用語の統一は困難なので，本書では慣例に従って用いた．
- 就学は小学校に入学することを指し，小学校入学以降，学校に復帰することは復学とするべきであるが，本書では就学は復学も含むものとした．
- 生活の場に戻るために住居に手を加えたり福祉用具を設置することを，「リハビリテーション医学・医療用語集」では家屋（住宅）改造（改修）としている．介護保険に関する法令では住宅改修とされており，各自治体のホームページなどでは住宅改造と表記されている場合もある．今後統一されるべきものと考えるが，本書では家屋改修と住宅改修の両者を用いた．
- 家族や専門職が介護を担当している場合，総称して介護者とした．
- 介護者が関与している場合は「ケア」という表現も用いた．
- 介助と介護の用語の使い方は時として判然としないこともある．本書では下記のような区別をした．介助は介護の範疇に入る行為の1つである．「体を触ったりして，動作，行為，動きを（身体的に）手伝う」ことを指す．たとえばトイレのときに体を支えたり，食事のときにスプーンを口まで持っていくことなどがあげられる．介助量は，介助の際の手助けの度合いであり，介護量は，介護者が介護する際の負担の度合いをいう．介護者は時に患者のADLを「介助」することがある．
- 摂食や嚥下に関する用語は歴史的にも各種存在するが，本書では摂食嚥下という用語で統一し，摂食嚥下機能，摂食嚥下障害，摂食嚥下訓練などとした．ただし，摂食嚥下障害に対する治療法全般を表す用語としては保険診療上の名称である摂食機能療法を用いた．また，摂食嚥下のプロセスは，先行期・口腔期・咽頭期・食道期の4つの期（フェーズ）に分けた．

I. 総論

総論

1

リハビリテーション医学・医療総論

1 リハビリテーション医学・医療の意義 —活動を育む医学—

- 日本リハビリテーション医学会では，2017年，リハビリテーション医学を「**活動を育む医学**」と再定義している．
- 疾病・外傷で低下した**身体的・精神的機能**を回復させ，**障害を克服**するという従来の解釈の上に立って，ヒトの営みの基本である「**活動**」に着目し，その賦活化を図り，よりよい ADL（activities of daily living）・QOL（quality of life）を目指す過程をリハビリテーション医学・医療とするという考え方である（図1-1）．
- リハビリテーションという用語は古くから使われていた．「re：再び，habilis：適した，ation：すること」であり，名誉の回復などを表している．たとえば，「ジャンヌ・ダルクのリハビリテーション」は「ジャンヌ・ダルクの名誉回復」を意味した．
- リハビリテーションという用語が医療の分野で使われ始めたのは，約100年前の第一次世界大戦の頃である．多数の戦傷者の社会復帰が大きな課題となった．米国陸軍病院には「physical reconstruction and rehabilitation」の部門が設けられた．このときのリハビリテーションは，医療と並行して戦傷者の社会復帰を促すという意味合いが強かった．その後，米国では「**physical medicine and rehabilitation**」として専門性が確立し，これが1950年代に日本に導入された．

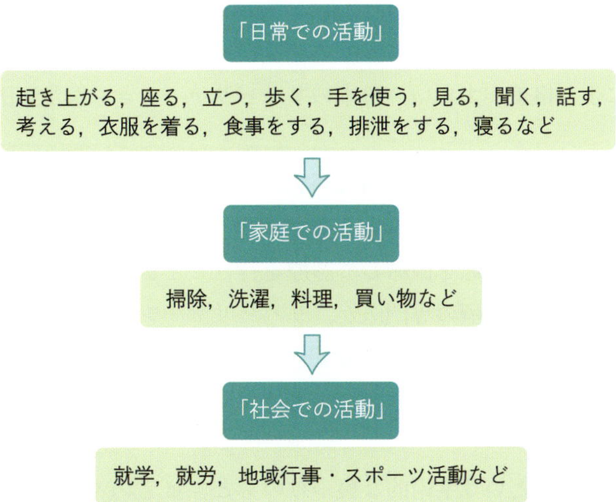

「日常での活動」

起き上がる，座る，立つ，歩く，手を使う，見る，聞く，話す，考える，衣服を着る，食事をする，排泄をする，寝るなど

「家庭での活動」

掃除，洗濯，料理，買い物など

「社会での活動」

就学，就労，地域行事・スポーツ活動など

図1-1 「活動を育む」リハビリテーション医学・医療

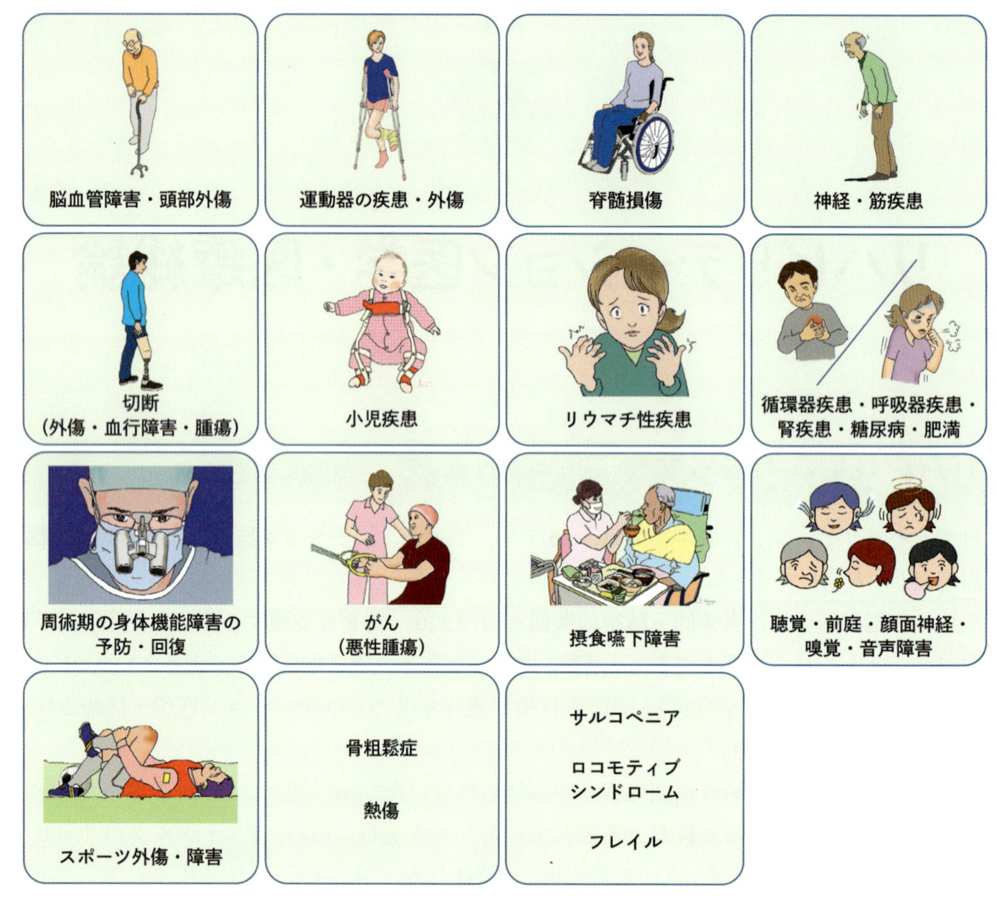

図 1-2　対象となる疾患・障害・病態

日本では「**リハビリテーション医学**」と命名されたが，この中には身体機能再建を行う physical medicine が含まれていることを念頭に置く必要がある．

- 国際リハビリテーション医学会（International Society of Physical and Rehabilitation Medicine；ISPRM）の名称において，“rehabilitation” の後に “medicine” が使用され始めたのは 1999 年である．
- 世界各地でリハビリテーション医学・医療の普及が進められているが，地域や社会的背景，疾病構造などの要因により格差が大きい．日本のリハビリテーション医学・医療の水準は世界のトップレベルである．
- 超高齢社会を迎えたわが国では，疾病構造が急速に変化し，複数の疾患・障害・病態が併存することは稀ではなくなっている．これに対しリハビリテーション医学・医療は「活動」という視点から重複する疾患・障害・病態を俯瞰して診療を行うことができる専門分野である．
- リハビリテーション医学・医療の専門医が，リハビリテーション科医である．基本診療科であるリハビリテーション科において，多様な疾患・障害・病態（図 1-2）に対し，「活動を育む」という視点からリハビリテーション医学の中核であるリハビリテーション診療を行っていく（表 1-1）．
- リハビリテーション医学という学術的な裏づけのもとエビデンスが蓄えられ，根拠のある質の高いリハビリテーション医療が実践される．リハビリテーション診療はリハビリテーション医療の

表 1-1 リハビリテーション診療

● リハビリテーション診断	● リハビリテーション治療	● リハビリテーション支援
〔活動の現状と問題点の把握，活動の予後予測〕 • 問診 病歴，家族歴，生活歴，社会歴など • 身体所見の診察 • 各種心身機能の評価・検査 • ADL・QOL の評価 FIM（機能的自立度評価法），Barthel 指数，SF-36 など • 栄養評価（栄養管理） • 高次脳機能評価（検査） 改訂長谷川式簡易知能評価スケール（HDS-R），MMSE（mini mental state examination），FAB（frontal assessment battery）など • 画像検査 単純 X 線，CT，MRI，エコー，シンチグラフィーなど • 血液・生化学検査 • 電気生理学的検査 筋電図，神経伝導検査，脳波，体性感覚誘発電位（SEP），心電図など • 生理学的検査 呼吸機能検査，心肺機能検査など • 摂食嚥下の機能検査 反復唾液嚥下テスト，改訂水飲みテスト，嚥下内視鏡検査（VE），嚥下造影検査（VF） • 排尿機能検査 残尿測定，ウロダイナミクス検査など • 病理学的検査 筋・神経生検など	〔活動を最良にする〕 • 理学療法 運動療法，物理療法 • 作業療法 • 言語聴覚療法 • 摂食機能療法 • 義肢装具療法 • 認知療法・心理療法 • 電気刺激療法 • 磁気刺激療法 rTMS（repetitive transcranial magnetic stimulation）など • ブロック療法 • 薬物療法（漢方を含む） 疼痛，痙縮，排尿・排便，精神・神経，循環・代謝，異所性骨化など • 生活指導 • 排尿・排便管理 • 栄養療法（栄養管理） • 手術療法 腱延長術，腱切離術など • 新しい治療 ロボット，BMI（brain machine interface），再生医療，AI（artificial intelligence）の利用など	〔活動を社会的に支援する〕 • 家屋評価・住宅（家屋）改修 • 福祉用具 • 支援施設〔介護老人保健施設（老健），介護老人福祉施設（特別養護老人ホーム，特養）〕 • 経済的支援 • 就学・復学支援 • 就労・復職支援 （職業リハビリテーション） • 自動車運転の再開支援 • 法的支援 介護保険法，障害者総合支援法，身体障害者福祉法など • パラスポーツ（障がい者スポーツ）の支援 • 災害支援

図 1-3 リハビリテーション医学，リハビリテーション医療，リハビリテーション診療（診断・治療・支援）

リハビリテーション医学が科学的にリハビリテーション医療を裏づける．リハビリテーション医療の中核であるリハビリテーション診療には診断，治療，支援の 3 つのポイントがある．患者の「社会での活動」を支えていくリハビリテーション支援もリハビリテーション診療の重要な項目でもある．

リハビリテーション医学・リハビリテーション医療

リハビリテーション診療

• リハビリテーション診断〔活動の現状と問題点の把握，活動の予後予測〕
• リハビリテーション治療〔活動の最良化〕
• リハビリテーション支援〔活動のための社会的支援〕

中核である．したがって質の高いリハビリテーション診療を行うためには，リハビリテーション医学・医療を体系立てて学ぶ必要がある．

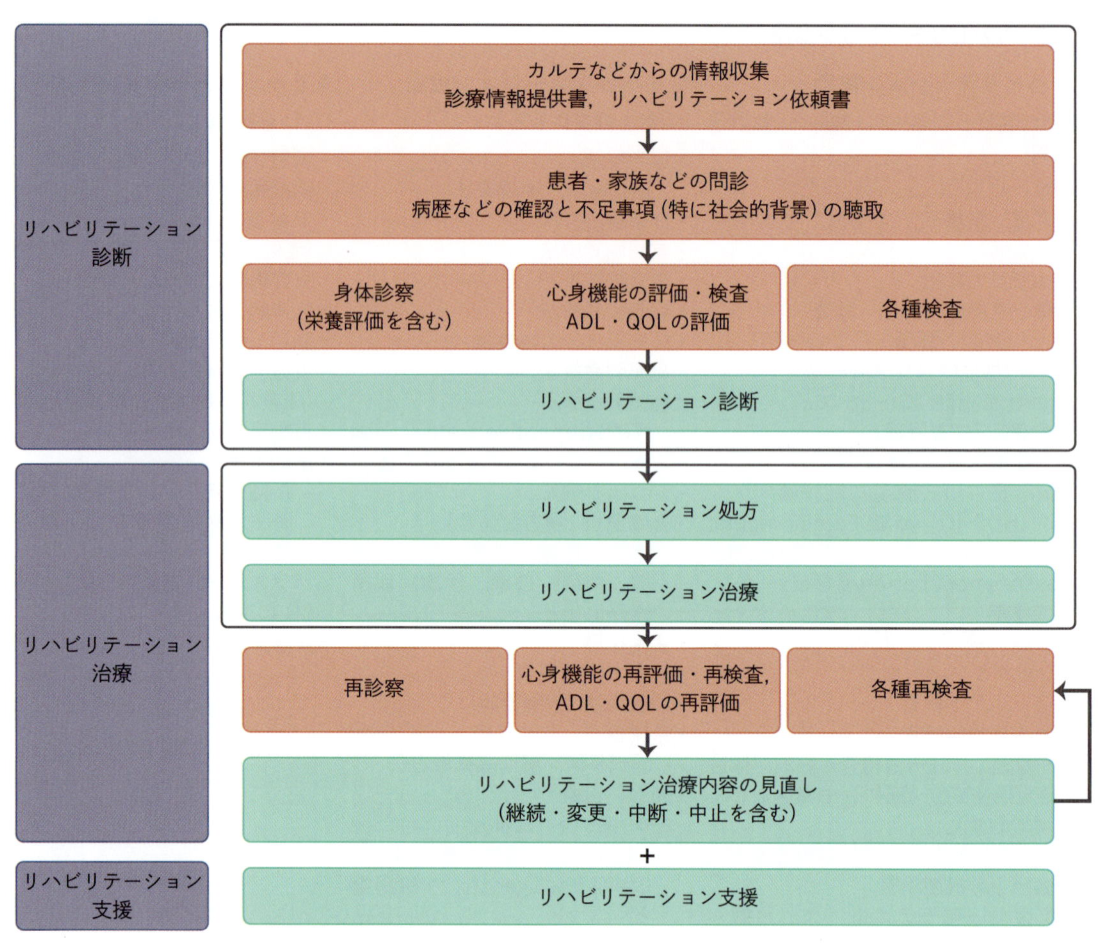

図 1-4　リハビリテーション診療の流れ

- リハビリテーション診療には，診断，治療，支援の 3 つのポイントがある（図 1-3）．リハビリテーション診断では，急性期，回復期，生活期のフェーズを問わず，「**日常での活動**」・「**家庭での活動**」・「**社会での活動**」について，病歴・診察，各種の評価・検査を踏まえながら，活動の現状を把握し，問題点を明らかにした上で，活動の予後予測を行う．そして，それらの活動を最良にするために治療目標（治療ゴール）を定め，適切な治療法を組み合わせた**リハビリテーション処方**を作成し，**リハビリテーション治療**を実施していく．
- さらに，リハビリテーション治療と並行して**環境調整**や**社会資源**の活用などの**リハビリテーション支援**も行い，よりよい ADL・QOL の実現を目指す（図 1-4）．リハビリテーション支援により患者の「社会での活動」を支えていくのもリハビリテーション診療の重要な役目である．
- リハビリテーション科医には，急性期，回復期，生活期というフェーズの特徴と長期予後を見据えた診療態度も求められる．それぞれのフェーズでのリハビリテーション医学・医療のポイントをおさえておくことが重要である（図 1-5）．
- リハビリテーション科医は，理学療法士，作業療法士，言語聴覚士，義肢装具士，看護師，薬剤師，管理栄養士，公認心理師/臨床心理士，臨床検査技師，臨床工学技士，社会福祉士/医療ソーシャルワーカー，介護支援専門員/ケアマネジャー，介護福祉士，などの各職種に加え，各診療科の医師，歯科医，歯科衛生士などからなる**リハビリテーション医療チームの要**である．各職種

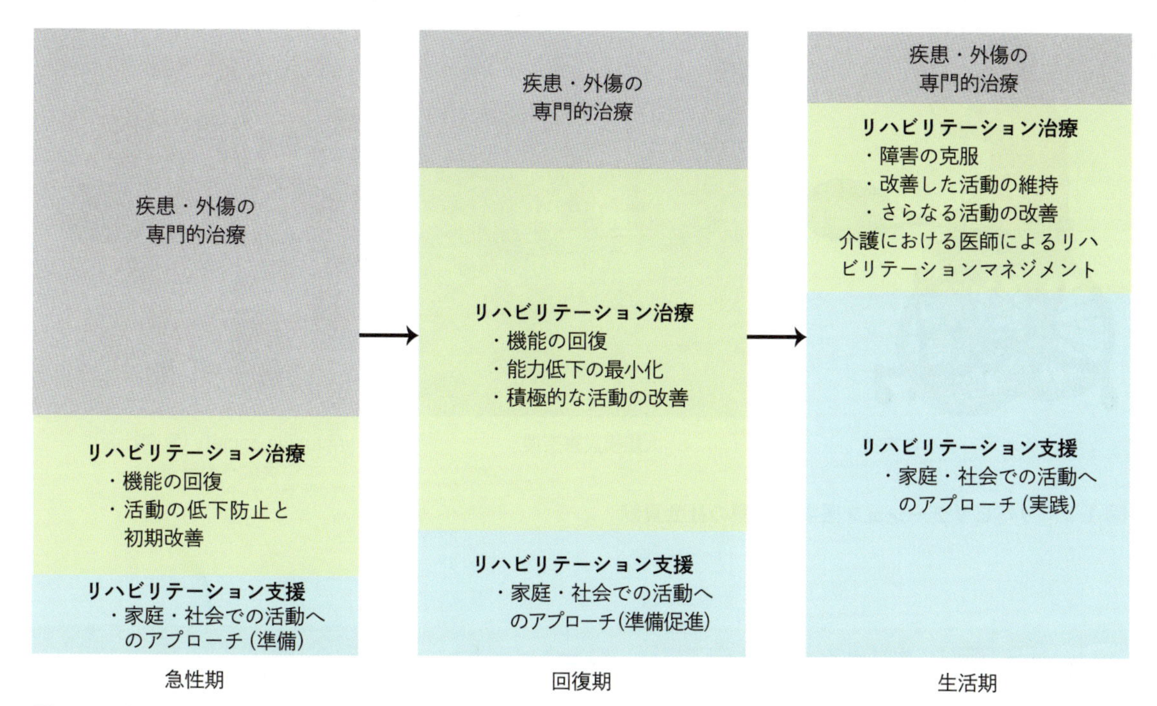

図 1-5　急性期・回復期・生活期のリハビリテーション医学・医療

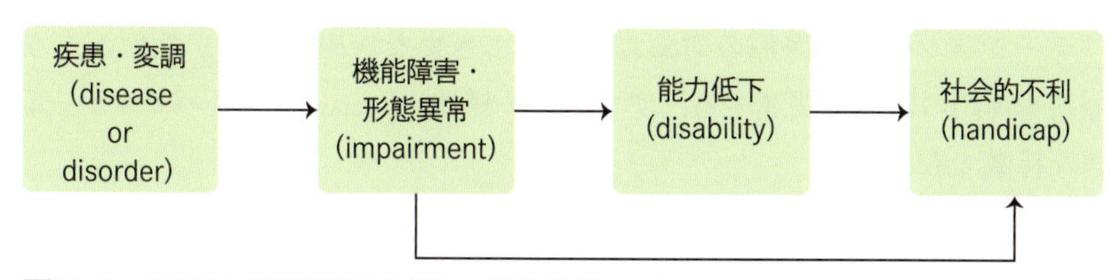

図 1-6　ICIDH（国際障害分類）の障害構造モデル

の役割を熟知し，チーム内の意思疎通を図るため多職種カンファレンスなどを行いながら，それぞれの医療機関や施設などの特性を踏まえ，バランスのとれた効率のよいリハビリテーション診療を提供する役目をもっている．

- なかでも，リハビリテーション診療を必要とする患者および家族に face to face でその効用と見通しを説明しながら，患者の意欲を高め，家族の理解を得ることは重要な使命である．
- リハビリテーション科医には，impairment（機能障害・形態異常），disability（能力低下），handicap（社会的不利）という障害構造モデルを踏まえ（図 1-6），重複障害がある場合も含め，幅広い視点で患者の持てる活動の能力を最大限に引き出して，より質の高い家庭での活動や社会での活動につなげていくことが求められる．
- その際，社会環境の整備にも目配りする必要があり，地域社会の種々のサービスの計画や実施に対しても積極的に関与していくべきである．
- リハビリテーション医学・医療の社会貢献としては，パラスポーツ（障がい者スポーツ）への支援，大規模災害支援，inclusive society（寛容社会）実現への提言などがあげられる（図 1-7）．

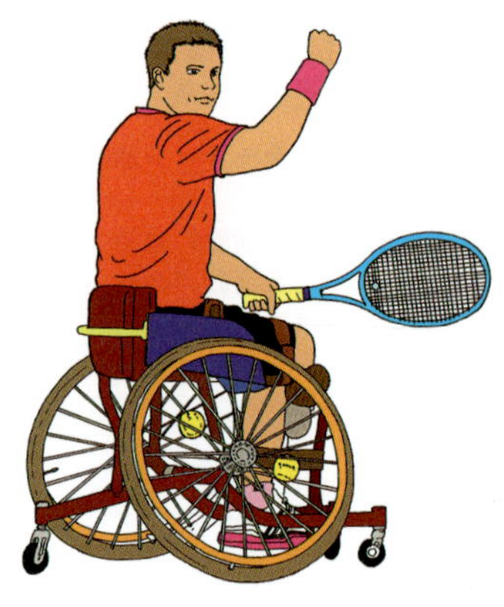

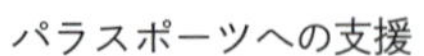

パラスポーツへの支援

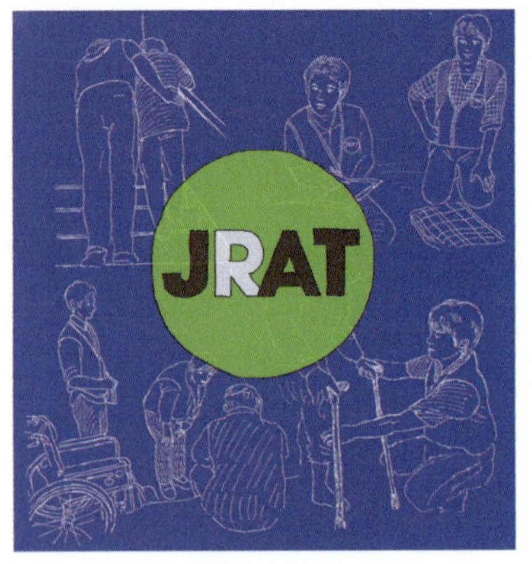

大規模災害支援

inclusive society（寛容社会）
実現への提言

図 1-7　リハビリテーション医学・医療の社会貢献

2　わが国におけるリハビリテーション医学・医療の現状

リハビリテーション医学・医療の主な対象

- リハビリテーション医学・医療の対象には，さまざまな疾患・障害・病態があり（図 1-2），多くの診療科や専門の職種と関連する．すなわち多様性（diversity）がリハビリテーション医学・医療の大きな特徴でもある．
- わが国におけるリハビリテーション医学・医療の原点は戦前の急性灰白髄炎（脊髄性小児麻痺；ポリオ），骨・関節結核，脳性麻痺などの肢体不自由児に対する療育にあるとされている．
- 戦中は戦傷により，戦後と高度成長期には労働災害や交通事故により対象となる患者が増加し，四肢の切断，骨折，脊髄損傷のリハビリテーション医学・医療が大きなテーマとなった．
- 超高齢社会となった現在，対象として，小児疾患や切断・骨折・脊髄損傷に，脳血管障害，運動器疾患（脊椎・脊髄を含む），神経・筋疾患，循環器・呼吸器・腎臓・内分泌代謝疾患（内部障害），がん，摂食嚥下障害，聴覚・前庭・顔面神経・嗅覚・音声障害，スポーツ外傷・障害などの疾患や障害が積み重なっている．
- さらに，周術期の身体機能障害の予防・回復，サルコペニア，ロコモティブシンドローム，フレイルなども加わり，ほぼ全診療科に関係する疾患・障害・病態を扱う領域になっている．疾患・障害・病態は複合的に絡み合い，その発症や増悪に加齢が関与している場合も少なくない．
- 社会の高齢化が急速に進んだ超高齢社会において，多くの疾患や障害を重複してかかえる高齢者への対応は大きな課題となっている．リハビリテーション科医を複合障害・重複障害に関する専門家としても位置づけることができ，リハビリテーション医学・医療に対する社会の期待はきわめて大きい．

リハビリテーション医学・医療を担う人材の教育

- リハビリテーション医学・医療を担う人材の教育は大きな課題である．

- リハビリテーション科の専門医はリハビリテーション医学・医療の需要に対して圧倒的に不足している．全国の大学・医科大学の医学部でのリハビリテーション医学講座の設置推進や専門医制度における充実した教育体制の整備は大きな課題である．
- また，急速に新卒の従事者が増加している理学療法士，作業療法士，言語聴覚士などへの教育的な支援も大切である．治療法のエビデンス構築もリハビリテーション医療の質を担保し向上させるうえで欠かせない．既存の治療法の客観的評価に加え，より有効で効率のよい治療法の開発も急務である．
- 近年，多様性が組織を活性化するダイバーシティ・マネジメント（diversity management）というプロセスが注目されている．リハビリテーション医学・医療は，関係する職種の多様性という特徴を進歩へのエネルギーとして内包しているともいえる．リハビリテーション医学・医療に関係する多くの学会や団体は学術的な連携を進めていく必要がある．2018 年に関係 26 団体が集まって設立された日本リハビリテーション医学教育推進機構がこの役目を担っている．

3 機能を回復する，障害を克服するとは

- リハビリテーション医学・医療では，機能を回復させ，障害を分析・評価し，それらに対して最善・最良の対応をとるというプロセスがある．「障害を克服する」というキーワードは，リハビリテーション医学・医療を障害という側面からとらえた定義である．
- 1980 年に WHO（World Health Organization）によって制定された**国際障害分類（International Classification of Impairments, Disabilities and Handicaps；ICIDH）**では，障害を疾病によって生じる臓器レベルの「機能障害・形態異常，impairment」，個人レベルの「能力低下，disability」，そして生活レベルでの「社会的不利，handicap」の 3 つのレベルに分けている（図 1-4）．ICIDH の障害構造モデルは障害の階層性を示している．
- 多くの医学の領域では，疾病治療に焦点を当てるのに対して，リハビリテーション医学・医療では上記の 3 つのレベルにもポイントを置いているのが特徴である．たとえば脳梗塞という疾患によって，右上下肢の片麻痺が生じ（機能障害），歩行が困難となり（能力低下），復職できなくなった（社会的不利）と考えると障害をとらえやすい．
- 一方，ICIDH の障害分類はマイナス表現で構成されているという指摘がある．これに対し「**活動を育む**」というキーワードはプラス思考でリハビリテーション医学を説明している．2001 年に WHO 総会で採択され，現在，国際的に整備が進められている**国際生活機能分類（International Classification of Functioning, Disability and Health；ICF）**（図 1-8）の基本的な考え方とも合致する．**ICF の参加（participation）**は，図 1-1 における「**社会での活動**」に相当する．

4 「活動を育む」とは

- 「**活動を育む**」とは，ヒトの営みの基本である「活動」に着目してその賦活化を図り，よりよい ADL・QOL を獲得していく過程をリハビリテーション医学・医療の中心に据える考え方である．
- 「**日常での活動**」としてあげられるのは，起き上がる，座る，立つ，歩く，手を使う，見る，聞く，話す，考える，衣服を着る，食事をする，排泄をする，寝るなどである．
- これらの活動を組み合わせて行うことで，掃除，洗濯，料理，買い物などの「**家庭での活動**」に

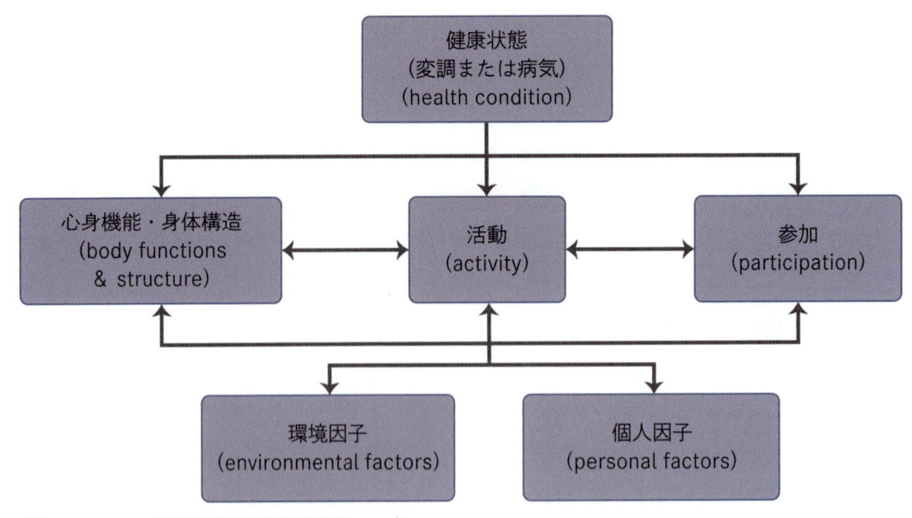

図 1-8　ICF（国際生活機能分類）モデル

つながる．さらにそれらを発展させると就学，就労，地域行事・スポーツ活動などの「**社会での活動**」となる（図 1-1）．

- 時代，地域，社会環境によって「活動を育む」対象は変化する．少子高齢社会のわが国では，「活動を育む」主眼は高齢者に置かれがちであるが，成長段階の小児や社会の中心的役割をしている青壮年期も対象とする視点が必要である．すなわち，すべての年齢層で「活動を育む」意義を示しながら，心身機能の回復・維持・向上を図り，生き生きとした社会生活をサポートしていく必要がある．
- 疾病・障害・病態の一次・二次予防でも，リハビリテーション医学・医療はさらに大きな役割を求められる．

5 急性期・回復期・生活期のリハビリテーション医学・医療の考え方

- リハビリテーション医学・医療では，疾患が発症したり，外傷が発生した直後の急性期，急性期のあとの回復期，在宅や施設での自立を目指している生活期の 3 つのフェーズに分けることができる（図 1-5）．
- 急性期，回復期および生活期それぞれに特徴がある．図 1-9 に，急性期，回復期，生活期のリハビリテーション診療と施設の特徴を示す．
- ただし，神経難病などでは，終末期を見越して生活期からの一貫したリハビリテーション診療が必要となる．変形性膝関節症のような加齢に伴う慢性疾患では，生活期が先行し，手術や急性増悪などがあれば，そこから急性期のリハビリテーション診療がスタートする．

急性期の考えかた

- 急性期では，疾患・外傷自体の治療のウエイトが最も大きく，これらの治療は専門領域の各診療科医師を中心に行われる．リハビリテーション科医は，各診療科医師と連携しながらそれぞれの

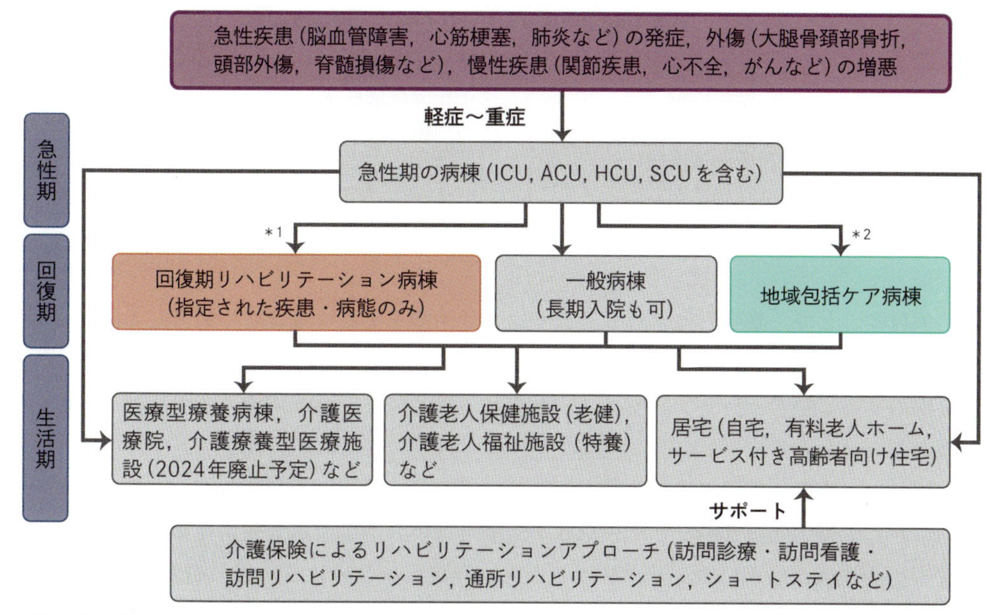

図 1-9　各フェーズにあわせた医療機関や施設

ICU：intensive care unit，ACU：acute care unit，HCU：high care unit，SCU：stroke care unit

＊1 脳血管障害や大腿骨近位部骨折などの指定された疾患・病態に対する集中的なリハビリテーション診療が必要な場合

＊2 急性期を経過し，在宅復帰を目指す診療（リハビリテーション診療を含む）が必要な場合（集中的なリハビリテーション診療も一部可能）

病状に対してリハビリテーション診断を行った上で，活動性の低下を防止しながら，積極的なリハビリテーション治療を用いて，身体的・精神的な機能回復を目指す（図 1-5）．

- 具体的には，リハビリテーション治療は疾病・外傷・手術などの発症や処置直後から原疾患の治療と並行して行われる．手術が行われる場合には，術前からリハビリテーション治療が行われることも少なくない．期間に関して明瞭な区切りはないが，原疾患に対する濃厚な治療を行う約10日から1か月程度である．
- 急性期のリハビリテーション診療では，不動（immobility）による非活動性萎縮（disuse atrophy）を含む合併症（表 1-2）の防止と積極的なリハビリテーション治療がポイントになる．診療報酬上，不動による合併症には廃用症候群の名称が用いられる．
- 急性期病院を退院後，回復期の施設を経由しないで在宅に移行する患者に対して，医療・福祉サービスのセッティング，生活環境の調整などのリハビリテーション支援を行う場合もある．
- 急性期では，リスク管理が不可欠で，原疾患の治療を行っている診療科との協調・連携がきわめて重要である．この際，積極的な急性期のリハビリテーション診療を展開していくためには，リハビリテーション治療が原疾患の予後をも改善させることをしっかりと認識してもらうことが大切である．

回復期の考えかた

- 回復期では，リハビリテーション治療のウエイトが最も大きい（図 1-5）．
- 病状が安定した患者に対して食事，着衣動作，移動，コミュニケーションなどADLの自立を主

表 1-2 不動（immobility）による合併症（廃用症候群）

・筋萎縮	・摂食嚥下障害
・関節拘縮	・消化管機能低下
・骨萎縮	・排泄機能低下
・呼吸循環機能低下	・褥瘡　　など
・精神機能低下	

な治療目標として，集中的にリハビリテーション治療を実施することで最大限の活動の賦活化が期待できる．

- 回復期のリハビリテーション診療は，回復期リハビリテーション病棟，一般病棟，地域包括ケア病棟などで行われる．
- 回復期では，疾患・外傷で生じた能力低下というマイナス面と残存する能力を伸ばすプラス面の両面に対して集中的なリハビリテーション治療を行い，活動を最大限に高める．
- 家庭・社会生活へいかにアプローチするかという点も，このフェーズの重要なポイントである．そのための医療・福祉サービスのセッティング，生活環境の調整などのリハビリテーション支援を同時に進める．

生活期の考えかた

- 生活期のリハビリテーション診療では，「できるようになる」だけでなく生活の中で「実際に行っている」ことが重視される．改善できた活動を長期にわたって維持し，実生活を通してさらなる活動の向上を目指す．介護負担の軽減，生活環境の整備，社会での活動の促進などのリハビリテーション支援も含めて，自立生活が確立することを治療目標として診療を行う．さまざまな介護サービスも活用し，家族も含めた多面的なアプローチが求められる．慢性進行性疾患などで，発症当初から必要に応じて行われるリハビリテーション診療もこれに分類できる．
- 生活期のリハビリテーション診療の場は，在宅（有料老人ホーム，サービス付高齢者向け住宅，グループホーム，小規模多機能型施設，ケアハウスを含む）のほか，障害者病棟，療養型病床，介護保険施設，障害児施設など多岐にわたる（図 1-9）．
- 医療保険でのリハビリテーション診療，介護保険サービスでの通所リハビリテーション・訪問リハビリテーションなどを通じて，急性期や回復期で向上した活動の維持とさらなる向上を目指す．
- 高齢者や特定疾病患者に対する生活期のリハビリテーションアプローチでは，主に介護保険によりリハビリテーションマネジメントが提供されるとの方針が示されており，医療保険の利用は限定的である．しかしながら，リハビリテーション科医は介護でのリハビリテーションマネジメントでも，リハビリテーション医学・医療をベースとした質の高いマネジメントを行っていくことが求められる．

介護におけるリハビリテーションマネジメント

- 急性期や回復期のリハビリテーション医療に比較し，生活期では，医療から介護への橋渡しを含め，治療計画やマネジメントが十分行われているとはいえないのが現状である．介護分野では，リハビリテーション医学・医療をベースとした質の高いリハビリテーションアプローチが必要であり，リハビリテーション医学・医療が果たすべき役割は大きい．

文献

1) Bernhardt J, et al：A very early rehabilitation trial for stroke(AVERT)：phase II safety and feasibility. Stroke 39：390–396, 2008
2) Schweickert WD, et al：Early physical and occupational therapy in mechanically ventilated, critically ill patients：a randomised controlled trial. Lancet 373：1874–1882, 2009
3) Moriki T, et al：Sitting position improves consciousness level in patients with cerebral disorders. Open Therapy Rehabilit 1：1–3, 2013
4) Kinoshita T, et al：Effects of physiatrist and registered therapist operating acute rehabilitation(PROr) in patients with stroke. PLoS One 12：e0187099, 2017

6 リハビリテーション医学・医療における専門の職種との連携

リハビリテーション医学・医療におけるチーム医療

- リハビリテーション診療では，多くの専門の職種がチーム医療としてかかわることが大きな特徴である．各職種がしっかりと意思疎通を図り，患者の現状把握やゴールについての認識を共有することが重要である（図 1-10）．

理学療法士(physical therapist；PT)

- 理学療法は，「身体に障害のある者に対し，主としてその基本的動作能力の回復を図るため，治療体操その他の運動を行わせ，及び電気刺激，マッサージ，温熱その他の物理的手段を加えること」と法的に規定されている．前者は運動療法，後者は物理療法である．理学療法士は医師の指示の下に理学療法を行うことを業とする国家資格である．

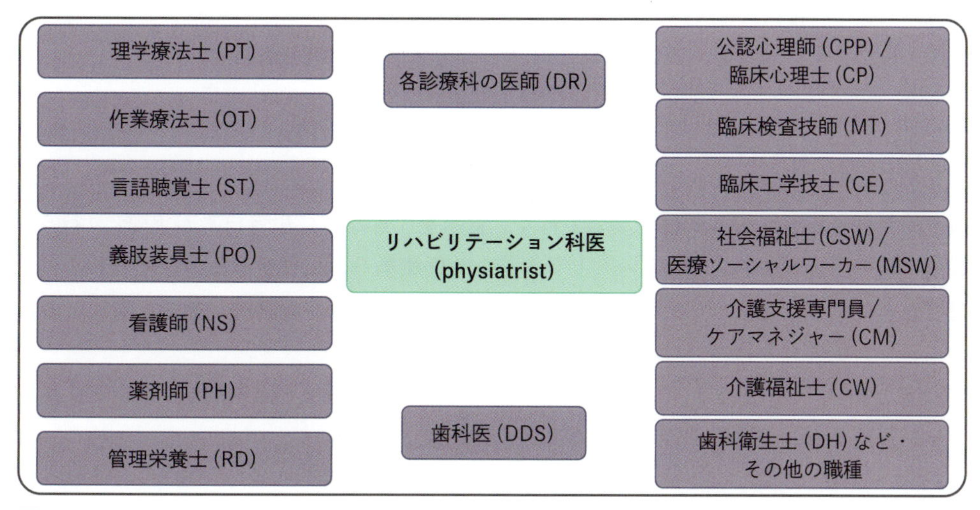

図 1-10　リハビリテーション医療チーム

- 運動療法には，関節可動域（ROM）訓練，筋力増強訓練，持久力（心肺機能）訓練，協調性訓練，バランス訓練，座位・立位訓練，起立・歩行訓練，治療体操などがある．
- 物理療法には，ホットパック，極超短波（マイクロウェーブ）や超音波などの温熱療法，水治療法，光線療法などがある．

作業療法士（occupational therapist；OT）

- 作業療法は，「身体又は精神に障害のある者に対し，主としてその応用的動作能力または社会的適応能力の回復をはかるため，手芸，工作その他の作業を行わせること」と法的に規定されている．作業療法士は医師の指示の下に作業療法を行うことを業とする国家資格である．
- 作業療法には身体障害作業療法と精神障害作業療法がある．前者には，道具を利用した機能的訓練，ADL訓練・家事動作などの手段的ADL（instrumental activities of daily living）訓練などがある．後者は手芸・絵画・園芸などのレクリエーション活動などにより，意欲や対人関係の改善，気分転換などを図る目的で実施される．

言語聴覚士（speech-language-hearing therapist；ST）

- 言語聴覚士は，「音声機能，言語機能又は聴覚に障害のある者についてその機能の維持向上を図るため，言語訓練その他の訓練，これに必要な検査及び助言，指導その他の援助を行うこと」と法的に規定された職務を医師の指示の下に行う国家資格である．
- 言語聴覚療法では脳血管障害などによる失語症，聴覚障害，音声障害，言語発達障害などが対象となり，聴能訓練，発声訓練，構音訓練，言語訓練などが行われる．また，摂食嚥下障害に対しては摂食嚥下訓練が実施される．

義肢装具士（prosthetist and orthotist；PO）

- 義足や義手などの義肢，軟性腰仙椎装具（体幹装具），長・短下肢装具（下肢装具），把持装具（上肢装具）などの義肢装具を医師の処方に従って作製し，仮合わせから適合までの一連の過程を担う国家資格である．なお，義肢装具以外に車いすや杖などの調整も行う．

看護師（nurse；NS）

- 医学的管理のもと，トイレまで歩いて行く，食事をするなど，患者自身が実際に「行う」ための援助や精神的サポートをするリハビリテーション医療チームに欠かせない存在である．
- 患者がどのように活動し，生活しているかを直接知りうるのが看護師である．家族とのコミュニケーションが最も多いのも看護師である．
- 訓練室などで「できている」ことと，生活の場で実際に「行っている」ことの違いをリハビリテーション医療チームが把握するために重要な役割を担っている．

薬剤師(pharmacist；PH)

- 患者の薬歴を整理し，処方薬剤の管理を行いながら，リハビリテーション医療チームの中で重要な役割を担う．
- 患者の摂食嚥下機能，経口摂取の可能性（胃瘻の有無など）を考慮し，薬の剤形や投与ルートに関して医師に情報を提供する．
- 薬物療法のアドヒアランスを向上させるため，薬剤に関する情報を提供するとともに，患者の家族構成，上肢機能，認知機能（認知症や高次脳機能障害の有無）などに配慮した服薬プランの作成と服薬指導を行う．
- 退院後のフォローアップ先（かかりつけ医，施設など）へ薬剤情報を提供する．

管理栄養士(registered dietitian；RD)

- リハビリテーション治療の効果を最大限に発揮するためには，栄養障害に対する栄養療法，糖尿病・高血圧などの併存疾患に対する食事療法など，適切な栄養管理を行うことが必要である．
- 適切な栄養管理のためには管理栄養士の存在は欠かせない．
- 摂食機能療法をリハビリテーション医療チームとともに行う栄養サポートチーム（nutrition support team；NST）の中核を担う．

公認心理師(certified public psychologist；CPP)/臨床心理士(clinical psychologist；CP)

- 公認心理師は，2017年に施行された公認心理師法に基づく，心理職の国家資格である．
- 公認心理師は，心理学に関する専門的知識や技術を駆使して，医療，福祉，教育などの分野に貢献する．
- 公認心理師の主な業務は，患者の心理状態を観察してその結果を分析すること，心理に関する相談に応じて助言や指導などの援助を行うこと，患者の周囲の者に対して援助を行うことである．
- 臨床心理士は，日本臨床心理士資格認定協会によって認定された資格である．
- 臨床心理士の主な業務は，臨床心理アセスメント（心理テストや観察面接を行う），臨床心理面接（集団心理療法，行動療法，認知療法などを行う），臨床心理的地域援助（学校や職場でコンサルテーションを行う）である．

臨床検査技師(medical technologist；MT)

- 医師または歯科医師の指示の下に，ヒトの体から血液，尿，組織の一部などを取り出して行う検体検査と，体の表面や内部を検査する生体検査を行う．
- 検体検査には，微生物学的検査，免疫学的検査，血液学的検査，病理学的検査，生化学的検査，尿・糞便等一般検査，遺伝子関連・染色体検査などがある．
- 生体検査では，心電図検査，脳波検査，筋電図検査，超音波検査，呼吸機能検査，脈波検査，経皮的血液ガス分圧検査など，測定器を装着して体の表面や内部の状態を示すデータを取得する．

臨床工学技士(clinical engineer；CE)

- 医師の指示の下に，人工心肺装置，人工呼吸器，人工透析装置など生命維持装置の身体への接続・操作または身体からの除去を行う．
- 集中治療室，手術室，心臓カテーテル検査室など業務の幅は広く，医学的および工学的な知識を兼ね備え治療の効率化と安全性の担保に重要な役割を果たしている．
- 病院のエンジニアとして医療機器の保守・点検・管理も担当し，高度医療を支える医療機器の安全の確保と機能の維持を担っている．

社会福祉士(certified social worker；CSW)/医療ソーシャルワーカー(medical social worker；MSW)

- 病院や施設などの保健医療の場において，社会福祉の立場から患者の抱える経済的・心理的・社会的問題の解決と調整を行い，社会復帰の促進を図る役割を担うのが社会福祉士/医療ソーシャルワーカーである．
- 施設管理者の監督下に①療養中の心理的・社会的問題の解決や調整援助，②退院援助（退院・退所後の選択肢の説明や相談），③社会復帰援助（復学・復職支援など），④受診・受療援助，⑤経済的問題の解決や調整援助（福祉・保険など関係諸制度活用の支援など），⑥地域活動（地域の保健・医療・福祉システムづくりへの参画など）を行う．
- MSW の資格に関係する法的な規制はないが，国家資格である「社会福祉士」が携わることが多い．

介護支援専門員/ケアマネジャー(care manager；CM)

- 介護保険法に基づいて定められた専門職で，介護保険施設〔介護老人保健施設（老健），介護老人福祉施設（特別養護老人ホーム），介護療養型医療施設〕，あるいは居宅（在宅）サービス事業所などに所属している．
- 業務は，介護保険で要支援または要介護と認定された人を対象に，介護支援計画（ケアプラン）を作成し行政を含めた連絡調整などを行う．
- ベースとなる専門資格は多岐にわたるが，保健・医療・福祉の各種専門資格および実務経験を有する者から養成される．
- 介護支援専門員実務研修受講試験に合格した後，実務研修を修了して介護支援専門員証の交付を受ける必要がある．

介護福祉士(care worker；CW)

- 障害者や高齢者など日常で介助を必要とする人が安全かつ快適に生活が送れることができるように介護したり，福祉に関する相談に乗るなどの支援を行う．介護老人保健施設（老健）や介護老人福祉施設（特別養護老人ホーム，特養）などの施設に勤務することが多いが，回復期リハビリテーション病棟などの医療施設へも活躍の場が広がっている．

歯科医(doctor of dental surgery ; DDS)・歯科衛生士(dental hygienist ; DH)

- リハビリテーション医学・医療の分野で近年重要性が高まっている．摂食嚥下障害に対して，歯科治療や口腔ケアなどの大切な役割を担っている．

その他の職種

- 行政職員，教育関係者，スポーツやレクリエーションの指導者，建築関係者，民生委員など多くの職種がリハビリテーション医療やリハビリテーションマネジメントに関係している．

7 リハビリテーション医学・医療の歴史

- 古代から近世において現在のリハビリテーション医学・医療に連なる事例を知ることはリハビリテーション医学・医療の理解を深める上で有用である．

古代

- エジプトで，B.C. 2000年頃のミイラに装着された義肢が発見され，レプリカを用いて歩行解析を行ったところ，現代社会にも通じる良好な歩容と装着感が確認されている[1)]．
- 古代ギリシャで活躍し，スポーツ医学の父とも呼ばれるHerodicusは病気の予防や治療に運動が大切だと述べている[2, 3)]．
- Herodicusの弟子のひとりが，医聖Hippocratesである．運動は身体に有益だが，年齢や健康状態を勘案する必要があるとしている．対象として，肥満，糖尿病，結核に相当する疾患などをあげている[3)]．
- 2世紀ごろ，古代ローマ帝国の全盛時代に，Hippocratesの考えに傾倒したGalenusは，古代における医学の集大成を行った[3)]．その中で運動の強度を6段階に分類した．そして，健康増進のために中程度の強度の運動が有用であるとし，特にドッジボールのような球技を推奨した．対象として関節炎，うつ病，浮腫，痛風，めまいなどをあげている．この考えは長くルネサンスの時代に至るまでヨーロッパやイスラムの医学において支配的であった．
- ほぼ同時代の中国では華佗[3, 4)]が活躍した．運動の有用性を認めつつ過度にならないように戒めている．また，太極拳や気功の祖とされる運動を考案した．太極拳については，現在多くの転倒防止のエビデンスが報告されている[5～8)]．
- これらの東西の運動に関する事蹟は運動療法のルーツということができる．

16世紀～19世紀

- 16世紀，フランス人外科医Ambroise Paré[9)](1510-1590)はフランス王室の外科医として従軍し，その間に多くの切断患者などの外傷治療にあたった．Paréにより，軽いこと，膝が曲げられること，立つこと，膝伸展位で固定できること，などの工夫が施された実用的な義肢が開発されている．
- スイス人医師のJoseph Clément Tissot[10)](1747-1826)は1780年にGymnastique Médicinale et Chirurgicale[11)]という著書のなかで，手術後の適切な時期からの活動(離床)の必要性と，片麻痺

患者に対する運動療法の適応について記している．本書は現在のリハビリテーション医学・医療に連なる最初の意味のある文献とされている．

- フランス人医師で整形外科のパイオニアとも呼ばれる Jacques Mathieu Delpech[12]（1777–1832）は側弯症患者のための治療センターを設立し，側弯体操を実践した．この施設は治療のためのプールも備えていた．
- スウェーデン人医師でスウェーデン体操の父とも呼ばれる Per Henrik Ling[10]（1766–1839）は Royal Central Institute of Gymnastics（RCIG）を 1813 年に設立し，専門家としての理学療法士を "someone involved in gymnastics for those who are ill" として誕生させた．
- 理学療法士の組織は，その後 1887 年にスウェーデンの保健福祉庁に公式に登録された．
- 1884年に，パリのサルペトリエール病院で神経科教授となった Fulgence Raymond[10]（1844–1910）は，運動療法室を設置し，病院として初めて運動療法を提供した．障害者対策にきわめて重要な考え方とされる機能的再教育の概念を提唱した．そして個別に発展してきたリハビリテーション医学・医療に連なる事柄を統合し，その後の飛躍的な発展につなげた．
- 作業療法のルーツとされるのは，フランスの精神科医であった Phillipe Pinel[13]（1745–1826）が，閉鎖病棟で囚人のような扱いを受けていた精神疾患患者を開放し，治療として実施した "Moral Treatment and Occupation" であるとされる．このとき occupation は "man' s goal-directed use of time, energy, interests, and attention"，つまり，「目的に向かって，興味を持ち，気持ちを込めて，時間や体力を使うこと」と記載された[14]．
- 英国の William Tuke[14, 15]（1732–1822）は，この考えに共感し，1796 年に私立の精神疾患患者の施設として Retreat at York を創設し，"Moral Treatment and Occupation" を実践させた．また，精神疾患関連施設に関する法律改正にも尽力した．
- ヨーロッパ諸国では 20 世紀初めにかけて大きな戦争があり，兵士の兵役あるいは市民生活への復帰を目指す医学のなかでリハビリテーション医療の必要性が認知されていった．
- このなかで運動療法や作業療法が現在につながる形で整備されていった．

20 世紀

- 米国は第一次世界大戦（1914–1918）に参戦し，膨大な戦傷者が生じた．そこで，British Army Hospitals を手本として，米国陸軍病院で本格的なリハビリテーション医療の提供が開始された[16]．
- このときの部門の名称が "physical reconstruction and rehabilitation" であった．初めて公式に医療の分野でリハビリテーションの用語が用いられた[16]．Physical reconstruction は，「個人ごとの心身の最大限の回復」と定義された．その方策として薬物や手術に加えて，理学療法，作業療法，自主活動，教育，レクリエーション，職業訓練があげられた．理学療法の内容は水治療，電気治療，牽引治療，などの物理的な治療，自主的な運動，屋内外でのスポーツなどであった[16]．
- この部門を軍医として担当した Harry Edgar Mock（1880–1959）は，1918 年に発表した論文[17]の中で，リハビリテーションについて，社会で経済的自立ができるように，障害者を再適応させることとし，ハンディキャップがあっても有用な人生の再生を目指すとした．

理学療法士

- 1918 年に Reed College などに理学療法士養成の目的で短期集中トレーニングコースが設置され，その後，正式のプログラムに置き換えられた．

- 英国で教育を受け，リバプールの小児病院でポリオや痙性麻痺患者の治療経験のあった Mary McMillan（1880–1959）が，最初の理学療法士として Walter Reed General Hospital に勤務した[16].
- McMillan は現在の American Physical Therapy Association の母体である，American Women's Physical Therapeutic Association を 1921 年に設立し，その発展に大きく貢献した[18].
- 1929 年に起こった世界大恐慌で，病院における療法士採用が激減し，待遇が悪化したが，1939 年に始まった第二次世界大戦による戦傷者の激増で再びその需要が高まり，1954 年には最初の国家資格試験が始まった[19].
- 1955 年にワクチンが開発されるまで米国でもポリオが大流行し，患児のリハビリテーション診療にも理学療法士が活躍した.

作業療法士

- 1918 年に作業療法士養成の目的で Boston School of Occupational Therapy ほか軍公認の短期集中トレーニングコースが設置された[20].
- 戦地の病院では，訓練に用いる用具は，現地の材料で手作りされた[20].
- 作業療法士の組織である American Occupational Therapy Association（AOTA）の母体となった National Society for the Promotion of Occupational Therapy の設立は，1917 年であった[21].
- 設立に伴い，「作業療法とは，精神的または身体的な活動で，疾患あるいは外傷からの回復を促進するという明確な目的で処方されるもの」と初めて公式に定義された[22].
- 設立には，ソーシャルワーカーであった Eleanor Clarke Slagle，精神科医の William Rush Dunton Jr，結核のため長期療養した経験をもつ建築家の George Edward Barton，教師の Susan Cox Johnson，建築家の Thomas B. Kidner，看護師の Susan Tracy ら多職種の人々がかかわった[21].
- 米国での作業療法士の登録制度は，世界大恐慌により療法士の採用が激減し待遇が悪化しているさなかの 1932 年に開始された[23].

言語聴覚士

- 1925 年の National Association of Teachers of Speech の定期総会で Robert West が中心となって，American Academy of Speech Correction が誕生した．その後幾度か名称を変更し，1978 年から現在の American Speech–Language–Hearing Association となった[24].
- Lee Edward Travis は吃音症を専門とし，1928 年からは Iowa State University の教授を務め，Psychology Clinic の責任者として実際の治療にも携わった．教科書執筆・編集を含む教育システムの構築，また，電気生理学的方法を取り入れた脳研究などの活動も行い，founding father of the profession of Speech–Language Pathology in America とされている[25].
- 摂食嚥下訓練は，米国では 1930 年代から脳性麻痺児に対して学校や地域で実施されていたが，医療機関では行われていなかった．医療機関における訓練は，George L. Larsen が V. A. Hospital in Seattle においてポリオや進行性の神経疾患患者を主な対象として実施したのが始まりとされる.
- 言語聴覚士であった Jerilyn (Jeri) A. Logemann（1942–2014）は，大学院博士課程修了後の研修期間に放射線科医とともに研究を行い，放射線学的な診断方法を確立するとともに，多くの言語聴覚士が摂食嚥下訓練にかかわる契機を作った[26].

医学における専門分野としてのリハビリテーション医学

- 医学における専門分野としてのリハビリテーション医学の成立には，米国の Frank Hammond

Krusen[27] (1898-1973) と Howard Archibald Rusk[28] (1901-1989) が大きく貢献した.

- Krusen は 1935 年に Mayo Clinic において主任教授に就任した. この部門の名称は Section of Physical Therapy で, Krusen は father of physical medicine と称されている. 就任翌年には最初の physical medicine の研修制度 (3 年間) を立ち上げた. 1941 年に出版した教科書[29] は現在でも版を重ね, Krusen' s Handbook of Physical Medicine and Rehabilitation (4th edition) として販売されている. 1947 年, American Board of Medical Specialties に医学の専門分野として "physical medicine" を公式に認めさせた[27].
- Rusk は father of comprehensive rehabilitation とも称されている. 第二次世界大戦中に空軍軍医として戦傷者の治療として開始された集中的なリハビリテーション診療は, その有効性が認められ空軍および海軍の病院で普及した. 1946 年には, New York University College of Medicine に開設された Department of Physical Medicine and Rehabilitation の主任教授に就任し, 世界で初めて総合的なリハビリテーション医学教育のプログラムを確立した[28].
- 1947 年に Krusen の功績で認められた American Board of Physical Medicine は, Rusk の強い要望によって, その後, American Board of Physical Medicine and Rehabilitation と現在の名称に変更された[30]. この physical medicine and rehabilitation が 1950 年代に日本に導入され, リハビリテーション医学として整理されている.
- 1999 年に, International Federation of Physical Medicine and Rehabilitation (IFPMR) と International Rehabilitation Medicine Association (IRMA) が合併し, International Society of Physical and Rehabilitation Medicine (ISPRM) となり, 国際的に "rehabilitation" のあとに "medicine" が続く名称となった.

わが国におけるリハビリテーション医学・医療の軌轍

- わが国におけるリハビリテーション医学の源流は, 戦前に高木憲次が始めた療育にあるとされている. 療育というのは, 治療しながら教育を行うことであり, リハビリテーション医学の理念と合致する. 対象はポリオ, 骨・関節結核, 脳性麻痺などによる障害をもつ小児が主であった.
- 第二次世界大戦では多数の戦傷者が対象となり, 義肢・装具の必要性が高まった.
- 戦後は炭鉱事故や交通事故により脊髄損傷や四肢の骨折などの外傷が増加した.
- 1960 年, 厚生白書の「医療保険制度と公衆衛生活動 (特に疾病予防対策)」において,「疾病の予防, 治療およびリハビリテーションを一貫とする有機的な対策を推進していくことが強く要請される」と記載されリハビリテーション医学・医療の必要性が明記された[31].
- 1963 年には, 日本リハビリテーション医学会が創立された[32]. 別々に準備を進めていた, 日本整形外科学会リハビリテーション委員会および療育更生医学懇談会という整形外科関連の組織と, 内科系リハビリテーション懇談会という内科系の組織が一致団結し融和することで実現した. その後日本リハビリテーション医学会は 1989 年に法人化され,「公益社団法人日本リハビリテーション医学会」となった. 公益社団法人化以降の理事長を**表 1-3** に示す.
- 1963 年, 大学病院における初のリハビリテーション診療部門 (東京大学病院中央診療部運動療法室) が発足した. また, 初の理学療法士・作業療法士養成校として国立療養所東京病院附属リハビリテーション学院が開校した. 教員は英国や米国から招かれ, 授業は英語, 実習先は米駐留軍病院施設とたいへんに厳しい教育が施された. 本学院は 2008 年に役目を終えて閉校した.
- 1965 年には理学療法士及び作業療法士法が施行され,「理学療法士」および「作業療法士」の職

表 1-3 公益社団法人化された日本リハビリテーション医学会*の歴代理事長

初 代	津山直一（1989〜1994 年）
第 2 代	米本恭三（1994〜1998 年）
第 3 代	千野直一（1998〜2004 年）
第 4 代	江藤文夫（2004〜2008 年）
第 5 代	里宇明元（2008〜2012 年）
第 6 代	水間正澄（2012〜2016 年）
第 7 代	久保俊一（2016 年〜）

*日本リハビリテーション医学会設立は 1963 年

能が公式に定義された．翌 1966 年には第 1 回国家試験が実施され，同時に日本理学療法士協会および日本作業療法士協会が結成された．

- 1988 年に義肢装具士法が，1998 年に言語聴覚士法がそれぞれ施行された．
- 1996 年にはリハビリテーション科が標榜診療科として認められ，現在の日本のリハビリテーション医学・医療の体制が固まった．
- 2001 年，日本専門医制評価・認定機構により 18 基本領域の 1 つに「リハビリテーション科」が選定された．2018 年から日本専門医機構のもと，19 基本診療科の 1 つとしてリハビリテーション科専門医の育成が進められている．
- 高度成長期を経て，超高齢社会にある現在，さまざまな疾患・障害・病態がリハビリテーション医学・医療を必要としている．ほぼすべての医学・医療の分野が対象となっているといってもよい．さらに，介護分野におけるリハビリテーションアプローチでも医学的見地からの質の保証が求められている．

文献

1) Finch J：The ancient origins of prosthetic medicine. Lancet 12：377：548-549, 2012
2) Georgoulis AD, et al：Herodicus, the father of sports medicine. Knee Surg Sports Traumatol Arthrosc 15：315-318, 2007
3) Tipton CM：The history of "Exercise Is Medicine" in ancient civilizations. Adv Physiol Educ 38：109-117, 2014
4) Wikipedia：Hua Tuo（https://en.wikipedia.org/wiki/Hua_Tuo）
5) Hall CD, et al：Effects of Tai Chi intervention on dual-task ability in older adults：a pilot study. Arch Phys Med Rehabil 90：525-529, 2010
6) Lelard T, et al：Effects of a 12-week Tai Chi Chuan program versus a balance training program on postural control and walking ability in older people. Arch Phys Med Rehabil 91：9-14, 2010
7) Gyllensten AL, et al：Stability limits, single-leg jump, and body awareness in older Tai Chi practitioners. Arch Phys Med Rehabil 91：215-220, 2010
8) Wu G, et al：Comparison of telecommunication, community, and home-based Tai Chi exercise programs on compliance and effectiveness in elders at risk for falls. Arch Phys Med Rehabil 91：849-856, 2010
9) Wikipédia：Ambroise Paré（https://fr.wikipedia.org/wiki/Ambroise_Par%C3%A9）
10) Conti AA：Western medical rehabilitation through time：a historical and epistemological review. Scientific World Journal 14：432-506, 2014
11) Tissot CJ：Gymnastique Médicinale et Chirurgicale. Bastien, Paris, 1780
12) Glicenstein J：Jacques Mathieu Delpech et l'École de Montpellier：1ère partie Jacques Mathieu Delpech（1777-1832）. Ann Chir Plast Esthet 57：185-191, 2012
13) The Editors of Encyclopædia Britannica. Philippe Pinel（http://www.britannica.com/biography/Philippe-Pinel）
14) Sensory Processing Disorder（SPD）Resource Center：The History of Occupational Therapy（http://www.sensory-processing-disorder.com/history-of-occupational-therapy.html）

15) Bewley T：Madness to Mental Illness. A History of the Royal College of Psychiatrists. Online archive 1, William Tuke (1732−1822) (http://www.rcpsych.ac.uk/pdf/online%20archive%201%20william%20tuke.pdf#search='William+Tuke')
16) Vogel CEE：Physical therapist before World War II (1917−40), Section I. Physical Therapists (1917−19) (http://history.amedd.army.mil/corps/medical_spec/chapterIII.html)
17) Mock HE：Reclamation of the Disabled from the Industrial Army. The Annals of the American Academy of Political and Social Science 80：29−34, 1918 (http://www.jstor.org/stable/1013904?seq=1#page_scan_tab_contents)
18) American Physical Therapy Association：ATPA history (http://www.apta.org/History/)
19) American Physical Therapy Association：History of the Profession of Physical Therapy. Today's Physical Therapist：A Comprehensive Review of a 21st−Century Health Care Profession. pp 6−8, 2011
20) McDaniel ML：Occupational Therapists Before World War II (1917−40), Section I. World War I (http://history.amedd.army.mil/corps/medical_spec/chapteriv.html)
21) Schwartz KB：Reclaiming our heritage：connecting the Founding Vision to the Centennial Vision. Am J Occup Ther 63：681−690, 2009
22) History of Occupational Therapy. OT111 Quinnipiac University (http://quoccupationaltherapy.weebly.com/history-of-occupational-therapy.html)
23) West WL：Ten milestone issues in AOTA history. Am J Occup Ther 46：1066−1074, 1992
24) Van Riper C：An early history of ASHA. ASHA 23：855−858, 1981
25) Duchan JF：Lee Edward Travis. A History of Speech−Language Pathology (http://www.acsu.buffalo.edu/~duchan/history_subpages/leeedwardtravis.html)
26) Miller RM, et al：Speech−language pathology and dysphagia：a brief historical perspective. Dysphagia 8：180−184, 1993
27) Kinney CL, et al："Rehabilitation…a key word in medicine"：the legacy of Dr. Frank H. Krusen. PM & R5：163−168, 2005
28) Blum N, et al：Howard A Rusk (1901−1989) from military medicine to comprehensive rehabilitation. Am J Public Health 98：256−257, 2008
29) Opitz JL, et al：The history of physical medicine and rehabilitation as recorded in the diary of Dr. Frank Krusen：Part 1. Gathering momentum (the years before 1942). Arch Phys Med Rehabil 78：442−445, 1997
30) Association of Academic Physiatrists：The history of PM & R：an overview (http://www.physiatry.org/?page=History_PMR)
31) 厚生労働省：厚生白書(昭和 35 年度版) (http://www.mhlw.go.jp/toukei_hakusho/hakusho/kousei/1960/dl/02.pdf)
32) 上田　敏：記念すべき 1963 年—日本リハビリテーション医学会創立をめぐって. Jpn J Rehabil Med 50：791−794, 2013

（久保俊一）

総論

2 リハビリテーション医学に必要な基礎科学

1 臨床解剖学

- 解剖学はリハビリテーション医学の基本中の基本である．骨，筋，脈管，神経などの構造を肉眼的，組織学的にしっかりと把握しておくことはきわめて重要である（表 2-1）．
- 本章では，従来の解剖に関する教科書も利用してもらうことを前提に，診察上重要となる体表から皮膚を通して触れることができる組織のポイントをあげ，その深部がどのような構造になっているかを「体表解剖学」として，イラストを中心に解説した．
- 脳神経系の解剖については，各論 1「脳血管障害・頭部外傷」（⇒ 131 頁）の該当頁を参照していただきたい．また，各論の章でもそれぞれ解剖について記載はあるが，本書で示せなかった肉眼解剖学，組織学についてはそれらを詳述した書物も活用して知識を補足していただきたい．

臨床解剖学を活用したリハビリテーション診察

- リハビリテーション科医の診察は患者の入室時から始まる．動作を観察し，病歴の問診時にも高次脳機能などをチェックする．全身の理学所見を診察したあとは，局所についても視診，触診を行う．全身では左右差や局所の筋萎縮・肥大などがないかよく観察する．神経学的所見はきわめて重要であるが，これに関する詳細は成書[1]を参照していただきたい．運動器に関しては，圧痛の有無や機能診断も重要である．

体表解剖学

- 診察の手順，診察上重要な体表上のメルクマールとなる部位について，以下にその名称を示した．特に重要な部位については，深部に存在する筋，骨，脈管を層別に示した．

表 2-1 解剖で学ぶべき項目

肉眼的
骨，筋，靱帯，動脈・静脈・リンパ，神経（脳，脊髄，末梢神経）など
組織学的
骨，軟骨，滑膜，靱帯，神経，神経・筋接合など

全身の体表解剖
―前面の筋のポイント

1	胸鎖乳突筋
2	大胸筋
3	前鋸筋
4	腹直筋
5	外腹斜筋
6	三角筋
7	上腕二頭筋
8	腕橈骨筋
9	大腿四頭筋
10	大腿筋膜張筋
11	前脛骨筋
12	長・短腓骨筋腱

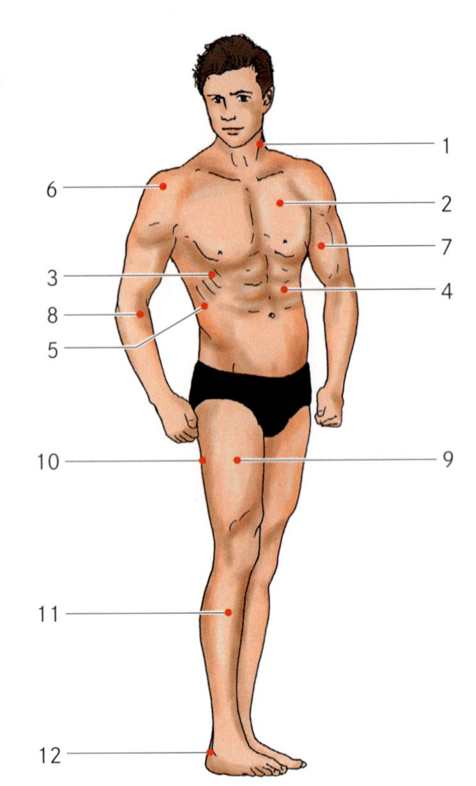

・胸鎖乳突筋は胸骨部と鎖骨部に起始があり乳様突起に停止する．大胸筋は鎖骨，胸骨，肋骨，腹直筋鞘に起始があり，上腕骨大結節稜に停止する．三角筋は前方線維，中間線維，後方線維がある．大腿四頭筋は大腿直筋，中間広筋，外側広筋，内側広筋の 4 つの筋肉から成る．体表から触れる大腿四頭筋は大腿直筋，外側広筋，内側広筋である．肋骨と肋骨の間には肋間筋が存在し，肋間神経と肋間動脈は肋骨の下縁を通る．

全身の体表解剖
―前面の骨のポイント

1	乳様突起
2	肩鎖関節
3	鎖骨
4	胸鎖関節
5	胸骨
6	肋骨
7	上前腸骨棘
8	恥骨
9	上腕骨外側上顆
10	尺骨頭
11	橈骨茎状突起
12	大腿骨大転子
13	大腿骨外顆
14	膝蓋骨
15	鵞足
16	腓骨頭
17	外果
18	第 5 中足骨

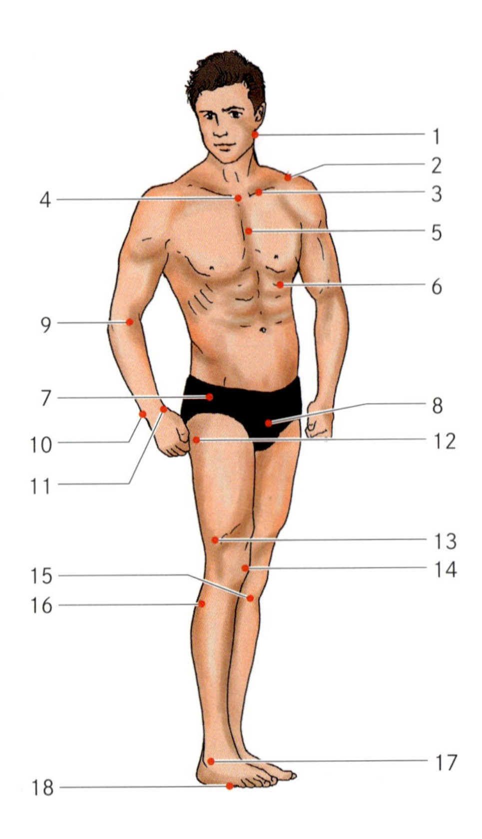

・上前腸骨棘の 2cm ほど下方に外側大腿皮神経が通る．腓骨頭やや後方に総腓骨神経が走行しているので腓骨頭を触知することは重要である．第 5 中足骨基部には短腓骨筋腱が付着し，スポーツによる外傷や足関節を内反した際に骨折することがある．

全身の体表解剖 —後面の筋のポイント

1	僧帽筋
2	胸鎖乳突筋
3	棘下筋
4	広背筋
5	傍脊柱筋
6	三角筋
7	上腕三頭筋
8	大殿筋
9	中殿筋
10	ハムストリングス
11	腓腹筋
12	アキレス（Achilles）腱

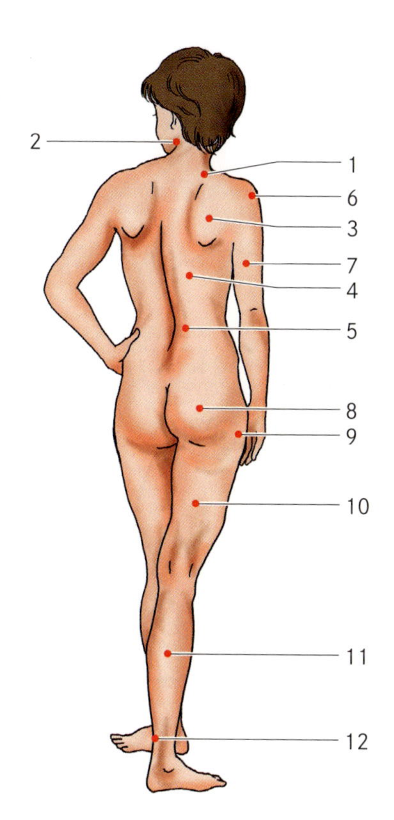

• 僧帽筋は副神経支配で，僧帽筋のチェックにより延髄より中枢の麻痺か，頚髄より末梢の麻痺かを鑑別できる．腓腹筋の内側頭と外側頭，ヒラメ筋で下腿三頭筋になる．下腿三頭筋はアキレス腱となり踵骨に停止する．中殿筋は股関節の外転，外旋作用があり機能不全により患側片脚起立時に健側の骨盤が傾く Trendelenburg 徴候が出現する．ハムストリングスは筋挫傷（通称：肉離れ）しやすい筋肉である．傍脊柱筋はバランスを維持し非随意的に働く．加齢や Parkinson 病などにより，傍脊柱筋は萎縮し棘突起が突出したように見える．

全身の体表解剖 —後面の骨のポイント

1	第 7 頚椎棘突起
2	肩峰
3	肩甲棘
4	腸骨稜
5	Jacoby 線（腸骨稜の最高点を結んだ線：L4 棘突起）
6	仙腸関節
7	坐骨結節
8	肘頭
9	上腕骨外側上顆
10	尺骨頭
11	橈骨茎状突起
12	大腿骨大転子
13	腓骨頭
14	外果
15	第 5 中足骨

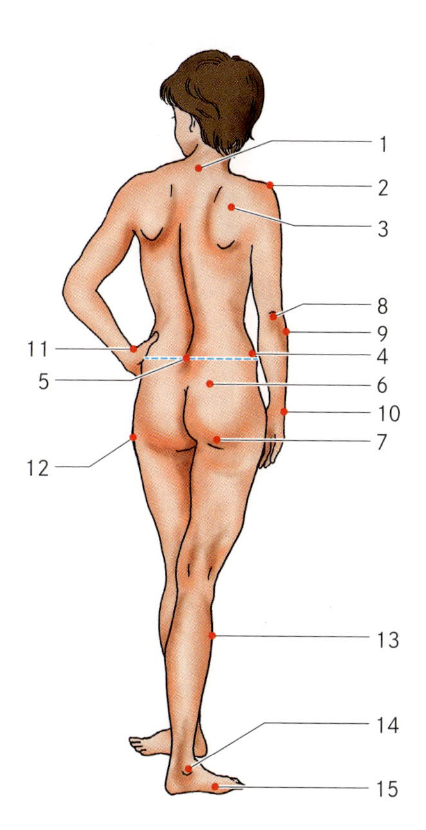

• 脊椎では棘突起が触れやすく第 7 頚椎棘突起は隆椎と呼ばれ頚部を前屈した際に最も突出する骨である．第 7 頚椎棘突起を中心に各椎体を同定することが可能となる．腸骨稜の最高点を結んだ線を Jacoby 線といい，第 4 腰椎の棘突起の高位と一致するので脊椎の高位を同定する指標となる．脊椎の棘突起部，肩甲骨部，仙骨部，坐骨結節部，大腿骨大転子部，腓骨頭部や外果部は褥瘡の好発部位である．上腕骨外側上顆には長・短橈側手根伸筋，総指伸筋が付着し，ここの炎症が起きると外側上顆炎となる．

肩部の診察時の体表解剖

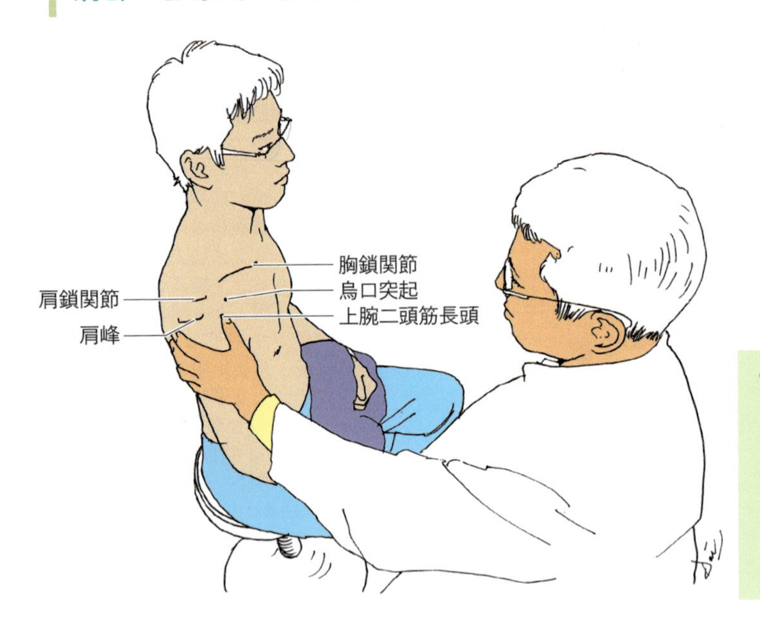

• 局所の診察で重要なことは視診と触診である．視診は発赤の有無，変形，左右差，筋萎縮の有無，腫脹の有無などについて確認する．触診では圧痛，熱感の有無，関節の不安定性などがポイントとなる．図の肩では，painful arc sign や impingement sign，Hawkins Test などの機能的な診察を行う．

肩部および上肢の体表のポイント

1	鎖骨
2	肩峰
3	烏口突起
4	上腕骨外側上顆
5	胸骨
6	胸鎖関節
7	肩鎖関節
8	肋骨
9	僧帽筋
10	胸鎖乳突筋
11	三角筋
12	上腕二頭筋
13	上腕二頭筋長頭腱
14	上腕三頭筋
15	腕橈骨筋
16	大胸筋

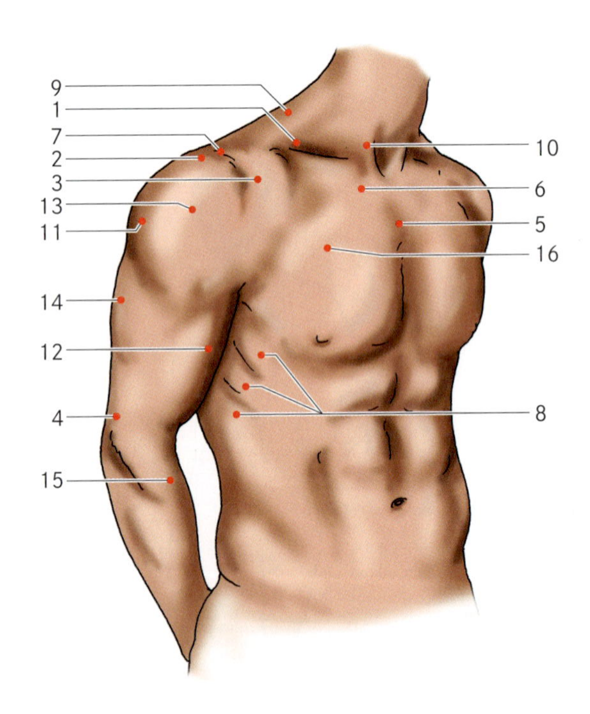

• 肩峰の下方に上腕骨頭があり，AHI（acromiohumeral interval）は，腱板断裂の際には短縮し，動揺肩などでは延長する．烏口突起には上腕二頭筋短頭，烏口腕筋，小胸筋が付着し，鎖骨との間に烏口鎖骨靱帯と烏口肩峰靱帯がある．この両靱帯と肩鎖靱帯が破綻すると肩鎖関節脱臼となり鎖骨が上方に転位する．上腕二頭筋長頭は上腕骨の結節間溝を走行し断裂しやすく，上腕骨外側上顆には長・短橈側手根伸筋と総指伸筋が付着する．鎖骨近位 1/3 付近から烏口突起やや下方に向けて鎖骨下動脈が走行する．鎖骨下部では鎖骨下動脈は腕神経叢と並走する．三角筋と大胸筋の間に腕頭静脈が走行する．

肩部の体表のポイントと浅層筋との関係

1	三角筋前方線維
2	肩甲下筋
3	三角筋中間線維
4	大胸筋鎖骨枝
5	橈側皮静脈
6	上腕二頭筋
7	上腕三頭筋

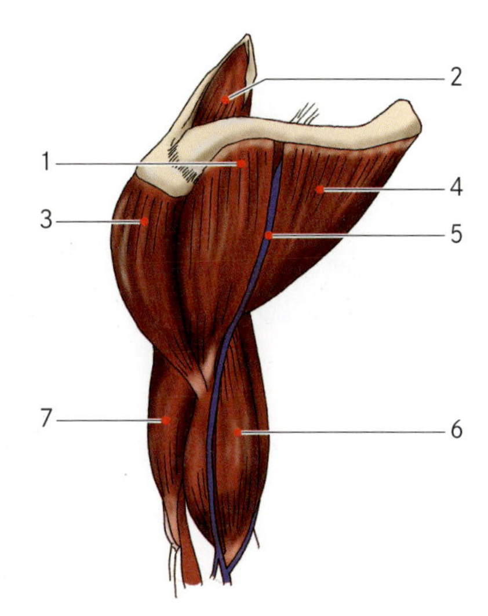

肩部の体表のポイントと深層筋との関係

1	肩甲下筋
2	腕神経叢
3	棘上筋
4	棘下筋
5	烏口肩峰靱帯
6	上腕二頭筋長頭
7	上腕二頭筋短頭
8	大胸筋鎖骨枝
9	上腕三頭筋

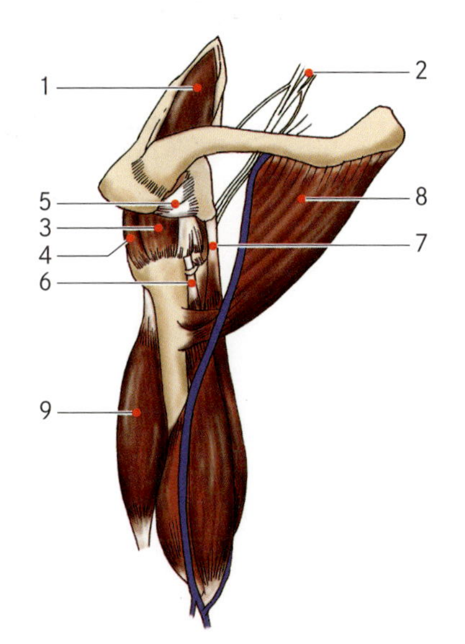

肩部の体表のポイントと骨の関係

1	肩峰
2	烏口突起
3	肩鎖関節
4	胸鎖関節
5	大結節
6	小結節
7	結節間溝
8	外側上顆
9	内側上顆
10	小頭
11	滑車

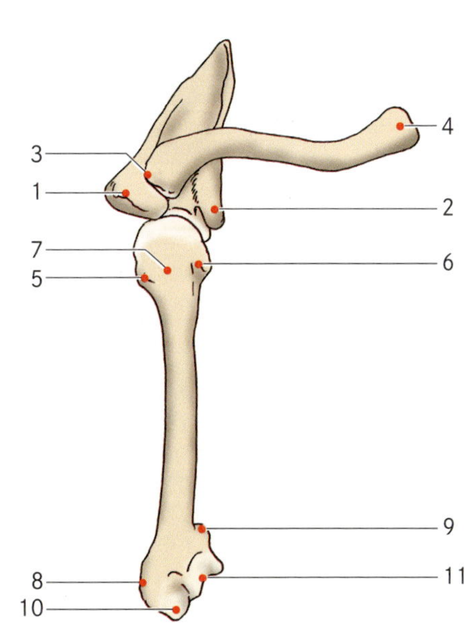

手部の診察時の体表解剖

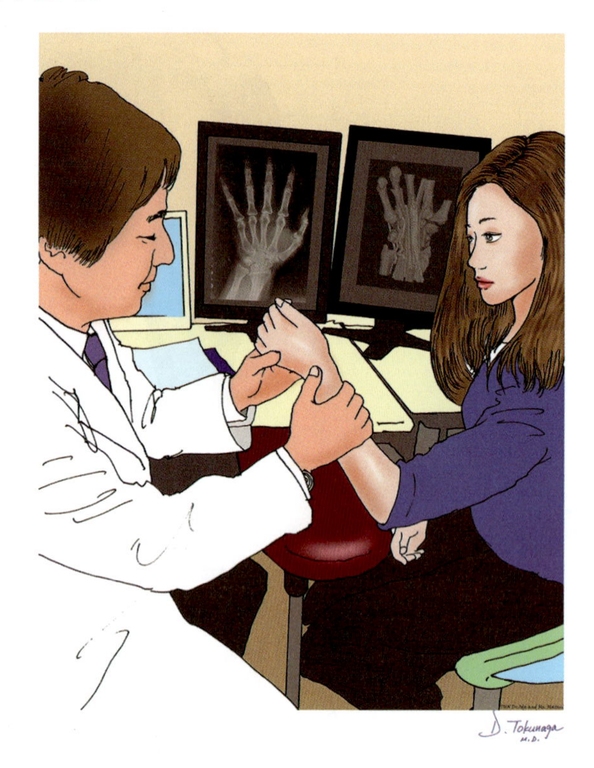

手部の体表のポイント

1	橈側手根屈筋
2	長掌筋
3	尺側手根屈筋
4	正中神経
5	橈骨動脈
6	舟状骨
7	豆状骨
8	短母指外転筋
9	母指球
10	小指球
11	母指 MP 関節
12	母指 IP 関節
13	示指 MP 関節
14	示指 PIP 関節
15	示指 DIP 関節
16	母指
17	示指
18	中指
19	環指
20	小指

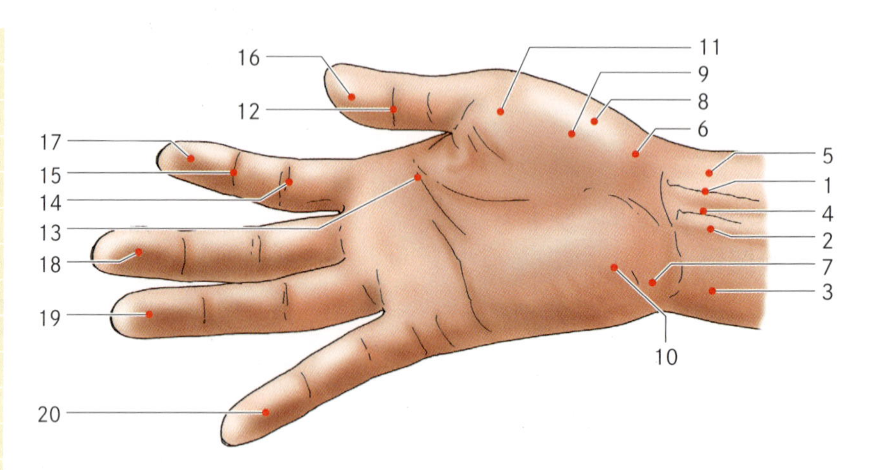

- 橈側手根屈筋腱の橈側に橈骨動脈が，橈側手根屈筋腱と長掌筋腱の間に正中神経が走行する．手関節を屈曲させる筋は橈側手根屈筋（正中神経支配），長掌筋（正中神経支配）と尺側手根屈筋（尺骨神経支配）があり，診察時にそれぞれの筋収縮を確認する．指 DIP 関節を屈曲させるのは深指屈筋であり，PIP 関節を屈曲させるのが浅指屈筋である．屈筋支帯（横手根靱帯）が肥厚し正中神経を圧迫すると手根管症候群となる．A1 プーリーに腱鞘炎が起こると弾発指（ばね指）となる．

手部の体表のポイントと骨との関係（掌側）

1	橈骨
2	橈骨茎状突起
3	尺骨
4	尺骨茎状突起
5	遠位橈尺関節
6	舟状骨
7	月状骨
8	有鉤骨
9	母指 CM 関節
10	MP 関節
11	IP 関節
12	PIP 関節
13	DIP 関節
14	中手骨
15	基節骨
16	中節骨
17	末節骨

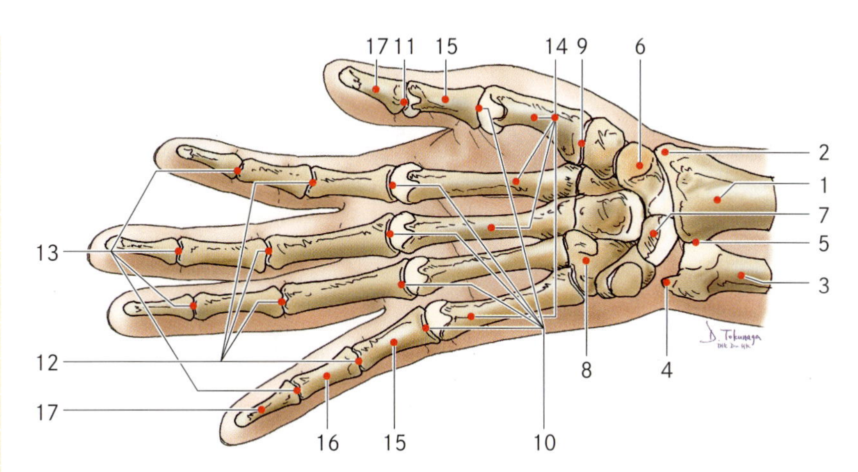

手部の体表のポイントと筋との関係（掌側）

1	橈側手根屈筋
2	総手根腱鞘
3	尺側手根屈筋
4	尺骨茎状突起
5	三角線維軟骨複合体（TFCC）
6	屈筋支帯（横手根靱帯）
7	短母指外転筋
8	短母指屈筋
9	母指 CM 関節
10	短掌筋
11	小指外転筋
12	短小指屈筋
13	浅指屈筋
14	深指屈筋
15	A1 腱鞘（プーリー）
16	A2 腱鞘（プーリー）
17	第 1 掌側骨間筋
18	C1 腱鞘（プーリー）
19	A3 腱鞘（プーリー）

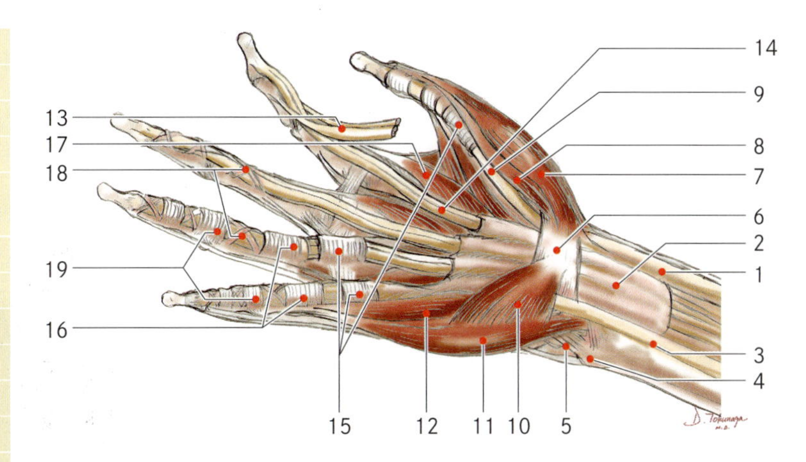

下肢の体表解剖

1	腸骨稜
2	上前腸骨棘
3	恥骨結合
4	鼡径靱帯
5	内から大腿静脈，大腿動脈，大腿神経
6	縫工筋
7	長内転筋
8	スカルパ三角（鼡径靱帯，縫工筋，長内転筋）
9	大腿直筋
10	内側広筋
11	外側広筋
12	膝蓋骨
13	膝蓋腱
14	鵞足
15	大転子
16	大腿筋膜張筋
17	大内転筋
18	大腿二頭筋腱
19	腓骨頭
20	総腓骨神経
21	腓腹筋外側頭

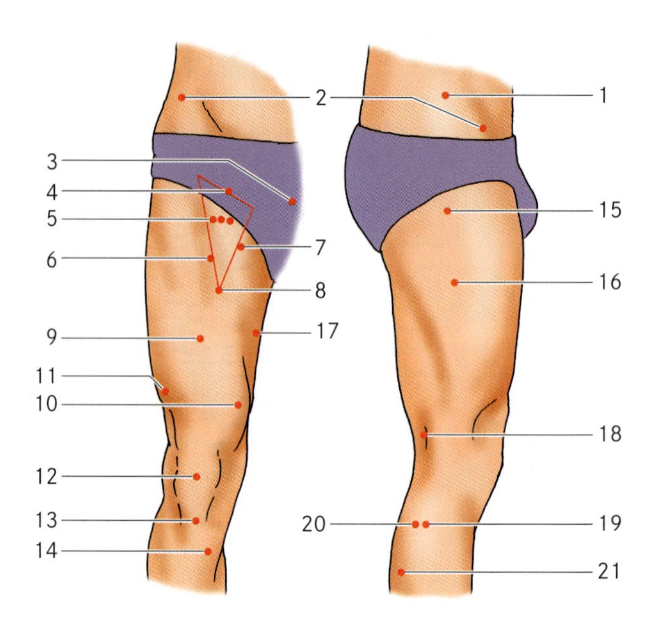

- スカルパ三角とは鼡径靱帯，縫工筋，長内転筋に囲まれた部位で，大腿動静脈と大腿神経がその内部にある．また，スカルパ三角の中心には大腿骨頭がある．膝蓋骨下縁から脛骨結節の間に膝蓋靱帯があり，前十字靱帯損傷の再建術の際に膝蓋靱帯が使用されることがある．鵞足には縫工筋，薄筋，半腱様筋が付く．腓骨頭の後方に総腓骨神経が走行しており，この部位での圧迫麻痺がおこると同部位で Tinel 徴候がみられることがある．大内転筋の腱膜が内側広筋に付き，ここに管ができる．このことをハンター管（内転筋管）といい，大腿動静脈，伏在神経が通る．

股・大腿・膝の体表のポイントと筋との関係

1	鼡径靱帯
2	腸脛靱帯
3	大腿動・静脈
4	大腿筋膜張筋
5	縫工筋
6	大内転筋
7	大腿直筋
8	内側広筋
9	外側広筋
10	膝蓋骨
11	膝蓋腱
12	前脛骨筋
13	長趾伸筋

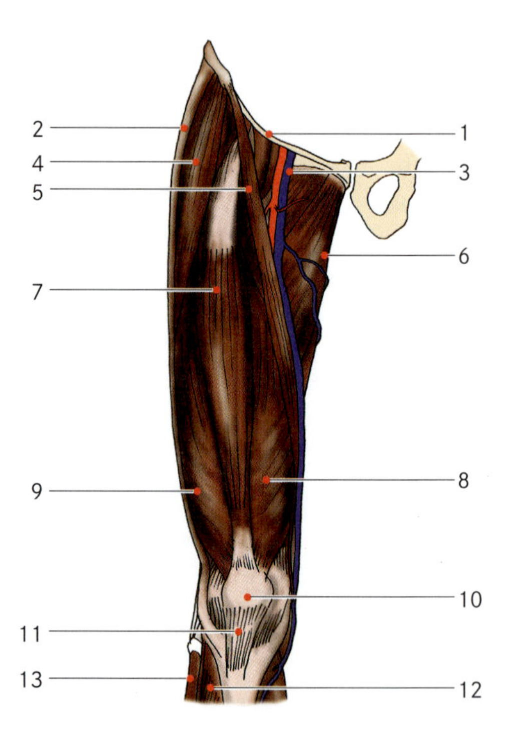

大腿内側の体表のポイントと筋との関係

1	腰筋
2	腸骨筋
3	外閉鎖筋
4	小内転筋
5	短内転筋
6	長内転筋
7	大内転筋
8	腸脛靱帯

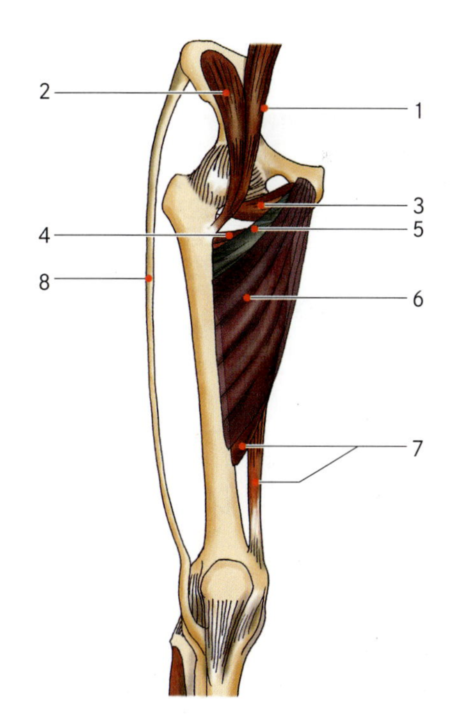

骨盤・股・膝の体表のポイントと骨との関係

1	仙骨
2	腸骨
3	上前腸骨棘
4	恥骨
5	坐骨
6	坐骨結節
7	恥骨結合
8	大腿骨頭
9	大転子
10	小転子
11	大腿骨内顆
12	大腿骨外顆
13	膝蓋骨
14	脛骨内顆
15	脛骨外顆
16	腓骨頭
17	脛骨結節
18	鵞足

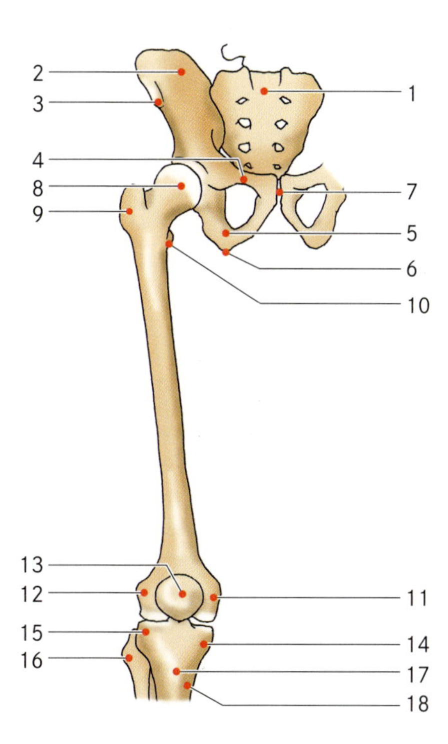

足部の診察時の体表解剖

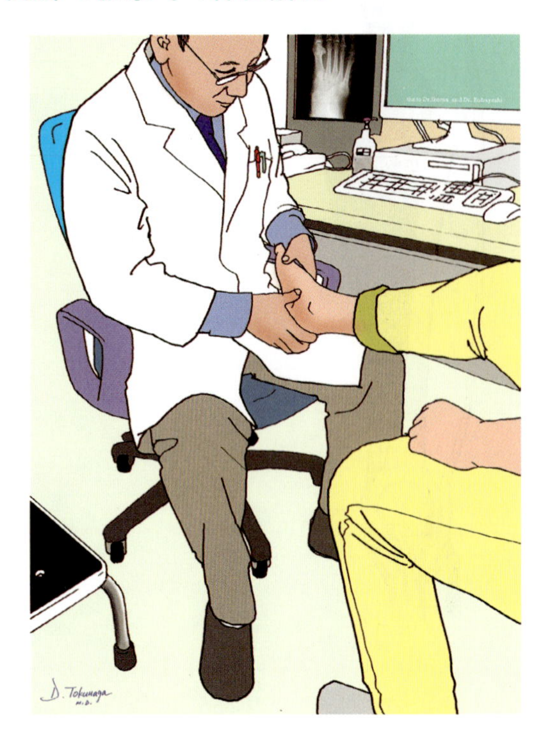

- 診察の際には触診している部位の解剖学的知識が必須であり，皮下より深部に存在する組織をイメージしながら触診する．足部診察では後脛骨筋の付着部である舟状骨内側部の圧痛は腱付着部の炎症あるいは外脛骨障害でも出現する．徒手筋力テストの際には，トリックモーションを判別するために被検筋の筋腹または腱を触知しながら行う．知覚では，脊髄の髄節に沿ったデルマトームと末梢神経の支配領域を念頭に置く必要がある．

足部の体表解剖

1	外果
2	内果
3	第 5 中足骨
4	舟状骨
5	前脛骨筋腱
6	長母趾伸筋腱
7	長趾伸筋腱
8	長・短腓骨筋腱
9	足背動脈
10	母趾 MP 関節
11	前距腓靱帯

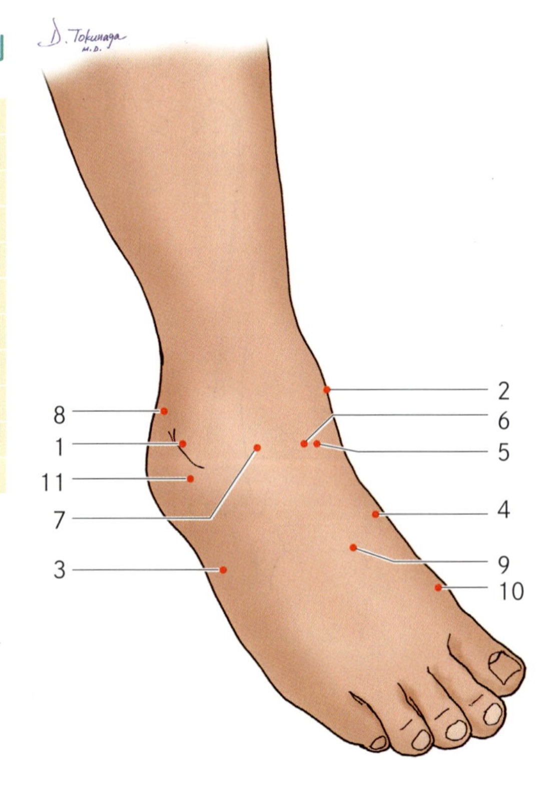

- 足関節部前面を通る腱は内側より前脛骨筋腱，長母趾伸筋腱，長趾伸筋腱である．下腿遠位部では，足背動脈は長母趾伸筋と長趾伸筋の間を走行し，足部では第 1 中足骨と第 2 中足骨の間を走行する．長・短腓骨筋腱が脱臼すると足関節の運動時に外果の後方から脱転する．第 1 中足骨が内転し，母趾 MP 関節部で基節骨が外転することにより外反母趾となる．足関節を内反強制され引き起こされる足関節捻挫の際に前距腓靱帯が損傷されることが多い．また，同様に足関節を内反強制された際に短腓骨筋腱が牽引されるため第 5 中足骨基部に骨折を生じることがある．舟状骨の内側に余剰骨が存在することがあり，これを外脛骨という．有痛性の外脛骨障害はスポーツ障害でよくみられる．

足部の体表のポイントと筋との関係

1	前脛骨筋
2	長母趾伸筋
3	長趾伸筋
4	短腓骨筋腱
5	第 3 腓骨筋
6	上伸筋支帯
7	下伸筋支帯
8	短趾伸筋
9	前距腓靱帯
10	上腓骨筋支帯
11	下腓骨筋支帯

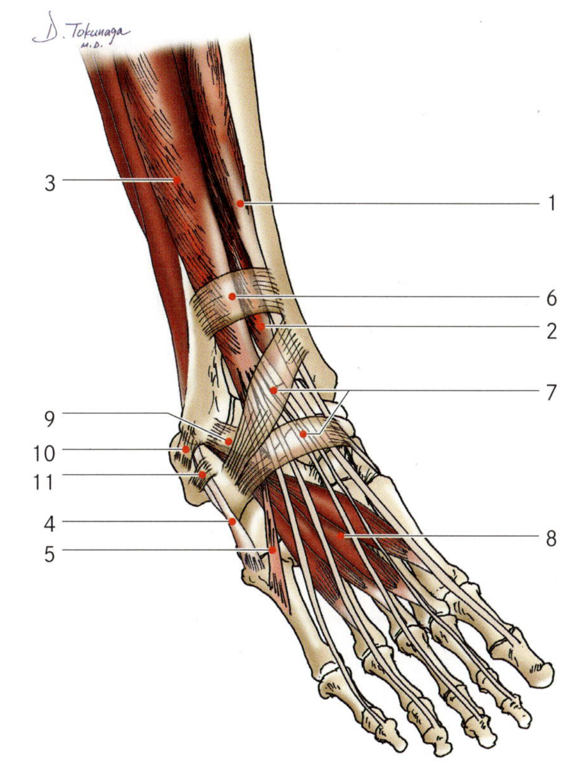

足部の体表のポイントと骨との関係

1	外果
2	内果
3	腓骨
4	脛骨
5	距骨
6	舟状骨
7	踵骨
8	立方骨
9	第 1 楔状骨
10	第 1 中足骨
11	第 5 中足骨
12	遠位脛腓関節
13	距腿関節
14	ショパール (Chopart) 関節 (—の線)
15	リスフラン (Lisfranc) 関節 (—の線)
16	母趾 MP 関節
17	第 2 趾基節骨
18	第 2 趾中節骨
19	第 2 趾末節骨

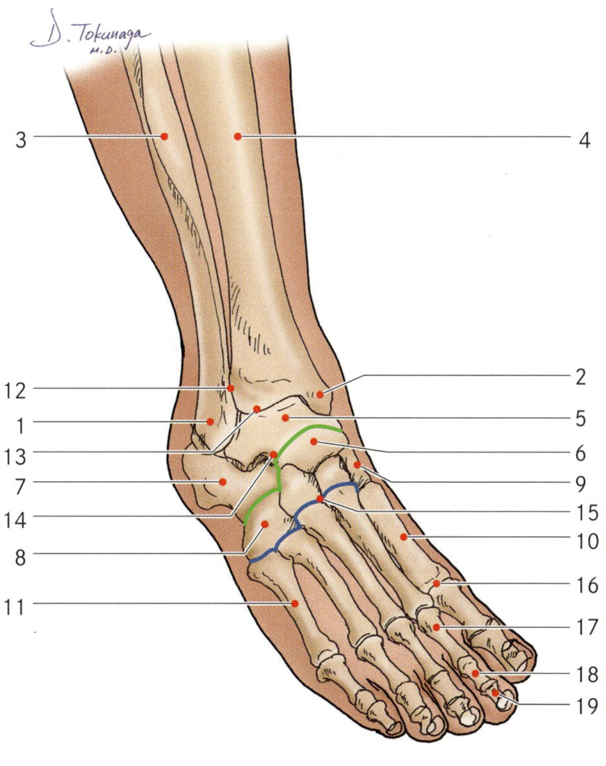

注) 解剖の各イラストは、「Understand human anatomy in real 3D.」(teamLabBody 社)(http://www.teamlabbody.com/3dnote-jp/) のアプリケーションソフトを参考にして作成した.

文献
1) 田崎義昭，他：ベッドサイドの神経の診かた．改訂第18版，南山堂，2016
2) 坂井建雄，他(監訳)：プロメテウス解剖学アトラス 解剖学総論/運動器系．第3版，医学書院，2017
3) 藤田尚男，他：標準組織学 総論．第5版，医学書院，2015

（西村行秀・峠 康）

2 臨床生理学

リハビリテーション医学と生理学

- リハビリテーション診断に基づきリハビリテーション治療を実施するために，まず正常生理機能の理解，それも運動や環境・物理的刺激に応答する生理的反応を理解しておくことは大切である．
- 特に，循環，呼吸，体温調節，エネルギー代謝の習得は，リハビリテーション治療の安全性を担保し，治療効果を向上させるために必須である．
- さらに，活動賦活化の対極ともいえる安静臥床に対する生体の変化を理解する．安静臥床時に起こる生理反応は神経，循環，呼吸，消化，排泄，内分泌，筋・骨格など，全身のあらゆるところに生じる．

（中村 健）

筋エネルギー代謝

エネルギー代謝の意義

- エネルギー代謝を学ぶことで，サルコペニアやフレイル，糖尿病や脂質異常症，非アルコール性脂肪肝炎（nonalcoholic steatohepatitis；NASH）などの疾患に対する効果的な運動療法や栄養療法を検討できるようになる．予防にも役立つ．

エネルギー代謝経路

- 生体活動の直接のエネルギー源は，アデノシン三リン酸（adenosine triphosphate；ATP）である．ATPの産生は有酸素代謝によるものと無酸素代謝によるものがある，運動の時間や強度の違いにより産生経路が変化する．
- ATP合成にはATP-クレアチンリン酸系．解糖系，酸化的リン酸化系の3種類の経路がある．運動負荷が大きくなると，解糖系が働き乳酸が蓄積する（図2-1）．
- 従来の乳酸代謝の考えでは，O_2供給が不十分な場合の代謝と説明される．しかし，近年ではO_2不足とは一致せず，むしろ交感神経活動が亢進し，グリコーゲン分解が増加することで乳酸が上昇することが明らかとなっている．
- 乳酸は老廃物で疲労の原因であると考えられてきたが，乳酸自体も細胞に取り込まれエネルギー基質として利用される乳酸シャトル仮説が提唱されている．また，運動中に疲労を感じるのは乳酸の蓄積ではなく，筋グリコーゲンの枯渇が主な要因と考えられている．

図 2-1 運動負荷と乳酸

O_2 運搬能力以上の運動を行うと，嫌気性代謝で ATP が産生され，乳酸が蓄積する（O_2 負債）．嫌気性代謝で産生された乳酸は，十分な O_2 供給のもとで代謝される．運動時の換気と心拍数の上昇により十分な O_2 供給が行われ，O_2 負債が回復する．

糖代謝・脂質代謝

- 運動の主なエネルギー源は糖質と脂質であり，運動強度により利用される割合も異なる．短時間の激しい運動では主に糖質が利用され，長時間の軽度から中等度の運動では脂質の利用率が高くなる．
- 糖質は，急速に ATP を再合成できるので激しい運動時のエネルギー源となる．
- 血糖利用時は，筋小胞体からのカルシウムイオンにより，糖輸送体（glucose transporter 4；GLUT4）を細胞膜上に移動させ，血糖の取り込みを亢進させる．これは，AMP 依存性プロテインキナーゼ（AMP-activated protein kinase；AMPK）と筋小胞体から出るカルシウムイオンによって活性化するカルモジュリンキナーゼ（Calmodulin kinase；CaMK）の働きで起こり，運動の強度により働きが違ってくる．
- AMPK や CaMK を刺激することで，筋の血糖取り込みも刺激し糖尿病の治療にもつながる．運動負荷で AMPK の活性化や GLUT4 は増加し，インスリンの作用増強効果がみられる．
- 糖の過剰摂取は糖尿病のリスクを高めると同時に，中性脂肪の増加も招き脂肪肝のリスクを高める．
- 血液中の遊離脂肪酸（free fatty acid；FFA）と筋細胞内の中性脂肪（triglyceride；TG）は運動時に利用される．
- 過剰な脂質の摂取が肥満を引き起こす要因となり，生活習慣病のリスクを高め，糖尿病や高血圧症，脂質異常症，心疾患の要因となっている．内臓脂肪の増加により NASH や肝臓がんのリスクが高くなる．

呼吸商

- 呼吸商（respiratory quotient；RQ）は，ある時間において生体内で栄養素が分解されてエネルギーに変換するまでの酸素消費量に対する二酸化炭素排出量の体積比のことである．RQ＝単位時間

当たりの CO_2 排出量/単位時間当たりの O_2 消費量で表わされる．
- RQ により体内で糖質と脂質がどのような割合で燃焼しているかが推定できる．
- RQ は，定常状態では約 0.85 である．この値は，エネルギー代謝に使用される栄養素に依存しており，脂質は 0.7 で糖質は 1.0 である．
- 運動時に，運動強度が増して乳酸の蓄積による代謝性アシドーシスが生じると代償性に CO_2 排出量が増加する．この際の体積比は，RQ とは区別して呼吸交換比と呼ぶことがある．

蛋白代謝

- 蛋白質は生体の主要構成成分の 1 つである．20 種類のアミノ酸がペプチド結合により重合して基本的な構造を作っている．
- 体重の約 15％を蛋白質が占め，酵素反応，筋収縮，物質輸送，生体防御反応などに関係している．
- 細胞の蛋白質は常に合成と分解を繰り返している．食事からの蛋白質の摂取量としては，体重 1 kg 当たり 1 g が目安とされている．蛋白質は体内で分解された後は窒素化合物として排泄される．
- 必須アミノ酸のなかで分岐鎖アミノ酸（branched chain amino acids；BCAA），特にロイシンに強い蛋白質の合成作用がある．骨格筋をつくるには，運動後に蛋白質を摂取することがより効果的である．
- 蛋白質の分解には細胞内の「リサイクルシステム」ともいわれる 2 つの分解機構が存在することを理解する．ユビキチン-プロテアソーム系とオートファジーである．
- 加齢により食事に対する筋内の蛋白質の合成反応は低下し，蛋白質の合成と分解のバランスが崩れることがサルコペニアの原因の 1 つと考えられている．

（山内克哉）

循環の臨床生理

体・肺循環と心拍出量

- 成人では，安静時に左心室から 4～6L/分の血液が拍出（心拍出量）され，身体の各臓器に分配される．運動時には図 2-2 に示したように血流分布の変化が生じる．
- 運動時には各臓器への血流の再分配が起こる．安静時は，心拍出量の約 15％が脳，25％が腎臓，25％が肝臓などの内臓，10％が骨格筋，残りが心臓や皮膚などに送られる．
- 最大運動時にはその約 90％が活動筋へ分配される．最大運動時腎・肝臓など内臓への血流は全体の 1％以下であり，絶対流量も安静時の約 20％以下まで低下するが，脳血流量は全体の 1％にも満たないものの絶対流量は保たれる（図 2-2）．脊髄への血流は増加する．
- このような血流の再分配には，運動時における交感神経活動亢進により，脳血管以外には全身性に血管収縮反応が生じること，活動筋では筋から放出される代謝物質による局所性血管拡張が収縮反応を上回ることなどが関係している．

血圧の生理学的意義と定義

- 血圧は，心拍出量と総末梢血管抵抗の積によって表すことができる．心拍出量は心拍数と 1 回心

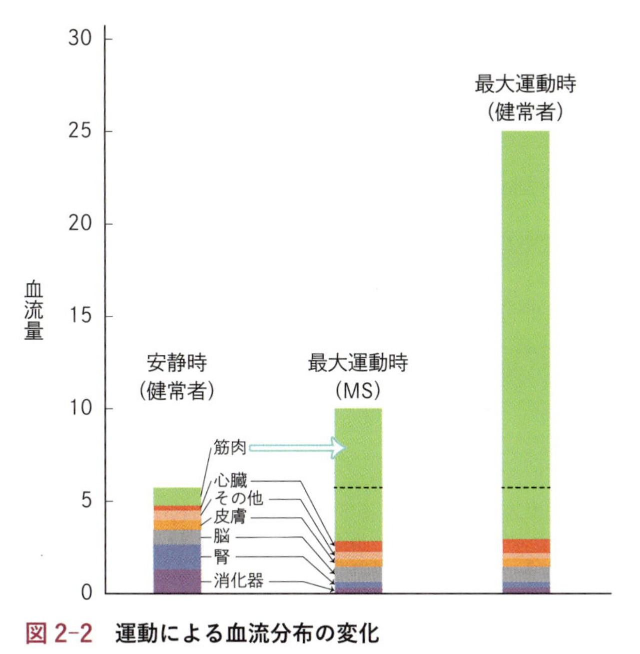

図 2-2 運動による血流分布の変化

運動により骨格筋に血流が動員される．脳血流は低下しないが，腹腔内臓器血流は低下する．健常者と MS（僧帽弁狭窄症患者）で骨格筋に動員できる血流量の割合が異なる．

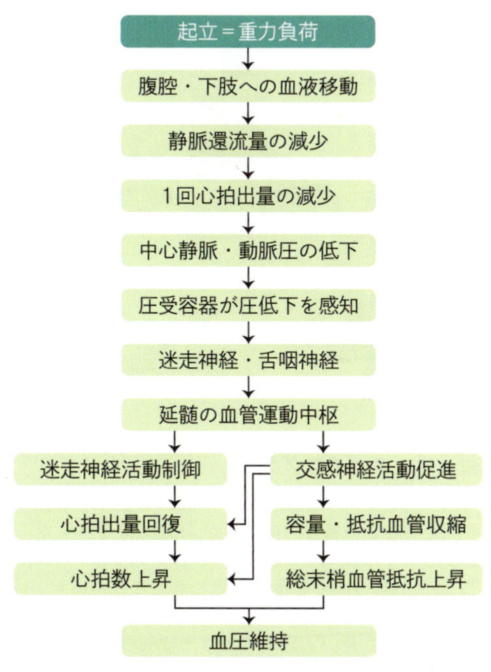

図 2-3 起立時の循環調節システム

拍出量の積である．

- ヒトは座位，立位，歩行や運動時に常に血圧低下の危機にさらされている．すべての循環・体液調節で優先されるのが血圧調節である．
- 血圧は，一般的には体循環系での動脈圧のことであり，収縮期血圧と拡張期血圧からなる．平均血圧は，［(収縮期血圧－拡張期血圧)/3＋拡張期血圧］を用いて算出する．
- 図 2-3 に起立時および運動時の循環調節システムの仕組みを示す．

静脈還流

- 静脈系血液量は全血液の約 2/3 を占める．図 2-3 に示したように起立時には下肢・腹部へ 0.5～1 L の静脈血が移動し，静脈は血液が貯留して大きく膨らむ．静脈還流のためには，下肢筋収縮による筋ポンプ作用と呼気時の胸腔内圧低下により吸い上げられる呼吸ポンプ作用の 2 つの働きが重要である．

（安倍基幸・田中宏太佳）

呼吸の臨床生理

呼吸の目的

- 呼吸には，O_2 を大気中から生体内に取り入れ，CO_2 を排出する外呼吸，体液と細胞や組織のガス交換である内呼吸，および細胞内で酸素を用いた酸化還元反応でエネルギーを獲得する細胞呼吸がある．

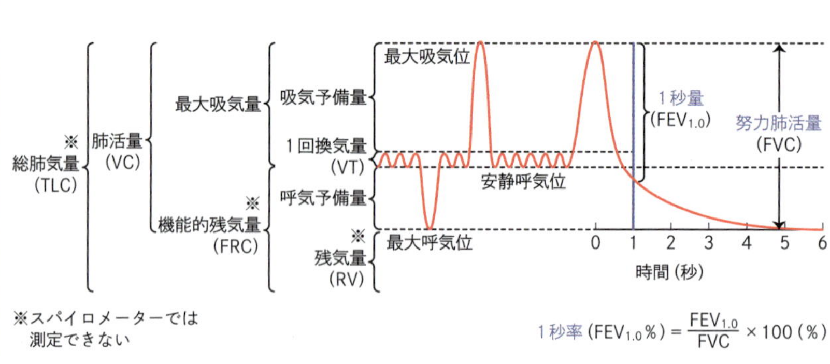

図 2-4　スパイログラム

スパイログラムの軌跡のうち一番高い位置の軌跡は呼吸運動のなかで横隔膜が一番下に下がっている状態を反映している．そのときの胸郭内の体積がTLCである．また，スパイログラムの軌跡のうち一番低い位置の軌跡は横隔膜が一番上に上がっている時に一致し，そのときの胸郭内の体積がRVとなる．そしてその間にFRCがある．つまり，TLC，FRC，RVは横隔膜の高さを示した値と考えてもよい．
骨格筋としての横隔膜の立場で考えてみると，横隔膜がTLCの位置にあるときが横隔膜長が一番短く，RVの位置では横隔膜長が一番長い．健常者では，横隔膜がFRCの位置にあるときが横隔膜が至適の長さであり，この状態で一番楽に呼吸運動ができる．

- 外呼吸は換気と呼ばれ，血液pHの調整としても重要である（次頁「換気と血液pH調節」の呼吸性アシドーシスとアルカローシスの説明を参照のこと）．

呼吸筋

- 呼吸運動は，主に外肋間筋（胸壁）と横隔膜により行われる．胸腔内容積の変化は横隔膜の収縮と弛緩，外肋間筋による胸郭前後径の変化によりもたらされる．
- 呼気には筋は作用せず，伸展された肺の受動的反跳（膨らんだ肺が自然に元に戻ろうとする力）が働く．
- 努力呼吸時には呼吸補助筋が作用する．吸気に働く呼吸補助筋は大胸筋，胸鎖乳突筋，僧帽筋，斜角筋，肩甲挙筋，脊柱起立筋などであり，呼気に働く呼吸補助筋は内肋間筋と腹直筋・内腹斜筋・外腹斜筋・腹横筋などの腹筋群である．呼吸補助筋は呼吸筋に比べ効率が悪く，呼吸によって消費する酸素量が多くなる．
- 呼吸補助筋の総合的な筋力評価法として最大吸気圧（PI_{max}），最大呼気圧（PE_{max}）がある．

スパイログラム（図2-4）

- 肺から出入りする空気の量を，一定速度で動く画像に描いてグラフ化したものをスパイログラムといい，その検査機器をスパイロメーターという．
- スパイログラムからは，肺活量（vital capacity；VC），1回換気量（tidal volume；VT）などを知ることができるが，残気量（residual volume；RV），機能的残気量（functional residual capacity；FRC），総肺気量（total lung capacity；TLC）はガス希釈法などの別の方法でないと求められない．

それらを肺気量分画と呼ぶ.

- 肺活量と1秒率は病態を知るうえで役立つ.
- 実際に測定した肺活量が予測値の80%以下の場合は拘束性障害と呼び，胸郭の異常や肺コンプライアンスの低下によって生じる．一方，1秒率が70%以下の場合には閉塞性障害と呼び，気道系の狭窄，閉塞によって生じる.

換気と血液pH調節

- 肺胞でのガス交換を換気という．換気が亢進するとCO_2の呼出が増加し，動脈血中のCO_2分圧($PaCO_2$)が低下するので動脈血のpHが高くなり，呼吸性アルカローシスが生じる．逆に換気が低下する場合には動脈血中の$PaCO_2$が高くなるので，pHが下がり，呼吸性アシドーシスとなる.
- Henderson-Hasselbalchの式では，$pH = pKa + \log[HCO_3^-]/[CO_2]$，$pKa = -\log Ka$（酸解離定数）で表され，$CO_2$濃度と$HCO_3^-$濃度の比が血液のpHに大きく影響する.
- 血液中のHCO_3^-濃度が低くなった場合（代謝性アシドーシス），換気が亢進しCO_2濃度が下がりpHの低下は抑えられる．逆にHCO_3^-が大量に体内に蓄積した場合，pHは上昇する（代謝性アルカローシス）．すると呼吸による換気は少なくなり，血液中のCO_2分圧が高まり，pHの上昇が抑制される.

肺胞気-動脈血酸素分圧較差($A\text{-}aDO_2$)

- 肺胞内ガスのO_2分圧(PAO_2)と動脈血のガス分圧(PaO_2)の差を肺胞気-動脈血酸素分圧較差($A\text{-}aDO_2$)という．低酸素血症が生じたときは，①肺胞低換気，②拡散障害，③換気-血流比の不均等，④シャントの増加のいずれかが原因であるが，$A\text{-}aDO_2$が上昇しているときは②，③，④を考える．$A\text{-}aDO_2$の計算は有用といえる.

CO_2ナルコーシス（図2-5）

- 換気を刺激する因子として，PaO_2の低下と$PaCO_2$の上昇がある．肺胞換気不全が徐々に進行し，長期的に肺胞内$PaCO_2$が高い状態が続き，呼吸中枢がその状態に順応すると$PaCO_2$上昇は呼吸中枢に対する刺激として働かなくなる．呼吸中枢への換気の刺激はPaO_2低下だけになる.
- このような状態で酸素吸入を行えばPaO_2低下による刺激もなくなり，換気が停止する．この状態をCO_2ナルコーシスという．したがって，O_2投与の際には生命の危険もあるため十分注意する.

呼吸と運動

- 運動の結果として，活動筋においてO_2の消費とCO_2の産生が増加する．軽度な運動負荷では，換気量は運動負荷の上昇に対して直線的に増加し，PaO_2，$PaCO_2$，動脈血pHは一定に保たれる．しかし，負荷量が大きくなると，運動負荷上昇に対する換気量上昇の感受性が増加する．その境となる運動強度が無酸素性作業閾値（anaerobic threshold；AT）である.
- ATは，活動筋に必要なO_2供給が不足するために無酸素代謝が亢進し，活動筋での乳酸産生が急激に増加し始める運動強度といわれている．その理由は，乳酸増加によるpH低下を緩衝するため

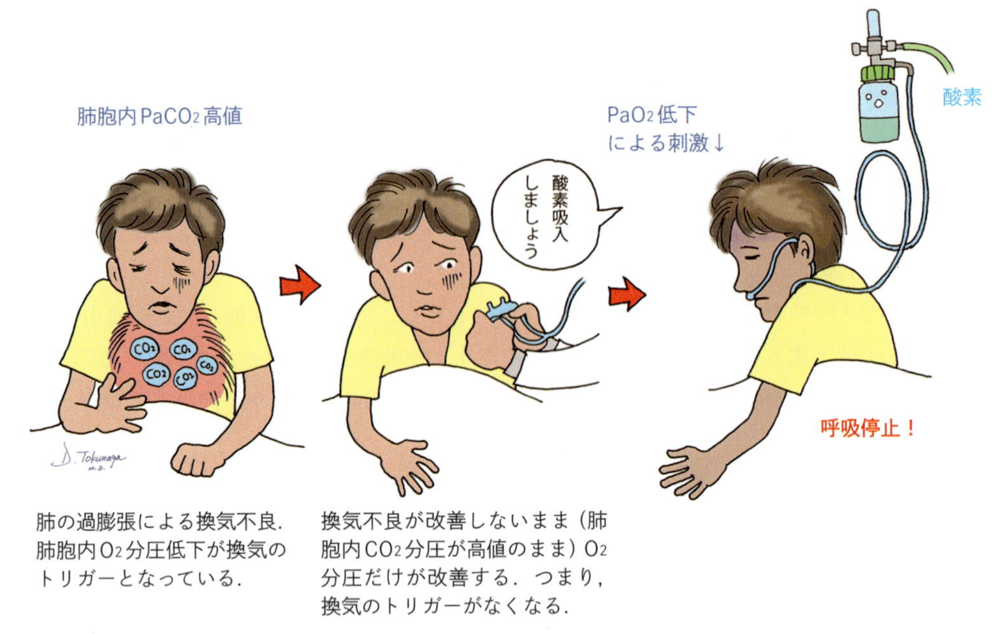

図 2-5　CO_2 ナルコーシス

に HCO_3^- が使われ，CO_2 産生が増加するためである．このように換気量が亢進することを，呼吸性代償と呼ぶ．

（中村　健）

体温調節の臨床生理

- 脳温（深部体温）が 41℃以上（熱射病）または 33℃以下（低体温症）では生命が危うくなる．脳温は熱産生と熱放散のバランスにより決定される[2]．
- 食事から変換された総エネルギーの約 20%は外に対する仕事に消費され，残りは熱となる．熱放散は蒸散性熱放散（発汗，不感蒸泄）と非蒸散性熱放散（皮膚からの輻射，伝導・対流）がある．
- 繰り返しの暑熱曝露や持久性訓練では血漿量を増加し，深部体温上昇に対する皮膚血管拡張や発汗反応が亢進する．これらにより運動時の深部体温と心拍数上昇は抑制される．暑熱馴化と呼ばれている．
- 寒冷環境ではふるえなどの身体反応により体温が維持されることが多い．0℃で 2〜8 時間の寒冷刺激を行うと，ふるえにより安静時代謝が約 20%増加する[3]．なお，長時間のふるえは低血糖を引き起こすことがある．

（上條義一郎）

安静臥床時の臨床生理

安静と臨床

- 安静臥床では，身体にさまざまな身体・生理的変化が起こる（表 2-2）．
- 具体的な変化としては，起立性低血圧，心肺機能低下，筋萎縮，骨萎縮，関節拘縮などがある．

表 2-2 安静臥床に伴う身体変化

0〜3 日	4〜7 日	8〜14 日	15 日以上
増加 尿量 尿中 Na^{+}，Cl^{-}，Ca^{2+} 浸透圧活性物質排泄量 血漿浸透圧 ヘマトクリット 静脈コンプライアンス **減少** 水分摂取量 細胞外（血漿，間質）・細胞内容量 下腿血流 安静時心拍数 胃液分泌 耐糖能 血液下肢移動	**増加** 尿中クレアチニン，ヒドロキシプロリン，リン酸塩，窒素，カリウム排泄量 血漿グロブリン，リン酸塩，グルコース濃度 血中フィブリノーゲン，線維素溶解活性，凝固時間 結膜充血，網膜動静脈拡張 聴覚閾値 **減少** 視力 起立耐性 窒素バランス	**増加** 尿中ピロリン酸塩 発汗閾値 運動時体温 運動時最大心拍数 **減少** 赤血球細胞容量 白血球貪食能 組織熱伝導 除脂肪体重 体脂肪容量	**増加**： 尿中カルシウム排泄 熱刺激感受性 聴覚閾値（二次性） **減少** 骨密度

- 臥床により循環血液量が減少している状態で，起立すると重力による下肢への血液移動が起こり静脈還流量が低下する．結果として心拍出量が維持できなくなり，起立性低血圧となる．
- 臥床により心負荷がなくなると循環血液量の低下や心筋の萎縮により 1 回心拍出量の低下が起こり，心肺機能低下の大きな要因の 1 つとなる．
- 骨格筋は，筋収縮を行わない状態を続けると，1 週間で 10〜15%の筋力が低下する．筋力を維持するためには，最大筋力の 20〜30%の負荷をかけて筋収縮を行う．筋力を増強させるためには，少なくとも最大筋力の 30%以上の負荷をかけた筋収縮が必要である．
- 臥床は骨からカルシウムやリンの排出を促し，2 週間で骨密度の低下が起こる．骨密度を維持するためには，骨に対する長軸方向の力学的負荷が必要である．
- 不動により関節包と関節周囲組織の水分量とヒアルロン酸量の減少が起こり，弾性が失われる．それとともに，関節周囲の組織の間で癒着なども生じて，関節拘縮に至る．

（中村 健）

文献

1) Gagge AP, et al：Mechanisms of heat exchange：biophysics and physiology. In：Fregly MJ, et al(eds)：Handbook of Physiology, Environmental Physiology, pp45-84, Oxford University Press, New York, 1996
2) Castellani JW, et al：Human physiological responses to cold exposure：Acute responses and acclimatization to prolonged exposure. Auton Neurosci 196：63-74, 2016
3) 中村 健：臥床による影響．廃用症候群を吟味する―無動・不動・低活動・臥床の影響の理解と予防．MB Med Reha No. 72：19-25，2006
4) 中村 健：廃用症候群．伊藤利之，他(編)：今日のリハビリテーション指針，pp37-361，医学書院，2013

3 骨格筋の解剖と生理

解剖

- 骨格筋は随意的に収縮・弛緩して関節などの運動に働く．大部分は骨に付着するが，一部は皮膚に付着する．
- 筋収縮に際し，移動性がないかあるいは少ない骨の付着部を起始，移動性の大きい骨に付着する部分を停止という。1つの関節をまたぐ筋を単関節筋，2つ以上をまたぐ筋を多関節筋という．
- 骨格筋の栄養は，筋腹中央部に出入りする血管が主に行っている．
- 神経支配は収縮をつかさどる運動神経，感覚をつかさどる知覚神経，筋緊張・栄養に関係する交感神経からなる．骨格筋線維は外眼筋の一部を除き，単神経支配である．
- 骨格筋は横紋構造をもつ．骨格筋を作っているのは，多核の細長い細胞（直径 20〜150 μm）で，束状に集まっている．この細胞は筋細胞あるいは筋線維と呼ばれる．筋細胞の主たる構成成分は筋原線維である．
- 骨格筋は肉眼上，白筋と赤筋に分別される．白筋線維はミトコンドリアが少なく，解糖系酵素を多く含む．白筋は収縮は早いが疲労を起こしやすい（速筋）．赤筋線維はミトコンドリアに富み，酸化系酵素を多く含む．赤筋はゆっくりと収縮し疲労が少ない（遅筋）．ミオグロビン量の多い赤筋は赤みが強く，少ない白筋は白っぽくみえる．
- 生化学的には type 1 型（赤筋），type 2A 型，type 2B 型（白筋）に分けられる（図 2-6）．
- 1 型，2A 型，2B 型は，SO（slow-twitch oxidative）型，FOG（fast-twitch oxidative glycolytic）型，FG（fast-twitch glycolytic）型にそれぞれ対応している．
- 骨格筋の再生は，傷害部位や欠損部に筋線維が断端から伸びることにより起こる．

生理

- 骨格筋収縮は，静的収縮（関節が動かない収縮，等尺性収縮）と動的収縮（関節が動く収縮，等張性収縮と等速性収縮）に分類される．また，姿勢を保持するような持続的収縮と跳躍時や疾走時のような敏速な収縮がある．
- 1本の運動ニューロンに支配される筋線維の数を神経支配比という．たとえば，ヒラメ筋は 1：120，眼筋は 1：20 であり，巧緻的な動きをする筋ほど神経支配比は小さい．
- 骨格筋の収縮のために必要なエネルギーを与えるのは ATP である．ATP の供給は，ATP-クレアチンリン酸（ATP-PCr）系，解糖系（グリコーゲン，グルコースなどの分解），酸化系（脂肪酸，グルコース，グリコーゲンなどの有酸素的分解）による．
- 神経から伝わってきた興奮が骨格筋全体を収縮させるシステムを興奮収縮連関（excitation-contraction coupling）という．筋線維に伝わった興奮は，T 管から筋線維内部に伝わり，筋小胞体からカルシウムイオンを放出させる．遊離したカルシウムイオンがアクチンとミオシンを活性化して，筋の収縮を起こす．
- 低い運動強度では type 1 線維のみが，運動強度が増すにつれて type 2A そして 2B へと筋線維の活性化が起こる（図 2-7）．
- 筋張力は主に筋線維の断面積に，収縮速度は主に筋線維のタイプ比率に関連する．

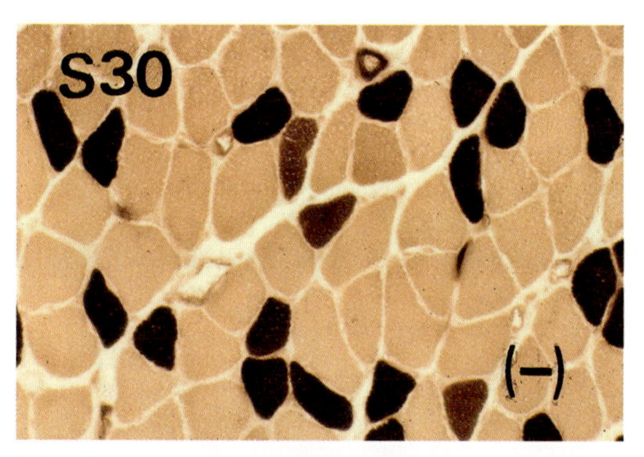

図 2-6 ヒラメ筋の ATPase 染色による筋線維タイプ分布（ラット生後 30 日，pH9.4）濃染：type 2，淡染：type 1

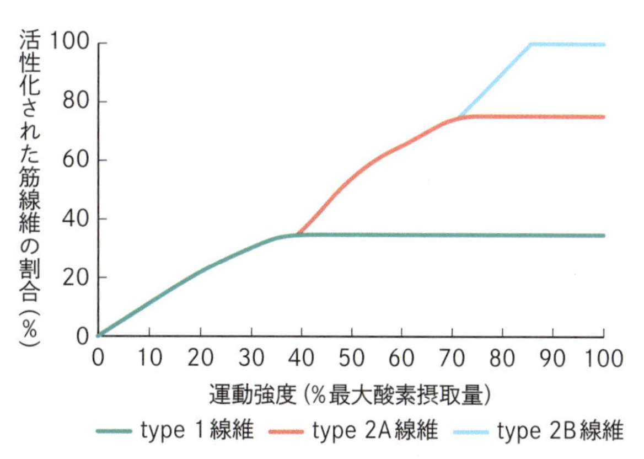

図 2-7 運動強度と活性化された筋線維割合の関係

〔Sale DG：Influence of exercise and training on motor unit activation on muscle. Pandolf KB, et al（eds）：Exercise and Sports Sciences Reviews, p95, MacMillan, New York, 1987 より改変〕

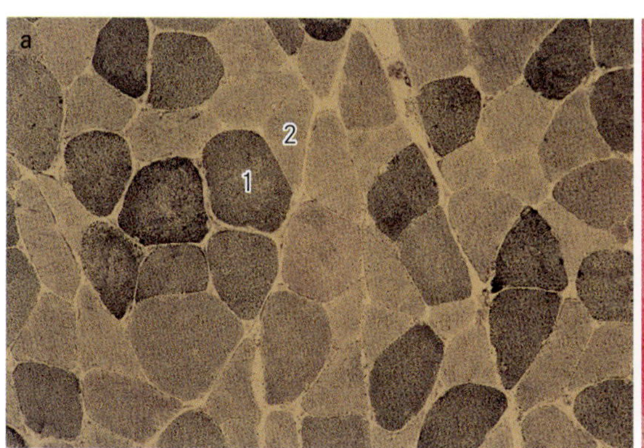

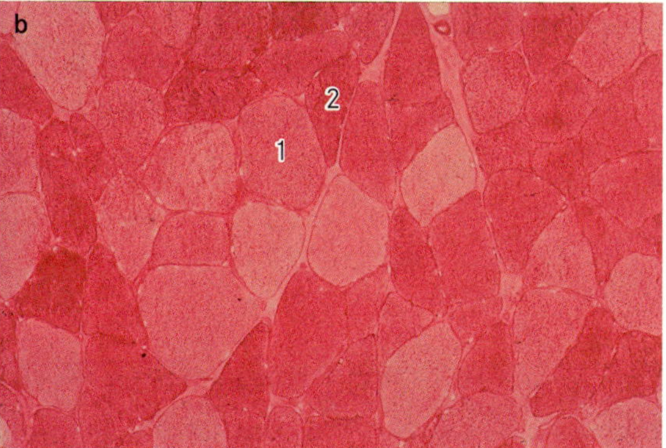

図 2-8 高齢者の筋萎縮

a：NADH–TR 染色（濃染 type 1，淡染 type 2），b：PAS 染色（濃染 type 2，淡染 type 1）．

- 筋力増強のためには最大筋力の 30%を超える負荷が必要である．
- 電気刺激では，閾値の低い type 2 線維が優位に筋収縮する．

障害が起こるメカニズム

- 30 歳台以降，加齢に伴い筋力は低下し，高齢者では type 2 線維，特に type 2B 線維の選択的な萎縮がみられる（図 2-8）．筋力は筋横断面積に比例するので，加齢に伴う筋力低下の本質は筋萎縮である．
- 不動により筋萎縮を認めるが，低活動による不動と重力刺激の乏しい不動とでは筋萎縮の質が異なる．低活動時は type 2 線維優位の筋萎縮を，重力刺激の乏しい不動では type 1 線維優位の筋萎縮を認めることが多い．
- 筋原性疾患では，筋線維の大小不同，壊死，再生が混在するのが特徴的である．過度な負荷により筋線維の壊死が増加する．

- 神経原性疾患による筋萎縮では，タイプ群化（type grouping），群集萎縮（group atrophy），小角化線維などが特徴的である．

文献

1） Sale DG：Influence of exercise and training on motor unit activation on muscle. Pandolf KB, et al(eds)：Exercise and Sports Sciences Reviews, p95, MacMillan, New York, 1987
2） Nagatomo F, et al：PGC-1 α and FOXO1 mRNA levels and fiber characteristics of the soleus and plantaris muscles in rats after hindlimb unloading. Histol Histopathol 26：1545-1553, 2011

（梅津祐一）

4 バイオメカニクス

- バイオメカニクス（biomechanics）とは機械工学的手法を用いて生体の運動の仕組みを科学的にとらえ，生体の構造や疾患の病態・治療法を研究する学問である．バイオメカニクスは運動する生体の位置，速度や加速度などを研究する運動学（kinematics）と，運動を力の原理によって解析する運動力学（kinetics）に分類できる．また，静止状態あるいは加速度のない運動状態における静力学（statics）と，加速度を伴う運動状態における動力学（dynamics）に分けられる．
- バイオメカニクスは運動器の疾患や病態，診断，治療を研究する上で重要な位置を占めてきており，リハビリテーション医学・医療の分野で必要不可欠である．

（中川周士・新井祐志）

運動学

関節の運動学

- 関節可動域は関節部の骨形態，その周囲の靱帯組織，関節包，骨間膜などによって決定される．
- 関節は一定の方向には動きやすく，一方でそれ以外の方向には動きにくい形態になっている．そのために関節の可動性と安定性がもたらされている．

頚椎の可動性

- 頚椎は7つの椎骨で構成されている．頚椎の回旋運動のうち約50%は第1，2頚椎が担っている．
- 第3～7頚椎の動きは椎間関節の形態に応じた動きとなっている（図2-9a）．このために中下頚椎全体での動きは回旋を伴った側屈の動きのみが行われる（図2-9b, c）．
- ルシュカ関節は二足歩行をする哺乳類に特有と思われる関節であり，頚部の中間位から前屈位における頚椎の動きを主に担っている．

肩関節の可動性

- 肩関節は屈曲・伸展，内転・外転，内旋・外旋，水平伸展・水平屈曲の8方向の動きが可能である．解剖学的肩関節である肩甲上腕関節，肩鎖関節，胸鎖関節と生理学的肩関節である肩甲胸郭関節および第2肩関節（肩峰下関節）の動きの総和が広義の肩関節の動きである．

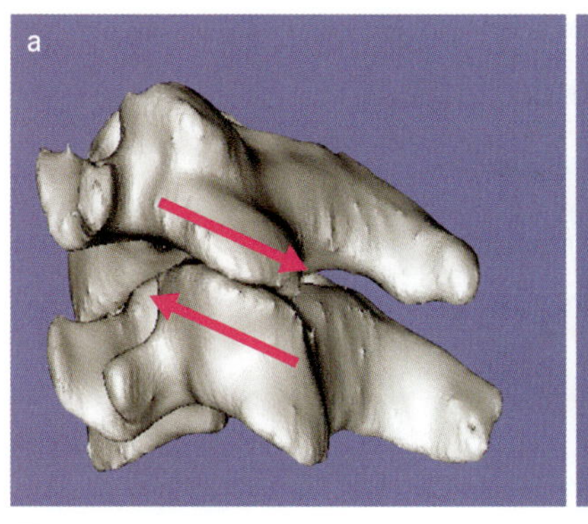

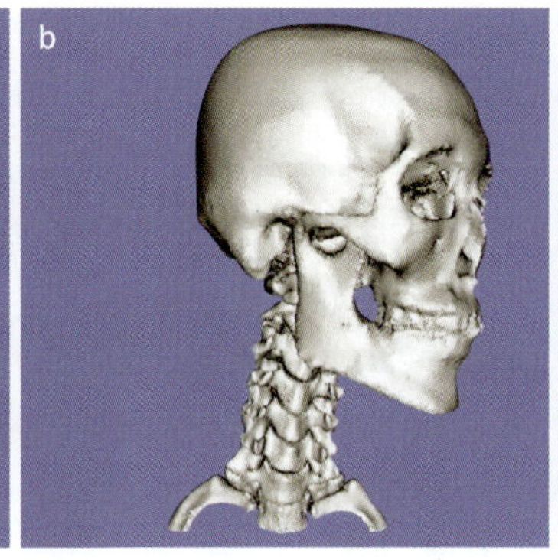

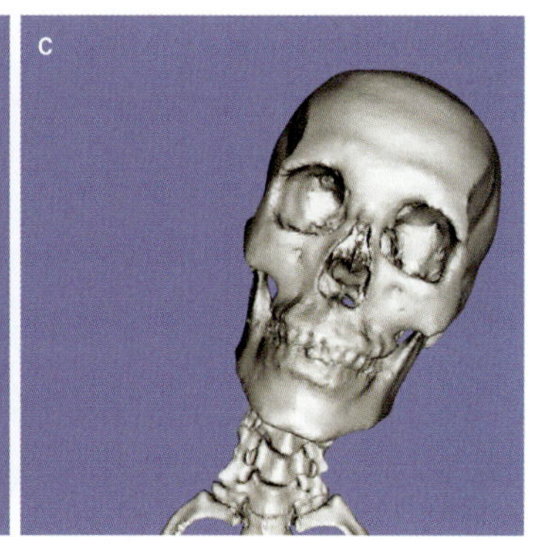

図 2-9 頚椎の動き

a：椎間関節は左右にあり，各々は前方が高く傾斜した関節である．椎間関節では「せりあがる」「ずり落ちる」という 2 種類の動きしか許容されない（矢印はその動き）．
b，c：側屈と回旋．頚部を左右に回旋する動き（b）と，側屈させる動き（c）を中下頚椎で比較すると，その動きはまったく同じである．

- 肩甲上腕リズム：肩関節の内外転運動では肩甲胸郭関節と肩甲上腕関節が必ず一定の比率（1：2）で動かされる．
- 肩関節の水平伸展・水平屈曲や内旋・外旋運動で，肩甲骨の動き（肩甲胸郭関節）は肩内転・外転のときとまったく異なった動きをする．肩の内転・外転時には肩甲骨は肩甲上腕リズムに則って動くのに対して，肩の水平伸展・水平屈曲や内旋・外旋運動では可動域の最終領域（end range）で肩甲骨が大きく動くものの，それまでは肩甲上腕関節での上腕骨の動きが主である．

肩鎖関節の可動性

- 上肢を挙上させるにしたがって肩鎖関節は一定の軸周りに大きく動く．この軸とは烏口突起と肩峰を結ぶ直線であり，この軸を中心にして鎖骨は大きく左右に振れるように動く（図 2-10）．
- 上記の鎖骨の動きを安定的に行うことができるように烏口鎖骨靱帯がある，烏口鎖骨靱帯は菱形靱帯と円錐靱帯という V 字状に分かれた 2 本の靱帯で構成される．その 2 本の靱帯があってはじめて，鎖骨の回転軸周りでの左右の大きな動きが安定的に可能となる（図 2-10）．

肘関節の可動性

- 肘関節の屈伸運動は単純な蝶番運動ではない．肘関節伸展位を基準とした各肢位間の回転軸は，上腕骨（肘関節）内側にある側副靱帯付着部に回転中心（回転軸の交点）が存在する多軸性の運動である．

前腕の可動性

- 回転軸は手関節部に存在する尺骨頭の基部（Fovea，尺骨小窩）および肘関節部に存在する橈骨頭の中央部にあり，一軸性に近い運動である．

手関節の可動性

- 手関節は掌背屈，橈尺屈，ダーツモーションの異なる 3 方向の動きが可能である．
- さまざまな手関節の動きに対して，遠位手根骨の動きはほぼ一軸性でしかも同一である（図

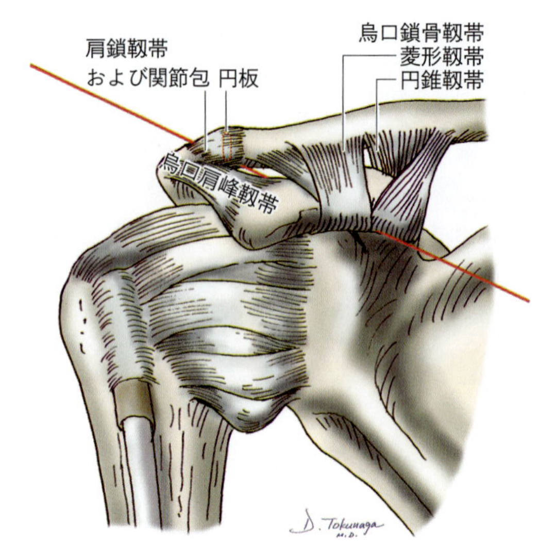

図 2-10　肩鎖関節の運動軸と烏口鎖骨靱帯

鎖骨は上肢挙上時に肩甲骨に対して烏口突起と肩峰を結ぶ軸（赤線）周りに回転する．肩鎖関節部では鎖骨端は 40°以上の角度で，肩峰に対して回転するように動く．烏口鎖骨靱帯は菱形靱帯と円錐靱帯からなり，両者は烏口突起から V の字に分かれて鎖骨に付着している．

2-11）．

腰椎の可動性

- 腰椎では上下の椎体は椎間板を介してつながり，前・後縦靱帯により結合されている．後方では椎間関節を形成し，連続する椎骨は黄色靱帯，棘間・棘上靱帯により連結されている．
- 椎間関節の横断面での傾きは，胸椎では前額面に近いが，腰椎では矢状面に近づく．腰椎には生理的前弯が存在し，立位では L1 椎体は仙骨直上に位置するとされる．腰仙椎前弯角は 44±11° 前弯（L1 椎体上縁-L5 椎体下縁）であり，腰椎前弯によって腰椎柱に加わった荷重は広く分散される．腰椎での前屈可動域は平均約 10°，後屈可動域は平均約 3° である[1]．
- 一方，健常人の腰椎の平均回旋角度は片側平均 1～2° であり，頚椎などに比べて回旋運動はほとんど行われない[2]．
- 腰椎はほかの脊椎骨と同様，回旋時に回旋とは逆の側屈を伴う．この動きをカップリングモーションという（図 2-12）．

股関節の可動性

- 股関節は人体最大の荷重球関節であり，荷重関節では最も可動範囲が大きい．
- 正常股関節の屈曲角度は 110～120° までで，座礼やしゃがみ込みなどの深屈曲動作時は隣接関節である腰椎で屈曲角度をある程度代償している．正常股関節の伸展角度は 0～15° までであるが，海老反りのような股関節伸展時では，同様に隣接関節である腰椎での伸展である程度代償される．

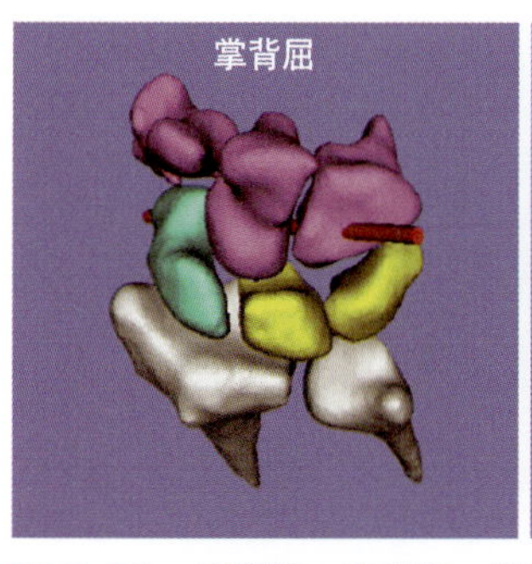

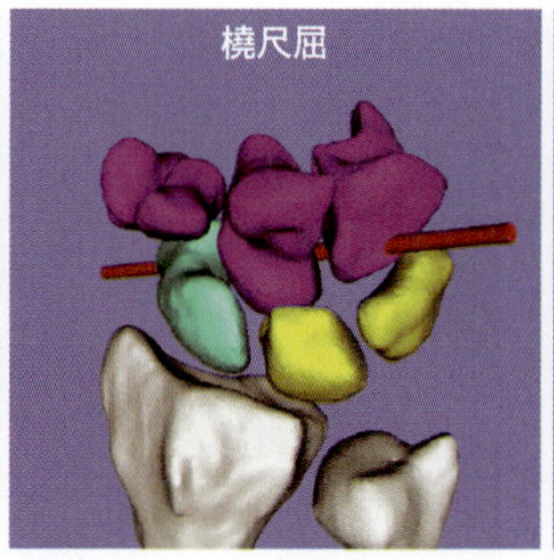

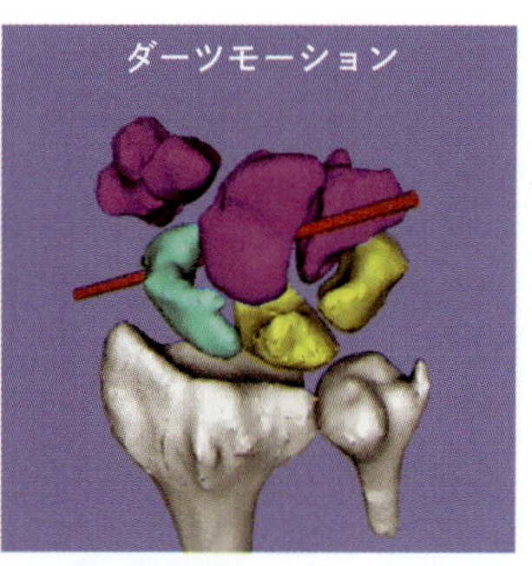

図 2-11　手関節の掌背屈，橈尺屈，ダーツモーションの異なる 3 方向の動き
さまざまな手関節の動きに対して，遠位手根骨の動きはほぼ一軸性で，しかも同一である．

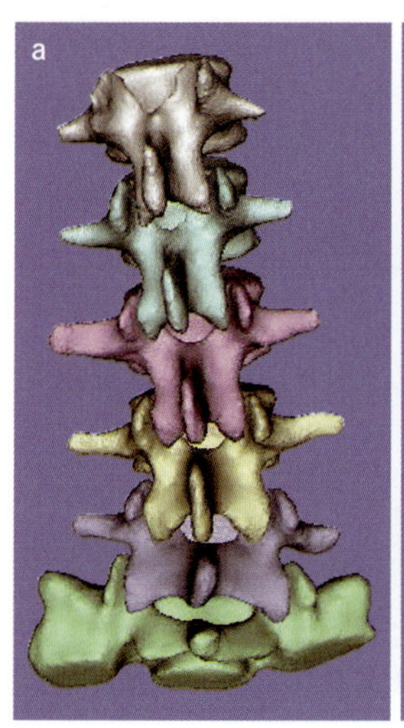

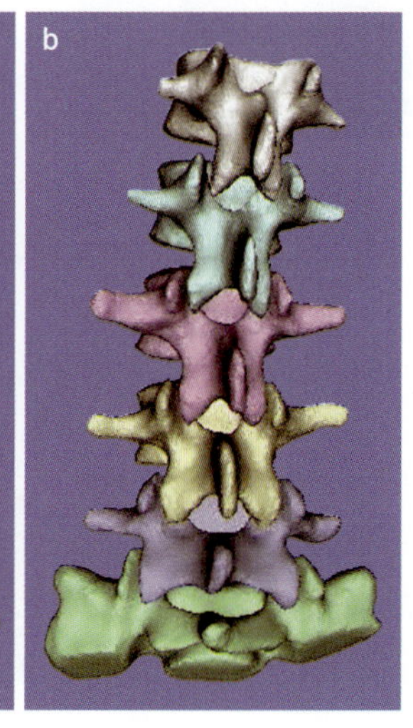

図 2-12　腰椎の回旋に伴う側屈の動き（カップリングモーション）
a：腰椎の右回旋，b：腰椎の左回旋．

膝関節の可動性

- 膝関節の屈曲・伸展時には大腿骨脛骨間の前後方向のころがり運動・すべり運動とともに，内旋や外旋方向のねじりの動きも加わる（図 2-13）．その動きには骨形態，靱帯，筋や軟骨などが複合的に関与している．
- 大腿骨遠位部は内側顆と外側顆の 2 つに分かれており，ともに球状をしている．しかし，大腿骨外側顆の曲率半径が内側顆よりも大きく，また，大腿骨遠位部に接する脛骨面の内外側の形状も異なっていることにより，膝屈曲時に大腿骨は脛骨に対して外旋する動きが生じる．また，膝関節は最大屈曲位では後十字靱帯によって大腿骨は脛骨上を後方移動（rollback）する．この大腿骨の後方移動により，膝関節には十分な可動域が与えられる．

足関節の可動性

- 距腿関節および距骨下関節の関節運動ではさまざまな用語が用いられているために，本項では，矢状面の運動を底屈と背屈，前額面の運動を内反と外反，水平面の運動を内旋と外旋と統一する．
- 足関節が底背屈する際の運動軸は約 8° 内反しているために，背屈時に足部は外反，底屈時に足部は内反を伴う．また運動軸は約 6° 外旋しているため，背屈時に足部は外旋し，底屈時に足部

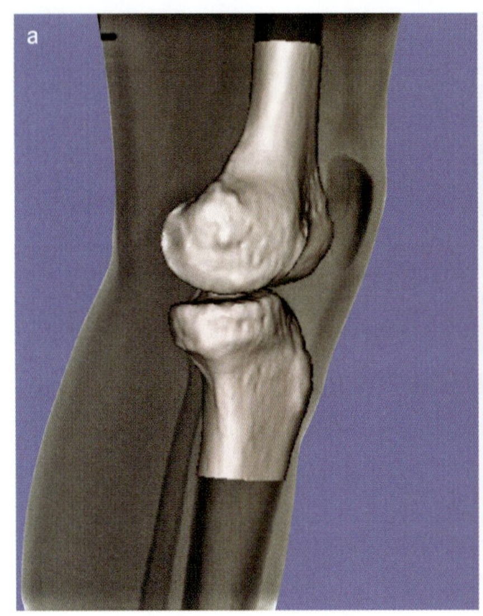

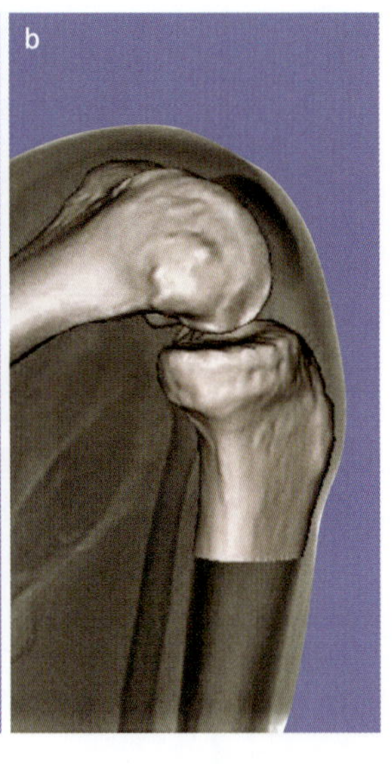

図 2-13 大腿骨と脛骨の X 線透視側面画像
a：膝関節伸展時，b：膝関節最大屈曲時．

は内旋する[2)]（図 2-14）．

- 距骨下関節の動きは，screw axis movement である[3)]．その動きは，水平面では足部長軸より約 16～23° 内側へ傾き，矢状面では水平線より約 42～46° 背側へ傾斜がついている運動軸を中心とした運動で，その方向は主に内・外反，内・外旋である[3～5)]（図 2-15）．距骨と踵骨を貫いている線は距骨下関節の運動軸を算出したものである．このうち F は足関節底背屈時の距骨下関節運動軸であり，P は足関節内外反時の距骨下関節運動軸である．それぞれの運動軸はほぼ同じ向きを示している．すなわち，距骨下関節は足関節のいかなる動きの際にも同じ動きをしている．

文献

1) Pearcy M, et al：Three-dimensional X-ray analysis of normal movement in the lumbar spine. Spine (Phila Pa 1976) 9：294-297, 1984
2) Fujii R, et al：Kinematics of the lumbar spine in trunk rotation：in vivo three-dimensional analysis using magnetic resonance imaging. Eur Spine J 16：1867-1674, 2007
3) Inman VT：The Joints of the Ankle. Williams & Wilkins, Baltimore, 1976
4) Mann RA：Functional anatomy of the ankle joint ligaments. Instr Course Lect 36：161-170, 1987
5) Sarrafian SK：Anatomy of the Foot and Ankle. JB Lippincott, Philadelphia, 1983

（菅本一臣）

上肢の基本動作

- ヒトの上肢は他の四足動物とは違い，体重支持の機構はなく，関節の自由度が増し，巧緻性を高めるように構成されている．したがって，動作は無数に存在するが，概ね先行して起こる肩・肘・前腕・手関節を用いたリーチなどの動作と，次に起こる手指を使った巧緻運動に大別される．
- 基本的なリーチ動作としては，食事動作では，肘伸展時には前腕回内位を，肘屈曲時には前腕回外位をとる．作動筋として，肘伸展に上腕三頭筋を，肘屈曲に上腕二頭筋，上腕筋と腕橈骨筋が

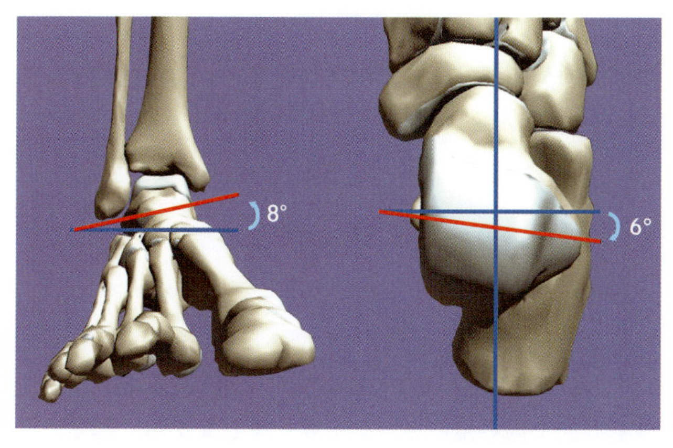

図 2-14　距腿関節の運動軸

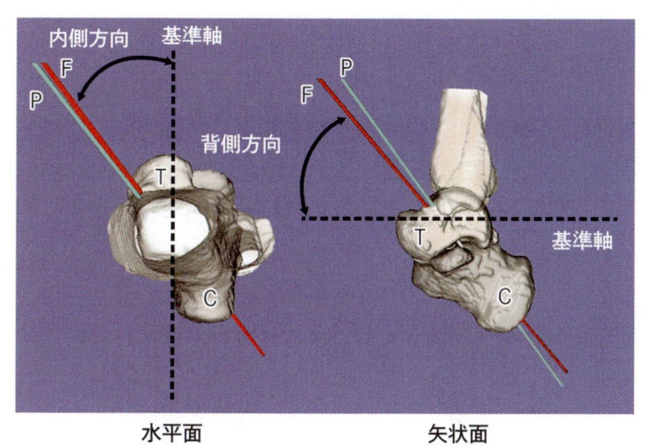

図 2-15　距骨下関節

P：足関節内外反時の運動軸，F：足関節低背屈時の運動軸．
左図は足関節を上からみたもの，右図は足関節を側面からみたものである．

使われる．

- 前腕回内には円回内筋と方形回内筋が，前腕回外には回外筋と補助的に上腕二頭筋が使われる．書字動作では肩関節外転（三角筋と棘上筋），内旋（肩甲下筋と大円筋），前腕回内位を呈し，手掌を下方に向ける．ドアノブを回す動作では前腕回内外を直接行っている．
- 手指の巧緻運動は，把持する（つまむ，握る，など），形づくる，探るなどが存在する．つまみ動作は手指先端と母指で行うことが多い．一方，握り動作は指腹から手掌までを使って物を把持する動作である．ADL 上最も使用頻度の高い把持動作は，母指・示指・中指を使った 3 指つまみ動作であり（約 70%），ペンや箸を保持するのもこの動作の 1 つである．次に，使用頻度が高い把持動作が全指全手掌を使った力強い全手掌握り動作である（約 20%）．ハンドルやハンマーの柄を握るのがこの動作である．
- 把持動作で活動する筋のなかで，すべてに共通するのは長・短橈側手根伸筋であり，手関節を軽度背屈位に固定する．3 指つまみ動作では総指伸筋と浅指屈筋腱が示指から小指まで，短母指伸筋と長母指外転筋が母指の固定筋として働く．作用筋としては短母指屈筋腱と母指内転筋，第 1 掌側骨間筋が働く．DIP 関節は伸展位または軽度屈曲位で固定され，母指 MP 関節が屈曲する．つまむものが大きいと母指 IP 関節屈曲が必要となり，長母指屈筋腱が働く．
- 全手掌握り動作では，示指から小指までの浅指・深指屈筋，母指内転筋を含むすべての母指球筋と長母指屈筋が作用する．強く握るほど手関節，各指 MP 関節は尺側偏位し，各指は軽度外旋位をとる.

- 把持動作では，運動機能だけでなく，感覚機能や関節の位置覚が保たれていることも重要である.

（西村行秀・峠　康）

下肢の基本動作

- ヒトは直立二足歩行を獲得したことで，手が自由に使えるようになり脳が発達したとされているが，それと引き換えに，非常に狭い支持基底面で高い重心をコントロールしながら，起立・立位・歩行などの動作を行わなければならなくなった.

起立

- 起立動作は，椅子やベッドからの立ち上がり，車いすやトイレへの移乗など，日常生活で最も基本的な動作の1つとして非常に重要である.
- 重心の大きな上下および前後移動，座位時の殿部〜足部にいたる広い支持基底面から，立位時の前方の狭い足底の支持基底面への移行が必要である.
- 起立動作を2〜4相に分けて考える方法がいくつか報告されているが，歩行のように広く認知された相分けはない．ここでは矢状面での起立動作を，座面から離殿するまでの屈曲相と離殿以降の伸展相の2相に分けて説明する.
- 屈曲相：膝関節を屈曲し，足部を膝関節より後方に位置させた開始姿勢．体幹を前傾して頭部を前下方に移動する.
- 伸展相：離殿とともに体幹と股関節，ついで膝関節を伸展し，足関節を底屈する.
- 重心は屈曲相では体節の動きとともに前下方に移動し，伸展相では前上方から後上方へ移動する.
- 伸展相では脊柱起立筋による体幹伸展，大殿筋による股関節伸展，大腿四頭筋による膝関節伸展，下腿三頭筋による足関節底屈が協調的に生じる必要がある.

立位

- 立位はヒトが作業や移動を行う上で最も基本的な姿勢である.
- 安定した立位姿勢を保持するための姿勢制御法には，足関節の筋群を中心としてバランスを維持する制御法（アンクルストラテジー），股関節を支点として体幹をコントロールすることでバランスを維持する制御法（ヒップストラテジー），足を踏み出して移動させること（ステッピング）で支持基底面を拡げてバランスを維持する制御法の3つがある．常に，アンクルストラテジーとヒップストラテジーを用いるが，次に行う動作により選択される制御が要る.
- 立位姿勢を保持する場合，加わる外乱（各種の外力）の大きさによって，足関節の制御，股関節の制御，ステッピングによる制御の順に制御が働く.

歩行

- 歩行は周期運動であり，左右の下肢が対称的な動きを交互に繰り返すのが特徴である.

- 踵接地から反対側離地（初期接地，荷重応答期）：衝撃吸収および荷重の受け入れが行われる．踵接地時は股関節屈曲 20〜30°，膝関節屈曲 0〜5°，足関節底背屈 0° から軽度底屈位であり，反対側離地にかけて膝関節屈曲 15〜20°，足関節底屈 5° となる．大殿筋や大内転筋の等尺性収縮や伸張性収縮が股関節を安定させる．大腿四頭筋に伸張性収縮がみられる．前脛骨筋は，踵接地時には足部をゆっくり接地させるために働き，その後足関節底屈に伴い伸張性に収縮する．
- 反対側離地から反対側接地（立脚中期，立脚終期）：片脚での体重支持が行われる．身体の前進に伴って股関節および膝関節は伸展，足関節は背屈し，立脚終期には股関節伸展 20°，膝関節屈曲 5°，足関節背屈 10° となる．中殿筋などの股関節外転筋が骨盤を安定化させるのに働く．下腿三頭筋の収縮によって立脚終期に踵離地が生じる．
- 反対側接地から踵接地（前遊脚期，遊脚初期，遊脚中期，遊脚終期）：下肢の前方への振り出しが行われる．股関節および膝関節は屈曲する．立脚終期に背屈 10° となった足関節は，その後底屈し爪先離地時には底屈 15° となるが，遊脚期には底背屈 0° となり踵接地まで維持される．遊脚期の初期に腸腰筋，薄筋，縫工筋などの筋活動が最大となる．遊脚期の終わりにはハムストリングスの筋活動が最大となり，振り出した下肢を制動するのに働く．足関節背屈筋群の活動により，足関節は底背屈 0° に保持される．

（大橋鈴世）

運動力学

関節運動

- 生体の運動に関する力として重力，筋収縮力，外力，摩擦力が挙げられる．運動力学ではこれらの力を解析する．筋収縮によって発生する筋張力が骨に作用すれば関節運動が生じる．関節運動には“てこ”の原理（レバーに作用する力によって支点を中心に回転運動を生じる状態）が当てはまり，支点，力点，作用点の位置関係によって分類される（図 2-16）．第 1 のてこは力点と作用点の間に支点があり安定性がある．腕立て伏せなどの動作における上腕三頭筋と前腕の関係にあたる．第 2 のてこは支点と力点の間に作用点があり大きな力を生み出す．母趾 MTP 関節を支点にして爪先立ちをする際に下腿三頭筋によって踵を持ち上げる動作があげられる．第 3 のてこは作用点と支点の間に力点があり速い動作が可能となる．前腕にかかる重力に抗して肘関節を屈曲させる上腕二頭筋の動作が該当する．

関節合力

- バイオメカニクス的アプローチの基本として，さまざまな ADL や運動にて関節にかかる合力を明らかにすることが必要である．関節モーメント法に基づく平衡理論，床反力計・筋電図などのデータを駆使したコンピュータシミュレーションやセンサを内蔵した人工関節などさまざまな方法が用いられてきた．関節合力は両脚や片脚での立位といった静止動作や，起立歩行，階段昇降，走行といった運動状態で計測される．その大きさは同じ動作でも身長，体重や筋力などによって異なるため，体重（body weight；BW）に対する比率として求められる．
- 股関節の領域では古くからバイオメカニクスの研究が行われてきた．両脚起立の場合に股関節にかかる荷重は，片脚を体重の 1/6 と仮定すると両脚の重さを引いた 2/3 BW の半分である 1/3 BW

第1のてこ

力点　支点　作用点

上腕三頭筋　肘関節　前腕

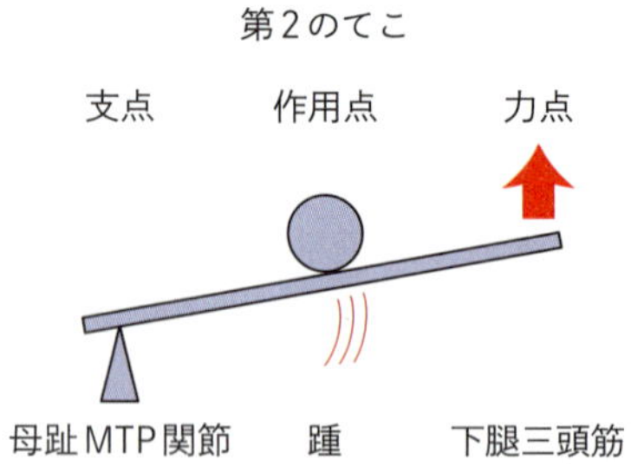

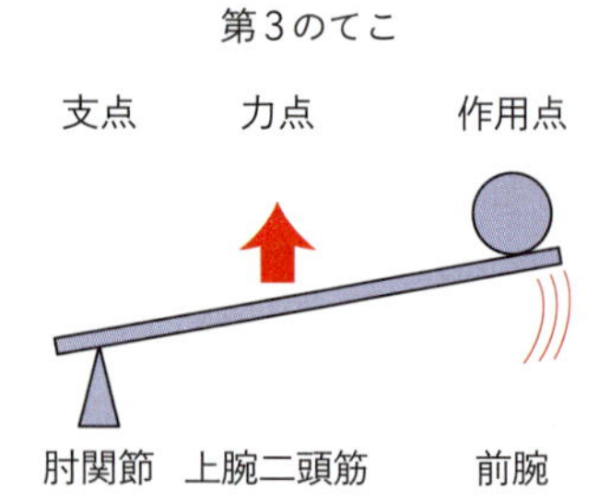

図 2-16　てこの原理

と考えられる．片脚起立では立脚側の下肢の重みを差し引いた体重 5/6 BW が股関節中心の内側にあるため内転モーメントが働く．外転筋による外転モーメントで平衡状態を保つ．Pauwels は前額面において体重および外転筋力が股関節中心を支点として平衡状態にあると仮定し，片脚起立時の大腿骨頭にかかる合力を求めた．このモデルが股関節のバイオメカニクス研究の基礎となっている[1)]（図 2-17）．片脚起立時の重心の位置と股関節中心からの距離は，股関節中心から外転筋の合力の距離の約 3 倍で，大腿骨頭に加わる合力は 5/6 BW の 4 倍弱，つまり BW の 3 倍とし，垂線に対して 16° の傾きをもつ．

正常歩行

- 正常歩行では歩行開始後加速が行われ，一定の歩速に達するといわゆる定常歩行と呼ばれる一定のパターンの繰り返しとなる[2)]．一側の足の踵をついたとき（初期接地）から反対側の足をついた後，再び同側の踵をつくまでの間を歩行の一周期という（図 2-18）．単脚支持期と両脚支持期の時間的な比率は歩行速度が非常に速いときや遅いときを除きほぼ一定で約 4：1 である．また一側下肢の立脚相と遊脚相の比率は約 6：4 である．速い歩行では遊脚期の比率が相対的に増加し，両脚支持期が減少する．1 分間の歩数は歩行率あるいはケイデンス（cadence）といわれ，健常成人の自由歩行（楽な自由な歩行）時の値は 100〜120 くらいである．
- 歩行時の股関節に加わる合力は BW の 2.5 倍程度である[3)]．歩行速度を上げるとより大きな力が加わる．膝関節では，大腿脛骨関節に BW の 2〜3 倍，膝蓋大腿関節に約 0.5 倍の合力がかかる．この値は走行や階段昇降などで著しく増加し，特に大腿脛骨関節では階段昇降時に BW の約 5 倍にまで増加する．これは膝を屈曲させようとする体重に抗して大腿四頭筋が作用し，その合力が膝関節に加わるためである．

歩行解析

- 歩行解析では歩行時の下肢各関節角度と床反力を測定し，その値から関節モーメントを求める[4)]．股関節は遊脚中期に最大屈曲位となり，伸展を開始してから踵接地（初期接地）する．踵離地に最大伸展位となり屈曲を開始して爪先離地する．膝関節はほぼ最大伸展位から屈曲を開始したところで接地し，単脚支持期となる頃に屈曲のピークがみられ，その後伸展する．また，単脚支持期の終わりに伸展のピークがみられ，その後急速に屈曲し遊脚期となりすぐに最大屈曲位となる．このように 1 歩行周期の間に 2 度屈曲伸展がみられるので double knee action と呼ばれる．足関節はやや複雑な波形を示し，多少個人差がみられる．
- 股関節のモーメントでは立脚前半に伸展する力が働き，後半は伸展を抑える屈曲モーメントが働

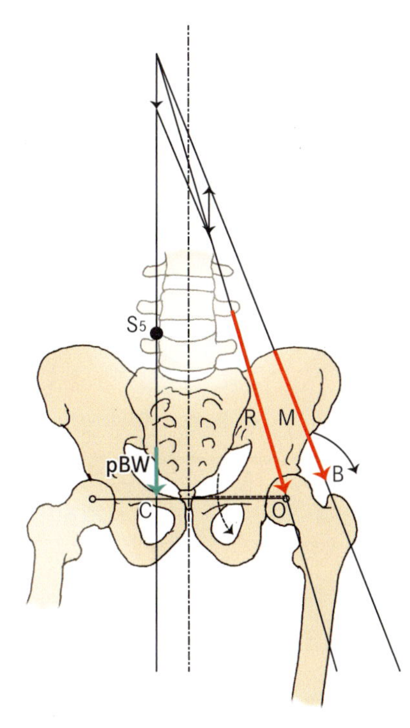

図 2-17 Pauwels による片脚起立時の前額面バランスの模式図

外転筋力（M）と荷重肢を除く体重負荷（pBW）との合力が関節合力（R）となる．

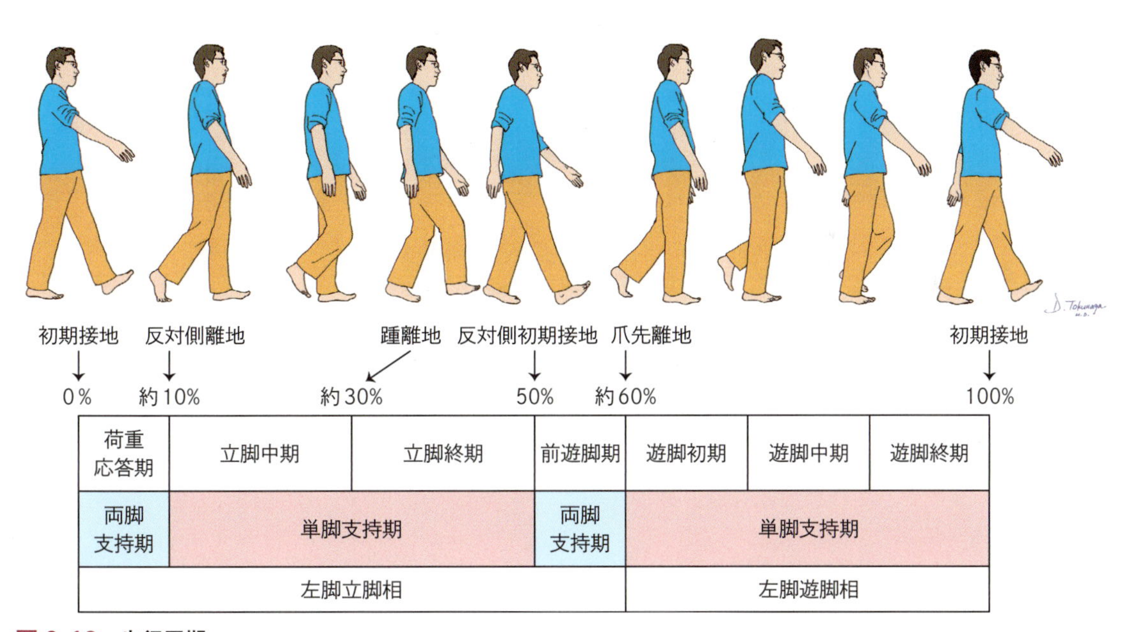

図 2-18 歩行周期

く．膝関節では立脚前半に屈曲に抗する伸展モーメントが働き，後半は重心の前方への移動により屈曲モーメントが働く．足関節では立脚期の間，足関節背屈方向の力が加わるため，底屈モーメントが働く．

- このように歩行は，骨盤を含む下肢各関節の動きが複雑に組み合わされて重心の動きが最小になりエネルギー消費の最も少ない運動となっている．

文献

1） Pauwels F：Biomechanics of the normal and diseased hip. Theoretical foundation, technique and results of treatment：An Atlas. Springer-Verlag, Berlin, 1976
2） Inman VT, et al：Human walking. Williams and Wilkins, Baltimore, London, 1981
3） Bergmann G, et al：Hip contact forces and gait patterns from routine activities. J Biomech 34：859-871, 2001
4） 臨床歩行分析研究会（編）：関節モーメントによる歩行分析．医歯薬出版，1997

（中川周士・新井祐志）

総論

3

急性期・回復期・生活期のリハビリテーション医学・医療

1 急性期

- 急性期では，疾患・外傷自体の治療を行っている専門領域の各診療科医師との連携が大切である．
- 機能低下や活動の問題点に対してリハビリテーション診断を行い，積極的なリハビリテーション治療を進める．活動性の低下防止を図りながら，身体的・精神的な機能回復を目指す（図1-5 ⇒ 7頁）．
- 疾病・外傷・手術などの発症や処置直後から原疾患の治療と並行して行われる．手術の場合，術前からリハビリテーション治療も行われる．期間に関して明瞭な区切りはないが，リハビリテーション治療開始後約10日から1か月程度である．
- 急性期のリハビリテーション診療では，不動（immobility）による非活動性萎縮（disuse atrophy）を含む合併症（廃用症候群）の防止が大きな課題である．
- また，この時期に適切で積極的なリハビリテーション医療を展開することによって，回復に要する期間の短縮と最終的な機能の到達レベルが向上することが報告されている．『脳卒中治療ガイドライン2021』や『大腿骨頚部/転子部骨折診療ガイドライン（第2版）』でも，できるだけ早期からリハビリテーション治療を開始することが強く推奨されている．
- ICU（intensive care unit）やSCU（stroke care unit）入院中などの超急性期でも，運動療法と作業療法により，退院時にADLが自立できた割合の増加，せん妄期間の短縮，人工呼吸器を装着していない日数の増加などが報告されている．
- 脳血管障害患者に対する早期離床（座位）により有意な意識レベルの改善がみられたとの知見が得られており[3]，リハビリテーション科医の診断のもと，熟練した理学療法士が早期からのリハビリテーション治療を行うことで，予後が改善するという報告もある．
- 回復期の施設を経由しないで在宅に移行する患者に対しては，医療・福祉サービスのセッティング，生活環境の調整などのリハビリテーション支援を行う．
- 急性期では，リスク管理が不可欠で，原疾患の治療を担当している診療科との協調・連携がきわめて重要である．また，その際，他診療科の医師や各領域の専門の職種にリハビリテーション治療により原疾患の予後が改善することをしっかり認識してもらうことも大切である．急性期のリハビリテーション診療を積極的に展開していくために，この時期に必要なリハビリテーション医学・医療の知識や技能をしっかり身につけておくべきである．日本リハビリテーション医学教育推進機構や日本急性期リハビリテーション医学会の教育コンテンツ（テキスト，研修会など）も有用である.

文献

1) Bernhardt J, et al：A very early rehabilitation trial for stroke(AVERT)：phase II safety and feasibility. Stroke 39：390-396, 2008
2) Schweickert WD, et al：Early physical and occupational therapy in mechanically ventilated, critically ill patients：a randomised controlled trial. Lancet 373：1874-1882, 2009
3) Moriki T, et al：Sitting position improves consciousness level in patients with cerebral disorders. Open Therapy Rehabilit 1：1-3, 2013
4) Kinoshita T, et al：Effects of physiatrist and registered therapist operating acute rehabilitation(PROr)in patients with stroke. PLoS One 12：e0187099, 2017

（河﨑 敬）

2 回復期

- 回復期のリハビリテーション治療では，急性期治療は終えたが，心身機能に障害が残存した患者が対象になる．リハビリテーション治療を集中的に行うことで機能やADLの回復が最も期待できる時期である．
- 回復期のリハビリテーション診療は，回復期リハビリテーション病棟のみならず，地域包括ケア病棟や一般病棟でも行われる．
- 回復期のリハビリテーション医療の対象疾患は，急性期病院での治療（手術を含む）後の①脳血管疾患，脊髄疾患，末梢神経疾患，②下肢の関節疾患と脊椎疾患，外傷，③内部障害疾患，である．
- 回復期のリハビリテーション診療に関して，『脳卒中治療ガイドライン 2021』に①回復期脳卒中患者に対して，ADLを向上，もしくは在宅復帰率を高めるために，多職種連携に基づいた包括的なリハビリテーション診療を行うことが勧められる（推奨度Aエビデンスレベル中），②回復期において，訓練時間を長くすることは妥当である（推奨度Bエビデンスレベル中），③歩行障害が軽度の患者に対し，有酸素運動や筋力増強訓練を行うことが勧められる（推奨度Aエビデンスレベル高），と記載されている．
- 回復期のリハビリテーション診療の「多職種連携」は，各種の医療スタッフの専門性を最大限に生かした包括的チームアプローチである．
- 多職種連携を図るためには各職種のスタッフが，患者の状態やゴールについての認識を常に共有し，チーム医療としてかかわることが重要である．
- 回復期のリハビリテーションチーム医療は，①リハビリテーション診断によるリハビリテーション治療計画の立案，②専門の職種によるリハビリテーション治療の実践，③多職種による課題の共有と対応，④自宅復帰に向けた多職種によるリハビリテーション支援，である．
- リハビリテーション科医はチームのリーダーとして，ゴールを見据えたチームカンファレンスの運営を主導し，情報伝達や意見の取りまとめを行う．
- 回復期の全身状態管理はリハビリテーション科医の重要な役割であり，原疾患の再発予防や合併症の診療を行いながらリハビリテーション治療を進めなければならない．
- 回復期のリハビリテーション診療では心身機能を多面的に評価し，合併症や併存疾患も考慮したリハビリテーション診断を行う．そして，予後予測のもと，入院期間やリハビリテーション治療のゴール設定を行っていく．

- 回復期のリハビリテーション治療のためのリハビリテーション処方では，リハビリテーション診断をもとにして，適切なリハビリテーション治療法を選択し指示することが必要である．
- また，回復期では機能回復が得られるとともに，家庭や社会での活動における課題や問題点が明らかになる時期である．明らかになった課題や問題点に対してはリハビリテーション処方の修正や変更を行って対処する必要がある．
- 自宅復帰は回復期のリハビリテーション診療の主なゴールであるが，能力や環境で阻害要因があれば社会資源を利用したリハビリテーション支援を行う．

（藤井良憲）

3 生活期

- 生活期のリハビリテーション診療の特徴は，在宅（有料老人ホーム，サービス付き高齢者向け住宅，グループホーム，小規模多機能型施設，ケアハウスを含む）や施設（介護老人保健施設，介護老人福祉施設，介護療養型医療施設）など，主として医療現場から離れた生活の場においてリハビリテーション医療が行われることであり，急性期や回復期よりも長い期間にわたって展開される．
- 急性期，回復期を経て，生活期に至る場合が多いが，急性期の診療のみで回復期を経ず生活期に移行する高齢者，障害児・者，難病疾患・慢性進行性疾患の場合には，急性期や回復期のフェーズはない．
- 生活期では，医療と介護・福祉が相互にかかわる事案が多い．情報を共有するためにも，リハビリテーション科医はかかりつけ医，介護支援専門員/ケアマネジャー，障害福祉担当者などとの綿密な連携が重要である．
- 生活期のリハビリテーション診療の目的は，患者の障害の程度に合わせながら，「日常」や「家庭」での活動を向上させ，社会活動につながるようにすることである，よりよい生活を営めるように支援を行っていく．
- 家族教育・指導などとともに生活環境整備などのリハビリテーション支援を行い，介護支援のために介護サービスとの連携なども図る．患者が自分の意志で活動して，何かをやろうとする主体性を持たせる努力も必要である．多面的，総合的なアプローチが大切となる．
- 生活期では，医療保険によるリハビリテーション診療のみならず，介護保険での医師によるリハビリテーションマネジメントがある．介護保険では要支援・要介護認定者に対してリハビリテーションマネジメントの提供が優先され，医療保険でのリハビリテーション診療利用は限定的である．
- 生活期でのさまざまな障害は，二次的な合併症や新たな障害を引き起こす可能性がある。それらを未然に防ぐためには生活期での定期的な診察は不可欠である．脳血管障害の片麻痺で痙縮による内反尖足の増強による装具の不適合や反張膝の出現，不動・不活発による筋力低下，歩行困難の出現などはその具体例である．
- 地域包括ケアシステムの構築進む中で，リハビリテーション医学・医療のエッセンスを介護や地域住民活動（NPO，ボランティア活動など）に活かすことで，より質の高い介護やリハビリテーションマネジメントの構築が可能である．リハビリテーション科医が中心となって，医療と介護との連携，医療と地域住民活動との連携を推進していく必要がある．

（川手信行）

4 通所リハビリテーション

通所リハビリテーションの制度と適応

- 1983年に認知症患者を対象に制度化された老人デイケアが，2000年に施行された介護保険法により通所リハビリテーションに統合された．2021年には介護サービスの質向上を目的とした科学的介護情報システム（Long-term care Information system For Evidence；LIFE）も開始された．
- 介護保険では通所リハビリテーションとは，「居宅要介護者について，介護老人保健施設，介護医療院，病院，診療所，その他の厚生労働省令で定める施設に通わせ，当該施設において，その心身の機能の維持回復を図り，日常生活の自立を助けるために行われる理学療法，作業療法，その他必要なリハビリテーション」と規定されている．
- 急性期，回復期の医療施設から退院した後，スムーズに在宅生活に移行し，医学的な管理や心身機能・生活活動の維持向上といったリハビリテーション医療を継続する場合や，医師が通所リハビリテーションの必要性を認めた居宅の要介護者が対象となる．
- 利用者は75歳以上が約8割を占め，第2号保険者（40〜64歳）の利用は5%程度，原因疾患は脳血管障害が最も多く約4割である．医学的な管理，心身機能・生活活動の維持向上といったリハビリテーション医療が推進されている．
- 通所が可能な場合には，通所リハビリテーションが選択される．実際の生活環境での調理，家事，公共交通機関の利用などの訓練が必要な場合には，目的と役割を明確にすることで，訪問リハビリテーションとの併用が可能となる．
- 通所介護と通所リハビリテーションにおいて，社会活動の維持向上と介護者などの家族支援（いわゆるレスパイトケア）は共通の機能であるが，通所リハビリテーションは医師，看護師，療法士が配置され，医師の指示に基づき「医学的な管理」，「心身機能・生活活動の維持向上」といったリハビリテーション医療を行うのが特徴である．
- 対象者の要介護度，利用時間，事業所の規模や提供体制，リハビリテーションマネジメント，中重度者の受け入れ，認知症をもつ利用者に対するリハビリテーションアプローチなどにより報酬体系が複雑に決められている（図3-1）．個別リハビリテーションが基本報酬に包括され，サービス利用に関する日数制限はない．退院・退所直後（3か月以内）の個別リハビリテーション（短期集中個別リハビリテーション実施加算）や，多職種によるリハビリテーション会議開催による医師のリハビリテーションマネジメントが設定されている．

通所リハビリテーションの実際

- 退院・退所直後は，改善した日常での活動を長期にわたって維持し，家庭や社会での活動を通じて，さらなる活動の向上を目指す．

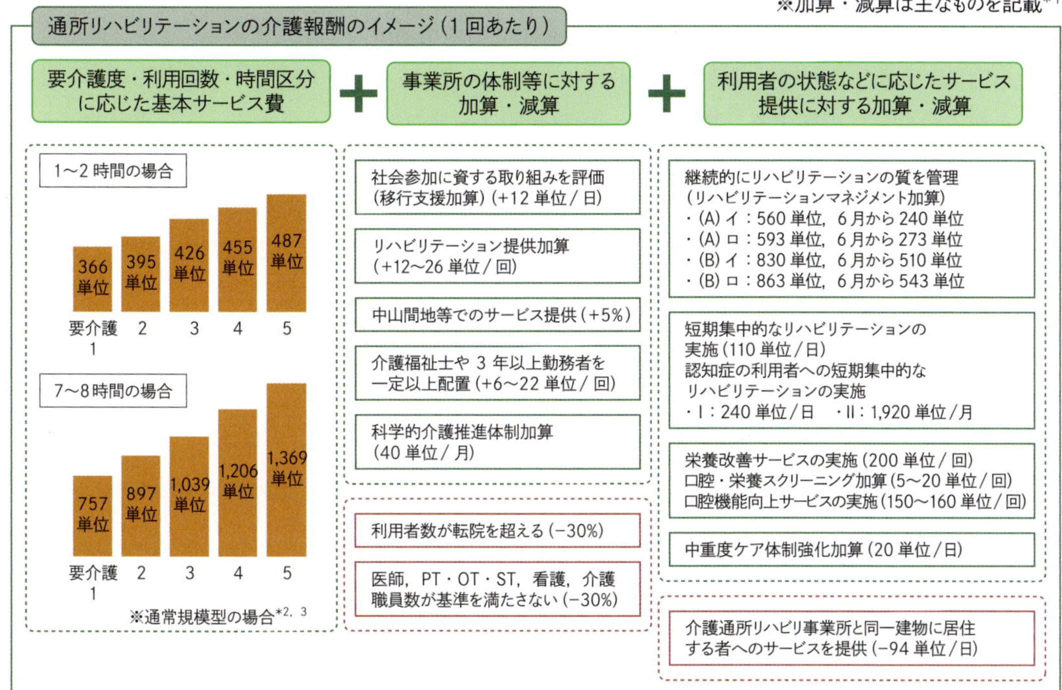

*1 要支援者に対する介護予防リハビリテーションは報酬単位数や要件・加算が一部異なる．
算定率が低い生活行為向上リハビリテーション実施加算は図から除く．
*2 その他2〜3時間，3〜4時間，5〜6時間のサービス提供時間がある．
*3 その他大規模型（I），大規模型（II）がある．
要支援者に対する介護予防通所リハビリテーションは要支援1，2で区分，規模による差はない．

図 3-1　通所リハビリテーションの介護報酬のイメージ

〔厚生労働省：第199回（2021年1月18日）介護給付費分科会 参考資料1　令和3年度介護報酬改定における改定事項についてより一部改変〕

- 長期経過後，加齢・認知症・他疾患を合併し，徐々に心身機能や活動が低下する場合は，通所リハビリテーションによる心身機能や活動能力の維持を目指す．福祉用具の活用，介助者の協力，必要に応じた他の介護保険サービスの導入により，活動範囲（町内外，自宅近隣，自宅敷地内，住居内，寝室）と活動量を維持することを目標にする．
- 個別訓練では，関節可動域訓練，筋力増強訓練，物理療法，摂食嚥下訓練，コミュニケーション訓練，高次脳機能訓練などの心身機能訓練のほか，在宅生活の維持に重要な基本動作，移乗動作，トイレ動作，歩行（移動）動作などの訓練を行い，要素的な改善を目指した目標を設定する．
- 短時間型は個別・集団の訓練やリハビリテーション機器を用いた運動負荷の高い訓練が行われる．個々に運動の強度や回数，時間などを設定し，筋力や最大酸素摂取量の向上を目的としたサーキットトレーニングなどを行う．
- 長時間型は対象が高齢で医療依存度が高い場合が多く，医療的なリスク管理をもとに訓練を行い，食事や入浴などの日常生活支援，定期的な外出機会の確保，社会活動の維持向上，介護者などの家族支援も目的とする．
- 通所施設内で歩行訓練を行い，歩行速度，連続歩行距離，歩容などを参考に，下肢筋力や歩行能力の向上を図る．重症度に適した下肢装具を用い，適合を定期的に判断する．
- 上肢訓練は痙縮，筋短縮，拘縮に注意しながら，ポジショニング，関節可動域訓練に加え，特定動作の反復運動や麻痺側上肢の随意運動，ペグボードなどの物品を用いた訓練，低周波・電気振動による刺激を併用しながら，日常生活での上肢の使用頻度向上を目指す．

- 集団での訓練は筋力増強訓練，立ち上がり訓練，ストレッチ，全身体操，食事前の嚥下体操などを組み合わせて実施する．身体機能，認知機能，訓練の目的が同等あるいは共通するようなグループ設定を行うとよい．音楽療法を組み合わせることで患者の意欲が高まる．
- 職員を交えた集団でのコミュニケーション訓練が，言語機能・不安などの情動・コミュニケーション能力・社会性の改善に有効である．自由会話や歌唱を利用し，言語課題を設定した訓練を実施する．
- 認知症の患者には，集団での見当識訓練や回想法などにより，情緒・意欲・協調性などの認知症精神行動症状（BPSD）に働きかけるアプローチを行う．

文献

1) 日本リハビリテーション医学教育推進機能，日本リハビリテーション医学会(監修)：脳血管障害のリハビリテーション医学・医療テキスト．pp262-268，医学書院，2021
2) 厚生労働省：第199回　介護給付費分科会(2021年1月18日)参考資料1　令和3年度介護報酬改定における改定事項について

5 訪問リハビリテーション

訪問リハビリテーションの制度と適応

- 療法士による訪問サービスは1988年に始まり，2000年の介護保険法施行を経て，現在では医療保険と介護保険の2種類がある．
- 医療保険では「在宅療養中の患者で通院が困難な者に対して基本動作能力もしくは応用動作能力または社会的適応能力の回復を図る」，介護保険では「居宅要介護者に対して心身機能の維持回復を図り，日常生活の自立を助けるために行われる」ことが目的とされる．
- 訪問リハビリテーションでは療法士による個別リハビリテーションが実施される．実際に生活している場で，ADL訓練や手段的ADL訓練が行われることが特徴である．
- 医療保険の場合は1単位20分，介護保険の場合は1回20分と規定され，訪問リハビリテーション事業所として病院・診療所・介護老人保健施設・介護医療院からの訪問，または，訪問看護ステーションからの訪問の2種類が認められ，合計4種類が存在している（表3-1）．

訪問リハビリテーション事業所からの訪問リハビリテーション（表3-1）

- 通院が困難な者に対して，計画的な医学管理を行っている医師（医療保険の場合は訪問診療を行う事業所の医師）の指示に基づき，その保険医療機関または施設の療法士が実施する．
- 介護保険では，「通所リハビリテーションのみでは，家屋内におけるADLの自立が困難である場合の，家屋状況の確認を含めた訪問リハビリテーションの提供」が認められている．要支援者には自立支援・重度化防止のためのアウトカム評価，要介護者では社会活動を維持できるサービスなどへの移行やリハビリテーションアプローチの利用期間の長さなどが評価される．
- 介護保険のリハビリテーションマネジメントは，事業所の医師が中心となり，リハビリテーショ

表 3-1 訪問リハビリテーションの種類とそれぞれの特徴

	訪問リハビリテーション事業所		訪問看護事業所	
提供者	病院，診療所	病院，診療所，介護老人保健施設，介護医療院	訪問看護ステーション	
保険制度	医療保険	介護保険	医療保険	介護保険
算定制度・上限	在宅患者訪問リハビリテーション指導管理料 1単位(20分)：300点 週6単位を限度[※1,2]	訪問リハビリテーション費 1回(20分)：307単位 週6回を限度[※1]	訪問看護基本療養費 1日：5,550円 週3日を限度[※3]	訪問看護Ⅰ5 1回(20分)：293単位 週6回を限度[※4]
加算・その他		短期集中リハビリテーション実施加算 (退院・退所から3月：200単位) 移行支援加算：17単位 事業所評価加算：月120単位[※5] サービス提供体制加算：3〜6単位 リハビリテーションマネジメント：180〜483単位[※6]		初回加算：300単位 退院時共同指導加算：600単位
診療・指示	事業所の医師の訪問診療[※7]	事業所の専任常勤医師[※7]	かかりつけ医	かかりつけ医
指示期間	1か月	3か月	6か月	6か月

※1 退院後3か月は月12単位.
※2 急性増悪時(1か月にBarthel indexまたはFIMが5点以上悪化)は1日4単位(6か月に1回，14日間限定).
※3 特別訪問看護指示書交付の場合は週4日以上可.
※4 1日3回以上行う場合は減算あり，また要支援者に12か月を超えて行う場合にも減算あり.
※5 要支援者のみ，一定の基準を満たした事業所のみを対象.
※6 リハビリテーション会議の開催は必須．医師の説明とデータ提出加算により区分.
※7 条件付きで他の保険医療機関の医師による診療でも可能(減算あり).
〔久保俊一，他(総編集)：生活期のリハビリテーション医学・医療テキスト．pp14-18，32-35，48-52，73-83，医学書院，2020および厚生労働省：第199回(令和3年1月18日)介護給付費分科会 参考資料1 令和3年度介護報酬改定における改定事項についてを参考に作成〕

ン会議で多職種でリハビリテーション計画を作成する．目的，開始前・実施中の留意事項，中止基準，運動負荷量などを指示し，継続する場合はその理由を患者・家族へ説明して同意をもらう．

- 2021年には介護サービスの質向上を目的とした科学的介護情報システム(Long-term care Information system For Evidence；LIFE)の要件が組み込まれた．

訪問看護ステーションからの訪問リハビリテーション(表3-1)

- 医療的ニーズの高い患者に対して，訪問看護業務の補完として位置づけられている．そのため，在宅療養を行っている患者の診療を担う保険医(かかりつけ医)が診療に基づき訪問看護指示書を記載する．訪問看護計画書及び報告書は，看護職員が定期的に訪問して利用者の心身の評価を行い，看護職員と療法士が連携して作成する．

訪問リハビリテーションの実際

リハビリテーションマネジメント

- 調査・計画・実行・評価・改善のサイクルの構築を通じて，「心身機能」，食事などのADLや買い物などの手段的ADLといった「家庭での活動」，地域の行事に関与するといった「社会での活動」について，補装具や福祉用具の活用，環境調整，自主訓練や介助指導などを含め，バランスよく働きかけるリハビリテーション診療が提供できているかを継続的に管理するものである．
- 退院・退所後は，改善した日常での活動を長期にわたって維持し，家庭や社会での活動を通じて，心身機能や活動のさらなる改善を目指す．
- 長期経過後，加齢，認知症を含む他疾患の合併などにより，徐々に心身機能や活動能力が低下する場合は，それらの維持に加え，福祉用具の活用や介助者の協力を促し，必要に応じて他の介護保険サービスを導入する．
- 周囲の環境を含めた活動範囲レベル（町内外，自宅近隣，自宅敷地内，住居内，寝室）と活動量をできるだけ維持・向上させることを目標とする．

訪問リハビリテーションで行われる訓練など

- 関節可動域訓練，筋力増強訓練，物理療法，基本動作訓練，歩行（移動）訓練，ADL・手段的ADL訓練，摂食嚥下訓練，コミュニケーション訓練，高次脳機能訓練，などがある．
- また，在宅生活の自立や維持に重要な，基本動作，移乗動作，トイレ動作，屋内歩行（移動）動作，入浴動作などの訓練を行う．自宅外の歩行訓練，家事や趣味活動に関する動作訓練，自主訓練の指導なども必要に応じて実施する．
- 家屋状況を確認し，転倒予防や家族の介護負担軽減などの観点から，ベッド周囲の環境整備，手すりの設置などの住宅改修，家族への介助指導なども合わせて行う．重症度に適した福祉用具や歩行補助具の導入も検討する．下肢装具は適応・適合を定期的に評価し再作製も行う．
- 歩行では，下肢筋力増強訓練や歩行訓練により麻痺側および健側下肢の筋力増強を図る．歩行速度，連続歩行距離，歩容などが参考になる．
- 上肢訓練は在宅で使用可能な物品を用いた訓練や，実際の日常生活で上肢を使用する動作の訓練を行い，在宅生活での上肢の使用頻度向上を目指す．
- 誤嚥性肺炎防止を目的とした口腔ケア，必要に応じて在宅で嚥下内視鏡検査も実施する．
- 家族を交えたコミュニケーション訓練や高次脳機能訓練などを行う．

文献

1） 日本リハビリテーション医学教育推進機能，日本リハビリテーション医学会(監修)：脳血管障害のリハビリテーション医学・医療テキスト．pp256-261，医学書院，2021
2） 厚生労働省：第199回　介護給付費分科会(2021年1月18日)参考資料1　令和3年度介護報酬改定における改定事項について

（岡本隆嗣）

6 地域包括ケアシステム

システムの概要

- 重度の要介護状態となっても住み慣れた地域で自分らしい暮らしを人生の最後まで続けることができるよう，住まい・医療・介護・予防・生活支援が，個々人の抱える課題に合わせて一体的に専門職によって提供されるように設計される仕組みである．
- 保険者である市区町村や都道府県が，地域の自主性や主体性に基づき，地域の特性に応じて，行政サービス，NPO，ボランティア，民間企業などの多様な事業主体から構成される重層的な支援体制を構築する（図 3-2）．
- 市区町村が設置する地域包括支援センターが核となり，おおむね30分以内に必要なサービスが提供される日常生活圏域（中学校区程度）が単位として設置される．
- 地域包括ケアシステムの捉え方として，プライバシーと尊厳が守られた住まい（植木鉢）に，安定した日常生活を送るために介護予防・生活支援（土）があることが基本となる．丈夫な器と良質な土壌の上に，「医療・看護」「介護・リハビリテーション」「保険・福祉」が育つとされている（図 3-3）．

リハビリテーション医療に関係する職種の役割

- 医療機関，在宅系サービス，施設・居住系サービス，生活支援・介護予防の取り組みなど，すべての場面でリハビリテーション医療に関係する職種が重要な役割を果たす．

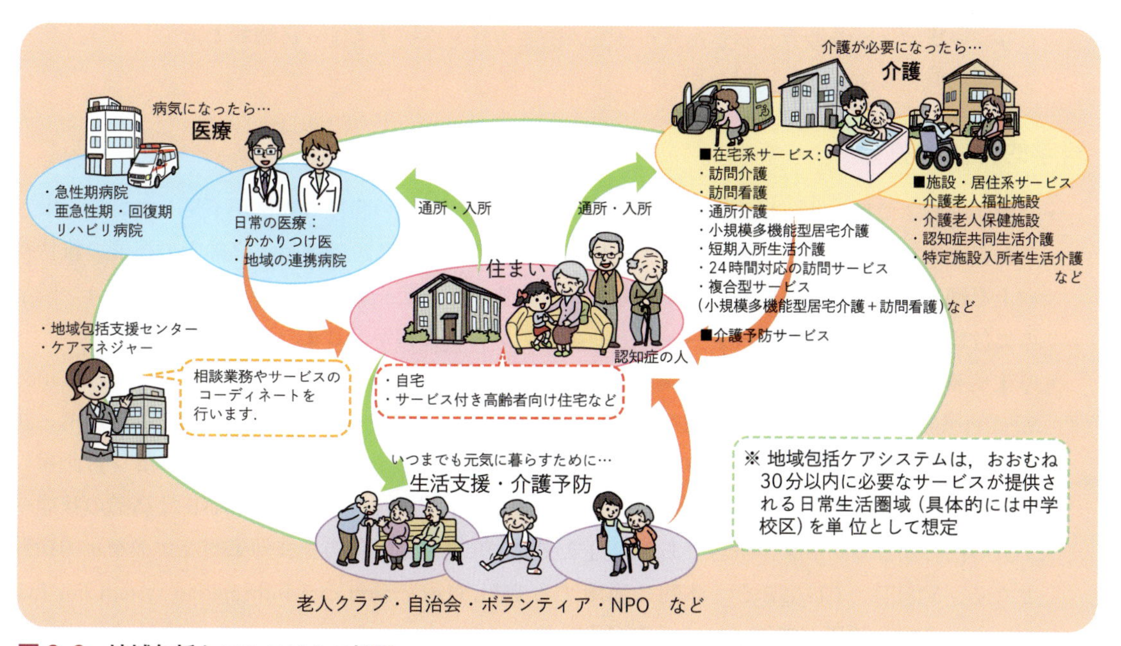

図 3-2　地域包括ケアシステムの概要

厚生労働省：地域包括ケアシステムの実現に向けて（https://www.mhlw.go.jp/seisakunitsuite/bunya/hukushi_kaigo/kaigo_koureisha/chiiki-houkatsu/dl/link1-4.pdf）より

図 3-3　地域包括ケアシステムの捉え方

〔地域包括ケア研究会：地域包括ケアシステムと地域マネジメント（地域包括ケアシステム構築に向けた制度及びサービスのあり方に関する研究事業）．平成 27 年度厚生労働省老人保健健康増進等事業，2016 より〕

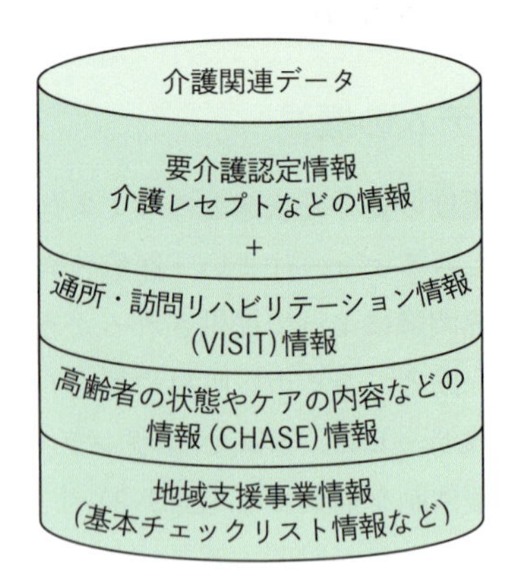

図 3-4　LIFE の活用

- 医師は患者，家族の意思決定を支援し，また介護支援専門員/ケアマネジャーをはじめとした介護・福祉関連のスタッフとも情報を共有しながら，リハビリテーション診療やリハビリテーションマネジメントを行う．医療と介護の連携をスムーズに行うために，双方向での情報の共有が重要である．
- 複数の疾患・障害・病態からなる複合・重複障害をもつ高齢者が急増しており，医学的管理は医師の重要な役割である．予後予測とリスク管理を行い，リハビリテーション診療やリハビリテーションマネジメントの方針がかかりつけ医の治療方針と合致するように調整する．

科学的介護の推進

- 介護サービスでは，リハビリテーション専門職をはじめ関連の職種の人材が不足している．限られた資源を有効に活かし，質の高いサービスを提供するために，効率良く高齢者の機能の維持や向上を図る科学的介護の取り組みが推進されている．介護サービスでもリハビリテーション医学の裏付けが必要であり，データベースへのエビデンスの蓄積がはじまっている．
- 厚生労働省が構築しているデータベースに，VISIT（monitoring & eValuation for rehabIlitation ServIces for long-Term care）と CHASE（Care, HeAlth Status & Events）がある．VISIT は通所・訪問リハビリテーションの質評価のデータベースであり，通所・訪問リハビリテーション計画書の作成支援と質の高いリハビリテーション治療の提供を目的としている．CHASE は高齢の状態やケアの内容などのデータベースであり，自立支援・介護の重度化防止に効果的なケアを示す指針となる．VISIT と CHASE を一体的に運用する LIFE（Long-term care Information system For Evidence）の充実と活用が期待されている（図 3-4）．

文献

1）　地域包括ケア研究会：地域包括ケアシステムと地域マネジメント（地域包括ケアシステム構築に向けた制度及びサービスのあり方に関する研究事業）．平成 27 年度厚生労働省老人保健健康増進等事業，2016
2）　厚生労働省：地域包括ケアシステムの実現に向けて（https://www.mhlw.go.jp/seisakunitsuite/bunya/hukushi_kaigo/kaigo_koureisha/chiiki-houkatsu/dl/link1-4.pdf）

（三上靖夫）

総論

リハビリテーション診療

1 リハビリテーション診療の概要

- リハビリテーション医療の中核は**リハビリテーション診療**である（図 4-1）.
- リハビリテーション診療には，**診断，治療，支援**の 3 つのポイントがある.
- リハビリテーション診断では，急性期，回復期，生活期のフェーズを問わず，「日常」・「家庭」・「社会」での活動について，診察結果と各種の評価法・検査法の結果も踏まえながら，診療の対象である患者の活動の現状を把握し，問題点を明らかにした上で，活動の予後予測を行う.
- それらの活動を最良にするために治療目標（治療ゴール）を定め，適切な治療法を組み合わせた**リハビリテーション処方**を作成し，**リハビリテーション治療**を実施していく.
- リハビリテーション治療と並行して環境調整や社会資源の活用などの**リハビリテーション支援**も行い，患者のよりよい ADL（activities of daily living）・QOL（quality of life）の獲得を目指す.
- リハビリテーション診療の流れは急性期・回復期・生活期のフェーズによって異なることがあるが，リハビリテーション診断をもとに問題点を抽出し，治療ゴールを設定した上で治療計画を立てて処方を行う基本は同様である（図 4-2）.
- 処方に沿って治療が行われるが，行き詰まったときや，予測よりも早く目標に達したときには，再度診察，評価，検査を行って，治療ゴールの再設定や治療計画を練り直す.

図 4-1　リハビリテーション診療

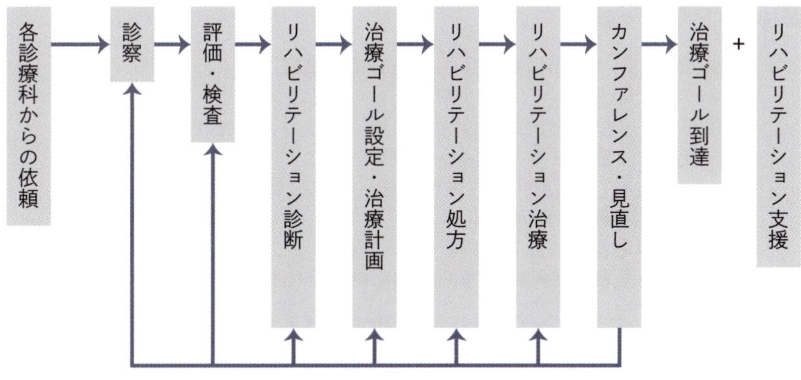

図 4-2 リハビリテーション診療のポイント

表 4-1 リハビリテーション診断

〔活動の現状と問題点の把握，活動の予後予測〕
- 問診：病歴，家族歴，生活歴，社会歴など
- 身体所見の診察
- 各種心身機能の評価・検査
- ADL・QOL の評価：FIM（機能的自立度評価法），Barthel 指数，SF-36 など
- 栄養評価（栄養管理）
- 高次脳機能評価（検査）：改訂長谷川式簡易知能評価スケール（HDS-R），MMSE（mini mental state examination），FAB（frontal assessment battery）など
- 画像検査：単純 X 線，CT，MRI，エコー，シンチグラフィーなど
- 血液・生化学検査
- 電気生理学的検査：筋電図，神経伝導検査，脳波，体性感覚誘発電位（SEP），心電図など
- 生理学的検査：呼吸機能検査，心肺機能検査など
- 摂食嚥下の機能検査：反復唾液嚥下テスト，改訂水飲みテスト，嚥下内視鏡検査（VE），嚥下造影検査（VF）
- 排尿機能検査：残尿測定，ウロダイナミクス検査など
- 病理学的検査：筋・神経生検など

リハビリテーション診断

- 患者の情報収集は診察の前から始まる．情報収集は診断の第一歩である．そこに問診，身体診察と各種の評価法や検査法の結果を併せて診断に至る（表 4-1）．
- 患者の「活動」の現状を把握し，問題点を明らかにした上で，活動の予後予測を行う．
- リハビリテーション治療が始まってからも診療・評価・検査を必要に応じて行い，治療方針を見直していかなければならない．

診察・評価法・検査法

- リハビリテーション診断のポイントとして，全身状態の診察があげられる．
- 局所の症状に目が行きがちであるが，訓練ができるのか，どれだけ負荷をかけられるのかを決めるためには全身状態の診察が重要である．
- 既往歴や併存症も問診を行って十分把握しておかなければならない．特に急性期でのリハビリテーション治療は原疾患自体の予後をよくする一方で，リスクが伴うことを肝に銘じておかねばならない．

表 4-2 リスク管理

◎刻々と変化する周術期・急性期での重要事項 ・リスク管理のポイントは患者をよく知ること ◎併存症と合併症の把握：診療録や担当医からの情報収集 ・訓練中に起こりうる合併症を想定 虚血性心疾患，起立性低血圧，がんの骨転移部の骨折など ・医療関連感染（院内感染） ◎すべての患者に共通する中止基準はない ・各種の基準を参考に患者の状態に合わせて訓練を実施

- また，重複障害では，それぞれの障害を的確に診察・評価・検査した上で総合的に活動の現状を把握し問題点を明らかにして，活動の予後予測を行う．
- 意識，運動機能，感覚機能，言語機能，認知・高次脳機能，心肺機能，摂食嚥下機能，排尿機能，成長・発達，障害者心理，歩行，疼痛などについての各種の評価法・検査法がある．
- その他，画像検査，血液・生化学検査，電気生理学的検査，生理学的検査，内視鏡検査，病理学的検査などの検査法がある．
- リハビリテーション診療では，ADL と QOL の評価は不可欠である．
- Barthel 指数（Barthel index；BI）は最も利用されてきた ADL 評価法である．主に脳血管障害で用いられてきた．大まかではあるが簡便に評価できる方法であり，看護・介護の領域で広く使われている．
- FIM（functional independence measure：機能的自立度評価法）は国内のみならず，世界で広く使われている評価法であり，日常生活における実際の状況を観察して「している」ADL を評価する．7 歳以上のすべての障害を対象とし，医療従事者以外でも評価可能であり，認知機能に関する項目もある．
- QOL は生活の質であり，人生の質の内容を重視している．
- 近年の臨床研究でも，患者立脚型アウトカムが取り上げられるようになり，医学・医療の目的は QOL の向上であるといわれる．QOL には，宗教や経済的状況なども関与しているが，健康に関連するものだけを評価するのが健康関連 QOL である．その中でも対象とする疾患や障害を特定しない包括的尺度として，SF-36（MOS-36 item short form health survey）や EQ-5D（Euro-QOL 5 dimension）が広く使われている．

リスク管理

- リスク管理はリハビリテーション診療の重要な項目である（表 4-2）．
- 特に急性期のリハビリテーション診療では，患者の病状が急激に変化することもあり，リスク管理が欠かせない．

リハビリテーション治療

- 主なリハビリテーション治療の種類を示す（表 4-3）．症状，病態，障害を考慮しながら「活動」を賦活するために必要な治療法を組み合わせてリハビリテーション治療にあたる．対象とする器

表 4-3 リハビリテーション治療

〔活動を最良にする〕
- 理学療法：運動療法，物理療法
- 作業療法
- 言語聴覚療法
- 摂食機能療法
- 義肢装具療法
- 認知療法・心理療法
- 電気刺激療法
- 磁気刺激療法
  rTMS（repetitive transcranial magnetic stimulation）など
- ブロック療法
- 薬物療法（漢方を含む）
- 生活指導
- 排尿・排便管理
- 栄養療法（栄養管理）
- 手術療法
- 患者心理への対応
- 新しい治療
  ロボット，BMI（brain machine interface），再生医療，AI（artificial intelligence）の利用など

表 4-4 リハビリテーション支援

〔活動を社会的に支援する〕
- 家屋評価・住宅（家屋）改修
- 福祉用具
- 支援施設［（介護老人保健施設（老健），介護老人福祉施設（特別養護老人ホーム，特養）］
- 経済的支援
- 就学・就労支援
- 自動車運転の再開支援
- 法的支援：（介護保険法，障害者総合支援法，身体障害者福祉法など）
- パラスポーツ（障がい者スポーツ）の支援
- 災害支援

官や部位だけでなく，患者の全身を診て，治療法を適切に選択しなければならない．
- リハビリテーション治療を行うときは，「活動」の状況，原疾患の状況，「活動」の予後を念頭に置かなければならない．疾患を十分に理解した上で，リハビリテーション治療計画を立てる．
- たとえば，脊髄を含む中枢神経の疾患では障害を残す可能性が高いこと，運動器疾患では高齢でも回復することが少なくないこと，神経疾患では進行性に病状が悪化することが多いこと，などである．
- 長期間治療していく場合は，急性期・回復期・生活期のフェーズを見据えた対応が必要である．急性期では，回復期を想定した上で早期の適切なリハビリテーション治療を行い，回復期での集中的なリハビリテーション治療につなげていく．回復期では，退院後の生活期を想定した上で個々に必要なリハビリテーション治療を行う．生活期のフェーズは長期にわたるので，この点を考慮したリハビリテーション治療・マネジメント・支援が必要となる．

リハビリテーション支援

- 家庭や社会での活動を完遂させるためには，リハビリテーション治療と併せて，環境調整や社会資源活用によるリハビリテーション支援が不可欠である（表 4-4）．

（角田 亘・久保俊一）

2 リハビリテーション診断

リハビリテーション診断のポイント

- リハビリテーション診断とは，リハビリテーション診療の対象となる患者の病態・病状・（日

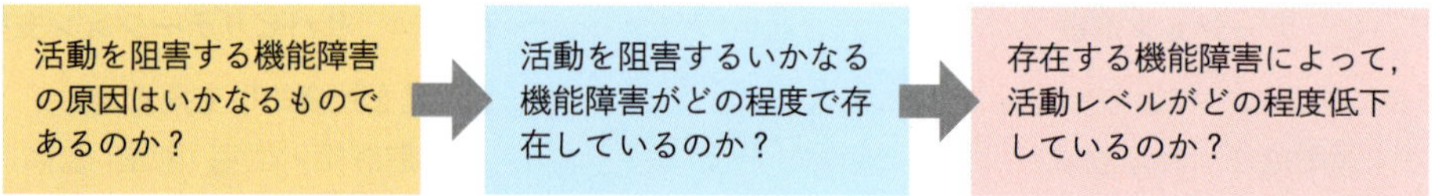

活動を阻害する機能障害の原因はいかなるものであるのか？

活動を阻害するいかなる機能障害がどの程度で存在しているのか？

存在する機能障害によって，活動レベルがどの程度低下しているのか？

図 4-3　リハビリテーション診断のポイント

常・家庭・社会）活動を把握・確認することであり，これの結果に基づいてリハビリテーション治療やリハビリテーション支援が行われる．

- リハビリテーション診療では，活動を阻害している機能障害（impairment）の診断（いかなる機能障害がどの程度で存在しているのか）が最も重んじられるが，実際には，活動を阻害している機能障害の原因（機能障害の原因として，いかなる疾患・外傷が身体のどの部位をどの程度で組織や臓器を障害しているのか），機能障害によって生じている ADL や QOL の低下（存在する機能障害によって，日常・家庭・社会での活動のレベルがどの程度低下しているのか）についても適切に診断することが重要である（図 4-3）．
- 観察される機能障害が同じであっても機能障害の原因が違えば，予測される機能予後が異なり，リハビリテーション治療の内容も変化する．
- 機能障害の原因を明らかにすることで，より適したリハビリテーション治療の実施が可能となり，よりよい予後が期待できる．
- また，リハビリテーション治療のゴールは ADL や QOL のレベルで設定されることもあるため，治療前の ADL や QOL のレベルを診断しておくことは不可欠である．
- すなわち，リハビリテーション診断とは，①機能障害の原因の診断，②機能障害の診断，③（日常・家庭・社会での）活動レベルの診断，を一連の流れで行うことである．
- リハビリテーション診断は，リハビリテーション科入院後，あるいはリハビリテーション科外来受診後速やかに，リハビリテーション科医が中心となって系統的に行うべきである．そうすることによって，リハビリテーション治療をより早く開始することができる．
- リハビリテーション診断は，①問診，②身体診察，③評価・検査から構成される．
- 問診で確認された自覚症状は，そのまま機能障害となりうる（たとえば，手足のしびれ感，労作時の呼吸困難感など）．
- 身体診察は，主たる機能障害がみられる系・器官を中心に（たとえば，脊髄損傷患者であれば脳神経系を中心に，心不全患者であれば循環器を中心に）進めていくが，栄養状態を含めた全身の診察も必ず行う．
- 身体診察では，「患者の全身（whole body）を診る」という考え方を忘れてはならない．
- 身体診察を行うことで，直接「機能障害」が診断できることが多い．また，身体診察で得られる所見（身体所見）によって「機能障害の原因」を診断できることもある．たとえば，心音を聴取することで，心肺耐容能低下の原因が心疾患かどうかを診断できる．
- 評価・検査には，歩行機能，呼吸機能，認知機能，言語機能，摂食嚥下機能，排尿機能などの「“機能障害”を診断するための評価・検査」と，画像検査（単純 X 線，CT，MRI，エコーなど），血液・生化学検査，電気生理学的検査（筋電図，脳波，心電図など），生理学的検査（呼吸機能検査，心肺機能検査など），病理学的検査など「主に“機能障害の原因”を診断するための評価・検査」がある．

- 評価・検査は，特殊な機器を用いて行われるもの（CT，MRI，エコーなど）と，特殊な機器が不要なもの（歩行機能，認知機能，言語機能，摂食嚥下機能など）とに分けることもできる．
- ADLやQOLのレベルの診断は，問診と身体診察に基づいて行われることが多いが，Barthel指数（BI）やFIM（機能的自立度評価法）などの評価法が役立つ．
- 機能障害の「重症度」を客観的に表すためには，確立されている評価法を用いて「スコア・点数」で示すことが有用である．特に回復期や生活期では，「残存している機能障害や活動レベル低下」の重症度を明確にする必要がある．
- リハビリテーション診療の対象患者は，リハビリテーション科入院もしくはリハビリテーション科外来受診に先立って他診療科の医師が診断を終えていることも少なくない．しかしながら，「最適なリハビリテーション治療を提供するための診断」という視点から，リハビリテーション科医はその診断を必ず見直すようにする．リハビリテーション科医にはリハビリテーション診断で得られた結果に基づいて，日常や家庭での活動のみならず，社会での活動まで見据えた長期予後を予測することが求められる．

リハビリテーション診察

- 問診を終えた後に身体診察を行う．
- 問診では，主訴（主たる自覚症状），現病歴，併存疾患，既往歴，ADLレベル，社会的背景（生活環境，家族状況，経済状況）などを確認する．
- 脳神経疾患の場合，問診そのものが認知機能，精神心理状態，言語機能の診察となりうる．
- 身体診察は，全身状態（体格とバイタルサイン）を確認した後に，各系・器官に対して行う．バイタルサインとしては体温，血圧，脈拍，呼吸を診る．各系・器官の診察では，主な機能障害がみられるところを重点的に行う．身体診察は，視診，触診，聴診，打診から構成される．
- 診療情報提供書やリハビリテーション依頼書から得られる情報に基づいて，いずれの器官系を重点的に診察すべきかを考える．
- 身体診察では，「機能障害の有無」と「機能障害の程度（機能障害が存在する場合）」を診断することが重要である．
- 各系・器官に対する診察で，特に重要なものを**表4-5**にまとめる．これらの有無と程度を診る．
- 身体診察は，個々の患者の状態に応じて臨機応変にその進め方を工夫する．患者に身体的もしくは精神的負担をかけないように配慮して，限られた時間の中で効率よく所見を得るようにする．
- 初診時（初対面時）の身体診察は，特に時間をかけて丁寧に行うことが望ましい．そうすることで，患者と医師の間の信頼関係と精神的親近感も自ずと形成される．
- 身体診察に際しては，患者の協力を得ることが必須である．診察の目的と内容をその都度患者に説明するのがよい．
- 脳神経系や運動器の診察では，左右差の有無を必ず確認する．
- 重要な所見や留意すべき所見は，写真やビデオによる画像や動画を残しておくのもよい．

リハビリテーション診断における各種評価法・検査法

- 心身機能・活動に対する評価法・検査法では，疾患や病態によらずに広く使える非特異的なもの

表 4-5　系・器官について診察すべき主なポイント

系・器官	診察すべき主なポイント
脳神経系	意識障害，認知機能障害（記憶障害，注意障害など），精神心理障害，言語機能障害（失語症など），脳神経障害，摂食嚥下障害，麻痺（片麻痺，対麻痺など），筋緊張亢進（痙縮）・低下，深部腱反射亢進・減弱，肢・体幹失調，視覚障害，聴覚障害，表在・深部感覚障害，不随意運動
運動器	筋力低下，筋萎縮，関節可動域制限，変形，腫脹，基本動作の障害，座位・立位・姿勢の障害，バランス障害，歩行障害
循環器・呼吸器	高・低血圧，不整脈（期外収縮，房室ブロックなど），心雑音，肺の異常音（ラッセル音，喘鳴など），異常呼吸状態，末梢動脈の触知不良
その他	皮膚色の異常（チアノーゼ，黄疸など），皮膚病変（褥瘡など），浮腫，疼痛・しびれ，リンパ節腫脹，腸蠕動音の亢進・低下，腹部腫瘤（触診による），前立腺肥大（直腸診による）

と，特定の疾患や病態に対してのみ用いられる特異的なものがある．

- リハビリテーション医学の領域に限らず，診断は評価・検査の結果を意味づけることである．評価・検査のために尺度があり，名義尺度，順序尺度，間隔尺度，比例尺度の 4 つが用いられる．それぞれの尺度により，数値が異なるので注意が必要である．
- 名義尺度は，性別や血液型のように順序や量と関係のないものを表すために用いられる数で，たとえば分類のために男性を 1，女性を 2 としても，上下関係や加減乗除に意味をもたない．順序尺度では，数値の順序情報に意味がある．ただし，その間隔が等しいと限らない．例としては，疾患の重症度（軽症，中等症，重症）がある．加減乗除はできず，中央値やパーセンタイルを示すことはできるが，平均値は意味をもたない．間隔尺度はその間隔は等しいが，原点となる 0 の位置は任意に決められる．摂氏温度や知能指数などが相当する．加算・減算が可能で，平均・標準偏差を求めることはできるが，乗算・除算はできない．比例尺度では間隔尺度の性質に加え絶対零点があり，数値と数値の比に意味をもつ．身長，体重や絶対温度などが相当し，加減乗除を行うことができる．

（角田　亘）

心身機能の評価法・検査法

- 障害を受ける心身機能ごとに，国内，国外で広く用いられている評価法・検査法があり，患者の状況により適切に選択する（表 4-6）．いたずらに評価法・検査法に頼るのは適切でなく，注意深い診察が重要である．たとえば筋力評価では対象の筋に適切な収縮があるのか，摂食嚥下機能の評価では実際の摂食嚥下の場面の口や頸部の動きの観察などが大切である．
- 心身機能の評価・検査では，まず，意識の程度を JCS（Japan coma scale）や GCS（Glasgow coma scale）で判定する．
- 運動機能では，運動器とそれをつかさどる神経系を評価・検査する．運動麻痺では四肢や体幹の筋力や筋量（萎縮や肥大の有無），筋トーヌス（緊張低下，痙縮，固縮），反射（深部腱反射や病的反射）が指標となる．脳血管障害後の片麻痺には Brunnstrom ステージを用いる．筋力には徒手筋力テスト（manual muscle testing；MMT），筋トーヌスには modified Ashworth scale（MAS）を用いる．関節の機能として，関節可動域（range of motion；ROM）を測定し，関節の安定性をみ

表 4-6 代表的な心身機能の評価法・検査法

意識
JCS (Japan coma scale), GCS (Glasgow coma scale)
運動機能
①関節可動域：四肢・体幹の関節可動域，②筋力：四肢・体幹の MMT，③麻痺：運動麻痺の有無と程度（脳血管障害後片麻痺では Brunnstrom ステージ），④協調運動：失調の有無と程度，⑤筋緊張：痙縮と固縮（改訂 Ashworth スケール；MAS），⑥不随意運動：不随意運動の種類と程度
感覚機能（疼痛を含む）
表在感覚・深部感覚・二点識別覚，VAS (visual analogue scale)，NRS (numerical rating scale)
言語機能
①失語症：SLTA, WAB 失語症検査，②構音障害：発話明瞭度
認知機能・高次脳機能
①認知機能：WAIS，WISC，HDS-R，MMSE，②記憶：WMS-R，RBMT，S-PA，三宅式記銘力検査，Benton 視覚記銘検査，③注意：PASAT，TMT，標準注意検査法（CAT），④遂行機能：WCST，BADS
心肺機能
①肺機能検査，②運動負荷試験，③修正 Borg 指数
摂食嚥下機能
①簡易検査：反復唾液嚥下テスト・改訂水飲みテスト，②嚥下内視鏡検査，③嚥下造影検査
排尿機能
①排尿の理学所見，②排尿の画像診断：造影検査（IP，CG，UG），③尿流動態検査
成長・発達
主な反射，反応，粗大運動や尺度よる発達状態
障害者心理
障害の受容過程，心理状態
姿勢・動作
Romberg 試験，FRT，Berg balance scale，TUG
歩行
10 m 歩行テスト，6 分間歩行テスト，歩行周期

MMT：manual muscle test, SLTA：standard language test of aphasia, WAB：Western aphasia battery, WAIS：Wechsler adult intelligence scale, WISC：Wechsler intelligence scale for children, HDS-R：Hasegawa dementia rating scale-revised, MMSE：mini mental state examination, WMS-R：Wechsler memory scale-revised, RBMT：Rivermead behavioural memory test, S-PA：standard verbal paired-associate learning test, PASAT：paced auditory serial addition test, TMT：trail making test, CAT：clinical assessment for attention, WCST：Wisconsin card sorting test, BADS：behavioural assessment of the dysexecutive syndrome, IP：intravenous pyelography, CG：cystography, UG：urethrography, FRT：functional reach test, TUG：timed up and go test

〔日本リハビリテーション医学会：リハビリテーション科専門研修カリキュラム（http://www.jarm.or.jp/member/system/document/new_system/member_system_guideline20151120-1.pdf）より改変〕

る．関節可動域の測定は，日本整形外科学会と日本リハビリテーション医学会が定める「関節可動域表示ならびに測定法」に従う．協調運動（指鼻試験，回内回外試験，膝踵試験など），不随意運動（振戦，舞踏運動，ジストニアなど）も評価・検査する．

- 感覚機能では，表在感覚（触覚，痛覚，温度覚など），深部感覚（位置覚，振動覚など），二点識別覚を評価する．痛みの評価には，VAS（visual analogue scale）や NRS（numerical rating scale）などの自己申告による評価法を用いる．
- 言語機能のうち，失語では，失語の分類や失語症と認知症の鑑別が重要である．代表的なものには標準失語症検査（standard language test of aphasia；SLTA）や WAB（Western aphasia battery）失語症検査がある．構音障害には，発話明瞭度を用いる．

- 知能の評価には成人では WAIS（Wechsler adult intelligence scale），小児では WISC（Wechsler intelligence scale for children）が用いられる．また，認知症では，改訂長谷川式簡易知能評価法（Hasegawa dementia rating scale-revised；HDS-R），MMSE（mini mental state examination）などがある．
- 高次脳機能は記憶障害，注意障害，失行，失認，遂行機能障害などを評価・検査する．広く用いられるものとして，記憶障害では WMS-R（Wechsler memory scale-revised），Rivermead 行動記憶検査（Rivermead behavioural memory test；RBMT），三宅式記銘力検査，Benton 視覚記銘検査がある．注意障害では PASAT（paced auditory serial addition test），TMT（trail making test），標準注意検査法（clinical assessment for attention；CAT）があり，遂行機能障害では WCST（Wisconsin card sorting test），遂行機能障害症候群の行動評価法（behavioral assessment of the dysexecutive syndrome；BADS）がある．
- 心肺機能では，呼吸機能検査，呼気ガス分析を併用した運動負荷試験，主観的な運動強度を示す修正 Borg 指数などを用いる．心肺運動負荷試験では，最大酸素摂取量（$\dot{V}O_2max$）や嫌気性代謝閾値（anaerobic threshold；AT）を測定する．
- 摂食嚥下機能では，簡易検査として反復唾液嚥下テストや改訂水飲みテストがある．摂食嚥下障害が疑われる場合には，嚥下内視鏡検査（videoendoscopic evaluation of swallowing；VE）または嚥下造影検査（videofluoroscopic examination of swallowing；VF）を行う．
- 排尿機能では，排尿時の所見に加え，必要に応じ静脈性尿路造影法（intravenous pyelography；IP），膀胱造影法（cystography；CG），尿道造影法（urethrography；UG）などの造影検査や，尿流動態検査を行う．
- 小児では，成長・発達の評価・検査も重要である．成長とは，身長や体重の増加を意味する．発達状態には，粗大運動やさまざまな評価法が使用される．各種の反射や反応を発達異常のチェックのために用いる．
- 障害者の心理状態では，障害の受容過程や抑うつの状態を把握し，心理的問題点を抽出する．
- 姿勢や動作の評価・検査は重要な意味をもつ．Romberg 試験では開眼と閉眼での静止立位を観察し，閉眼時のほうが開眼時より不安定になるものを Romberg 徴候陽性とする．下肢の深部感覚障害の指標となる．バランス障害では，FRT（functional reach test）と開眼片脚起立時間があげられる．床反力計などを用いた平衡機能の評価も行う．Berg balance scale は，静的・動的バランスの総合的な評価法である．椅子からの立ち上がり，直線歩行，方向転換を含んで総合的な移動機能をみる TUG（timed up and go test）も広く行われている．
- 歩行を含む動作の評価には，計測機器を用いた動作解析も行われるが，視診による観察が最も重要である．歩行では 10 m 歩行テスト，6 分間歩行テストなどを行う．時間・距離因子として，歩行速度，歩幅，ストライド長，歩隔，歩行率，歩行速度を求める．

ADL・QOL の評価法

- ADL とは，日常的に行われる活動であり，「ひとりの人間が独立して生活するために行う基本的な，しかも各人ともに共通に毎日繰り返される一連の身体的動作群」と定義されている．ADL は大きく，基本的 ADL（basic ADL）と手段的 ADL（instrumental ADL；IADL）に分けられる．前者

表 4-7 Barthel 指数（Barthel index；BI）

項目	内容
食事	(10) 自立している．自助具などを用いてもよい．標準時間内に食べ終える． (5) 部分的に介助を要する．たとえばおかずを切って細かくしてもらうなど． (0) 全面的に介助を要する．
車いすから ベッドへの移動	(15) ブレーキやフットレストの操作も含めて自立している．歩行の自立を含む． (10) 軽度の部分介助または監視を要する． (5) 座ることは可能であるがほぼ全面的に介助を要する． (0) 全面的に介助または不可能．
整容	(5) 洗面，整髪，歯磨き，ひげそりなどが自立している． (0) 整容に介助を必要とする．
トイレ動作	(10) 衣服の着脱，トイレットペーパーの使用，水を流す，を含めて自立している． (5) 体を支える，衣服の着脱，後始末などに部分的な介助を必要とする． (0) 全面的に介助または不可能．
入浴	(5) 浴槽に入る．シャワー，スポンジのいずれかを用いて自立している． (0) 部分的あるいは全面的に介助を必要とする．
歩行	(15) 45 m 以上を介助や監視なしに歩ける．車いすや歩行器は使用しない． (10) 45 m 以上を介助や歩行器により歩ける． (5) 車いすを自分で操作して 45m 以上移動できる． (0) 上記以外
階段昇降	(10) 介助や監視なしに次の階まで昇降できる．手すりの使用は可． (5) 階段の昇降に介助や監視を要する． (0) 階段の昇降ができない．
着替え	(10) ボタン掛け，靴の着脱などを含めて自立している． (5) 着替えの半分以上を，標準的な時間内に行うことができる． (0) 上記以外
排便のコントロール	(10) 便を失禁することはない． (5) 時に失禁がある．または坐薬や浣腸に介助を要する． (0) 上記以外
排尿のコントロール	(10) 尿を失禁することはない． (5) 時に失禁がある．または集尿器の取り扱いに介助を要する． (0) 上記以外

〔Mahoney F, et al：Functional evaluation；The Barthel Index. Md State Med J 14：61-65, 1965 より〕

には起居動作，屋内移動，トイレ，食事摂取，衣服着脱，入浴，コミュニケーションなどがあり，後者には，調理，洗濯，整理整頓，電話使用，服薬，近隣への外出などがある．基本的 ADL の評価法に BI（Barthel 指数），FIM（機能的自立度評価法）などがあり，手段的 ADL の評価法には Frenchay 拡大 ADL 尺度（Frenchay activities index；FAI）などがある．

- Barthel 指数は，米国の理学療法士である Dorothea W. Barthel により開発された．食事，車いすからベッドへの移動，整容，トイレ動作，入浴，歩行，階段昇降，着替え，排便，排尿の 10 項目の遂行能力をそれぞれ 5～15 点満点で評価し，合計 100 点になるように調整されている．100 点満点に近いほど高い ADL を保持している（表 4-7）．
- 機能的自立度評価法は，米国の医師 Carl V. Granger により開発された．13 の運動項目と 5 つの認知項目から構成され，それぞれを介助の必要度により 1 点（最も自立度が低い）から 7 点（完全な自立）で採点する．合計点は 18 点から 126 点になる（表 4-8）．点数が高いほど自立度が高い．

表 4-8　機能的自立度評価法（functional independence measure；FIM）

レベル		FIM の評価尺度
自立 活動に際して他人の介助は必要ない	7. 完全自立	ある活動を構成しているすべての課題を典型的に，一部を修正することなく，補助具または介助なしに適度な時間内に安全にできる
	6. 修正自立	ある動作に際して次のうち 1 つ以上が必要である―補助具の使用，普通以上の時間，安全（危険）性の考慮
介助 活動に際して他人の監視または介助を要す．またはその動作を行わない	部分介助	患者が半分（50％）以上の労力を行う
	5. 監視または準備	患者は身体的接触のない待機，指示または促し以上の介助は必要ない．または介助者が必要な物品を準備したり装具を装着したりする
	4. 最小介助	患者は手で触れる程度以上の介助は必要ない．そして患者が 75％以上の労力を行う
	3. 中等度介助	患者は触れる程度以上の介助が必要．または 50％以上 75％未満の労力を行う
	完全介助	患者は半分（50％）未満の労力しか行わない．最大または全介助が必要である
	2. 最大介助	患者は 50％未満の労力しか行わないが，少なくとも 25％は行っている
	1. 全介助	患者は 25％未満の労力しか行わない

		入院時	退院時	フォローアップ時
セルフケア				
A. 食事	箸 スプーンなど			
B. 整容				
C. 入浴				
D. 更衣（上半身）				
E. 更衣（下半身）				
F. トイレ動作				
排泄コントロール				
G. 排尿				
H. 排便				
移乗				
I. ベッド				
J. トイレ				
K. 風呂，シャワー	風呂 シャワー			
移動				
L. 歩行，車いす	歩行 車いす			
M. 階段				
コミュニケーション				
N. 理解	聴覚 視覚			
O. 表出	音声 非音声			
社会的認知				
P. 社会的交流				
Q. 問題解決				
R. 記憶				
合計				

注意：空欄は残さないこと．リスクのために検査不能の場合はレベル 1 とする

〔慶應義塾大学リハビリテーション医学教室（訳）：FIM，医学的リハビリテーションのための統一データセット利用の手引き．第3版，慶應義塾大学リハビリテーション医学教室，1991 より許可を得て転載〕

- QOLとは文字通り「生活の質」である．ただし，QOLは宗教，経済的状態，信条，所属する社会など，健康と関連が薄い領域も含むため，健康に関連して影響を受ける領域を限定する場合は健康関連QOL（health-related QOL；HRQOL）と呼ばれる．HRQOLの評価法には，対象とする疾患や障害を特定しない包括的尺度と，疾患特異的尺度があり，前者の代表はEuro-QOLやSF-36（MOS 36-item short-form health survey）である．

文献

1） 日本リハビリテーション医学会：リハビリテーション科専門研修カリキュラム（http://www.jarm.or.jp/member/system/document/new_system/member_system_guideline20151120-1.pdf）
2） Mahoney F, et al：Functional evaluation；The Barthel Index. Md State Med J 14：61-65, 1965
3） 千野直一（編）：脳卒中患者の機能評価―SIASとFIMの実際．シュプリンガー・フェアラーク東京，1997
4） 岩谷 力，他（編）：障害と活動の測定・評価ハンドブック．改訂第2版，南江堂，2015

（芳賀信彦）

単純X線

- 単純X線検査を含め，画像検査は診断ばかりでなく，治療経過を確認するためにも有用な手段である．正常な解剖とその基本的な画像所見を知っておかなければならない．左右差や隣接関節観察，過去の画像との比較も重要である．
- 簡便で最初に行われることが多い検査であり，画像検査の基本である．胸腹部や骨関節の所見をしっかり読影できるようにしておくべきである．
- 胸部単純X線の読影では，肺野の異常（浸潤影，粒状影，すりガラス影など）や心陰影の異常だけでなく，大動脈・肺門部・縦隔の陰影，横隔膜の高さなどを観察する．
- 腹部単純X線では，腹腔内や後腹膜腔内のガス像，液体貯留，軟部組織陰影の異常（異常石灰化を含む）を観察する．
- 骨関節の単純X線の読影では，局所所見も参考にする．局所所見では，形態（大きさ，長さ，弯曲などの変形の有無），軟部組織の状態（色調，熱感，腫脹の有無など），関節可動域，疼痛（自発痛や動作時痛，圧痛の部位など）がポイントである．骨折している場合には，局所に著明な圧痛があり，軟部組織の腫脹がみられることが多い．
- 単純X線検査を指示する場合には，目的に応じた撮影法を知っておく必要がある．検査部位を中心とし，できるだけフィルムに近づけて撮影する．原則として2方向（正面と側面）以上で両側の撮影を行う（図4-4）．
- 小児では，発育に伴い骨や骨端核の見えかたが異なるため，年齢ごとの標準的な単純X線を念頭に置く．
- 骨関節の読影では，全身の①骨の形態や配列，骨格異常を確認し，局所の②骨の構造〔骨梁構造（骨萎縮など），骨皮質の変化（菲薄化・膨隆など），溶骨像，硬化像，骨膜反応など〕，③関節〔適合性，脱臼や亜脱臼の有無，関節裂隙の広さ，軟骨下骨の変化（骨棘，硬化像，骨萎縮，骨破壊，囊胞，びらんなどの有無），腫脹，液体貯留，遊離体や石灰化の有無〕，④軟部組織〔腫脹や腫瘤の有無，異所性骨化や石灰沈着，ガス像など〕を確認する．
- 身体所見で骨折を疑うが，単純X線で診断がつかない場合には，1～2週間あけてから撮影を再度行うことで骨折が明らかになる場合がある．

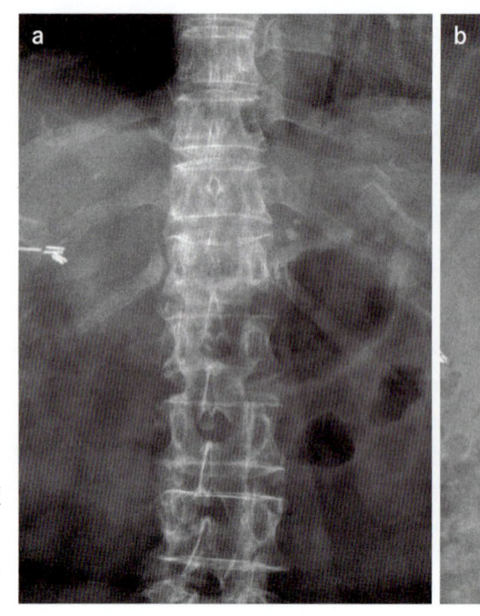

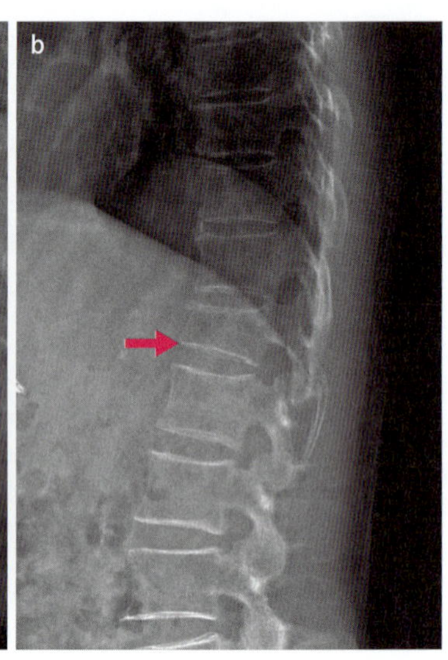

図 4-4　脊椎の単純 X 線像

78 歳女性．骨粗鬆症による第 12 胸椎圧迫骨折．正面像（a）で椎体高が減少し，側面像（b）では扁平椎（矢印）になっている．

CT（computed tomography，コンピュータ断層撮影）

- X 線を使って身体の断面を撮影し，各部位の吸収率の差の分布をコンピュータ処理したもので，通常は 5 mm 間隔の体の横断面像として出力される．冠状断面像，矢状断面像を再構成することもできる．近年使用されているマルチスライスヘリカル CT 装置を用いると，検査台への移動や準備の時間を除いた実際の撮像時間は 1 分以内であることが多い．比較的簡便な検査であるが，単純 X 線撮影と比較すると被曝量が多いのが欠点である．
- 画像は白黒の濃淡で表現され，水は CT 値 0 HU（Hounsfield unit），空気は CT 値－1,000 HU，皮質骨は 1,000 HU と決められている．空気や脂肪など X 線が透過しやすい組織は，CT 値が低く（low density），相対的に黒く描写される．骨や石灰化など X 線が透過しにくい部位は，CT 値が高く（high density），相対的に白く描写される．金属は非常に CT 値が高く，周囲にアーチファクトを引き起こす．
- 脳では脳脊髄液の CT 値は 0 HU，白質や灰白質は 35 HU である．脳出血は 50～80 HU の高吸収域として出血部位が白く描出され，急性期から診断が可能である（**図 4-5**）．一方，脳梗塞の急性期は CT での診断が難しいが，発症直後と 1 日後に撮像した CT を比較すると，1 日後に脳梗塞の部分が相対的に低吸収（0～30 HU）となり，診断が可能となる（**図 4-6a**）．脳梗塞の早期診断には，MRI の拡散強調像が有用である（**図 4-6b**）．
- 腫瘍や膿瘍を疑う場合には造影 CT を撮像すると診断しやすい．膿瘍では嚢胞壁や隔壁が，腫瘍では実質が造影されることが多い．転移性脊椎腫瘍の脊柱管内進展による脊髄圧迫は，CT では診断できない場合が多いが，造影 CT を撮像し軟部条件で読影すれば診断できることが多い（**図 4-7**）．
- CT を読影する際には，必ず目的に応じて条件（ウィンドウレベルとウィンドウ幅）を変えて確認すべきであり，骨条件，肺野条件などあらかじめ設定された条件に変えて読影を行うとよい．

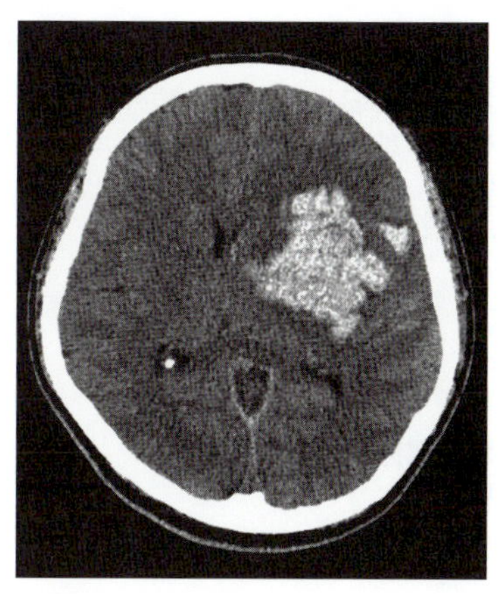

図 4-5　脳出血の CT

41 歳男性．左被殻出血（急性期 CT）．左被殻に high density な領域があり出血が疑われる．

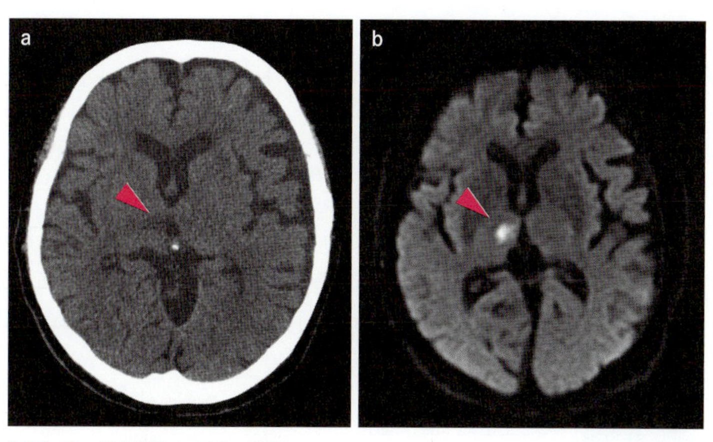

図 4-6　脳梗塞の CT・MRI

89 歳女性．右視床梗塞（発症翌日の a：CT，b：拡散強調 MR 画像）．単純 CT 画像で，右視床に 1cm 大の low density な領域があり，拡散強調 MR 画像では高信号を呈しており，脳梗塞が疑われる．

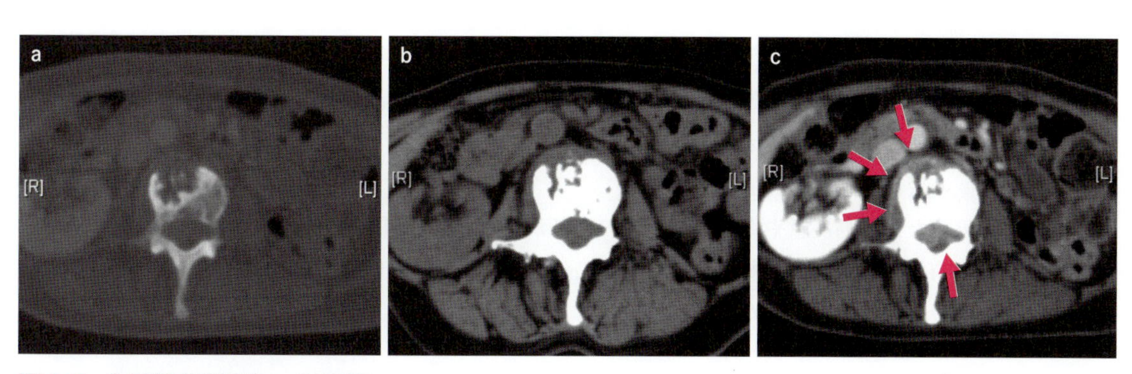

図 4-7　転移性脊椎腫瘍の CT 画像

75 歳女性．甲状腺濾胞がん脊椎転移．骨条件（a）では椎体の破壊がある．軟部条件（b）ではわかりにくい骨外腫瘤や脊髄圧迫が造影（c）により明らかになる（矢印）．

MRI（magnetic resonance imaging，磁気共鳴画像）

- 強力な磁場におかれた生体内の水素原子にラジオ波帯域の電磁波を照射して共鳴現象を生じさせ，照射終了時に発生した電波をデータに変換し画像を構成する検査である．目的や部位に応じてさまざまな条件で撮像を行い，各条件の画像を総合評価して診断を行う．①放射線被曝がない，②任意の断面像の撮像が可能，③軟部組織の解像度が高い，④化学シフトなど代謝情報を得ることができる，という利点がある．近年使用されているクリップや人工関節などは体内にあっても問題なく撮像できることが多いが，心臓ペースメーカーは一部のもの以外は禁忌である．また，金属は CT 同様アーチファクトの原因となる．
- MRI で白くみえる部分を高信号（high intensity），黒くみえる部分を低信号（low intensity）と表現する．一般的に，関節，軟部組織，脳，脊髄の評価を行う場合，CT よりも得られる情報が多い．骨強度，心臓や胸部など常に動いている部分の評価には課題がある．
- T1 強調画像，T2 強調画像，拡散強調画像（**図 4-6b**），造影の有無，脂肪抑制の有無を理解する

表 4-9　MRI における信号強度

	T2 強調画像低信号	T2 強調画像中間信号	T2 強調画像高信号
T1 強調画像高信号	血腫（7 日以内：赤血球内メトヘモグロビン） 遅い流れ		血腫（14 日以内：赤血球外メトヘモグロビン） 脂肪 脂肪髄（海綿骨）
T1 強調画像中間信号	血腫（急性期：デオキシヘモグロビン） 硝子軟骨 脊髄 赤核・淡蒼球・黒質	筋 脳白質（T1＞T2） 脳灰白質（T2＞T1）	
T1 強調画像低信号	血腫（慢性期：ヘモジデリン） 皮質骨 石灰化 線維性組織（腱，靱帯） 速い流れ		水・関節液・脳脊髄液 椎間板 浮腫・炎症 嚢胞 脱髄性疾患 腫瘍の大部分

〔篠田裕介，他：腫瘍性疾患．田中　栄（編）：整形外科レジデントマニュアル 第 2 版．p383，医学書院，2020 より一部改変〕

ことが重要である．T1 強調画像，T2 強調画像での各組織の見え方を表 4-9 に示すが，T1 強調画像で高信号として描出される組織と，T2 強調画像で低信号として描出される組織を覚えておくと画像の変化の意味を理解しやすい．

- 脳血管障害などの脳疾患や脊椎脊髄疾患の責任病巣を確認し質的な評価を行うことは，活動の予後予測に有用である．また機能的 MRI（functional MRI；fMRI）は，特定の神経活動に関連した血流動態の変化を視覚化したものである．

核医学検査

- 放射性同位元素（radioisotope；RI）で標識された薬剤を体内に投与し，放出される放射線を画像化することによって薬剤の分布を調べる検査をシンチグラフィーといい，組織の機能や腫瘍の活動性などを表すことができる．
- 投与する RI の種類により検出器械が異なる．単一光子と呼ばれる放射線を出す RI を用い，2〜3 方向の検出器から放射線信号を読み取る断層撮影法を SPECT（single photon emission computed tomography，単一光子放射断層撮影），陽電子放出核種を用いて 360° のリング状の検出器で放射線計測を行う断層撮影法を PET（positron emission tomography，陽電子放射断層撮影）と呼ぶ．SPECT/CT や PET/CT は，検出器と CT が一体型で配置されており，CT による位置情報と計測された機能画像を組み合わせることにより，薬剤の集積部位がわかりやすくなる．
- 脳や心臓の機能評価，腫瘍や炎症の活動性の評価に用いられ，疾患の診断，リスク管理，安静度やゴールの設定の際に役に立つ．
- 多数の核種を用いた種々の検査が行われているが，ここでは代表的なものをあげる．

脳血流シンチグラフィー

- ^{123}I-IMP，^{99m}Tc-HMPAO，^{99m}Tc-ECD などの RI を用いる．これらは血流に乗って脳組織に取り

込まれる．Alzheimer 病などの認知症，脳の変性疾患，脳梗塞，てんかんなどの疾患の診断に有用で，脳の機能低下の有無を判定することができる．また，ダイアモックス負荷脳血流シンチグラフィーでは，脳循環予備能を測定できる．

心筋シンチグラフィー

- ^{201}TlCl，^{99m}Tc-Tetrofosmin などを用いる．これらは冠状動脈の血流に比例して心筋細胞内に取り込まれる．負荷心筋シンチグラフィーは虚血の検出に役に立つ．また ^{123}I-MIBG を用いる心筋交感神経シンチグラフィーは，心筋症のほか，Parkinson 病の診断にも用いられる．

骨シンチグラフィー

- ^{99m}Tc-MDP/HMDP を用いる．体内で骨組織のハイドロキシアパタイト結晶に吸着するため，骨代謝が亢進した部位に集積する．骨腫瘍，骨折，代謝性骨疾患，骨髄炎，関節炎，骨壊死などの診断に役に立つ．

FDG-PET

- グルコースと類似した構造をもつ ^{18}F-FDG を用いる．腫瘍細胞では正常細胞よりも糖代謝が亢進し，取り込みが増大することから腫瘍の存在や活動性の評価に用いられる．

文献
1) 篠田裕介：腫瘍性疾患．田中　栄，他(編)：整形外科レジデントマニュアル．p349，医学書院，2014

（篠田裕介・芳賀信彦）

造影検査・内視鏡検査

- 摂食嚥下障害に対するリハビリテーション診療方針の決定に，造影検査や内視鏡検査が活用されている．

嚥下造影検査（videofluoroscopic examination of swallowing；VF）

- 被曝を伴いその準備（透視室への移動など）に手間を要するが，嚥下の瞬間（咽頭期）そのものを描出・評価できる検査である（図 4-8，4-9）．
- 咽頭・喉頭のみならず，口腔や食道を観察することもでき，食塊の送り込みと喉頭挙上のタイミング，喉頭閉鎖の程度，喉頭侵入や誤嚥の程度も評価できる．誤嚥を防ぐための姿勢，食物の種類，一口量，嚥下手技などの代償方法を検討することもできる．検査時には液体の命令嚥下の評価だけでなく，咀嚼時の食塊形成や送り込みの様子を評価するとよい．
- 造影検査における喉頭侵入・誤嚥の重症度を評価する尺度として penetration-aspiration scale がよく用いられている．
- VF の合併症としては，被曝以外に，誤嚥性肺炎，バリウム誤嚥による肉芽腫性肺炎がある．

嚥下内視鏡検査（videoendoscopic evaluation of swallowing；VE）

- 機動的かつ簡便な検査でありベッドサイドでも施行できる．

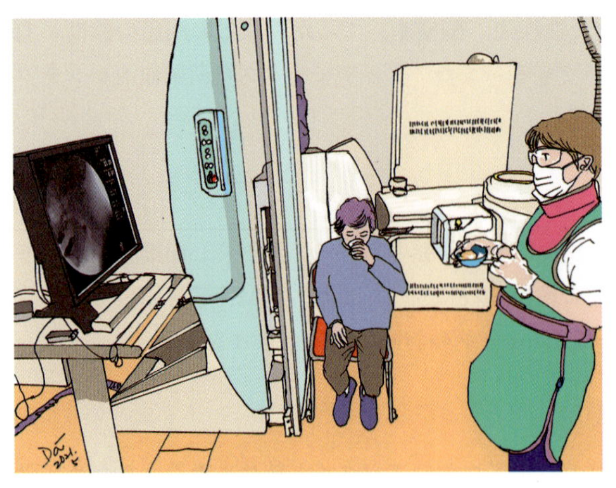

図 4-8　嚥下造影検査の様子

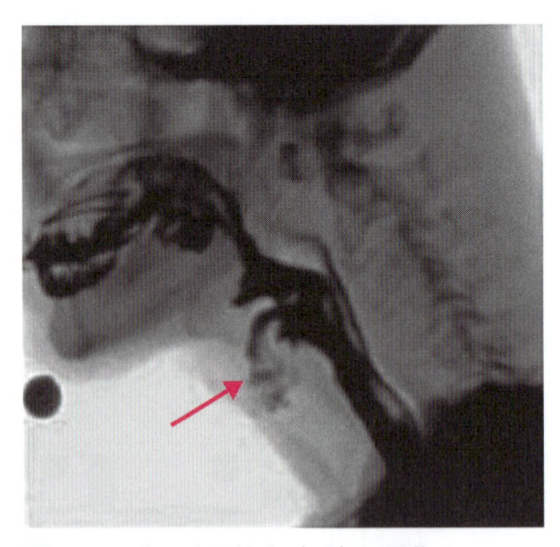

図 4-9　嚥下造影検査（VF）の画像
誤嚥そのものを映し出すことが可能であり，その程度も評価できる．本症例では，造影剤の喉頭残留および気管内への流入（矢印）がみられる．

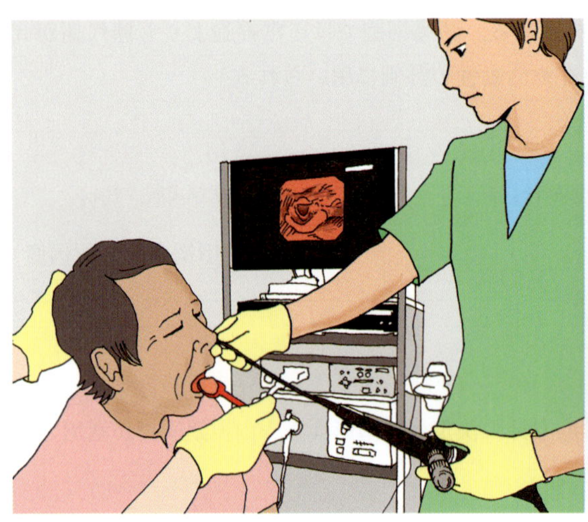

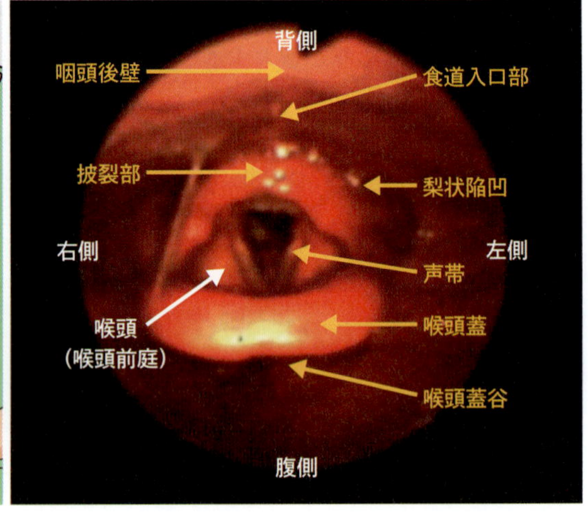

図 4-10　嚥下内視鏡検査（VE）
放射線被曝の危険がなく，ベッドサイドでも行うことが可能である．嚥下機能の評価には，嚥下造影検査（VF）か VE が行われる．VE は場所を選ばず，繰り返し実施できるという利点がある．通常，麻酔なしか，鼻腔の軽度表面麻酔で行われ，嚥下を行わない状態と，空嚥下や検査食を嚥下させた状態とで観察を行う．

- 咽頭および喉頭の動きや感覚を詳細に評価することが可能であり，実際に食物や液体を摂取させながら観察することもできる．たとえば，声帯，披裂部，咽頭後壁などの動きや，梨状陥凹や喉頭蓋谷への残留の有無などが評価される（図 4-10）．
- VE の欠点として，嚥下の瞬間（咽頭期）はホワイトアウトとなることで観察できない．誤嚥の有無や程度はその前後の状況（嚥下後に残留がある，声門下からの排出物があるなど）から判断することになるため，微小な誤嚥の場合は見落とされる可能性もある．
- 有害事象としては，リドカイン・アレルギー，迷走神経反射，喉頭痙攣などがあげられる．

（百崎 良）

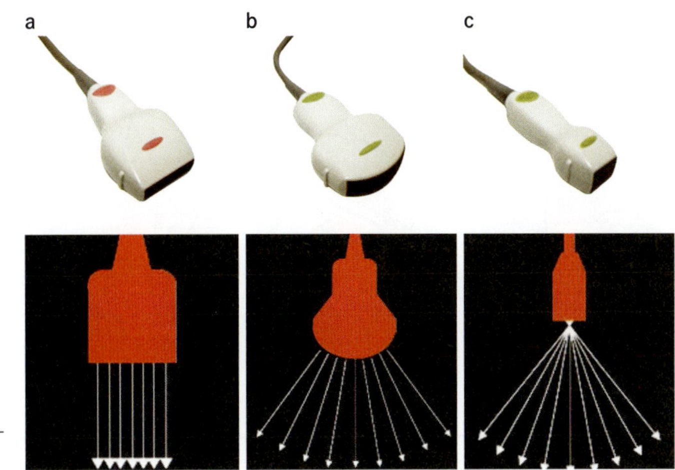

図 4-11　プローブの種類

a：リニアプローブ，b：コンベックスプローブ，c：セクタプローブ．

エコー

概要

- 近年，技術の進歩とともに，小型で高性能，高解像度のエコー装置が登場し，関節・筋・神経などの描出を通じて急速に運動器の分野でも普及してきた．外来診察室やベッドサイドで簡便に行える，侵襲がない，動的な検査が可能，エコーガイド下穿刺などにも応用できるなどの利点があり，リハビリテーション医療に携わる者はぜひ使えるようになっておきたい．ただし，エコー検査を行う前に必ず正常な解剖を理解しておく必要がある．

原理

- 超音波とは周波数が 20 kHz 以上のヒトには聞こえない音波であり，エコー検査で使用される．超音波は生体への侵襲がない．
- プローブ先端から超音波を生体内に放射すると，音響的性質が異なる組織の境界面で一部が反射し，残りは次の組織へ透過していく．この反射波をプローブで受信して増幅したものが画像として表示される．

周波数と分解能・到達深度・ビームの反射角

- 通常の検査では 2〜18 MHz 程度の周波数が使用される．周波数が高いほど，画像の分解能が高くなるが到達深度は浅くなる．逆に周波数が低いほど，分解能が低く到達深度は深くなる．
- 超音波は境界面に斜めに当たると入射角＝反射角で反射し画像として捉えにくくなるため，検査の対象に対し直角にビームがあたるように調整する．

プローブの種類（図 4-11）

- 運動器診療では主にリニアかコンベックスを用いる．リニアでは 3 cm 程度までの浅い部分を分解能よく評価することがきる．コンベックスではやや深めの広い範囲が見える．

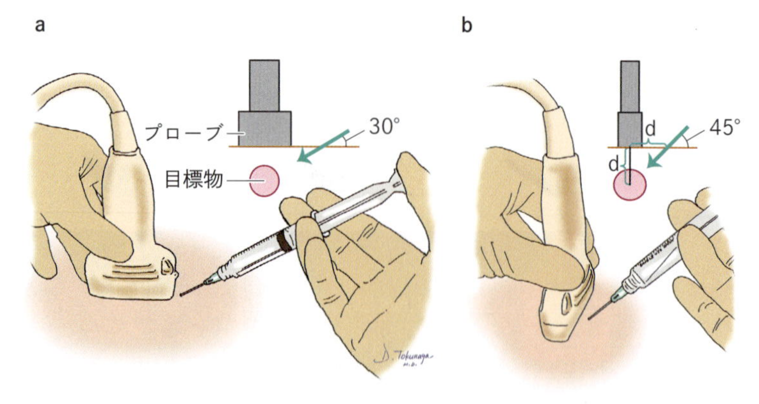

図 4-12　針刺入法

a：平行法：プローブの横からプローブに平行に近い角度で針を刺入する．平行に近いほど針全体が描出されるため30°程度で刺入することが多い．
b：交差法：プローブの長軸と直角に針を刺すため針先が点として描出される．目標物の深度を確認したら，深度と同じ距離だけプローブから離れた位置を刺入点として，45°で針を刺入する．プローブを針先方向に傾けて針先の位置を確認しながら針を進め目標物に到達させる．

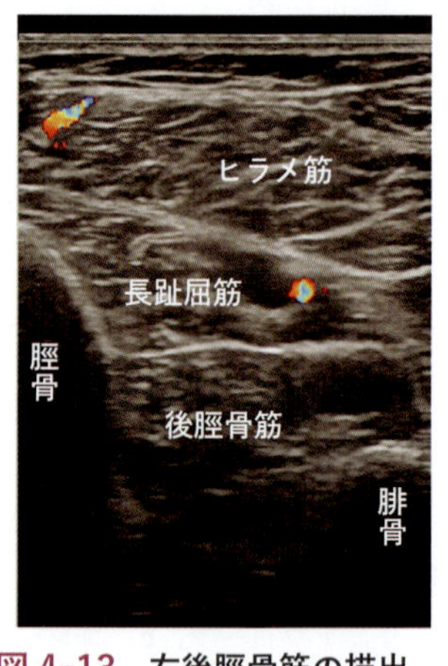

図 4-13　右後脛骨筋の描出

44歳健常成人男性の下腿中央部内側よりリニアプローブをあてて観察した．後脛骨筋にA型ボツリヌス毒素製剤などを注入する際，下腿内側からエコーガイド下に針を穿刺すると，神経血管束を避けて後脛骨筋に到達できる．

Bモードとカラードプラ

- 通常使用するBモードは，反射強度の強い超音波エコーは明るく，弱いものは暗くというように明暗の強弱をつける輝度変調処理をして断層像を示した画像である．カラードプラでは，プローブに近づくものは赤，離れていくものは青で表示される．

エコーガイド下穿刺（図4-12, 4-13）

- 神経ブロック，ボツリヌス毒素の筋内注射などを行う際には，エコーを用いて針先の位置を確認しながら針を刺入すると安全である．エコーガイド下に針を刺入する方法には主に2種類ある（図 4-12）．

DTI（deep tissue injury）への応用

- 皮膚の表面から深部組織の方向に悪化する褥瘡ではなく，体表ではほとんど損傷がないようにみえるが，圧やずれによって深部で軟部組織の損傷が引き起こされている状態（褥瘡）をDTIという．周囲と比較すると疼痛，硬結，ぶよぶよとした感触，熱感，冷感などの症状を伴うことが知られている．エコー検査はDTIの診断に有用である．

摂食嚥下障害への応用

- プローブを顎下部に設置し舌の前額断面，矢状断面を描出する．やはりベッドサイドで，侵襲なく簡便に検査できるのが大きなメリットである．矢状断面では，嚥下時の舌前方部から後方部（舌根部）にかけての波動運動を行う様子が観察できる．前額断面では，「ラ」発語や摂食に伴い舌中央部が陥凹する様子，咀嚼時に舌が噛んでいる側に傾き上下運動する様子が観察できる．さらに，Mモードでは陥凹深度，陥凹時間，口蓋接触時間，総運動時間が測定できる．

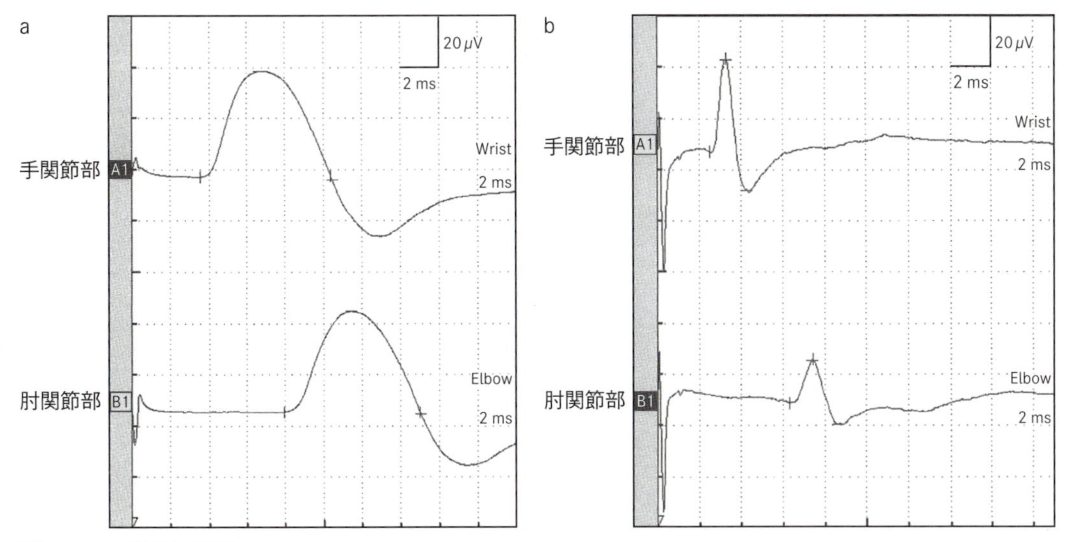

図 4-14　神経伝導検査

a　運動神経伝導検査（正中神経），b　感覚神経伝導検査（正中神経）

文献

1）　橋本健二郎，他：超音波診断法の原理と基礎知識．動物の循環器 17：2-12，1984

2）　大久保真衣，他：超音波診断装置(US)．摂食嚥下リハ 3：169-171，2016

（篠田裕介・芳賀信彦）

電気生理学的検査

- リハビリテーション診療において，神経・筋疾患および障害は重要な領域である．電気生理学的診断はこの領域の基本的な検査である．神経伝導検査と針筋電図が主となり，これらにより総合的な診断ができる．

神経伝導検査（nerve conduction study）

- 神経伝導検査は，運動神経伝導検査と感覚神経伝導検査に分けられ，末梢神経の損傷をある程度定量的に測定できる．

神経伝導検査の実際と指標

- 実際の神経伝導検査は，運動神経では末梢神経を電気刺激して，その支配筋より複合筋活動電位（compound muscle action potential；CMAP）を導出することにより施行される．指標として，運動神経伝導速度（motor nerve conduction velocity；MCV），潜時（latency），CMAP の波形・振幅・持続時間などが用いられる．図 4-14a は正中神経での実際の記録波形である．
- たとえば正中神経では肘関節部と手関節部の 2 か所で刺激した際の各々の潜時を測定し，その差を求めると前腕部での神経伝導に要する時間がわかる．伝導時間と 2 か所の距離から MCV が測定できる．
- 感覚神経伝導検査では，神経の末梢ないし中枢を直接刺激して同じ神経のほかの部位より感覚神経の活動電位（sensory nerve action potential；SNAP）を導出する．刺激電極と導出電極の間には，

a
1 mV
3 ms
Ankle
足関節部 A1
3 ms
Below fibla head
腓骨頭下部 B1
3 ms
Popliteal
膝窩部 C1
3 ms

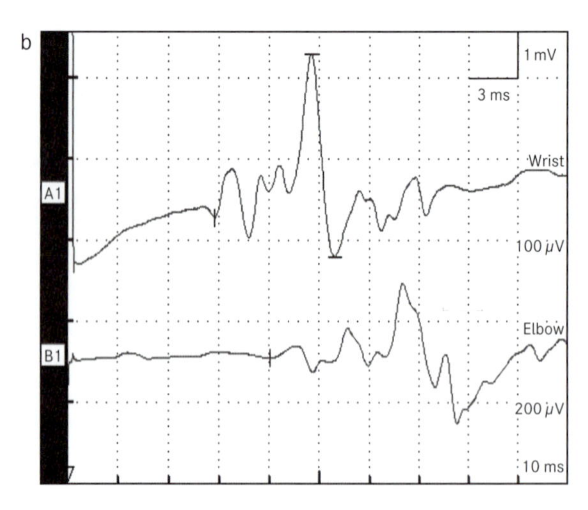

図 4-15　神経伝導検査でみられる典型的な異常

a　伝導ブロック（conduction block），b　時間的分散（temporal dispersion）

運動神経の場合と異なり，電極間の距離を潜時で割ることにより感覚神経伝導速度（sensory nerve conduction velocity；SCV）の算出が可能である．**図 4-14b** は感覚神経からの活動電位の実際の導出波形である．

- 神経伝導検査で重要なことは，運動障害や感覚障害が末梢神経の軸索変性によるものか，脱髄によるものかを明らかにすることである．それには得られた運動神経の CMAP の振幅，持続時間，形，伝導速度から総合的に判断することが重要である．その際には伝導ブロック（conduction block）と時間的分散（temporal dispersion）が重要な所見となる（**図 4-15**）．
- 伝導ブロックは末梢遠位部刺激での CMAP 振幅より中枢近位部刺激での CMAP 振幅が小さく，筋力低下をもたらす（**図 4-15a**）．
- 時間的分散は末梢部刺激での CMAP や中枢部刺激での CMAP が多相性となり，CMAP の持続時間が延長し，中枢部ではさらに持続時間が延長する（**図 4-15**）．
- 伝導ブロックや時間的分散は脱髄を示す所見である．また伝導速度が正常下限の 80%または 70%以下であれば，伝導ブロックや時間的分散がなくとも脱髄を示唆する．一方軸索変性や前角細胞疾患では，CMAP が末梢部でも中枢部でも同様に小さくなるものの，伝導速度は正常下限の 80%以上である．
- SNAP は時間的分散の影響を受けやすく，正常でも physiological phase cancellation によって，記録部位から刺激部位が遠ざかるほど，振幅が低下する（**図 4-14**）．それゆえに脱髄によるわずかな伝導のばらつきの増大によっても振幅低下としてあらわれるため，SNAP の消失は知覚脱失を意味しない．
- 後根神経節より近位側の障害による障害（神経根障害，引き抜き損傷）では，感覚神経は保たれているため，知覚脱失でも SNAP は正常である．

針筋電図検査（needle electromyography；EMG）

- 実際の針筋電図検査は，安静時と随意収縮時の 2 段階に分けて施行される．
- 安静時では針電極を被検筋に刺入した後，安静をとるようにする．随意収縮では，まず被検筋を

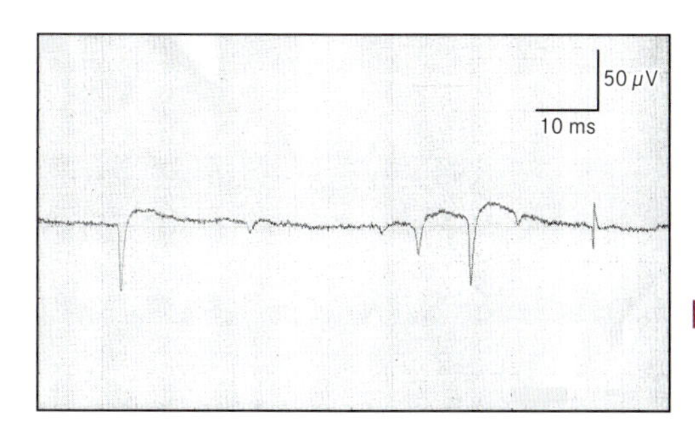

図 4-16 安静時の異常電位 陽性鋭波（positive sharp wave），線維束自発電位（fibrillation potential）

わずかに収縮させて個々の運動単位電位（motor unit potential；MUP）の波形・振幅・持続時間などを観察する．後に最大収縮させて干渉波の観察を行う．

安静時の筋電図

- 運動単位（motor unit；MU）に異常のない時，通常安静時には何ら電位変化を観察することはできない．
- MU に異常を生じた場合，安静時での異常波形は，針筋電図検査の中で最も重要な所見である．末梢神経や筋などの異常では，安静時に自発放電すなわち線維自発電位（fibrillation potential）や陽性鋭波（positive sharp wave）が観察される（図 4-16）．
- いずれも主に下位運動ニューロンの障害でみられるが，一部の筋疾患でも観察される．
- このほか前角細胞疾患などで出現する線維束自発電位（fasciculation potential），筋強直性ジストロフィーでみられるミオトニー放電（myotonic discharge）なども安静時の所見として重要である．

随意収縮時の筋電図

- 随意収縮時の筋電図では①微小収縮時における個々の MUP の評価と②収縮時における干渉波を評価する．

①微小収縮時における個々の MUP の評価：被検筋の単一の MUP を抽出して評価する．しかしながら，MUP の持続時間，振幅，多相性などから，神経疾患と筋疾患を鑑別診断することは難しい．

②干渉波 interference pattern：針電極で記録される MUP は，筋張力が上がっていくと，MU がさらに動員され，発射頻度が上昇する．記録される MUP は多数になり重なって記録され干渉波となる．最大収縮時には，正常ではほとんど基線が見えなくなる（図 4-17a）．

神経疾患では MU が減少しており，最大収縮においても干渉波に至らない（図 4-17b）．筋原性疾患では，弱収縮でも，正常より多くの MU が動員され，早期に多くの MUP が出現し，容易に干渉波になり，early recruitment と呼ばれる（図 4-17c）．

文献

1）正門由久，高橋修（編）：神経伝導検査ポケットマニュアル（第 2 版）．医歯薬出版，2017
2）Kimura J：Electrodiagnosis in Diseases of Nerve and Muscle：Principles and Practice. Fourth ed, Oxford Univ Press, New York, 2013
3）正門由久，千野直一：神経筋疾患と筋電図（Ⅰ） 臨床電気診断学（Ⅰ）．臨床脳波 39：536-544，1997
4）正門由久，千野直一：神経筋疾患と筋電図（Ⅱ） 臨床電気診断学（Ⅱ）．臨床脳波 39：603-613，1997

（正門由久）

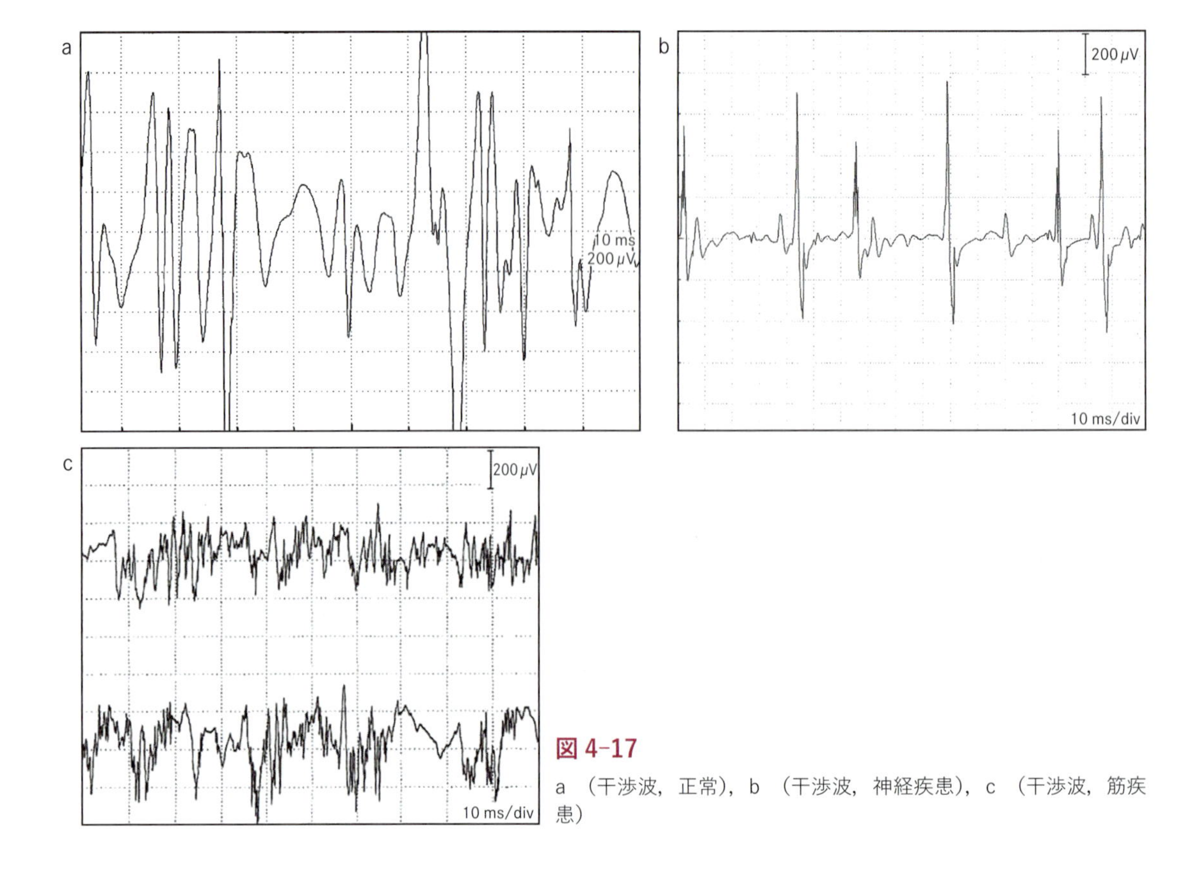

図 4-17
a（干渉波，正常），b（干渉波，神経疾患），c（干渉波，筋疾患）

心電図

- 心疾患をもつ患者の運動療法では，心電図で患者の状態を把握することが大切である．しかし，労作性狭心症があっても非発作時に心電図異常を示すのは 30〜70%で，残りの症例は正常な心電図を示す．
- リハビリテーション診療の対象患者は高齢者や糖尿病患者が多く，疼痛閾値が鈍化しているために心筋虚血時に典型的な胸痛発作を感じにくく，患者の自覚症状の有無のみを頼りに運動負荷強度の設定を行うことは危険を伴う．
- 安全にリハビリテーション診療を行うためには，運動負荷心電図検査が必要である．それにより，適切な運動負荷強度の設定，労作性狭心症の診断，心筋虚血の有無，その重症度や予後予測，治療効果の判定が明らかになる．
- 呼気ガス分析を併用した心肺運動負荷試験（cardiopulmonary exercise testing；CPX）では，心臓・肺・骨格筋の総合的な機能評価が可能である．
- 運動負荷にはトレッドミル，自転車エルゴメーター，マスター 2 階段負荷試験などが一般的に用いられる．運動の定量性は前 2 者のほうが優れている．
- 試験の実施では，禁忌（**表 4-10**），運動中止基準（**表 4-11**），虚血判定基準（**表 4-12**）に留意する．

表 4-10 運動負荷試験が禁忌となる疾患・病態

絶対的禁忌
1. 2日以内の急性心筋梗塞
2. 内科治療により安定していない不安定狭心症
3. 自覚症状または血行動態異常の原因となるコントロール不良の不整脈
4. 症候性の重症大動脈弁狭窄症
5. コントロール不良の症候性心不全
6. 急性の肺塞栓または肺梗塞
7. 急性の心筋炎または心膜炎
8. 急性大動脈解離
9. 意思疎通の行えない精神疾患
相対的禁忌
1. 左冠動脈主幹部の狭窄
2. 中等度の狭窄性弁膜症
3. 電解質異常
4. 重症高血圧*
5. 頻脈性不整脈または徐脈性不整脈
6. 肥大型心筋症またはその他の流出路狭窄
7. 運動負荷が十分行えないような精神的または身体的障害
8. 高度房室ブロック

*：原則として収縮期血圧＞200 mmHg，または拡張期血圧＞110 mmHg，あるいはその両方とすることが推奨されている．

（日本循環器学会，日本心臓リハビリテーション学会等合同研究班参加 12 学会編：心血管疾患におけるリハビリテーションに関するガイドライン 2021 年改訂版，2021，https://www.j-circ.or.jp/cms/wp-content/uploads/2021/03/JCS2021_Makita.pdf)（2021 年 11 月閲覧）

表 4-11 運動負荷の中止基準

絶対的中止基準
• 患者が運動の中止を希望
• 運動中の危険な症状を察知できないと判断される場合や意識状態の悪化
• 心停止，高度徐脈，致死的不整脈（心室頻拍・心室細動）の出現またはそれらを否定できない場合
• バイタルサインの急激な悪化や自覚症状の出現（強い胸痛・腹痛・背部痛，てんかん発作，意識消失，血圧低下，強い関節痛・筋肉痛など）を認める
• 心電図上，Q 波のない誘導に 1 mm 以上の ST 上昇を認める（aV_R，aV_L，V_1 誘導以外）
• 事故（転倒・転落，打撲・外傷，機器の故障など）が発生
相対的中止基準
• 同一運動強度または運動強度を弱めても胸部自覚症状やその他の症状（低血糖発作，不整脈，めまい，頭痛，下肢痛，強い疲労感，気分不良，関節痛や筋肉痛など）が悪化
• 経皮的動脈血酸素飽和度が 90％未満へ低下または安静時から 5％以上の低下
• 心電図上，新たな不整脈の出現や 1 mm 以上の ST 低下
• 血圧の低下（収縮期血圧＜80 mmHg）や上昇（収縮期血圧≧250 mmHg，拡張期血圧≧115 mmHg）
• 徐脈の出現（心拍数≦40/min）
• 運動中の指示を守れない，転倒の危険性が生じるなど運動療法継続が困難と判断される場合

（日本循環器学会，日本心臓リハビリテーション学会等合同研究班参加 12 学会編：心血管疾患におけるリハビリテーションに関するガイドライン 2021 年改訂版，2021，https://www.j-circ.or.jp/cms/wp-content/uploads/2021/03/JCS2021_Makita.pdf)（2021 年 11 月閲覧）

表 4-12 運動負荷心電図の虚血判定基準

確定基準
ST 下降 水平型ないし下降型で 0.1 mV 以上 (J 点から 0.06〜0.08 秒後で測定する) ST 上昇 0.1 mV 以上 安静時 ST 下降がある 水平型ないし下降型でさらに 0.2 mV 以上の ST 下降
参考所見
前胸部誘導での陰性 U 波の出現
偽陽性を示唆する所見
HR-ST ループが反時計方向回転 運動中の上行型 ST 下降が運動終了後徐々に水平型・下降型に変わり長く続く場合 (late recovery pattern) 左室肥大に合併する ST 変化 ST 変化の回復が早期に認められる

(Myers J, et al. 1993 より作表)
〔日本循環器学会：慢性冠動脈疾患診断ガイドライン (2018 年改訂版), http://www.j-circ.or.jp/guideline/pdf/JCS2010_yamagishi_h.pdf (2021 年 11 月閲覧)〕

(上月正博)

病理学的検査

- リハビリテーション診断において疾患の病態を把握する上で役立つ.
- 筋疾患, 末梢神経疾患を疑い組織学的診断が必要な場合, 筋・神経生検の適応となる.

筋生検

- 骨格筋 CT や MRI で病変部位を特定するか, 比較的筋量の豊富な上腕二頭筋や大腿四頭筋から実施する.

①筋線維タイプ：タイプ 1 (赤筋), タイプ 2 (白筋) があり, 正常ヒト骨格筋では, タイプ 1, タイプ 2A, タイプ 2B が約 1/3 ずつ分布している (図 4-18a). 病的な筋では, これに加え未熟性を反映したタイプ 2C が出現する. 先天性ミオパチー, 筋緊張性ジストロフィーなど幅広い筋原性疾患でタイプ 1 線維が選択的に萎縮する. 一方, タイプ 2 線維の萎縮は疾患特異性が低く, 不動, 低栄養, 中枢神経障害, ステロイドミオパチーなどでみられる. 神経原性疾患では, 筋線維タイプ群化がみられる.

②中心核 (central nuclei)：筋線維の中心に核がみられる. 全線維の 5%以上にみられる場合は病的で, 筋緊張性ジストロフィーやミオチュブラーミオパチーなどでみられる.

③Ragged red fiber：ミトコンドリアミオパチーなどで, 増加・変形した異常なミトコンドリアが集積し, 筋鞘膜下が縁取りされたように赤く染色される (図 4-18b).

④縁取り空胞 (rimmed vacuole)：ライソゾームによる細胞内貪食像であり, 赤く縁取りされたように染色される空胞が遠位型ミオパチーや封入体筋炎でみられる (図 4-18c).

⑤Nemaline 小体：糸くず状の構造物がネマリンミオパチーの筋線維内にみられる (図 4-18d).

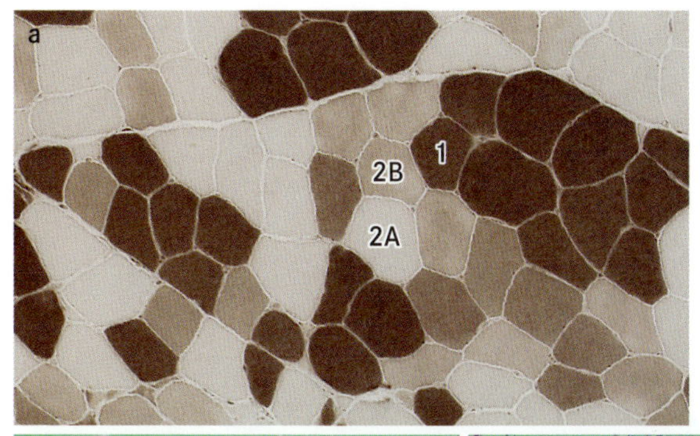

図 4-18 筋生検

a：正常例の ATPase 染色（pH 4.6）．筋線維の各タイプがモザイク状に構成されている．
b：上腕二頭筋の Gomori trichrome 染色．矢印で示した線維が ragged red fiber である．
c：上腕二頭筋の Gomori trichrome 染色．矢印が rimmed vacuole．
d：上腕二頭筋の Gomori trichrome 染色．矢印が nemaline 小体．

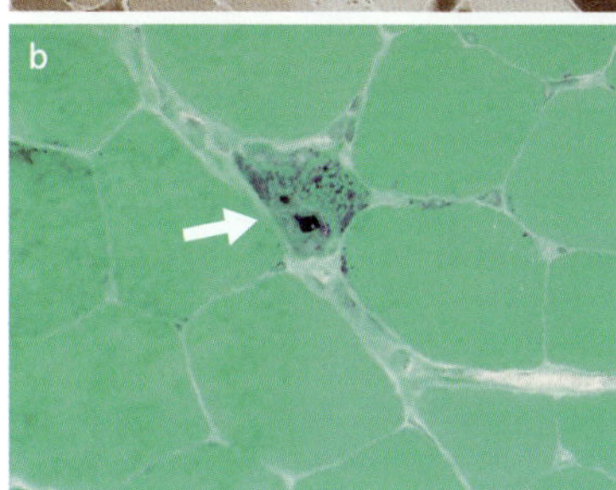

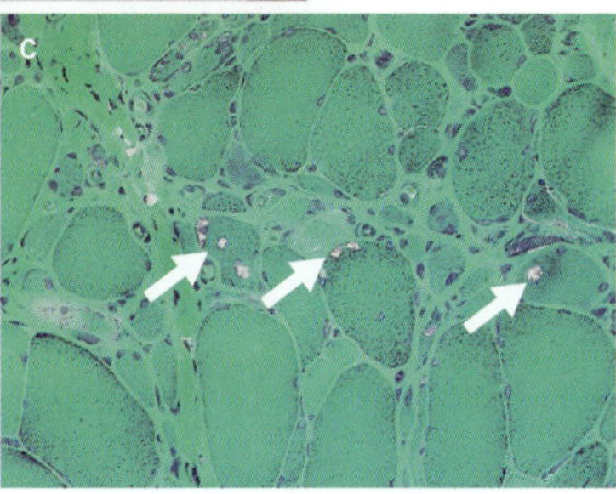

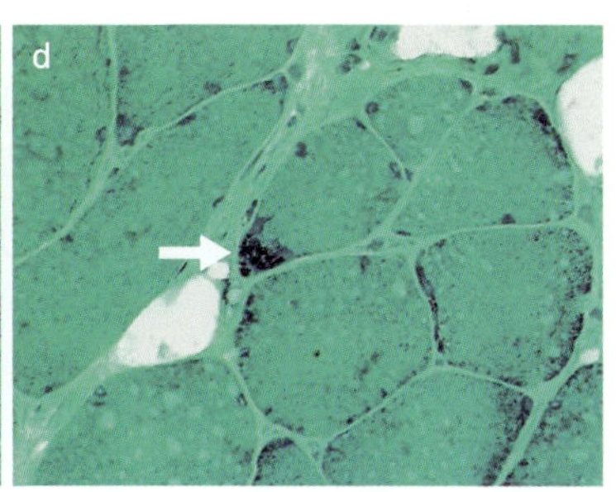

〔高梨雅史：神経病理学的検査．水野美邦（編）：神経内科ハンドブック—鑑別診断と治療．第5版，p570，572，医学書院，2016より〕

神経生検

- 末梢神経障害の病因や病態の解明や障害の程度を確認する目的で行われる．節性脱髄，軸索変性，封入体，アミロイドなどがみられる．

（中原康雄・芳賀信彦）

3 リハビリテーション治療

リハビリテーション治療のポイント

- 主なリハビリテーション治療の方法は表 1-1（⇒ 5 頁）に示されている．これらの治療法を多種多様な疾患・障害・病態に，適切に組み合わせて治療にあたる．
- 治療では，原疾患の natural course（自然経過）を知ることが大切である．脊髄を含む中枢神経疾患では障害を残す可能性が高いのに対し，運動器疾患では高齢であってもほぼ回復することが少なくない．神経筋疾患は進行性であり，小児疾患やがんでは個々で経過が異なる．
- 同じ疾患でも，病状や患者の状態（年齢，体力など），生活環境などによって，適切な治療法の組み合わせや，それぞれの訓練強度は異なる．リハビリテーション治療は常にテーラーメイドである．
- 高齢者では疾患・障害・病態が重複的に生じていることも多い．図 4-19 のように中枢神経疾患，運動器疾患，内科疾患が重なり活動の低下が起こっている場合，それぞれの専門医では総合的な対処が困難である．これに対し，リハビリテーション科医はそれぞれの疾患による活動阻害因子を多面的に診断して，治療を行っていくことができる．

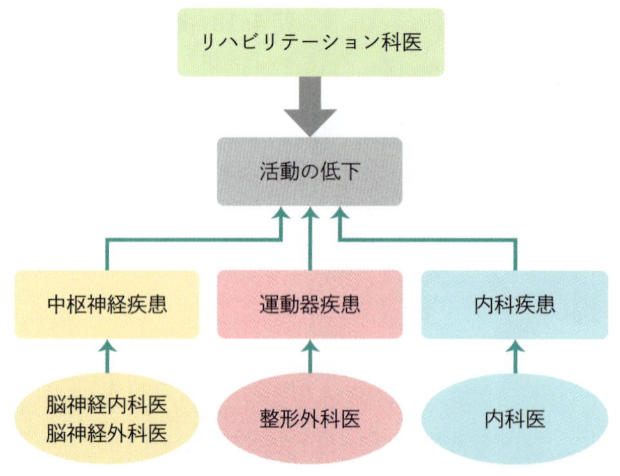

図 4-19 リハビリテーション科医による多面的な診断と治療

（三上靖夫）

リハビリテーション処方の作成法

リハビリテーション処方の概要

- リハビリテーション処方は，リハビリテーション科医による「個々の患者に対するリハビリテーション治療の方針・道標」の明示であり，「リハビリテーション医療チームの専門の職種への指示」とも位置づけることができる．
- リハビリテーション処方は，個々の患者に応じたテーラーメイドなものでなければならない．
- リハビリテーション処方は，入院患者であれば入院後早々に，外来患者であれば初診後早々に出されることが多い．しなしながら処方後もリハビリテーション科医は，リハビリテーション治療の進み具合，症状変化，ADL 改善の程度，などを確認しながら，適宜処方内容を見直していくべきである．
- リハビリテーション処方は，「一度だけ行ってそれで終わりにするもの」ではないことを念頭に置く．
- リハビリテーション処方の内容は，医療チームと意見交換を行って修正していくことが望ましい．

リハビリテーション処方の実際

- リハビリテーション処方には，①主な疾患名，②病歴の概略，③併存疾患，④発症・受傷前の（日常・家庭・社会）活動レベル，⑤行うべき訓練内容，⑥目指すべき治療ゴール，⑦治療に関する注意点と禁忌，を必ず記載する．
- また，入院患者に対しては，退院後の在宅生活を念頭において，介護や住居の状態についても記載するのがよい．
- 「行うべき評価および治療内容」の記載は，リハビリテーション処方の中核となる．理学療法，作業療法，言語聴覚療法のそれぞれについて，行うべき評価および訓練の内容をできるだけ具体的に（その強度や頻度も）記載する．

- 「目指すべきゴール」は，短期ゴール（今後1〜3週間で目指すべき改善）と長期ゴール（退院時まで，もしくは外来通院終了時までに目指すべき改善）に分けて記載する．
- ゴールの設定に際しては，「実際の症状（機能障害）」についてのみならず，「患者の活動全体（日常・家庭・社会での活動）」にも目を向けることが重要である．特に長期ゴールの設定に際しては，発症・受傷前の活動レベルを十分に考慮する．
- 「治療に関する注意点と禁忌」としては，訓練時に「行ってはいけないこと」，訓練を「中止すべき状態」，訓練中に起こりうる合併症などを記載する．
- わが国の現状としては，保険診療上リハビリテーション処方に「疾患別リハビリテーションのいずれのカテゴリー（たとえば，「脳血管疾患等リハビリテーション」，「廃用症候群リハビリテーション」など）で訓練を提供するのか」を明示する必要がある．

カンファレンスの進め方

カンファレンスの概要

- リハビリテーション診療は多くの場合チーム医療として進められるが，「チーム医療の方向性」を統一するためには多職種によるカンファレンスが必要不可欠である．
- カンファレンスの出席者は，リハビリテーション科医，理学療法士，作業療法士，言語聴覚士，看護師，管理栄養士，薬剤師，義肢装具士，医療ソーシャルワーカーなどの多職種で構成される（図 4-20）．
- カンファレンスの主たる目的は，①対象患者に関する情報をチーム構成員が共有すること，②リハビリテーション治療のゴールを設定すること，見直しのあった項目を確認すること，③個々のチーム構成員が行うべきことを決定すること，などである．

カンファレンスの実際

- リハビリテーション診療のカンファレンスは，入院患者を対象として行われることが多い．
- 入院患者を対象としたカンファレンスは，①初回カンファレンス，②定期カンファレンス，③退院前カンファレンスに大別される．
- 入院後早々に開催される初回カンファレンスでは，患者情報の共有，リハビリテーション治療のゴールの初期設定，実際に行うべき治療の内容，治療のリスクなどを検討する．
- 1〜4週間ごとに開催される定期カンファレンスでは，治療によって生じた患者の変化（改善）の確認，ゴールや治療内容の見直しを行う．
- 退院前カンファレンスでは，退院後のリハビリテーション治療や退院後の医学的管理の方針，生活環境の調整などを話し合う．退院後に介護保険サービスを利用する場合には，介護支援専門員/ケアマネジャーにも出席してもらうのがよい．
- カンファレンスでは，各職種がそれぞれの視点から患者の状態を捉えて，意見を述べることが求められる．

図 4-20　カンファレンスの様子

（角田　亘）

リスク管理

リスク管理の必要性

マネジメントするべきリスク

- リスクとは，危険，あるいは損害を受ける可能性を意味する．リスク管理は，このような危険の発生を最小限に抑制することである．リハビリテーション診療におけるリスク管理は，この診療行為に関連して発生が予測される有害事象を対象とし，発生した場合にその影響を軽減するものとなる．
- リハビリテーション診療に関する有害事象としては，合併症，事故，医療関連感染の 3 つが想定され，その内容は多岐にわたる（表 4-13）．
- しかし，有害事象の発生を恐れるあまりに積極的なリハビリテーション治療ができなければ機能改善は不十分となる．それによって治療成績が悪化するという別のリスクも考慮する必要がある．
- これらの多面的なリスクをマネジメントして，患者に最大の機能改善が与えられるようにリハビリテーション診療を進めることが求められる．

有害事象による影響

- リハビリテーション診療の対象となる患者はさまざまな障害を持っているが，その背景には重大な疾患・外傷などのあることが多い．また，併存疾患を複数持っていることも多く，虚弱な患者も含まれている．このため有害事象を生じやすく，その影響は大きくなりやすいと考えるべきで

表 4-13 リハビリテーション診療に関連して生じる可能性がある有害事象

有害事象	内容
合併症	リハビリテーション診療の対象となっている疾患の増悪・再燃
	併存疾患から続発する合併症
	上記と関係なく発生する合併症
事故	転倒・転落 窒息 治療機器による外傷（熱傷・凍傷を含む） チューブ抜去 患者の取り違え，部位の取り違え，申し送りの不備 離院・離棟
医療関連感染	流行性感染症（COVID-19，インフルエンザなど） 多剤耐性菌（MRSA や多剤耐性緑膿菌など）感染

ある．

- 有害事象が発生することによる最大の不利益は，生命予後や機能予後に悪影響を及ぼすことである．また，在院日数の長期化や，追加の医療行為が発生することによる診療コストや職員負担の増大など，病院経営上の問題も大きい．
- 有害事象の発生は，患者と医療機関の双方にさまざまな不利益を発生させる．これらの問題は単独で発生するものではなく，お互いに悪い影響を及ぼし合い複雑化する．

リスク管理の方法

有害事象の予防

- リスクの高い患者をスクリーニングで識別し，重点的な予防策を実施する．これらの患者を事前に把握できていることで，有害事象を回避することや早期発見につなげることが可能となる．
- 合併症リスクのスクリーニングとしては，リハビリテーション治療の対象となる疾患の発症時期や重症度，併存疾患の有無や内容が参考となる．また，血液・生化学検査，画像検査などの各種検査，使用中の薬剤，看護記録のバイタルサインや食事摂取量も把握することが望ましい．
- リハビリテーション治療に関連する事故としては，転倒が最も高頻度かつ影響が大きいものとなる．転倒リスクについて全患者にスクリーニングを実施し，入院中や訓練中の転倒事故を予防する．転倒リスクについては各職種にも情報共有がなされるべきである．
- 摂食機能療法を実施する患者では，何らかの摂食嚥下障害があり，窒息事故のリスクがある．リスクが高いと考えられる場合には，適切な食事形態への変更や見守りなどが必要となる．この点について各職種にも情報共有がなされるべきである．
- 医療関連感染のスクリーニングはすべての患者に実施されるべきであるが，特に易感染性がある場合には，注意する．白血球減少，ステロイド薬，免疫抑制薬の使用があれば，リスクが高いと考える．また，抗菌薬が使用されている場合は多剤耐性菌感染の可能性にも注意する．

合併症の影響を軽減する

- 患者が合併症を生じる際には，事前になんらかの予徴があることが多い．このような変化に気づけるよう，患者の訴えやバイタルサインの変動に注意を払う必要がある．スクリーニングで全身状態が不安定と判断される患者では，特に敏感にならなくてはならない．

- リスクの高い患者の訓練を病棟内で実施することも有効な方法である．病棟はリハビリテーション室と比較すると，医師や看護師などの人員や，処置に必要な物品が豊富である．これにより，早期に適切な対応が可能となり，合併症の影響を最小限とすることができる．
- 合併症で最も緊急性が高いものは心肺停止である．この場合，速やかに適切な対応をとることが求められる．そのためには全職員が BLS（basic life support）研修を受けておく必要がある．
- 心肺停止に至っていない場合でも，緊急性が高い状態では速やかに応援を要請する．ためらわずに応援要請ができるよう，院内緊急コール体制の整備が必要である．コール方法やコールの基準を明確にすることが，有効なシステム構築のために重要である．

事故の影響を軽減する

- 転倒・転落や窒息などの事故も予期せぬタイミングで生じることが多く，事故を生じた現場は混乱することがある．このような際にも冷静に十分な対応ができるよう，事故発生後の対応方法をマニュアル化することや，日常的に対応を確認しておくことが必要である．

再発予防

- 何らかの有害事象が発生した場合には，その再発予防の取り組みが求められる．有害事象の発生頻度やその影響から優先順位を考慮して，再発予防策を講じる．
- この取り組みには，発生した有害事象の情報を蓄積する必要があり，インシデントレポートを活用する．
- 再発予防策は，職員にわかりやすい形で通知され，職員が認知していることが確認され，必要に応じて現場で実施されることが求められる．

リハビリテーション医療における安全管理・推進のためのガイドライン第2版

- リスク管理を推進する目的で，日本リハビリテーション医学会より，「リハビリテーション医療における安全管理・推進のためのガイドライン」が刊行されている．
- 2018 年に「リハビリテーション医療における安全管理・推進のためのガイドライン第 2 版」へと改訂が進められた（表 4-14）．
- リハビリテーション診療にかかわるすべての医療職・介護職・福祉職などがこの内容を把握しておくことが求められる．

リハビリテーション科医の役割

- リハビリテーション診療の対象となる疾患は多岐にわたる．そのリスクを予想してマネジメントしたり発生した有害事象に対応したりするためには，幅広い生理学や疾患・障害の知識をもたねばならない．
- また，理学療法・作業療法・言語聴覚療法でどのような治療が実施されているかを熟知していなければ，リハビリテーション診療における注意・禁忌事項など適切な配慮ができない．リハビリテーション診療におけるリスク管理は，リハビリテーション科医が中心となって行うことが求められる．

表 4-14 「リハビリテーション医療における安全管理・推進のためのガイドライン第2版」における改訂のポイント

目的	リハビリテーション治療による治療効果を最大限にする リハビリテーション医療に関連する有害事象を予防する 有害事象が発生した際の影響を最小限にする
重要臨床課題	合併症対策 医療事故対策 医療関連感染対策

- リハビリテーション部門全体のリスク管理に関するシステム構築が必要であり，リハビリテーション科医に期待される役割はきわめて大きい．

文献

1）日本リハビリテーション医学会 リハビリテーション医療における安全管理・推進のためのガイドライン策定委員会(編)：リハビリテーション医療における安全管理・推進のためのガイドライン第2版，診断と治療社，2018

（宮越浩一）

理学療法

運動療法

運動療法の基本

- 運動療法はリハビリテーション治療の基本である．すべての患者にその病態や障害に応じて到達目標を設定のうえ運動療法を処方する．安全かつ最大の効果を得るため運動強度を設定しなければならない．
- 運動療法には表 4-15 に示したような種類がある．
- 具体的な目標は，関節可動域，筋力，持久力（心肺機能），協調性，バランス，座位・立位，基本動作，起立・歩行などの改善である．病態や障害によっては運動療法の継続が困難となることもある．
- 運動療法の処方にあたり，疾患ごとの病態の理解は大切である．解剖学（⇒ 23 頁），生理学（⇒ 34 頁），バイオメカニクス（⇒ 44 頁），運動学（⇒ 44 頁）に基づき，関節可動域，筋力，持久力，基本動作，歩行などの評価を行い，運動強度を決定する．
- 運動療法における合併症への対応も重要である．リハビリテーション科医および専門の職種による運動療法前の診察や運動療法中の観察によって初めてこれを回避することができる．

関節可動域訓練

- 不動によって生じる拘縮や強直の発生を予防するために行う．
- 徒手的に行う訓練と，機器（continuous passive motion；CPM など）を用いて行う訓練がある．
- 麻痺の重症度が高いほど拘縮が生じやすいため，関節可動域訓練も積極的に行うのがよい．

筋力増強訓練

- 筋力は ADL に直接影響する．

表 4-15 運動療法の種類

・関節可動域訓練	・協調性訓練	・基本動作訓練
・筋力増強訓練	・バランス訓練	・起立・歩行訓練
・持久力（心肺機能）訓練	・座位・立位訓練	・治療体操

表 4-16 静的運動と動的運動の特徴

	静的運動	動的運動
運動様式	・関節の動きがなく，筋の持続的緊張を保つ	・筋の収縮・弛緩と関節の動きがある
主な効果	・筋力増強	・心肺機能強化
循環器系応答	・心拍数上昇 ・血圧上昇	・適切な心拍数上昇 ・平均血圧は維持
呼吸器系応答	・運動時間が短く，臨床的な影響は少ない	・1 回換気量，呼吸数が増大 ・無酸素性作業閾値以上の負荷量で呼吸数が著明に上昇

- 筋力増強訓練は筋力の改善のみならず，骨密度・結合組織の強化，適正体重の維持に役立つ．
- 運動の種類として，等張性，等尺性，等速性運動がある．等張性運動は関節の動きがあるのに対して，等尺性運動では関節が動かないため関節疾患やその術後に適している．
- 関節の動きがない静的運動は動的運動と比べて交感神経活動が上昇しやすく，血圧や心拍数の過剰な上昇を引き起こしやすい（表 4-16）．
- 筋収縮には求心性収縮と遠心性収縮がある．遠心性収縮による筋力増強訓練のほうが効果が大きい．ただし，筋線維の負担が大きいため，筋痛が生じやすい．
- 筋力増強訓練では，自重で行う場合と重錘や器具を用いる場合がある．強度設定には，重さ（抵抗），反復回数，動きのスピード，繰り返す際のセット間隔を考慮する．
- 最大反復回数（repetition maximum；RM）とは，一定の負荷強度で繰り返し実施可能な運動回数のことである．最大筋力は 1 RM に相当する．一般的には 7〜10 RM に設定する．自重による動きでも反復回数と動きのスピードを速めることで負荷を増強できる．
- 筋力増強訓練の初期は低強度で行い，自覚的運動強度（rating of perceived exertion；RPE）12〜13 を目標とする．徐々に強度を上げ，最終的には RPE 15〜16 以上を目標とする．
- 筋力増強訓練開始 1〜2 週間は神経性の筋力向上が中心であり，短期間でも効果は見込まれる．筋肥大は 3 週間以降，徐々に発現する．運動直後の蛋白質の補充はこの効果を増強する．
- 立位，歩行を改善するためには股・膝関節の安定が重要であり，腸腰筋，大腿四頭筋や大殿筋，中殿筋などの訓練を重点的に行う．

持久力訓練

- 心肺機能を向上させる持久力訓練では，最大酸素摂取量（$\dot{V}O_{2max}$）を測定する．$\dot{V}O_{2max}$ の 40〜85％の負荷で 20 分以上行う持久力訓練（有酸素運動）が一般的である．一定負荷に加え，数分の高強度運動を挟みながら繰り返すインターバルトレーニングも推奨されている．
- 運動強度を設定するためには，全身持久力の評価が必要であり，その指標となるのが $\dot{V}O_{2max}$ である．「Fick の式：$\dot{V}O_{2max}$＝最大 1 回心拍出量×最大心拍数（HR_{max}）×最大動静脈酸素含有量較差」で表される．

表 4-17 自覚的運動強度（RPE）の目安（Borg 指数）

指数（scale）	自覚度
6	
7	非常に楽である
8	
9	かなり楽である
10	
11	楽である
12	
13	ややきつい
14	
15	きつい
16	
17	かなりきつい
18	
19	非常にきつい
20	

- 運動強度の設定には%酸素摂取予備量（$\%\dot{V}O_2R$）を用い，「目標 $\dot{V}O_2$＝（$\dot{V}O_{2max}$－安静時 $\dot{V}O_2$）×（目標至適強度）＋安静時 $\dot{V}O_2$」で表される．
- $\dot{V}O_{2max}$ を測定できない場合は，簡易的に HR_{max} を「220－年齢」から求め，予備心拍数法（Karvonen の式）を用いる．「目標 HR＝（HR_{max}－安静時 HR）×（目標至適強度）＋安静時 HR」で表される．目標至適強度は 0.40～0.85 で行われることが多い．
- 運動強度により運動時間と頻度を調節する．処方の詳細は疾患の各論に譲る．
- 自覚的運動強度の指標として，Borg 指数がある（表 4-17）．Borg 指数 13 が無酸素性作業閾値（anaerobic threshold；AT）での運動負荷強度に相当するため，Borg 指数 12～16 で運動が行われる．
- 運動負荷としては，トレッドミル，エルゴメーターを用いるか，実際の歩行を行う．エルゴメーターは上肢用と下肢用があり，運動量を定量的に負荷できるため安全性が高い．
- インターバルトレーニングは，AT より高強度の運動を短時間，頻回に行う運動方法である．$\dot{V}O_{2max}$ や運動耐容能の指標となる AT 自体の改善に効果的である．

協調性訓練

- 個々の筋に対する随意的なコントロールや，多数の筋による円滑な運動を訓練する．
- 小脳・脳幹障害，痙性麻痺，深部感覚（位置覚）障害などに対して行う．

バランス訓練

- 静的バランス訓練（一定の姿勢を保つ訓練など）と動的バランス訓練（1 本の線上を歩くタンデム歩行，バランスボール上での座位保持訓練など）がある．

座位・立位訓練

- 座位姿勢を長時間安定して保持できるように訓練する．
- ベッドでの端座位訓練や，車いす上での座位保持訓練が重要である．

- 立位訓練は，姿勢を保持するために療法士が介助したり，長下肢装具を用いたりして行うこともある．

基本動作訓練

- 図 1-1（⇒ 3 頁）にあるような日常での「活動」について訓練を行う．

起立・歩行訓練

- 関節可動域，筋力，持久力の改善があってはじめて，起立して歩行機能を上昇させる訓練が可能となる．麻痺などがある場合は適切な装具療法を併せて行う．

治療体操

- 腰痛体操などがこれにあたる．

運動療法のリスク管理

- 運動療法による合併症には肺動脈塞栓症，起立性低血圧，虚血性心疾患，オーバーユース症候群などがある．運動療法開始前に，頸動脈プラーク，心房内血栓，深部静脈血栓症，大動脈瘤などの有無をチェックする．急性期では短期間で病状が変わりうるため，運動負荷時は，患者の様子，血圧・心拍数，酸素飽和度，心電図などのチェックが必要である．
- 一般的な運動療法の中止基準としては，著しい血圧異常，著しい頻脈もしくは徐脈，呼吸状態不良，重度の心機能低下，意識障害などがあげられる．しかしながら，実際には各患者の病態に基づいて中止基準を決定するべきである．
- 運動療法に対する生理学的応答として，心拍出量増加に伴う血圧上昇，換気量増加，消化管・腎臓などへの内臓血流低下がある．
- 心拍出量増加は，心筋への負荷を増大させる．Lown 分類 2 度以上の危険な心室性の不整脈（頻発，連発する，または 30%以上の多発および多源性心室性期外収縮など）や虚血性心疾患，大動脈弁狭窄がある場合は，事前にその程度をモニター心電図や心エコーで評価する必要がある．
- 出血リスクの高い患者では，血圧上昇の起きやすい等尺性運動のような静的運動を避け，息こらえをさせないように配慮する．
- 睡眠不足，疲労した状態，早朝での運動負荷は不整脈，虚血性心疾患，脳血管障害を引き起こす要因となりうる．運動療法開始前のチェックは怠ってはならない．
- 人工呼吸器装着時も運動療法は可能である．運動開始と同時に大量の喀痰のある場合が多く，痰吸引の準備をしておく．
- 運動療法では体温上昇がみられるので，発汗による脱水が起こる可能性があることに留意する．筋合成のためには蛋白質が必要となる．栄養と水分の摂取は，運動療法に欠かせない．

脳血管障害に対する運動療法

- 入院後，可及的速やかに訓練を開始するのがよい．しかしながら，意識状態が悪い場合，全身状態が悪い場合，神経症状の増悪が続いている場合は，離床の開始を遅らせたほうがよい．
- 装具を用いた歩行訓練を始め，機能障害に合わせた筋力増強訓練，持久力訓練で長期的な身体機能の維持・向上を図る．
- 発症早期の離床が脳血流を低下させ脳梗塞の増悪・再発を引き起こすという意見もあるが，24 時間以内の離床で死亡率に変化はなく，52 時間以内のリハビリテーション治療開始で脳血流への影響はないことが示されているため，発症早期から運動療法を行うことが適切である．
- 発症早期の運動療法開始時には，麻痺の増悪など神経症状の変化を見落としてはならない．

運動器疾患に対する運動療法

- 運動器疾患に対する運動療法の目的は，障害部位の安定が得られるまでの非障害部位の機能維持・向上，安定の得られた障害部位の機能回復に分けられる．
- 障害部位で局所炎症による疼痛が強い場合でも，薬物治療や物理療法でコントロールしながら，運動療法を行う．
- 障害部位の安定が長期にわたって得られない場合は，下肢免荷装具や外固定材料を用いながら，運動療法を実施する．

神経・筋疾患に対する運動療法

- 神経・筋疾患に対する運動療法の目的は，神経症状の増悪に伴う二次的な変化（筋萎縮，関節拘縮など）の発生を予防して，ADL および QOL レベルを維持するためである．
- 慎重な運動負荷量の決定が必要な筋疾患（筋ジストロフィーや筋炎など）であっても，中等度以下の筋力増強訓練や持久力訓練で過用（オーバーユース）が起こることは少ない．むしろ，合併症による循環・呼吸機能低下があれば，それらの改善のために運動療法を行う．
- クレアチンキナーゼ（creatine kinase；CK）が過用（オーバーユース）による筋損傷の指標として有用である．

循環器疾患に対する運動療法

- 心疾患に対する運動療法には，薬物治療やカテーテル治療に匹敵する予後改善効果や QOL 改善効果がある．
- 心疾患に対する運動療法は，循環動態・心疾患の種類（弁膜症・虚血性心疾患など）に合わせて，処方を行う．虚血性心疾患の急性期は，徐々に運動療法を行っていく．回復期以降は，心肺運動負荷試験（cardiopulmonary exercise testing；CPX）で酸素摂取量を測定し，AT を基準とした運動負荷で心肺機能を高める持久力訓練（有酸素運動）を行っていく．
- 慢性心不全でも，呼吸・循環動態がコントロールされていれば，運動療法は可能である．高齢や駆出率（ejection fraction；EF）低下は運動療法を実施できない理由とならない．安定期では，NYHA 分類などの重症度に応じて，Karvonen の式で係数を 0.4〜0.5 とし，運動負荷を決定する．
- 大動脈瘤は臥床から起立に至る動作時よりも，起立から臥床に至る動作時のほうが 1 回心拍出量が増すので注意する．

呼吸器疾患に対する運動療法

- 呼吸器疾患に対する運動療法では，低下した呼吸機能（拘束性換気障害，閉塞性換気障害）そのものを改善することはできないものの，循環血液量の上昇や呼吸筋を含む骨格筋の機能改善などにより，呼吸困難感の改善や QOL の改善効果がある．
- 拘束性換気障害では．運動療法時に酸素飽和度が 90％未満にならないように吸入酸素濃度を調整する．また，運動療法時に酸素が不足している場合でも，換気量が急激に減少することがある．1〜2 分以内の酸素飽和度の低下に注意を要する．
- 原因となる疾患はさまざまであるが，特に閉塞性換気障害では，酸素の過剰投与による，CO_2 ナルコーシスの発症（⇒ 39 頁）に注意が必要である．運動療法中は換気が惹起されるので発症しにくいが，運動後の CO_2 ナルコーシスには最大の注意を払う．

内分泌代謝性疾患に対する運動療法

- 運動療法は，糖代謝・脂質異常に対する基本的治療として確立している．
- 糖尿病では，筋力増強訓練と持久力訓練の併用によって HbA1c が有意に改善するとの報告がある．患者ごとの筋量・体脂肪率などを測定し，運動療法の種類と負荷量を決定する．

- 糖尿病で，インスリンなどの血糖降下薬を使用している場合，運動療法時，運動療法後の低血糖発作に注意が必要である．

運動療法の補助的な手段

- 装具は，麻痺や筋力低下のある肢の機能を代償するために用いる．
- ロボットを用いた訓練は，運動負荷量，運動時間を適切にコントロールできる可能性がある．
- 随意運動介助型電気刺激装置は，筋収縮がみられるときに電気刺激により筋収縮を増強する．筋力が徒手筋力検査（manual muscle testing；MMT）で3以下であってもこの装置を使用すれば，運動療法は可能である．

文献

1） Rowell LB：Handbook of Physiology：Section 12：Exercise：Regulation and Integration of Multiple Systems. Oxford University Press, Oxford, 1996
2） 日本体力医学会体力科学編集委員会(監訳)：運動処方の指針—運動負荷試験と運動プログラム．第8版，南江堂，2011
3） 日本脳卒中学会脳卒中ガイドライン委員会(編)：脳卒中治療ガイドライン2015．協和企画，2015
4） Voet NB：Strength training and aerobic exercise training for muscle disease. Cochrane Database Syst Rev 9：CD 003907, 2013
5） JCS Joint Working Group：Guidelines for rehabilitation in patients with cardiovascular disease(JCS2012). Circ J 78：2022-2093, 2014
6） Church TS：Effects of aerobic and resistance training on hemoglobin A1c levels in patients with type 2 diabetes：a randomized controlled trial. JAMA 304：2253-2262, 2010

（伊藤倫之）

物理療法

- 物理療法は基本的に，温熱療法，寒冷療法，ならびに物理刺激療法に分類される（表4-18）．
- 温熱療法は，表在からのホットパック，温水（温泉を含む），光線などがある．極超短波と超音波は深部に熱を伝達する．
- 寒冷療法では，表在からのアイスパック，冷水，アイシングなどがある．全身を冷やし，脳温を下げる低体温療法もある．
- 物理刺激療法として音波（超音波），機械的刺激（圧迫），静水圧（プール），水（バブル，渦流浴）などが利用される．最近では，振動を利用した方法も開発されている．
- これらの物理療法はエビデンスに乏しい面もあるが，広く利用されている．

温熱療法

- 目的は疼痛軽減，血行改善，代謝改善，軟部組織（コラーゲン）伸展性改善などであり，それぞれの目的に応じて温熱手段を選択する．
- 温熱療法の禁忌は表4-19に示すとおりで，副作用には熱傷，失神，出血がある．多発性硬化症患者に温熱療法は禁忌である．

寒冷療法

- 目的は炎症，浮腫，出血，疼痛の抑制であり，診断により寒冷方法を決定する．
- 禁忌を表4-20に示す．15℃以下に冷やすと，組織壊死や，虚血の悪化，寒冷刺激による血圧上昇などが生じるので注意する．

表 4-18　物理療法の種類

種類	タイプ	例
温熱療法	表在性温熱	ホットパック
	深達性温熱	超音波，ジアテルミー
寒冷療法	表在性寒冷	アイスパック
物理刺激療法	静水圧	プール
	音波	超音波
	圧迫	弾性包帯
電気刺激療法	電気	高周波電気刺激（超短波療法，極超短波療法），低周波電気刺激，機能的電気刺激
水治療法	水	バブル，渦流浴
光線療法	光線	赤外線，紫外線，レーザー
牽引療法	牽引	間欠牽引，持続牽引

表 4-19　温熱療法の禁忌と注意事項

禁忌
出血またはその可能性がある部位，血栓性静脈炎，感覚障害，悪性腫瘍組織またはその周辺，精神機能障害，多発性硬化症
注意事項
急性損傷や炎症の領域，妊娠（全身，腰部・腹部には推奨されないが，四肢には適用されることがある），循環不全や体温調節不全，心不全，金属のある領域，開放創，局所刺激薬を適用した領域，脱髄性神経障害

表 4-20　寒冷療法の禁忌と注意事項

禁忌
寒冷過敏症，寒冷不耐性，クリオグロブリン血症，発作性寒冷ヘモグロビン血症，発作性寒冷ヘモグロビン尿症，Raynaud 病と Raynaud 現象，再生中の末梢神経，循環障害や末梢血管疾患がある部位，ステロイド大量療法施行中
注意事項
末梢神経，開放創，高血圧，感覚低下または精神機能低下，乳幼児と超高齢者

表 4-21　超音波療法の禁忌と注意事項

禁忌
悪性腫瘍，妊娠，中枢神経組織，人工関節（メチルメタクリレートセメントと合成樹脂使用時）
注意事項
ペースメーカー，血栓性静脈炎，眼球，生殖器官，急性炎症部位，骨端線，骨折や胸部インプラントに対する高強度超音波照射

超音波療法

- 対象は皮膚，腱，靱帯，関節包，筋膜である．
- 超音波（>20,000 Hz）の連続照射は温熱性に軟部組織短縮改善と疼痛制御を，パルス照射は非温熱性に組織治癒を促す．低強度超音波パルス照射は細胞膜透過性亢進により外科的皮膚切開創，腱・靱帯損傷の治癒を促進させる．
- 副作用には熱傷，血流うっ滞，ゲルによる感染がある（表 4-21）．

極超短波療法（マイクロ波療法）

- マイクロ波の電磁波エネルギーを利用する．
- 連続照射は体深部への温熱効果がある．微小循環改善と細胞膜機能・活動を変化させ，疼痛や浮腫の軽減，損傷した軟部組織・神経・骨の治癒，変形性関節症の症状改善を促進する．周囲の電子機器や磁気装置は 5 m 以上離す（表 4-22）．

水治療法

- 温熱・寒冷療法に水治療法は利用できる．また，プールでは荷重関節や筋結合組織への負荷を軽減し，水中動作時には抵抗を与えることができる．
- 循環系では静脈還流量を増加させ，より高強度の運動療法を可能にし，利尿を促進する．胸腔内循環増加と胸壁圧迫により呼吸筋の能力を増加させる働きもある．

表 4-22　極超短波（マイクロ波）療法の禁忌と注意事項

禁忌
温熱性：金属インプラント，悪性腫瘍，眼，精巣，骨端線 非温熱性：内臓などの深部組織，浮腫や疼痛に対する従来治療の代用，ペースメーカー，電子装置，金属インプラント
注意事項
肥満，妊娠，未成熟な骨格

光線療法

- 赤外線は温熱療法の手段に，紫外線は殺菌効果や血流増加効果による創傷治療の手段に，低出力レーザーは創傷治癒や鎮痛の手段に使用される．
- 紫外線と低出力レーザーは眼球には禁忌である．

牽引療法

- 機械的な関節面離開や軟部組織伸展により筋緊張や関節可動性を改善させる目的で行われる．
- 未治療の高血圧や，牽引による症状悪化などがあるときは実施を控える．

文献

1）　Handa S, et al：Target intensity and interval walking training in water to enhance physical fitness in middle-aged and older women：a randomised controlled study. Eur J Appl Physiol 116：203-215, 2015

（上條義一郎）

作業療法

- 作業療法とは，作業に焦点をあてた治療法であり，主として応用的動作能能力もしくは社会的適応能力の回復を目的としている．
- 作業療法には，関節可動域訓練（上肢に対する），筋力増強訓練（上肢に対する），協調性訓練・巧緻動作訓練，ADL・手段的 ADL（IADL）訓練，高次脳機能障害に対する訓練，就学および就労のための訓練，自動車運転再開のための訓練などが含まれる．
- 関節可動域訓練では，ADL 遂行に必要な関節可動域の獲得を目標とする．
- 協調性巧緻動作訓練では，獲得したい動作や作業の正確性とスピードを向上させるようにする．
- ADL 訓練としては移動，食事，排泄，入浴などの動作があげられる．IADL 訓練としては料理，掃除，公共交通機関の利用などがあげられる．
- 就労に対する支援としてどのような業務を行うことができるかを評価して，就労後に必要となるスキル・技術を訓練する．
- 自動車運転再開を支援するために，off-road テストとして注意機能検査などの神経心理学的検査とドライビングシミュレーター検査を行う．

言語聴覚療法

- 言語聴覚療法は，コミュニケーション障害，高次脳機能障害（記憶障害，注意障害，半側空間無視など），摂食嚥下障害を対象として，これらに対する評価と治療を行う．

- 言語聴覚療法の対象となるコミュニケーション障害には，失語症，言語発達障害，構音障害，音声障害，吃音，聴覚障害などがある．
- 失語症は，標準失語症検査（SLTA）などで評価を行い，発語訓練，言語理解訓練，書字訓練，非言語性コミュニケーション訓練などを行う．
- 構音障害には構音器官の訓練を，音声障害に対してはあくびため息法やプッシング法などの音声訓練を行う．喉頭全摘出後には，代償音声として電気式人工喉頭の使用や食道発声を訓練する．
- 人工内耳埋め込み術後には，聴覚の管理（マッピング），言語発達を目的とした訓練，音声の聴取を目的とした訓練（既得言語の記憶と新しい音声入力の照合）を行う．
- 記憶障害に対しては外的補助手段の獲得を目的とした訓練，注意障害に対しては attention process training などを行う．
- 摂食嚥下障害に対しては，反復唾液嚥下テストなどのスクリーニング検査を行い，その後に間接および直接嚥下訓練を行う〔各論 13「摂食嚥下障害」（⇒ 299 頁）参照〕．

（角田 亘）

義肢装具療法

基本的な知識

処方

- 身体の欠損や損なわれた身体機能を補完・代替する手段として，あるいは治療手段として，義肢（prosthesis）や装具（orthosis）が処方される．
- 対象者にはあらかじめ必要性，効果，費用などについての説明と同意が必要である．
- 基本構造，材料，継手の種類，付属品などを明確に記載した処方に基づいて義肢装具士が採型または採寸を行い作製する．

適合

- 完成した義肢装具を患者に装着する際，適合判定をしっかり行う．
- 身体形状に合っているか，骨突出部に当たっていないか，処方目的の効果が発揮されているか，などの確認に加え，静止時のみでなく動作時にも前後左右から観察し装着感も含め総合的に適合を判断する．
- 装着方法や合併症などについて十分に指導する．

支給制度

治療用と更生用の義肢装具

- 処方される時期や目的によって支給方法が異なる．
- 急性期～回復期のリハビリテーション診療で用いられる場合は，治療用として医療保険，労働者災害補償保険法，自動車損害賠償保障法，生活保護法などによって支給される．

- 障害が残った場合はADL維持や就学・就労に活用することが目的となる．更生用と呼ばれ，障害者総合支援法や労働者災害補償保険法により支給される．

義肢（prosthesis）

- 各論5「切断」（⇒ 232頁）を参照．

装具（orthosis）

装具とは

- 四肢・体幹の機能障害の軽減を目的に人体に装着させる器具機械のことをいう（図4-21）．

病態に応じた種々の効果

- 患部の固定により安静が得られ，疼痛を軽減しつつ骨折や炎症組織の治癒を促進する．
- 低下した筋力を補助または代償する．
- 不安定な関節を補強して安定させる．
- 変形を矯正する．
- 上肢では，残存筋力を活用しやすい肢位に保持してつまみ動作や把持動作を補助する．
- 体幹では，①頚部へかかる頭部重量の負荷を軽減する，②腹圧を高めて腰部へかかる上半身重量の負荷を軽減する．
- 下肢では，①麻痺域を機能的肢位に保持し筋力を補助して起立歩行しやすくする，②骨折部位を免荷しながら患肢の荷重歩行を可能とする，③足底荷重を分散させて痛みを軽減する．

処方

- 期待する効果が得られるように使用材料（金属支柱，プラスチックなど）や継手の種類などを適切に選択する．
- 軽量，耐久性，目立たない外観，快適な装着感，着脱の難易度，妥当な価格などの判断がポイントとなる．

名称表現

- AAOS（American Academy of Orthopaedic Surgeons）/ISO（International Organization for Standardization）による表記が国際標準である．装着範囲を表す接頭語のあとにOrthosisの頭文字Oをつける．S（肩関節），E（肘関節），W（手関節），H（手），H（股関節），K（膝関節），A（足関節），F（足），C（頚椎），T（胸椎），L（腰椎），S（仙腸）などの接頭語を用いて，たとえば胸腰椎装具はTLSO，長下肢装具はKAFO，短下肢装具はAFOなどと表現する．
- 意見書や装着証明書には「補装具費支給基準取扱指針」に記された用語が用いられている．

（隅谷 政）

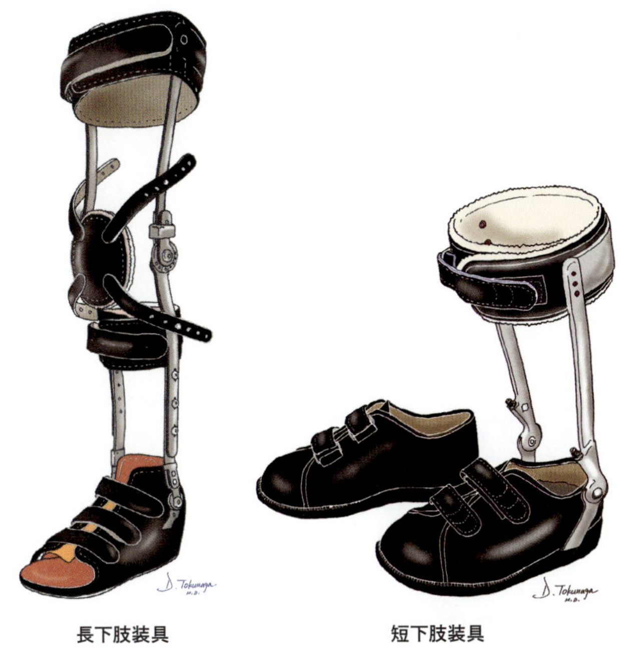

長下肢装具　　短下肢装具

図 4-21　装具の例

摂食機能療法

- 各論 13「摂食嚥下障害に対するリハビリテーション診療」(⇒ 299 頁) を参照.

薬物療法

- リハビリテーション診療では，対象は小児，成人，高齢者まで幅広く，疾患や障害も多岐にわたる．主治医となる場合も少なからずあり，一般的な全身・健康管理に加え，高血圧症，脂質異常症，糖尿病などの生活習慣病ではかかりつけ医としての基本的な知識と技能が必要になる．
- 後遺障害が残存する脳血管障害患者や脊髄損傷患者に対しては，急性期のみならず回復期から生活期まで一生涯にわたって全身管理を担当する場合も多く，合併症の管理や再発予防に努めることが責務となる．
- リハビリテーション治療での特徴的な薬物治療として，バクロフェン，A型ボツリヌス毒素製剤などの痙縮治療薬がある．
- 以下にリハビリテーション治療に関連した薬物治療について概説する．

高血圧症

- 高血圧症は，適切な降圧薬治療を行うことにより脳血管障害・冠動脈疾患の発症や再発のリスクが大幅に低下する．日本高血圧学会による『高血圧治療ガイドライン 2019』での降圧目標と主要降圧薬の適応は**表 4-23** に示すとおりである．
- 主要降圧薬には①カルシウム拮抗薬，②アンジオテンシンⅡ受容体拮抗薬 (ARB)，③アンジオテンシン変換酵素阻害薬 (ACE 阻害薬)，④サイアザイド系利尿薬，⑤β遮断薬 (αβ遮断薬を含

表 4-23　降圧目標と主要降圧薬の積極的適応

	診察室血圧 (mmHg)	家庭血圧 (mmHg)
75 歳未満の成人*1 脳血管障害患者 （両側頸動脈狭窄や脳主幹動脈閉塞なし） 冠動脈疾患患者 CKD 患者（蛋白尿陽性）*2 糖尿病患者 抗血栓薬服用中	<130/80	<125/75
75 歳以上の高齢者*3 脳血管障害患者 （両側頸動脈狭窄や脳主幹動脈閉塞あり，または未評価） CKD 患者（蛋白尿陰性）*2	<140/90	<135/85

*1 未治療で診察室血圧 130〜139/80〜89 mmHg の場合は，低・中等リスク患者では生活習慣の修正を開始または強化し，高リスク患者ではおおむね 1 か月以上の生活習慣修正にて降圧しなければ，降圧薬治療の開始を含めて，最終的に 130/80 mmHg 未満を目指す．すでに降圧薬治療中で 130〜139/80〜89 mmHg の場合は，低・中等リスク患者では生活習慣の修正を強化し，高リスク患者では降圧薬治療の強化を含めて，最終的に 130/80 mmHg 未満を目指す．
*2 随時尿で 0.15 g/gCr 以上を蛋白尿陽性とする．
*3 併存疾患などによって一般に降圧目標が 130/80 mmHg 未満とされる場合，75 歳以上でも忍容性があれば個別に判断して 130/80 mmHg 未満を目指す．
降圧目標を達成する過程ならびに達成後も過降圧の危険性に注意する．過降圧は，到達血圧のレベルだけでなく，降圧幅や降圧速度，個人の病態によっても異なるので個別に判断する．

〈主要降圧薬の積極的適応〉

	Ca 拮抗薬	ARB/ACE 阻害薬	サイアザイド系利尿薬	β遮断薬
左室肥大	●	●		
LVEF の低下した心不全		●*1	●	●*1
頻脈	● 非ジヒドロピリジン系			●
狭心症	●			●*2
心筋梗塞後		●		●
蛋白尿/微量アルブミン尿を有する CKD		●		

*1 少量から開始し，注意深く漸増する　*2 冠攣縮には注意　LVEF：左室駆出率
〔日本高血圧学会高血圧治療ガイドライン作成委員会（編）：高血圧治療ガイドライン 2019．pp53，77，ライフサイエンス出版，2019 より〕

む）の 5 種類があり，いずれも十分な降圧効果が期待できる．ただし，β遮断薬は脳血管障害患者では脳血流を低下させる可能性があり推奨されない．

糖尿病

- 罹患期間に応じて網膜症，腎障害，末梢神経障害，大血管障害などの重篤な合併症を生じること，脳血管障害・冠動脈疾患の発症や再発リスクが上昇することなどから，糖尿病を確実に診断し早期からの管理を行うことは重要である（図 4-22）．
- インスリン依存状態を呈する患者に対しては基本的にインスリン治療が必要であり専門医での治療が原則であるが，初期のインスリン非依存状態の患者に対しては，まず，食事習慣の改善や運動実施と継続などの行動変容のための患者教育や食事療法，運動療法に重点を置く．その後の経

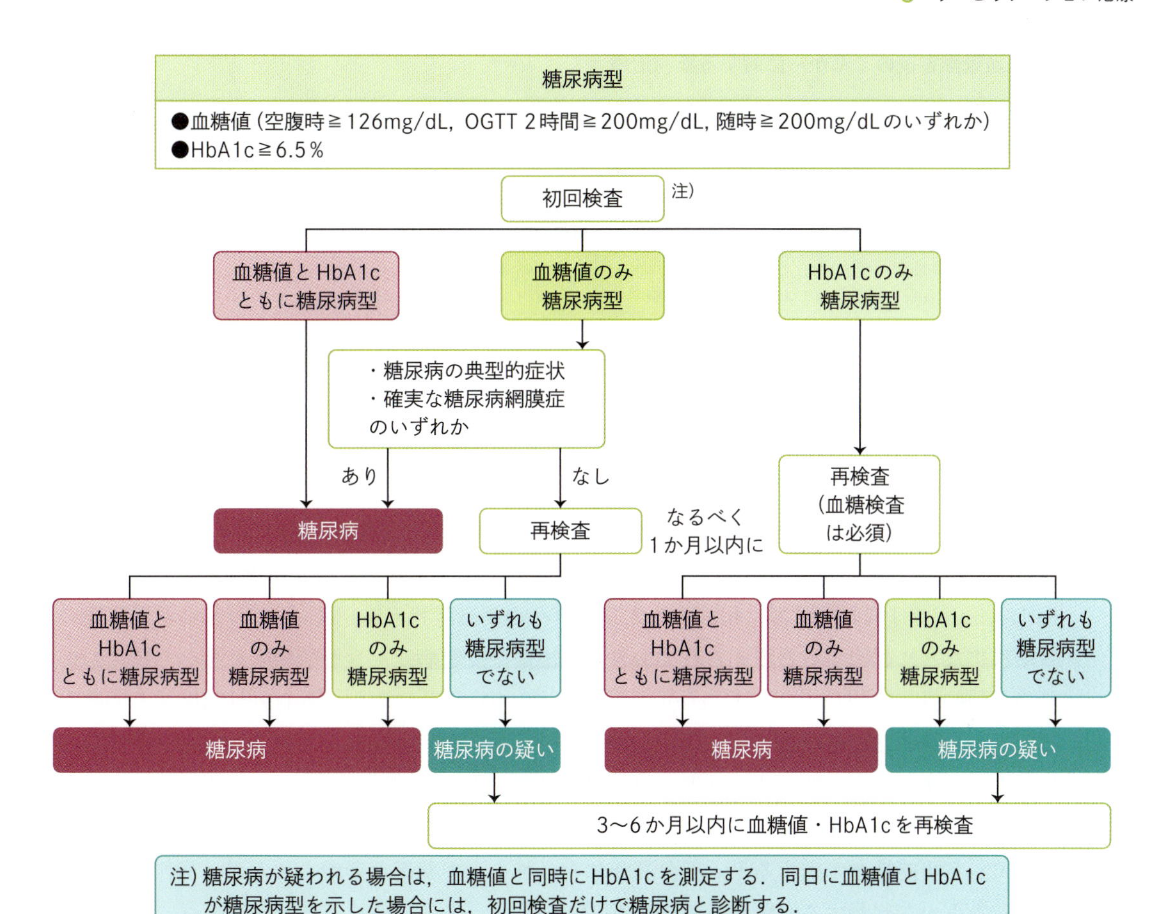

図 4-22　糖尿病の臨床診断

〔日本糖尿病学会（編）：糖尿病治療ガイド 2020-2021．p26，文光堂，2020 より〕

過により薬物治療の導入を検討する．

脳梗塞再発予防のための抗血小板療法

- アテローム血栓性脳梗塞やラクナ梗塞などの非心原性脳梗塞に対する再発予防では，抗凝固薬よりも抗血小板薬の投与が推奨されており，有効な抗血小板療法はシロスタゾール 200 mg/日，クロピドグレル 75 mg/日，アスピリン 75～150 mg/日，チクロピジン 200 mg/日である．

脳梗塞再発予防のための抗凝固療法

- 心原性脳塞栓症に対する再発予防として，通常は抗血小板薬ではなく抗凝固薬が第一選択薬となる．非弁膜症性心房細動（non-valvular atrial fibrillation；NVAF）のある脳梗塞または一過性脳虚血発作（transient ischemic attack；TIA）患者の再発予防には，ダビガトラン，リバーロキサバン，アピキサバン，エドキサバン，ワルファリンによる抗凝固療法が推奨されている．
- ワルファリン療法時の international normalized ratio（INR）は 2.0～3.0 が適正であるが，70 歳以上の NVAF のある患者では INR 1.6～2.6 が推奨され，2.6 を超えると出血性合併症の発症リスクが急増する．また弁膜症に対して機械人工弁置換手術を受けている患者に対しては，ワルファリンが第一選択薬であり，その他の抗凝固薬に関してはエビデンスが確立しておらず一般的には

表 4-24　脳血管障害後のてんかんに対する薬物治療

種類	推奨される抗てんかん薬
部分発作（合併症なし）	①カルバマゼピン，②ラモトリギン，③レベチラセタム，④ガバペンチン
部分発作（合併症あり）	①レベチラセタム，②ラモトリギン，③ガバペンチン
全般発作	①ラモトリギン，②バルプロ酸ナトリウム，③レベチラセタム，④トピラマート

丸数字は推奨される順番を示す．
（平野照之：標準的神経治療—高齢発症てんかん．神経治療学 29：474-479，2012 を参考に作成）

使用されない．

脳血管障害後のてんかん

- 脳血管障害後のてんかんは高齢者の症候性てんかんの原因として最も多く，脳血管障害発症後 14 日以内に生じるものを early seizure，それ以降に生じるものを late seizure という．
- Early seizure では脳血管障害に起因する大脳皮質への刺激症状，late seizure では脳血管障害後の皮質瘢痕化などに起因すると考えられており，脳出血や皮質病変を含む脳梗塞に多い．抗てんかん薬の予防的投与に関しては early seizure，late seizure のいずれにおいても有効性に関する明確なエビデンスは今のところない．
- 抗てんかん薬の多くは神経機能回復に対して抑制的な影響が危惧されるため，十分に考慮する必要がある．てんかん発症後は単剤による治療が基本であり，脳血管障害による皮質瘢痕組織が関与している可能性を考慮すると，部分発作に有効性を示す薬剤が考慮されるが，発作型や合併症の有無などから判断する必要がある（**表 4-24**）．
- 脳血管障害後の高齢者では前述した抗血小板薬や抗凝固薬を再発予防のために常用している場合も多く，薬物間相互作用の少ない新規抗てんかん薬の使用が推奨されている．

排尿障害

- 腎臓で作られた尿は尿管，膀胱，尿道を経て体外に排出される．この経路は尿路と呼ばれ，腎臓と尿管が上部尿路，膀胱と尿道が下部尿路であり，下部尿路の機能的異常に起因する排尿異常のことを排尿障害という．排尿障害は蓄尿障害と排出障害に大別され，リハビリテーション科医が担当する場合は主に膀胱や尿道を支配する神経の異常により生じた神経因性膀胱が多く，基礎疾患としては脊髄損傷，脳血管障害，神経変性疾患（Parkinson 病など），糖尿病による末梢神経障害などがある．
- 排尿に関与する神経は①交感神経（下腹神経：T10～L2），②副交感神経（骨盤神経：S2～4），③体性神経（陰部神経：S2～4）であり，主に膀胱平滑筋（排尿筋）や内外尿道括約筋をコントロールしている．蓄尿時には下腹神経の作用により排尿筋が弛緩し内尿道筋が収縮する．排尿時には骨盤神経の作用により排尿筋が収縮し内尿道括約筋が弛緩する．
- 外尿道括約筋は体性神経支配の随意筋であり収縮することにより排尿を一時的に停止できる．蓄尿障害には排尿筋の収縮を抑制する抗コリン薬や平滑筋弛緩薬，あるいは膀胱出口部の抵抗を増強する α_1 および β_2 受容体作動薬が用いられ，夜間尿失禁に対しては三環系抗うつ薬なども有効である．排出障害には排尿筋収縮を増強するコリンエステラーゼ阻害薬，膀胱出口部の抵抗を減弱させる α_1 遮断薬や抗男性ホルモン薬が適応となる（**表 4-25**）．

表 4-25 蓄尿障害ならびに排出障害に使用される治療薬

蓄尿障害	
排尿筋収縮の抑制：副交感神経遮断薬（抗コリン薬）	オキシブチニン塩酸塩，プロピベリン塩酸塩，プロパンテリン臭化物，トルテロジン酒石酸塩，ソリフェナシンコハク酸塩
排尿筋収縮の抑制：膀胱平滑筋弛緩薬	フラボキサート塩酸塩
膀胱出口部の抵抗増強：α_1 受容体作動薬・β_2 受容体作動薬	エフェドリン塩酸塩，クレンブテロール塩酸塩
夜間尿失禁：三環系抗うつ薬	イミプラミン塩酸塩，アミトリプチリン塩酸塩，クロミプラミン塩酸塩

排出障害	
排尿筋収縮の増強：膀胱平滑筋収縮薬（コリン作動薬）（コリンエステラーゼ阻害薬）	ベタネコール塩化物 ジスチグミン臭化物，ネオスチグミン臭化物，ネオスチグミンメチル硫酸塩
膀胱出口部の抵抗減弱：α_1 受容体遮断薬	プラゾシン塩酸塩，テラゾシン塩酸塩，ウラピジル，タムスロシン塩酸塩，ナフトピジル，シロドシン
膀胱出口部の抵抗減弱：抗男性ホルモン薬	クロルマジノン酢酸エステル，アリルエストレノール，ゲストノロンカプロン酸エステル

痙縮の治療薬

- 痙縮は上位運動ニューロン症候群による陽性症状の1つであり，腱反射亢進を伴った緊張性伸張反射の速度依存性増加を特徴としている．過度な痙縮は脳血管障害や脊髄損傷後の患者のADLやQOLを損ねるためリハビリテーション診療上重要な治療対象となる．
- 痙縮の初期治療としては筋弛緩薬の経口投与が選択されることが多い．比較的軽症例ではチザニジン，アフロクアロンの常用量投与でコントロール可能である．中等症以上ではバクロフェン，ダントロレンナトリウム，ジアゼパムの併用を行う．
- 顕著な痙縮に対してはバクロフェンの髄腔内注入が勧められる．バクロフェンは脊髄における抑制性の神経伝達物質のGABA（γ-amino butyric acid）のアゴニストである．
- バクロフェンは非脂溶性で血液脳関門を通過しにくく，経口投与では作用部位である脊髄で十分な濃度が得られない．そのため，髄腔に直接持続的に投与する治療法である髄腔内バクロフェン投与療法［intrathecal bacrofen（ITB）therapy］が開発された．これは，植え込み型ポンプシステムを外科的に患者に設置し，コンピュータプログラムによりバクロフェンの持続髄注を行う治療法である．ITB療法は脳脊髄疾患に由来する重度痙縮患者で内服治療により効果が不十分であったものが適応となる．
- 局所への注射法としてA型ボツリヌス毒素製剤によるボツリヌス療法やフェノール，エチルアルコールによる運動点（モーターポイント）ブロックあるいは神経ブロックが行われる．
- ボツリヌス療法は，ボツリヌス毒素が筋内に取り込まれることにより末梢の神経筋接合部における神経終末内でアセチルコリン放出が抑制され，その作用により神経筋伝達を阻害することで筋収縮を抑制する．また，ボツリヌス毒素はγ運動線維終末にも作用し筋紡錘を弛緩させ，group Ⅰa求心性線維の活動を低下させる．これにより伸張反射の抑制や相反抑制の改善が認められ痙縮が軽減する．ボツリヌス療法の効果は，治療施行数日後より認められ，2週間程度で効果は安定する．効果の持続時間は平均3〜4か月で，その期間中痙縮に対しての効果は徐々に減弱する．

- ボツリヌス療法による局所的な痙縮の改善から歩行能力やADLの向上，保清の改善などの介助量軽減が期待できる．投与筋の選定を十分慎重に行わないと，効果が得られないのみならず脱力を生じて能力低下や介護負担の増大を招く場合がある．また，稀に抗毒素抗体産生による効果の減弱を認めることがあり原則3か月以内の反復投与は避ける．ボツリヌス療法と運動療法の併用による機能改善に関して，上肢において通常の訓練にボツリヌス療法を組み合わせることで機能が向上したとの報告がある．
- 神経ブロックは，神経破壊剤であるフェノールやアルコールなどを用いて痙縮を抑制する治療法である．たとえば5%程度のフェノール水溶液を運動点（モーターポイント）や末梢神経に注入し蛋白変性作用により運動神経を破壊することで過剰な筋収縮を抑制する．末梢神経へ注入した場合は，感覚障害や疼痛といった副作用を生じやすいため，運動点（モーターポイント）への注入が勧められる．運動点の探索は電気刺激装置を用いて行うが熟練した技術を要する．フェノールブロックの利点としてはコストが安く，効果発現が速やかであり持続時間が長い，抗原性・耐性がないということがあげられる．

文献

1) 日本高血圧学会高血圧治療ガイドライン作成委員会(編)：高血圧治療ガイドライン 2019．ライフサイエンス出版，2014
2) 日本糖尿病学会(編)：糖尿病治療ガイド 2020-2021．文光堂，2020
3) 日本脳卒中学会脳血中ガイドライン委員会(編)：脳卒中治療ガイドライン 2021．協和企画，2021
4) 平野照之：標準的神経治療—高齢発症てんかん．神経治療学 29：474-479，2012
5) Lataste X, et al：Comparative profile of tizanidine in the management of spasticity. Neurology 44：S53-S59, 1994
6) Chang CL, et al：Effect of baseline spastic hemiparesis on recovery of upper-limb function following botulinum toxin type A injections and postinjection therapy. Arch Phys Med Rehabil 90：1462-1468, 2009

（美津島 隆）

栄養管理

- 各論20「リハビリテーション診療における栄養管理」(⇒ 328頁) を参照．

患者心理への対応

患者心理への対応の概要

- リハビリテーション治療において，患者の不安や抑うつへの対応，障害への適応の援助は重要な位置を占める．
- 障害への適応は，リハビリテーション治療で患者が目指す目標の1つである．
- 心理的療法には，行動療法，カウンセリング，家族療法などがある．
- リエゾン・カンファレンスが有効である．

患者心理への対応の実際

リハビリテーション診療の対象となる患者の心理的問題

- リハビリテーション診療の対象となる患者の心理的問題は，一般的な発病・障害発生に伴う心理的問題，脳血管障害などに伴う精神障害（高次脳機能障害），精神疾患患者に生じる障害に大きく分けられる．このうち一般的な発病・障害発生に伴う心理的問題は，患者の不安や抑うつへの対応，障害の受容，障害への適応という点で，多くのリハビリテーション対象患者に共通する問題である．ここでは主にこの「一般的な発病・障害発生に伴う心理的問題」とそれに対するアプローチについて記述するが，これらのアプローチはほかの心理的問題にも適用できる．

障害受容と障害適応

- リハビリテーション診療を進めるうえで，患者が障害をどのように理解し受け入れているかは重要な問題である．この障害の受容には2つの要因がある．1つは個人的な要因で，身体障害の内容や性格などに由来するものであり，もう1つは社会的な要因で，社会の側から障害のある個人に課せられるものである．前者を克服する「自己受容」，後者を克服する「社会受容」の両者より「障害受容」が完成するとされる．近年は，障害者が単に障害の状況を受け入れる，すなわち「障害受容」よりも，状況に合わせて自身の生活や考え方を変えていくことがより重要であり，「障害への適応（障害適応）」という概念を用いることが多い．
- 障害への適応に至るには，一定の段階を踏む必要があるという「ステージ理論」が従来から主張されてきた．たとえばCohnは，ショック→回復への期待→悲哀・喪→防衛→最終的適応の5段階，Finkは，ショック・ストレス→防衛的退却→現実認識・ストレスの再起→適応と変容の4段階，上田は，ショック→否認→混乱→解決への努力→受容の5段階を示している．これらの多くは共通の流れを示しているが，実際にはこのような決まった流れをたどるわけではないとの批判もある．

具体的な心理療法

- 心理療法あるいは心理的アプローチとは，治療者が患者の心理的・内的変化を促して心理的問題の克服を援助する治療法で，さまざまな理論に基づいた多くの手法がある．表4-26に代表的な心理療法を示す．

リエゾン・カンファレンスの実際

- リエゾンサービスとは，よりよい医療の実現を目指し，コーディネーターが多職種をまとめて患者の問題にかかわる体制である．リハビリテーション医療にかかわる各スタッフが，共通した患者心理の理解および対応方法を獲得し，よりよいチーム医療を展開するために行われるのが精神科リエゾン・カンファレンスである．たとえば，リハビリテーション専門職から対象となる患者の相談があった場合，担当委員がその患者を担当する関係の職種やリエゾン精神科医などに参加を呼びかけ，各専門職から提出された資料に沿って問題点が提示されたのち，自由に発言する形式で行われる．後日リエゾン精神科医などがカンファレンスのまとめを専門職に配布し，専門職はカンファレンスでの検討や精神科医からの情報を治療にフィードバックする．

表 4-26　代表的な心理療法

来談者中心療法	臨床心理学者ロジャースの理論で，患者の主体性を生かし，自らの気づきへと向かうように治療者が導く手法．カウンセリングをこれに含める考えもある．
精神分析療法	フロイトの理論に基づき，患者の夢分析や自由連想を解釈していきながら，治療を進めるもの．
行動療法	不安や恐怖はそれらに拮抗する新しい反応を学習させることによって消去することが可能であるという理論に基づき，さまざまな手法で望ましい行動を増やすもの．
認知療法	認知の歪みに焦点をあてて，認知を修正することで症状が改善されるとされる理論で，認知に働きかける多くの手法が存在する．
認知行動療法	認知療法と行動療法の 2 つの理論が融合したもので，認知の歪みに着目し，行動療法の手法でその是正を目指す．
家族療法	家族システムが機能不全に陥っている状態だと，最も感受性の強いものが問題行動を起こす，という考えに基づき，家族全体を変化させることで個人の問題を解決しようとするもの．
芸術療法	芸術活動で得る満足感や充実感は，心の治癒に好影響を与えるとし，ダンス，演劇，音楽，俳句，絵画などを行うもの．
動物療法	動物との触れ合いによりストレスを軽減させ，また自主性や主体性を回復させる治療法．
園芸療法	植物の世話を通じて心身の状態を改善する治療法．
生活技能訓練	social skill training (SST) とも呼ばれ，現実の社会生活場面を想定して練習を繰り返すことで，必要な技術を獲得する手法．
ピアカウンセリング	同じ障害や悩みをもつ者が集まり，互いに励ましあったり，手本となる支援者の情報を共有する手法．

文献

1) 上田 敏：リハビリテーションを考える―障害者の全人的復権(障害者問題双書)，青木書店，1983
2) 中島恵子(編)：リハビリテーションに役立つ心理療法．MB Med Reha 208，2017
3) 才藤栄一，他(編)：リハビリテーション医療心理学キーワード．エヌ&エヌ パブリッシング，1995

手術療法

手術療法の概要

- 障害の軽減，ADL の向上を目指して手術療法が行われる．
- 痙縮を軽減するための手術として，選択的脊髄後根切断（遮断）術，髄腔内バクロフェン投与療法［intrathecal bacrofen（ITB）therapy］，末梢神経縮小術がある．
- 痙縮による四肢の変形に対し，軟部組織解離術や骨性手術が行われる．
- 保存療法に抵抗する褥瘡に対して，皮弁形成術などが行われる．

手術療法の実際

痙縮を軽減するための手術

- 選択的脊髄後根切断（遮断）術は，脊髄反射弓の求心路を遮断することで痙縮を緩和するもので，軽度から中等度の痙直型脳性麻痺が主な対象である．椎弓切除と硬膜切開を行い，脊髄円錐と馬尾神経を展開する．電気刺激により後根を確認し，切断する後根を決定する．

- ITB（髄腔内バクロフェン投与）療法は，髄腔内にGABA-B受容体のアゴニストであり強力な抗痙縮作用をもつバクロフェンを持続注入する治療で，脊髄損傷，多発性硬化症，脳性麻痺などによる重度痙縮が適応となる．スクリーニングとして腰椎穿刺により髄腔内にバクロフェンを投与し効果を確認したのちに手術を行う．手術では，腹部皮下か筋膜下に薬液投与用植え込み型ポンプを留置し，髄腔内に先端を留置したカテーテルと接続する．薬液の投与量はコンピュータプログラムにより体外から調整できる．
- 末梢神経縮小術は，特定の末梢神経を部分的に切断し，反射弓の遠心路と求心路を縮小して過度の反射を抑制する治療で，脳血管障害後の片麻痺など局所的な痙縮が適応となる．

痙縮による四肢変形に対する手術

- 筋痙縮により四肢の関節は変形し，それが持続すると筋腱は短縮し，変形が固定する．また，関節の適合性が悪化し，亜脱臼や脱臼を生じることもある．筋腱の延長（図4-23）や移行により変形を矯正するが，不十分な場合には関節包や靱帯を解離したり，骨切り術などの骨性手術を追加する．支持性を保持しながら筋の過緊張を軽減する体系的な考え方として，福岡らによる整形外科的選択的痙性コントロール手術がある．

難治性褥瘡に対する手術

- 難治性褥瘡に対する手術では，十分な厚みと血流のある良好な皮膚で褥瘡部を覆う必要がある．遊離植皮では不十分なことが多く，局所皮弁や遠隔皮弁を用い，必要に応じて皮下の筋膜や筋を含める．局所皮弁とは褥瘡の近傍に作製した皮弁を生体との付着を保ったまま移動させるもので，皮弁の移動様式から進展皮弁，回転皮弁などに細分類される．遠隔皮弁とは，移植部位から離れた部位に作製した皮弁を用いるもので，このうち血管柄付でいったん生体から切り離し，褥瘡部の動静脈と吻合するものを遊離皮弁という．

文献

1) 佐々木寿之，他：痙縮に対する外科的治療．MB Med Reha No.180：59-67，2015

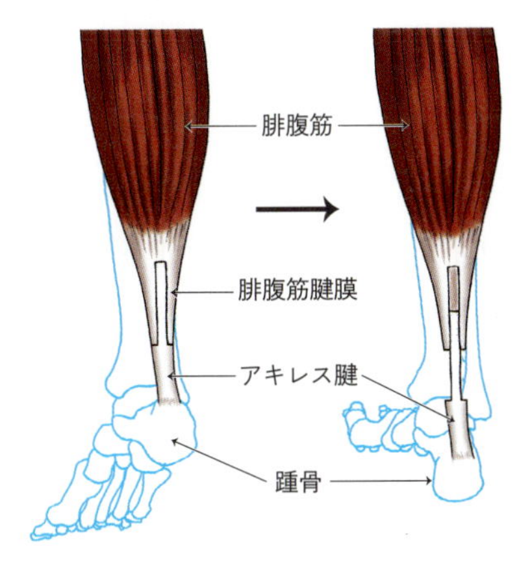

図4-23 Baker法による腓腹筋腱延長

痙性尖足に対し，ヒラメ筋を温存し，腓腹筋腱膜のみを延長する．

2） 福岡真二，他：脳性麻痺に対する整形外科的選択的痙性コントロール手術．日小整会誌 22：506-512，2013

（芳賀信彦）

排尿・排便管理

診断

排尿障害

- 排尿障害の診断は，問診，検尿，排尿日誌，残尿測定，腎盂・膀胱・尿道造影検査，ウロダイナミクス検査などで行う．
- ウロダイナミクス検査では膀胱容量を増やしながら膀胱内圧を記録し，膀胱と尿道の協調性も評価できる．簡易な方法で容易に実施でき，膀胱の形態と膀胱尿管逆流の有無をチェックできる．
- 排尿機能が正常な場合，尿が 150〜200 mL 程度溜まると初発尿意を感じる．300〜500 mL 程度まで膀胱内圧は変わらない．50〜100 mL 以上の残尿は膀胱排出能低下が疑われる．
- 膀胱と尿道の機能が正常な場合，低圧蓄尿＜10 cmH_2O，低圧排尿（25〜50 cmH_2O）となる．膀胱の高圧や過伸展は腎盂内圧を上昇させ，腎障害につながる．

排便障害

- 便秘と下痢の原因に対する診断が中心になる．普通便の状態を維持し，便失禁を防ぐ手立てを考える．
- 便秘の原因疾患には，脳血管障害，便秘型過敏性腸症候群，大腸・直腸癌，糖尿病・甲状腺機能低下症などの内分泌代謝疾患，自律神経障害を呈する Parkinson 病・多発性硬化症，自律神経失調症，脊髄損傷，うつ病・神経性食思不振症といった精神疾患などがある．
- 排便日誌を記録することが重要である．排便の量と性状，排便時間，食事内容，腹部症状などを記載する．便の性状記録にはブリストル便性状スケールがよく用いられる（図 4-24）．
- 排便障害の検査として，X 線不透過性マーカーを用いた「大腸通過時間検査」がある（保険適用外）．20 個のマーカーを含むカプセル 1 個を内服した 5 日後に腹部単純 X 線で評価する．20 個中 4 個以上のマーカーが大腸内に残っていれば「大腸通過遅延型」，3 個以下なら「大腸通過正常型」と診断する．

治療

排尿障害

- 「脊髄損傷における下部尿路機能障害の診療ガイドライン［2019 年版］」により，（透視下）尿流動態検査による評価が有用であることや，導尿回数や間隔を遵守し，高圧かつ/または過伸展となる膀胱容量以下に抑えることが重要であることが示されている．
- 膀胱機能が過活動の場合は，抗コリン薬（オキシブチニン塩酸塩，プロピベリン塩酸塩，イミプラミン塩酸塩）を投与するが，口内乾燥や便秘の副作用がある．
- 選択的 β_3 アドレナリン受容体作動薬（ミラベグロン，ビベグロン）は，膀胱括約筋の β_3 受容体

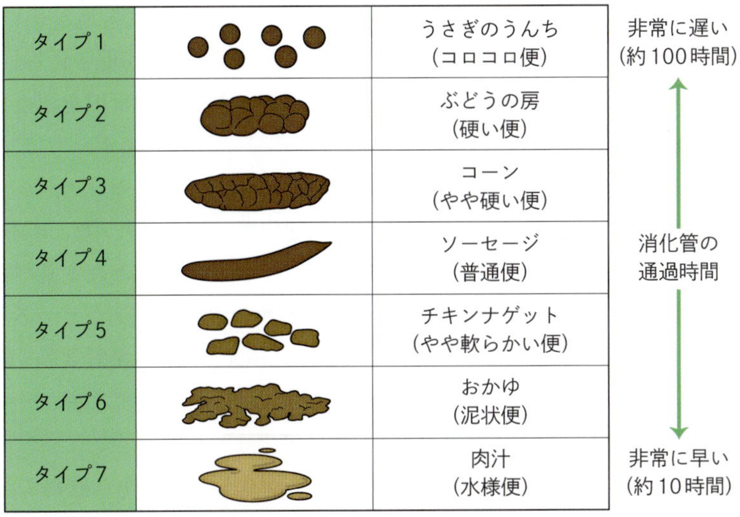

タイプ1		うさぎのうんち (コロコロ便)
タイプ2		ぶどうの房 (硬い便)
タイプ3		コーン (やや硬い便)
タイプ4		ソーセージ (普通便)
タイプ5		チキンナゲット (やや軟らかい便)
タイプ6		おかゆ (泥状便)
タイプ7		肉汁 (水様便)

非常に遅い(約100時間)

消化管の通過時間

非常に早い(約10時間)

図 4-24 ブリストル便性状スケール

数字が小さいほど硬い，大きいほど軟らかい便を示唆する．

(O'Donnell LJ, et al：Detection of pseudodiarrhoea by simple clinical assessment of intestinal transit rate.BMJ 300：439-440, 1990, Longstreth GF, et al：Functional bowel disorders. Gastroenterology 130：1480-1491, 2006 より)

へ作用し，膀胱の弛緩作用を増強することで，過活動性膀胱による尿意切迫，頻尿，切迫性尿失禁などの症状を改善する．

- 過活動性膀胱に対する，膀胱鏡を用いたボツリヌス毒素の膀胱壁内注入は，効果は可逆的であるが，膀胱容量の増加，膀胱内圧の低下が期待できる．
- 尿道括約筋の収縮不全による腹圧性尿失禁の場合は，尿道抵抗を上昇させ蓄尿障害を改善する β_2 受容体刺激薬（クレンブテロール塩酸塩）を投与する．
- 膀胱機能が低活動の場合は，コリン作動薬（ベタネコール塩化物）やコリンエステラーゼ阻害薬（ジスチグミン臭化物）などを投与する．
- 尿道括約筋が過活動の場合は，α_1 受容体遮断薬（タムスロシン塩酸塩，シロドシン，ウラピジル），末梢性筋弛緩薬（ダントロレンナトリウム），PDE5（phosphodiesterase type 5）阻害薬（タダラフィル）を投与する．
- 自排尿が不能なら，速やかに間欠自己導尿を開始する．膀胱容量と1日総尿量に合わせて導尿回数を決める．一般的には，1日に5〜6回以上は導尿するようにする．
- 安易に尿道留置カテーテルを勧めない．手術後，全身状態不良時，正確な尿量測定が必要な時など，やむを得ない場合にのみ実施する．長期間の留置にならないように注意する．
- 夜間，通勤・通学，旅行，自動車運転など，どうしても間欠式導尿ができない時には一時的にバルーン留置を行う間欠式バルーンカテーテル法がある．

排便障害

- 内科的疾患（腸管の炎症など）が原因の場合は，その治療を優先する．

便秘

- 便秘に対しては，直腸内圧を高めるために排便姿勢と“いきみ方”を指導する．骨盤を後傾して軽度前屈する姿勢をとり，両下肢を肩幅程度に開いて足底を完全に接地させて便座に座らせる．息を吸い込んだ状態で“いきむ”と，腹腔内圧がより高くなり排便が促される．

- 直腸内の糞便充塞がみられる場合は，摘便を適宜行う．自律神経過反射を認める脊髄損傷者の場合には，摘便は血圧を上昇させるので注意を要する．
- 下剤としては，酸化マグネシウム，ピコスルファートナトリウム，センナ，ルビプロストン，リナクロチド，エロビキシバット水和物，漢方薬（大建中湯，麻子仁丸）などがある．
- 実際の臨床の場では，薬剤性の排便障害も少なくない．便秘の原因となる薬剤としては，麻薬性鎮痛薬，三環系抗うつ薬や向精神薬，抗コリン薬，カルシウム拮抗薬などがある．
- 排便に良い食品として，食物繊維（ゴボウ，豆類，海藻類など），発酵食品（ヨーグルト，チーズ，乳酸菌飲料など），腸管の蠕動運動を促進する食品（オリーブオイル，タマネギ，ニンニクなど），刺激となる飲み物（冷水，牛乳など）を勧めるとよい．
- 脊髄損傷者では，1〜2 日に 1 回，300〜1,000 mL の微温湯を肛門から直腸に注入し，直腸から下行結腸の中の便を洗い流す経肛門的洗腸療法が保険適用されている．直腸から下行結腸までの便を排出できるため，1〜2 日間，便秘の症状を改善し，便失禁を防げる．

下痢

- 便失禁予防のために，（たとえ便意がなくとも）定期的に排便を誘導する．切迫性便失禁に対しては，トイレへの移動を迅速にする．
- 薬物治療として，ロペラミド塩酸塩，タンニン酸アルブミン，整腸剤（乳酸菌，ビフィズス菌）などを投与する．過敏性腸症候群には，ポリカルボフィルカルシウム，ラモセトロン塩酸塩，トリメブチンマレイン酸塩などを投与する．

文献

1) 日本排尿機能学会/日本脊髄障害医学会/日本泌尿器科学会/脊髄損傷における下部尿路機能障害の診療ガイドライン作成委員会(編)：脊髄損傷における下部尿路機能障害の診療ガイドライン 2019 年版，中外医学社，2019

（幸田 剣・田島文博）

4 リハビリテーション支援

リハビリテーション支援のポイント

- リハビリテーション支援は，リハビリテーション診断，リハビリテーション治療とともに，リハビリテーション診療の中核となる（リハビリテーション診療の三本柱の 1 つである）．
- リハビリテーション支援とは，「患者の活動を育む」ために，環境調整や社会福祉資源の活用を通じて，患者を社会的に支援することである．すなわち，何らかの障害を持った人が，健常者により近いかたちで「日常での活動」，「家庭での活動」，「社会での活動」を行えるようにするための支援である．
- リハビリテーション支援は，リハビリテーション科医を中心とした多職種からなるリハビリテーション医療チームで進められることが望ましい．
- リハビリテーション支援には，就労・復職支援，就学・復学支援，自動車運転の再開支援，福祉用具支給，在宅環境整備（家屋評価・住宅改修），施設入所，パラスポーツ（障がい者スポーツ）活動，経済的支援，法的支援などが含まれる．

- 就労・復職支援および就学・復学支援では，リハビリテーション科医が職場もしくは学校の担当者に患者と家族と話し合いの上で適切な患者情報を提供することが重要である．
- 自動車運転復帰に際しては，主治医（リハビリテーション科医）による診断書の提出が重要であり，それの内容と適性検査の結果に基づいて判定（運転の可否）が下される．
- 福祉用具については，患者のADLや活動を向上させることを目的とした座位保持装置，車いす，歩行器，歩行補助具，義足・補装具，コミュニケーション機器などの支給制度がある．
- 家屋評価に基づいて，患者が安全に自宅で暮らせるように住宅改修（室外アプローチ，風呂場，トイレ，室内動線などへ手すりや段差解消など）を行う．住宅改修は，一定の額までであれば介護保険制度を利用することができる．
- 施設入所は，介護保険サービスの1つである介護老人保健施設（老健）や介護老人福祉施設（特別養護老人ホーム；特養）などがあるが，患者の要介護度が高く，家族の介護力が十分でない場合に，家族背景を考慮して入所を検討する．
- パラスポーツ活動は，障害者の体力維持および健康増進や生きがいの面で重要な役割を持っている．パラスポーツには，障害の内容や程度に応じて多様な競技種目がある．
- 障害者のための経済的支援としては，医療費を助成する制度（高額療養費制度，心身障害者医療費助成制度など），給与の保障制度（傷病手当など），生活費の保障制度（生活保護，特別障害者手当など），減税制度，障害年金制度（障害基礎年金，障害厚生年金など）がある．
- 19歳未満の小児では，児童福祉法や，小児特定疾病に対する難病法の適応になる．就学前の療育の支援は地域の格差があり，就学時期では親の負担が大きい．青年期では自立援助・就労援助は制度が複雑で選択が難しい．
- 法的支援としては介護保険法，障害者総合支援法，身体障害者福祉法などが整備されている．介護保険法による介護保険制度では，訪問サービス（訪問リハビリテーション，訪問介護など）や通所サービス（通所リハビリテーション，通所介護など）が提供される．障害者総合支援法によって，自立支援給付（介護給付，訓練等給付など）と地域生活支援事業（日常生活用具の給付または貸与，地域活動支援センターなど）が提供される．身体障害者福祉法によって，身体障害者手帳を交付された障害者に介護給付や更生相談が行われる．

（西郊靖子）

就労・就学支援

就労・就学支援の概要

- 障害者もしくは障害児に対する就労・就学支援は，リハビリテーション支援における「社会活動の支援」と位置づけることができる．
- 就労・就学支援は，リハビリテーション治療と並行して進めていくのがよい．
- 就労・就学支援に際しては，リハビリテーション科医が就労・就学先の担当者と適宜情報を交換するなどして長期的に協力していくことが望まれる．

就労支援の実際

- 就労の可能性を検討する際には，心身障害（身体障害および認知精神障害）の現状と職場で必要とされる能力を評価・確認することが重要である．
- 「一般就労が可能と判断する目安」を就労準備性という．表 4-27 に示した項目が達成されている場合に就労準備が整っていると考える．
- 現時点では就労は不可能であるが，将来的に就労が期待できる場合には，就労支援機関などを利用して地域でリハビリテーション支援を行っていくことが重要である．
- 就労支援機関としては，ハローワーク（公共職業安定所），障害者職業総合センター，地域障害者職業センター，障害者職業能力開発校，就労定着支援事業所，就労移行支援事業所，就労継続支援 A・B 型事業所などがある．
- 就労定着支援事業所，就労移行支援事業所，就労継続支援 A・B 型事業所は障害者総合支援法に定められた障害福祉サービスであるため，障害者手帳を取得したうえで利用する．
- 復職を検討する際には，「元の職場に戻ると見込まれているものの，以前のような業務遂行は不可能」と予測される場合には，患者の現状を正確に伝えることで職場に障害への理解を求め，配置転換もしくは部署変更の可能性を打診する．元の職場に戻ることを断念した場合には，就労支援機関を利用しながら，ハローワークなどで新たな職場を探すことになる．このような場合には適宜，障害者雇用枠やトライアル雇用制度を利用するとよい．
- 障害者の雇用に関する法律として，障害者基本法と障害者雇用促進法がある．これらの法律は，ノーマライゼーションを具現化するための方策の 1 つとして，企業による障害者雇用の促進をうたっている．特に障害者雇用促進法は，従業員に占める障害者の割合を「法定雇用率」以上にする義務を課している．

就学支援の実際

- 障害児に対して行われる療育とは，医療・教育・職能の付与を 3 つの柱としており，障害児の生活全般にわたる総合的な取り組みである．療育を主たる目的とする施設として，療育センターがある．近年は，発達障害児の療育センター利用が増えている．
- 療育センターの業務を補う施設として，児童発達支援センターと児童発達支援事業所がある．これらは，2012 年の児童福祉法改正によって設けられた児童発達支援事業の一環として設置され

表 4-27　就労準備性

1. 日常生活が自立している．
2. 病状が安定している．
3. 働きたいという強い意志がある．
4. 生活のリズムが整っている．
5. （5〜6 時間の作業と通勤）× 1 週間に耐えられる体力がある．
6. 公共交通機関を 1 人で安全に利用できる（通勤できる）．
7. 自らの障害を正しく理解している（病識がある）．
8. 障害を補いながら仕事ができる（代償能力がある）．
9. 感情のコントロールができる．

た．

- 障害児教育は特別支援教育として，特別支援学校や小・中学校の特別支援学級で行われる（高等学校には，特別支援学級が設置されていない）．特別支援教育の対象は，視覚障害，聴覚障害，知的障害，肢体不自由，発達障害などである．
- 特別支援教育は，障害児が自立して「社会での活動」を行えるようになることを主たる目的としている．特別支援教育では，障害児がもつ能力（残されている能力）を高めるように，かつ生活上の困難を克服できるように指導を行う．
- 復学に際しては，リハビリテーション医療チームのスタッフが学校を訪問して，障害児の病状や生活上の注意点を説明するのがよい．さらには学校環境の評価を行い，必要であれば対応策（廊下への手すりの設置など）を協議する．
- 障害児が健常な児童とともに過ごし，ともに学ぶ機会を重んじるインクルーシブ教育が注目されている．

（角田　亘）

自動車運転の再開支援

運転再開の流れ

- 障害者が自動車運転を再開するためには，運転免許試験場で適性相談を行い，必要に応じて，適性検査を受験する．適性検査の結果により無条件適格（障害前と同じ条件），条件付き適格（運転補助装置の設置など），不適格のいずれかに判断される．条件付き適格では，車両改造などを行えば運転可能となる．また適性相談により主治医の診断書の提出が求められることがある．この診断書は，医療機関独自の診断書ではなく，運転免許試験場にある「運転に関する診断書」である．臨時適性検査および主治医の診断書により運転可能と判断されれば運転再開となる．
- 適性相談を受けたのち，免許の取得などの判断が主治医の診断書でできる場合は，適性検査を受けずに運転が可能となる．
- しかし病状によっては，運転ができるようになるために長期間を要すると判断されることもある．一定の症状を呈する病気に罹患していることを理由に運転免許を取消された者が，その後，病気の回復により運転免許の取得が可能となった場合，取消された日から3年以内であれば学科試験および技能試験が免除される（図 4-25）．

運転再開の判断

- 認知症は，診断された時点で運転は許可されない．てんかんは，一定の病気に係る免許の可否などの運用基準に則って判断される．切断や脊髄損傷では，認知機能が保たれ，自動車改造により安全運転が可能となれば運転再開となる．
- 脳血管障害などの脳損傷では身体機能，認知機能，視機能，てんかんなどの合併症の有無，病状の安定性などさまざまな要素を総合的に判断して診断書を記載する必要がある．脳血管障害の診断書では，医学的判断の欄に病名，総合所見を記載する．運転の可否は，現時点での病状につい

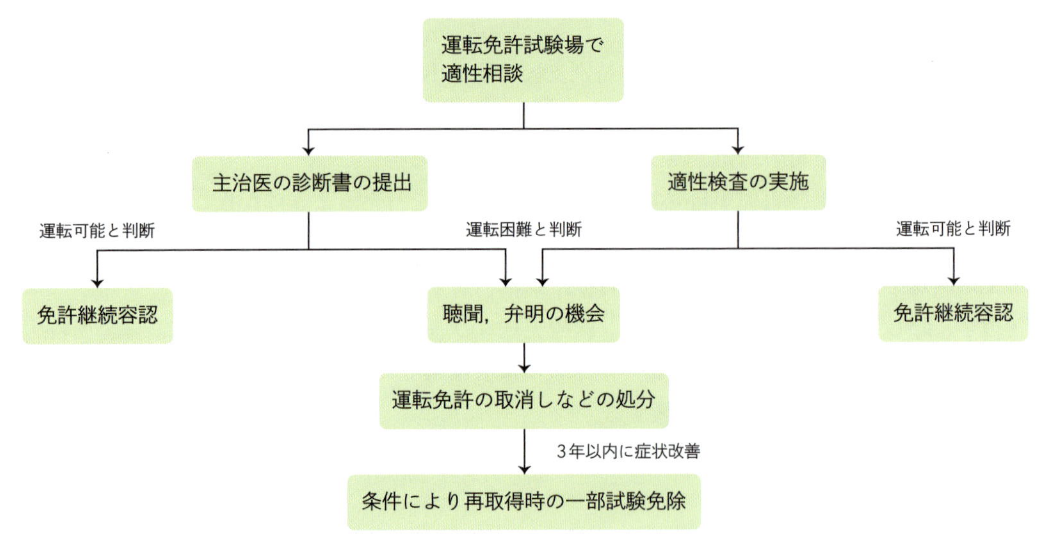

図 4-25　運転再開の流れ

ての意見の欄に記載されている文章から 1 つを選択することで判断される．

運転経歴証明書

- 運転が困難となった場合は，運転経歴証明書を申請することができる．入手するには，運転免許証を自主的に返納する必要がある．運転免許を返納した日からさかのぼって 5 年間の運転経歴を証明するもので，運転経歴証明書を提示することにより，地域によって異なるがさまざまな特典を受けることができる．さらに運転経歴証明書は，運転免許証と同様に身分証明書として使用することができる．

文献

1) 宮島克益：一定の症状を呈する病気等に係る運転免許制度の一部改正について．MB Med Reha 184：27-33, 2015
2) 武原 格，他：臨床医の判断―医学的診断書の作成にあたって．林　泰史，他(監)：脳卒中・脳外傷者のための自動車運転．第 2 版，pp128-136，三輪書店，2016

(武原 格・安保雅博)

法的支援

概要

- 生活期において，児童は児童福祉法，障害者総合支援法，難病法などにより，成人は介護保険法，障害者総合支援法，難病法などによる法的支援を受けられる．
- 本項では介護保険法，障害者総合支援法について解説する．

介護保険法

- 高齢化の進展に伴い，要介護者の増加，介護期間の長期化など介護ニーズの増加とともに核家族化の進行，介護する側の高齢化など要介護者を支える家族の状況も変化してきた．そこで高齢者の介護を社会全体で支えあう仕組みとして1997年に介護保険法が成立し，2000年に施行された．

介護保険の利用

- 介護保険サービスは利用者の居住する場所（在宅，施設など）に応じて提供される．
- 介護サービスの利用方法と概要を図 4-26 に示す．
- 利用者が地方自治体の窓口に申請を行う．申請を受けて認定調査員による心身の状況調査（認定調査）と，医師が記載する「主治医意見書」に基づいてコンピュータによる判定を行う（一次判定）．さらに保健・医療・福祉の学識経験者により構成される介護認定審査会が，一次判定の結果や主治医意見書などに基づき審査判定を行う（二次判定）．判定により，該当なし，要支援 1，2 と要介護 1～5 に分類される．
- 区分に応じた支給限度基準額が存在し，介護支援専門員/ケアマネジャーが，さまざまなサービスを組み合わせてケアプランを作成する．
- 利用できるサービスは要介護が対象の「介護給付」，要支援が対象の「予防給付」と「総合事業」

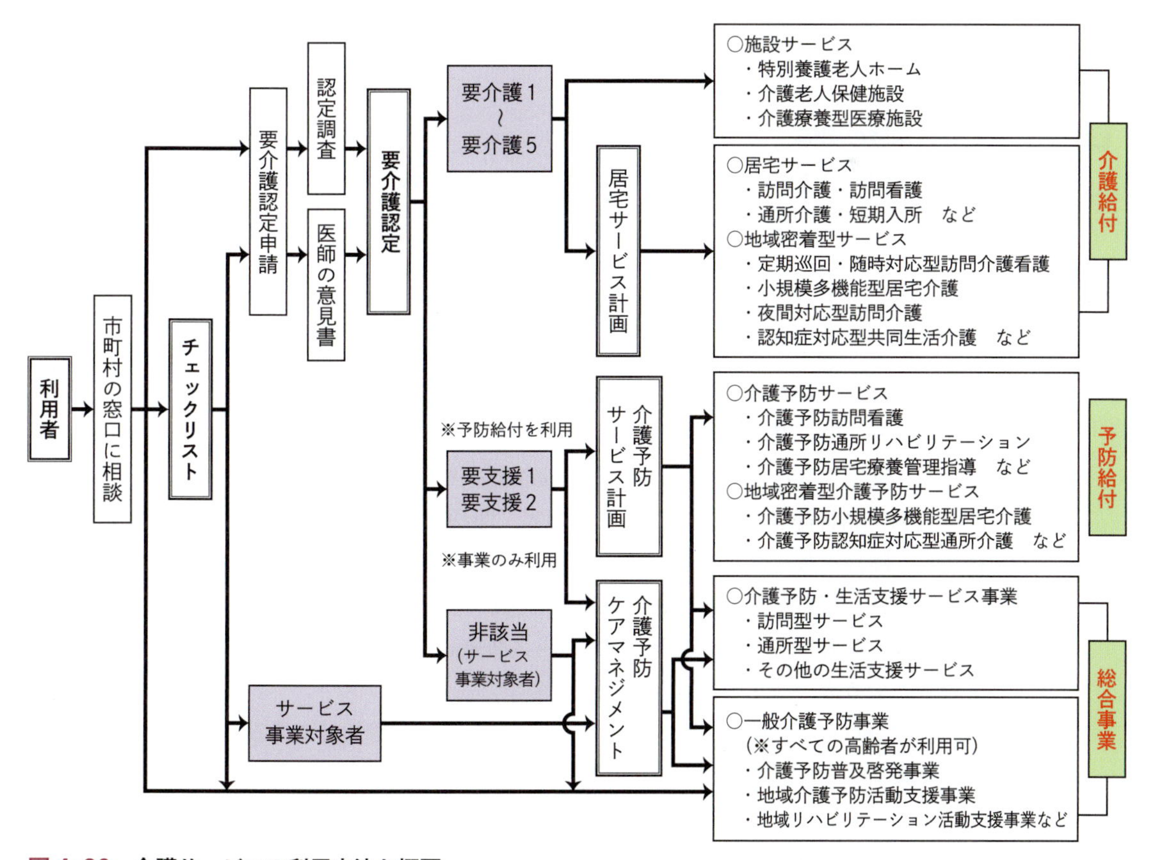

図 4-26　介護サービスの利用方法と概要

（公的介護保険制度の現状と今後の役割　厚生労働省ホームページ https://www.mhlw.go.jp/content/0000213177.pdf より）

表 4-28 被保険者（加入者）と介護保険サービス受給の対象

1. 第 1 号被保険者：65 歳以上で，原因を問わず要介護（要支援）状態となった者
2. 第 2 号被保険者：40 歳以上 65 歳未満で次の特定疾病が原因で要介護（要支援）状態となった者

特定疾病：
①がん（末期），②関節リウマチ，③筋萎縮性側索硬化症，④後縦靱帯骨化症，⑤骨折を伴う骨粗鬆症，⑥初老期における認知症，⑦進行性核上性麻痺，大脳皮質基底核変性症及びパーキンソン病，⑧脊髄小脳変性症，⑨脊柱管狭窄症，⑩早老症，⑪多系統萎縮症，⑫糖尿病性神経障害，糖尿病性腎症及び糖尿病性網膜症，⑬脳血管疾患，⑭閉塞性動脈硬化症，⑮慢性閉塞性肺疾患，⑯両側の膝関節または股関節に著しい変形を伴う変形性関節症

がある．総合事業のうち，一般介護予防事業は要介護認定で該当なしとされた場合でも利用可能である．

被保険者（加入者）と介護保険サービス受給の対象（表 4-28）

- 65 歳以上の第 1 号被保険者は原因を問わずに要支援や要介護状態となった際に受給できる．40 歳以上 65 歳未満の第 2 号被保険者は特定疾病により要支援，要介護状態となった際に受給できる．脳性麻痺などの先天性障害や外傷性脊髄損傷，頭部外傷などの後天性で事故が起因となった障害は対象外である．また，末期がんは，申請者の心情に配慮するために主治医意見書に“末期”の記載がない場合でも申請を受理できる旨の事務連絡がなされた（2019 年 2 月 19 日厚生労働省老健局老人保健課事務連絡）．

医療保険と介護保険の関係

- 医療保険と介護保険の 2 つの制度間には介護保険優先の原則があるが，必要な時には医療保険が使用できる．

障害者総合支援法

- 障害者総合支援法は，障害者自立支援法を改正して 2013 年に施行された．
- 地域社会における共生の実現に向けて障害福祉サービスの充実など障害者の日常生活および社会生活を総合的に支援するための新たな障害保健福祉施策を講ずることが趣旨である．
- 対象は身体障害，精神障害，知的障害，発達障害，難病による障害がある者で，児童では障害児，難病による障害がある児と規定されている．
- 障害者への支援は，自立支援給付と地域生活支援事業で構成されている（図 4-27）．
- 自立支援給付は，在宅サービス，通所サービス，入所施設サービスなど利用者へ個別給付されるサービスのことである．
- 自立支援給付の中心的な役割となっているのは介護給付と訓練等給付である．介護給付は日常生活に必要な介護支援を提供するサービスであり，訓練等給付は日常生活や社会生活に必要な訓練などの支援を提供するサービスである．
- 地域生活支援事業は地域に居住する障害者数や障害程度などに応じて市町村などの創意工夫により必要な支援を柔軟に行う事業である．

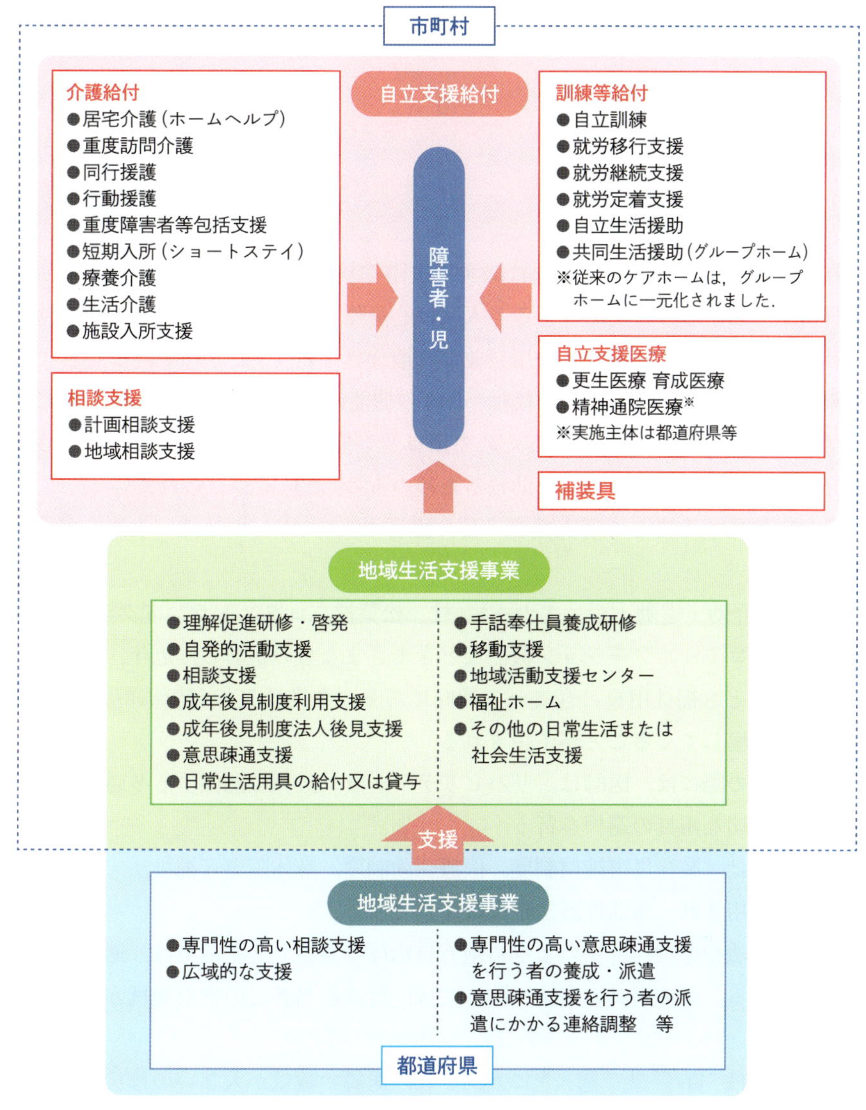

図 4-27　障害者支援サービスの概要

（障害福祉サービスの利用について　厚生労働省ホームページ https://www.mhlw.go.jp/tenji/dl/file01-01.pdf より）

- 介護保険と同様に，サービスの利用を希望する人が市区町村に申請し，市区町村は障害支援区分の認定と支給要否の決定を行う．

障害福祉サービスと介護保険の関係

- 医療保険と介護保険の関係と同様に，障害者が介護保険サービスの対象となった際には，原則として介護保険制度の利用が優先される．しかし，介護保険制度にない行動援護や就労移行支援などのサービスは障害福祉サービスを利用できる．
- また，介護保険における居宅介護サービス費は支給に限度が設けられているため，介護保険では十分なサービスが受けられない障害者では不足部分について障害福祉サービスを上乗せして利用可能である．

（河﨑 敬）

福祉用具

- 福祉用具の研究開発及び普及の促進に関する法律（1993年）では「福祉用具とは，心身の機能が低下し日常生活を営むのに支障のある老人又は心身障害者の日常生活上の便宜を図るための用具及びこれらの者の機能訓練のための用具並びに補装具をいう」とされている．
- 介護保険法（1997年）では，福祉用具は「心身の機能が低下し日常生活を営むのに支障がある要介護者等の日常生活上の便宜を図るための用具及び要介護者等の機能訓練のための用具であって，要介護者等の日常生活の自立を助けるためのもの」と位置づけられている．
- 福祉用具は，使用することで要支援者・要介護者本人のADLの維持・改善を目的として用いる（**表4-29**）．
- 車いす（手動・介助・電動・シニアカー），杖，松葉杖，ロフストランドクラッチ，靴，歩行車，座位保持装置，コミュニケーション機器などさまざまなものがある．近年，開発が進んでいる介護用ロボットなども福祉用具に含まれる傾向にあり，今後はICT（情報通信技術）関連機器がこの領域に多く登場してくることが予想される．
- 福祉用具の支給の際には，医師は，リハビリテーション医療に関係する多職種からの意見も聞きながら，最も適切な用具の選択を行う．
- 支給制度の中では，業務災害補償制度，医療保険制度，身体障害者福祉法，介護保険制度，各種年金法の順に適用され，生活保護法が最後に位置する．
- 身体障害者福祉法や児童福祉法のように地方自治体が管轄する制度では，適用される範囲が自治体によって異なる．福祉用具の支給に関しては，行政担当者との密な連携が必要になることも多い．
- 福祉用具の支給は“貸与”と“購入”に大別され，医師の裁量が大きいのは後者である．特にオー

表4-29　福祉機器の身体機能改善効果

効果
抗重力位の保持による心肺機能の向上
ポジショニングによる筋緊張の緩和と変形の予防
自動運動改善による筋力の維持向上
生活空間の拡大による精神活動賦活

表4-30　福祉用具支給時の注意点

項目	内容
身体機能	操作性（知的機能＋運動機能），四肢体幹の筋緊張，皮膚の脆弱性や心肺機能の低下など全身状態に配慮する．不適切な適用は，褥瘡形成や機能を低下させる．
使用目的	座位保持装置を例にした場合，ADL拡大目的にするか，座位耐久性目的にするかを決める．
使用場所と時間	操作する人や床面の状況・使用時間を考慮する．自宅，学校，職場などで異なる．
再作製までの期間	成人と小児とでは利用する制度や管轄する自治体などが異なる．小児は成長・発育を考え，処方・採型・採寸する．

ダーメイドの福祉用具の処方にあたって求められる意見書の作成については，**表 4-30** に示すような注意点がある．

- 介護保険制度では購入対象となる特定福祉用具以外は貸与で支給される．貸与品の選択肢も増えており，有用性が高い場合も少なくない．

（井手 睦）

II. 各論

各論

1

脳血管障害・頭部外傷（外傷性脳損傷）

1 脳神経系の解剖と生理

大脳皮質の機能局在

- 大脳皮質は，左・右半球のそれぞれが，前頭葉，頭頂葉，側頭葉，後頭葉の4つの脳葉に分けられ，各部位が特定の機能を担っている（機能の局在）．大脳皮質の機能局在をより細分化したものとして，Brodmannの脳地図がよく知られている．

前頭葉

- 一次運動野（Brodmann 4野），運動前野および補足運動野（6野），Broca野（44，45野），前頭連合野（8，9，10，11，12，32，46，47野）などから構成される．前頭連合野は，他部位からの情報を整理・統合して意思決定，価値判断，意欲，情動に関与する．
- 前頭葉の障害によって，運動障害，失行，失語，性格変化，意欲低下，記憶障害，注意障害などが生じる．

頭頂葉

- 一次体性感覚野（1，2，3野），体性感覚情報を他の情報と統合処理する上頭頂小葉（5，7野），視聴覚や動作を統合して読み書き，意図的行動，概念形成に関与する下頭頂小葉（39，40野）などが含まれる．
- 劣位半球頭頂葉障害では，半側空間無視，構成失行，病態失認，半側身体失認などを呈する．優位半球頭頂葉障害では，観念失行，観念運動失行，Gerstmann症候群などを呈する．

側頭葉

- 言語や聴覚の認識を担う上側頭回（22，41，42野），嗅覚に関与する領域（27，28，34，35野），大脳辺縁系である海馬傍回（36野）などが含まれる．
- 側頭葉の障害によって，Wernicke失語，嗅覚障害，聴覚失認，皮質聾，性行動亢進（両側障害の場合），記憶障害（内側障害の場合）などがみられる．

後頭葉

- 視覚の中枢であり，一次視覚野（17野），二～五次視覚野（18，19野）が重要である．
- 後頭葉の障害によって，同名半盲，皮質盲，視覚失認（純粋失読）などがみられる．

運動系（図1-1）

- 運動系には，錐体路（皮質脊髄路），皮質延髄路，錐体外路がある．
- 錐体路は，前頭葉の一次運動野（Betz細胞）から起始し，放線冠，内包後脚，中脳大脳脚を経て，

図 1-1　皮質脊髄路（運動系）

皮質脊髄路は一次運動野から起始して，大部分が延髄で対側に交叉した後に外側皮質脊髄路に至る．

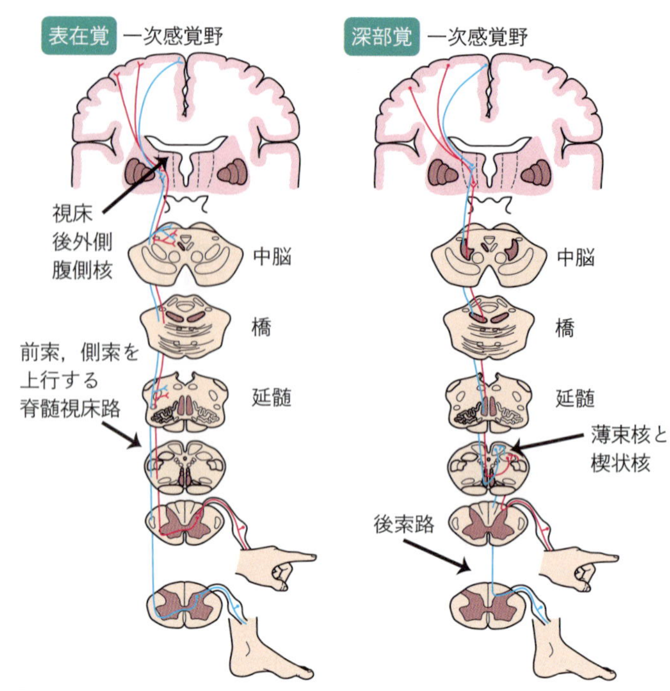

図 1-2　脊髄視床路と後索路（感覚系）

表在覚は前索および側索を上行，深部覚は後索を上行し，視床を経由して一次感覚野に至る．

延髄下部で対側に交叉する（錐体交叉）．その後に外側皮質脊髄路となって脊髄側索を下行する．ただし，一次運動野から脊髄に至る運動神経線維の約 10％は，錐体交叉をすることなく同側の前皮質脊髄路となって前索を下行する．

- 皮質延髄路は，一次運動野から起始し，脳幹において対側へ交叉または非交叉のままで運動に関する脳神経核（顔面神経核，副神経核，舌下神経核など）に連絡する．
- 一側のテント上での錐体路が障害されると，対側の上下肢に麻痺（片麻痺）がみられる．
- 錐体外路は，広義には錐体路以外のすべての中枢神経系の経路を指す．赤核脊髄路，網様体脊髄路，前庭脊髄路，オリーブ脊髄路，視蓋脊髄路などがあり，骨格筋の筋緊張（トーヌス）と運動を反射的かつ不随意的に調整し，錐体路と協調して働く．
- 錐体外路の多くは小脳脚を通じて小脳と伝導路を形成している．小脳脚には上（中脳レベル），中（橋レベル），下（延髄レベル）があり，上小脳脚が小脳からの出力（遠心性線維），中および下小脳脚が入力（求心性線維）をつかさどっている．
- 錐体外路症状は，大脳基底核を中心とする大脳皮質との神経回路（大脳皮質-基底核回路）の障害に由来する症状を指す．
- 錐体外路症状は，運動過少と過多に分類され，運動過少として Parkinson 病や脳性麻痺などで，運動過多として Huntington 舞踏病などでみられる不随意運動があげられる．
- 小脳では感覚入力に合わせて運動の向きや大きさを調整している．習熟した運動には小脳が大きくかかわっている．
- 小脳損傷では筋緊張低下や姿勢保持困難，運動失調，動作時振戦などがみられる．小脳半球障害では四肢の失調，虫部障害では体幹失調が生じやすい．

- 運動失調は運動の大きさを適切に調整できない（測定障害），一連の動作に必要な複数の筋を協調して使うことができない（協調運動障害），といった症状からなる．
- 運動前野や補足運動野は運動をプログラム化する．小脳や大脳基底核は脊髄への直接の出力はないが，主に大脳皮質や脳幹との間でループ回路を形成し，運動の調節や運動学習にかかわっている（赤核脊髄路，網様体脊髄路，前庭脊髄路，オリーブ脊髄路，視蓋脊髄路など）．

感覚系（図1-2）

- 末梢組織からの主要な感覚伝導路には，表在覚（痛覚，温度覚，識別のない触覚）を伝える脊髄視床路と，深部覚（位置覚，振動覚，識別のある触覚）を伝える後索路がある．
- 表在覚の経路は，脊髄後根から後角に入り，対側に交叉した後に脊髄視床路として上行する．次いで，視床後外側腹側核でニューロンを変え，大脳皮質頭頂葉の一次感覚野に至る．ただし，表在覚の経路の一部は，脊髄で交叉をせずに，同側の後索を上行する．
- 深部覚の経路は，脊髄後根から脊髄内に入り同側の後索路を上行し，延髄の薄束核，楔状束核でニューロンを変えて対側に交叉する．次いで内側手帯を上行し，視床後外側腹側核を経て一次運動野に至る．
- このように末梢組織の体性感覚受容器からの情報は，いずれも視床を経由して一次感覚野に投射される．ただし，感覚の種類によって末梢組織から視床に至るまでの経路が異なるため，脊髄，延髄，橋の障害では表在覚，深部覚のいずれか一方だけが障害されることがある．
- 視床の出血や梗塞では，重度の感覚障害が生じるほか，難治性の中枢性疼痛（視床痛）を呈することもある．
- 視覚情報は網膜から視神経に入り，視交叉で半分が対側へ交差して外側膝状体を経て視放線となり，一次視覚野のある後頭葉内側の鳥距溝に至る．そして，背側視覚路により頭頂連合野に至り，空間情報処理が行われる．また，腹側視覚路により側頭連合野に至り，物体認識処理が行われる．
- 視覚経路が障害されると，損傷部位を反映した視野欠損がみられる．

脳神経系

- 脳神経は左右 12 対からなり，吻側から順に番号が付けられている．
- 嗅神経，視神経以外の核は脳幹に存在する．
- 脳神経系の神経診察により局在診断をすることが重要である．橋下部外側の障害では，顔面神経，三叉神経が障害され，病巣側の顔面の温痛覚障害や末梢性顔面神経麻痺が生じる．延髄外側の障害では，舌咽神経が障害され，摂食嚥下障害が出現する．
- 嗅神経（Ⅰ）は嗅覚の，視神経（Ⅱ）は視覚の情報経路である．
- 動眼神経（Ⅲ）は外眼筋（上斜筋，外転筋を除く），眼瞼挙筋を支配し，瞳孔調節にもかかわる．
- 滑車神経（Ⅳ）は上斜筋を支配し，眼球運動にかかわる．
- 三叉神経（Ⅴ）は顔面の感覚および，咀嚼筋を支配する．
- 外転神経（Ⅵ）は外転筋を支配し，眼球運動にかかわる．
- 顔面神経（Ⅶ）は眼輪筋などの表情筋を支配し，また味覚にもかかわる．
- 顔面の上半分は大脳皮質の両側支配であるのに対し，下半分は一側支配であるため，中枢性顔面

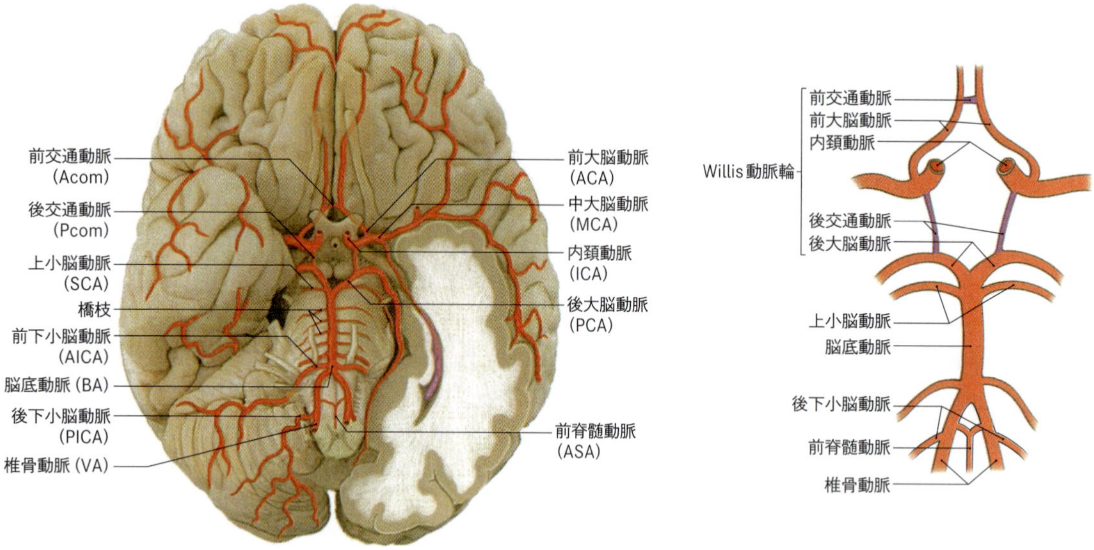

図 1-3　脳底部の動脈

Acom：anterior communication artery, Pcom：posterior communication artery, SCA：superior cerebellar artery, AICA：anterior inferior cerebellar artery, BA：basilar artery, PICA：posterior inferior cerebellar artery, VA：vertebral artery, ACA：anterior cerebral artery, MCA：middle cerebral artery, ICA：internal carotid artery, PCA：posterior cerebral artery, ASA：anterior spinal artery

（坂井建雄：標準解剖学．医学書院，2017，p389 より）

神経麻痺では額のしわ寄せは正常となる．
- 末梢性顔面神経麻痺では表情筋の障害に加えて涙腺障害，聴覚過敏，味覚障害が生ずる．
- 聴神経（Ⅷ）は聴覚，平衡機能にかかわる．
- 舌咽神経（Ⅸ）は咽頭の感覚，味覚にかかわり，また自律神経機能を担う．
- 迷走神経（Ⅹ）は口蓋，咽頭の運動および感覚にかかわるとともに，自律神経機能も担う．特に内臓感覚や消化管・気管などの分泌に関与している．
- 副神経（Ⅺ）は胸鎖乳突筋と僧帽筋を支配する．
- 舌下神経（Ⅻ）は舌筋を支配する．

脳血管の機能解剖（図 1-3）

- 頭蓋内には脳の主幹動脈として，Willis 動脈輪と呼ばれる大脳動脈輪が存在している．左右の内頸動脈と椎骨動脈の枝が連絡して形成された六角形状の吻合である．脳の各所に血流を均等に分配する機能を担う．また，動脈間の副血行路として役立つ．
- 前大脳動脈は大脳半球内側部を，中大脳動脈は大脳半球側面のほぼ全体を，後大脳動脈は後頭葉を栄養している．
- 椎骨脳底動脈は脳幹および小脳を栄養している．
- 脳血管障害，特に脳梗塞では，脳動脈の支配脳領域に合致した脱落症状が出現する．
- 中大脳動脈領域が障害された場合には，対側の片麻痺，感覚障害，高次脳機能障害が生じる．

（植木美乃）

2 脳血管障害

基本的な知識

疾患の概要

- わが国では，毎年約 30 万人が脳血管障害を発症しており，脳血管障害の既往をもつ患者は約 130 万人存在すると推定されている．
- 脳血管障害は，わが国における死因の第 4 位であり，要介護状態となる原因疾患の第 1 位である．
- 脳血管障害は，脳梗塞，脳出血，くも膜下出血の 3 つに分類される．
- 脳梗塞は，ラクナ梗塞（穿通枝末梢部分の閉塞による．病巣の大きさは通常で径 15 mm 以下），アテローム血栓性脳梗塞（脳主幹動脈のアテローム硬化性狭窄・閉塞による），心原性脳塞栓症（心房細動が原因の約 70%を占める），その他の脳梗塞（脳動脈解離，血管炎，凝固線溶系の異常などによる），原因不明の脳梗塞に分類される．アテローム血栓性脳梗塞の一亜型として，主幹動脈から分岐した近傍で穿通枝が狭窄・閉塞することによって生じる BAD（branch atheromatous disease）があるが，これは症状が進行性であることが特徴である．
- 脳出血のうち，約 80%は高血圧性であり，被殻，視床，脳幹，小脳などに発症する．その他の原因として，アミロイドアンギオパチー（高齢者の皮質下出血として発症する），脳腫瘍，脳動静脈奇形，もやもや病，抗凝固薬投与などがある．
- くも膜下出血の原因の約 85%は，脳動脈瘤の破裂である．その他の原因として，脳動静脈奇形，解離性脳動脈瘤などがある．UCAS Japan（unruptured cerebral aneurysm study of Japan）によると，未破裂脳動脈瘤の破裂率は総じて年間 1%程度である．

症状と診断

- 脳血管障害，特に脳梗塞および脳出血の症状は，その病巣の部位と大きさによって症状が大きく異なる．表 1-1 に主な症状とそれを生ずる病巣部位をまとめた．
- TIA（transient ischemic attack）とは，局所神経症状が一過性に（ほとんどの場合では 1 時間以内）出現するものの，それが残遺症状なく回復するというものである．
- くも膜下出血では，経験したことがないような突発する頭痛が主症状になる．意識障害を伴うことが多いが，その程度はさまざまであり，昏睡になることもあれば一過性の失神にとどまる場合もある．
- NIHSS（National Institute of Health stroke scale）は，脳血管障害による神経学的重症度を総合的にかつ簡易に評価する 15 項目からなるスケールであり，特に脳血管障害の急性期に対して用いられることが多い．点数が高いほど，症状は重篤となる．粗点は 0～42 点となるが，最重症では失調を評価できないので実際には 40 点が最高点となる．
- JSS（Japan stroke scale），SIAS（stroke impairment assessment set）も，脳血管障害による神経症状を総合的に評価するスケールである．
- Brunnstrom ステージは，脳血管障害による片麻痺の重症度を，上肢，手指，下肢体幹のそれぞれについて 6 段階で評価するものである（ステージ I が最も重度な麻痺に相当する）．頻用されるが，症状の変化を鋭敏にはとらえることができない．

表 1-1　脳血管障害の主な症状とその主な病巣部位

症状	病巣部位
片麻痺	錐体路（皮質脊髄路．中心前回，放線冠，内包後脚，大脳脚，橋腹側）
感覚障害（しびれ感，痛み）	脊髄視床路，視床，一次体性感覚野
失調	小脳，橋（ataxic hemiparesis），延髄（Wallenberg 症候群），視床
視野障害	後頭葉（同名半盲．後大脳動脈領域），視放線
眼球運動障害	中脳，橋（one-and-a-half syndrome），視床（wrong side deviation）
失語症	優位半球下前頭回（運動性失語），優位半球上側頭回（感覚性失語），優位半球角回（失読失書）
半側空間無視	右頭頂葉の下頭頂小葉（左半側空間無視）
認知症	視床（前内側部，傍正中部），海馬，角回，帯状回後大脳動脈領域，前脳基底部，内包膝部
失認	一次視覚野（視覚性失認），後頭–側頭葉腹側部（紡錘状回，海馬傍回など．右半球病変では相貌失認）
無動性無言	前頭葉内側面（前大脳動脈領域），帯状回
不随意運動	視床下核〔ヘミバリスム（hemiballismus）〕，視床〔ヘミヒョレア（hemichorea）〕，中脳赤核（振戦，Benedikt 症候群）

- 痙縮の評価法としては，6 段階の改訂 Ashworth スケール（MAS）が広く用いられている．
- 頭部 CT は，出血性病変の描出には優れているが，発症後早期（発症後 3 時間以内など）もしくは脳幹の虚血性病変についてはその検出力は高くない．
- 頭部の T2 強調 MRI および FLAIR は，虚血性病巣の描出に優れている．拡散強調画像（diffusion weighted imaging；DWI）では，発症後 1 時間以内にある早期の脳梗塞病変をとらえることができる．MRA（magnetic resonance angiography）は，頭蓋内脳主幹動脈病変の有無や程度を診断するのに有用である．
- 頚動脈エコーでは，特に内頚動脈起始部病変（内中膜厚，プラーク，狭窄など）の有無およびその程度を検索する．
- 経頭蓋超音波ドプラによって，主に中大脳動脈，脳底動脈，椎骨動脈の血流速度および波形から，これらの頭蓋内動脈の狭窄もしくは閉塞病変を診断できる．くも膜下出血後の血管攣縮のスクリーニング検査としても有用である．
- SPECT（single photon emission computed tomography）によって，局所脳血流量の半定量的な測定が可能であり，脳梗塞発症の危険性が高い脳血流低下部位の局所診断ができる．

急性期の治療

- 急性期は，可能であれば，脳血管障害後のケアユニット（脳卒中ケアユニット，stroke care unit；SCU）で，医師および専門の職種が連携したうえで診療を進めるのがよい．
- 発症後 4.5 時間以内にある急性期脳梗塞に対しては，組織プラスミノーゲンアクチベーター（tissue-plasminogen activator；t-PA）の経静脈的全身投与が最も推奨される．わが国ではアルテプラーゼ 0.6 mg/kg の全身投与が一般的であり，t-PA 投与後 24 時間は血圧管理を含めて，厳重な観察が必要である．

- t-PA投与によっても血流再開が得られなかった場合，もしくはt-PA投与が非適応であった場合は，発症6時間以内であれば脳血栓回収用機器（Merciリトリーバー®，Penumbraシステム®，Solitaire®，Trevo®など）による血管内治療が勧められる．
- 発症48時間以内のアテローム血栓性脳梗塞であれば，アルガトロバンの使用が勧められる．発症5日以内のラクナ梗塞であれば，オザグレルナトリウムの投与が考慮される．
- 心原性脳塞栓症や脳出血などにおいて，脳浮腫が顕著で頭蓋内圧亢進がみられる場合，高張グリセロールを投与する．
- 脳出血に対しては，血腫量が10 mL未満の場合，神経症状が軽微な場合，深昏睡の場合には外科的治療は行われない．圧迫所見が高度な被殻出血や皮質下出血などに対しては血腫除去術が，脳室拡大を伴う視床出血や脳幹出血に対しては脳室ドレナージ術が考慮される．
- くも膜下出血に対しては，早期（出血後72時間以内）に開頭での脳動脈瘤頚部クリッピング術，もしくは血管内治療のコイル塞栓術が施行されるべきである．
- くも膜下出血後に脳血管攣縮が生じた場合，triple-H療法（hypervolemia，hemodilution，hypertension），経皮的血管形成術（percutaneous transluminal angioplasty；PTA）が考慮される．
- 誤嚥性肺炎を予防するために，入院後早期から口腔ケアを徹底する．
- 尿路感染症を予防するために，できるだけ尿道カテーテルの留置は避ける．
- 褥瘡を予防するために，体圧分散（2時間ごとの体位変換）を行うと同時に，スキンケア（汗や尿により湿潤を避ける），皮膚のずれや摩擦を最小限にすることなどにも留意する．
- 大脳皮質に障害が及ぶ病変（病巣が大きい心原性脳塞栓症，皮質下出血，くも膜下出血）では，痙攣（症候性てんかん）を呈することがある．痙攣発作があれば，その後は予防的にレベチラセタム，カルバマゼピン，ラモトリギン，ガバペンチンなどの抗てんかん薬を投与する．

再発予防

- 脳梗塞の再発予防として，アテローム血栓性脳梗塞もしくはラクナ梗塞の場合は，シロスタゾール200 mg/日，クロピドグレル75 mg/日，アスピリン75〜150 mg/日などの抗血小板薬を投与する．
- 非弁膜症性心房細動を原因とする心原性脳塞栓の再発予防には，ワルファリンもしくは直接作用型経口抗凝固薬（direct oral anticoagulant；DOAC）が投与される．ワルファリン投与時は，INR（international normalized ratio）を定期的にモニタリングする（目標INRは2.0〜3.0である．ただし，70歳以上では1.6〜2.6とする）．DOACには，ダビガトラン，リバーロキサバン，アピキサバン，エドキサバンがある．
- 再発予防としての血圧管理では，脳梗塞の場合は少なくとも140/90 mmHg未満にコントロールする．抗血栓薬を内服している場合は130/80 mmHg未満を目標とする．脳出血では，可能であれば130/80 mmHg未満に管理する．

リハビリテーション診療のポイント

急性期

概要

- 脳血管障害の急性期に対しては，脳の代償機能を促進（機能的再構築を促す）させ，不動による

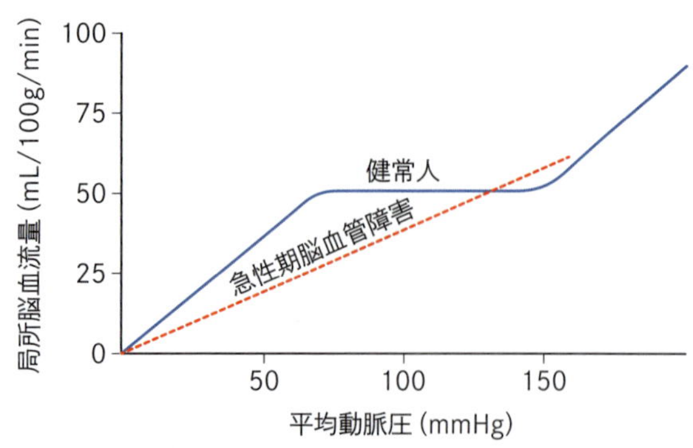

図 1-4　脳循環の自動調節能

健常人では，平均動脈圧（全身血圧）がおおよそ 50〜150 mmHg の範囲内にあるときは脳血流量は一定に維持される．脳血管障害の急性期では，この調節能が破綻する．全身血圧の低下によって，局所脳虚血が生じる．

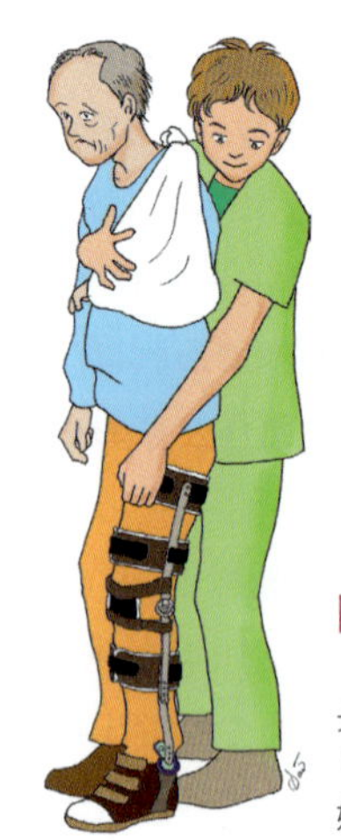

図 1-5　長下肢装具を用いた立位・歩行訓練

長下肢装具を用いることで，より早期から立位・歩行訓練を開始できる．

合併症を予防するために，可能な限り早期からリハビリテーション診断を行った上でリハビリテーション治療（訓練）を行うのがよい．通常は，ベッドサイドで訓練を開始する．

- 不動による合併症には，筋萎縮，筋力低下，関節拘縮，起立性低血圧，褥瘡，心肺機能低下，深部静脈血栓症（それによる肺塞栓症）などがある．
- 訓練（特に離床）は，①意識レベルが JCS（Japan coma scale）で 1 桁レベル（開眼）であり，②神経症状の進行が止まっており，③全身性合併症（肺炎，心不全など）がなければ迅速に開始するのがよい．機能肢位（良肢位）保持や関節可動域訓練は，意識障害があっても行ってよい．ただし，脳主幹動脈（内頚動脈，中大脳動脈など）に病変がある場合，脳底動脈病変に由来する脳梗塞である場合，水頭症を合併している場合には，訓練の開始を慎重にすべきである．
- 急性期においては，脳循環の自動調節能（血圧が変動しても脳血流量を一定に維持する機能）が障害され，全身血圧の軽微な変動で，局所の脳血流量が低下する可能性があることを念頭におく必要がある（図 1-4）．
- 脳浮腫が顕著である場合は，30〜45° 程度の頭部挙上を試みる．

運動障害に対して

- 離床開始可能となれば，段階的にベッドアップを進める．その際には，体位変化に伴う血圧低下およびそれによる脳虚血症状の出現に注意する．
- 座位時間が確保できるようになれば，車いすへの移乗を行う．
- できるだけ早期から立位・歩行訓練を開始する．片麻痺が重度で膝折れをきたすような場合や深部感覚障害が強い場合には，“治療用”として長下肢装具を用いたうえで立位・歩行訓練を開始する（図 1-5）．一般的に，歩行や歩行に関する下肢訓練の量が多いほど，歩行能力の改善は促される．

ADL 障害に対して

- できるだけ早期から，麻痺側上肢の訓練を行う．麻痺側上肢の使用頻度が低下すると，learned non-use（学習された不使用）の状態となり，機能回復がより困難となる．

摂食嚥下障害に対して

- 意識障害がなければ（少なくとも JCS で 1 桁レベル），改訂水飲みテストや反復性唾液嚥下テストで嚥下機能をスクリーニングする．嚥下障害の可能性が示唆された場合，嚥下内視鏡検査（videoendoscopy；VE）もしくは嚥下造影検査（videofluoroscopic examination of swallowing；VF）を行う．
- 意識は清明であっても嚥下障害がある場合は，段階的摂食嚥下療法（直接訓練）を開始する．摂取速度や介助量，食事中のむせや咳こみ，喀痰の量などに留意しながら食事内容を徐々に変更していく．
- 摂食嚥下障害が重度の場合や覚醒度が改善しない場合は，経鼻胃管による経管栄養を行ったうえで，間接訓練（アイスマッサージ，息こらえ嚥下，メンデルゾーン手技など）を開始する．

認知機能障害に対して

- 失語症が疑われた場合には，それぞれの言語機能（自発言語，聴覚理解など）について障害の有無をスクリーニングする．覚醒度が上がれば，標準失語症検査（standard language test of aphasia；SLTA）による評価を行う．
- 左半側空間無視が存在する場合，急性期にはこれを矯正するよりも，患者の右側から話しかけるなど円滑にコミュニケーションがとれるような工夫をする．
- せん妄，不穏行動，興奮状態がみられた場合には，まずは薬物治療を試みる．

回復期

概要

- 転帰予測からゴールを設定したうえで，集中的にリハビリテーション治療を行い，ADL の向上と在宅復帰を目指す．
- 持続点滴や酸素投与が不要となり，車いす乗車が可能となれば，回復期リハビリテーション病棟・病院への転棟・転院を進めるのがよい．可能であれば，発症後 2～3 週間での転棟・転院を目指す．
- 急性期病院で行われていたリハビリテーション治療を，回復期リハビリテーション病棟・病院で，一貫した流れでシームレスに（継ぎ目なく）継続することが重要である．地域連携パスは，移行を円滑に進めるための一方策である．
- 現状では，回復期リハビリテーション病棟では，患者 1 人 1 日あたり 9 単位（3 時間）までの個別訓練を行うことができる．
- 片麻痺，失語症などの機能障害回復がプラトーに到達した場合には，「障害が残存していても，日常生活・社会生活が営めるように」訓練を行う．
- 定期的にカンファレンスを行い，多職種間で情報を共有しながら，治療計画とゴールを見直していくのがよい．
- 「できるようになった ADL」を，「している ADL」につなげていく訓練を行うことが重要である．

運動障害に対して

- 平地歩行が安定すれば，階段昇降や屋外歩行（平坦でない道を歩行する）の訓練に移行していく．

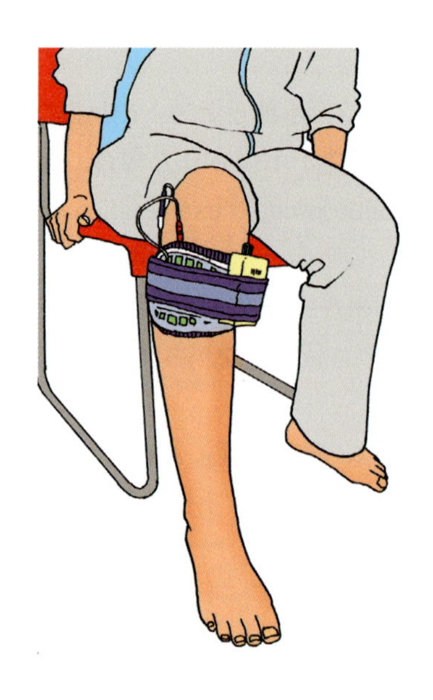

図 1-6　下垂足に対する機能的電気刺激

歩行遊脚期に総腓骨神経に対して電気刺激を行い，前脛骨筋を収縮させて足関節を背屈させる．

- 下垂足，尖足を認める場合には，短下肢装具を作製する．短下肢装具は，足関節の背屈角度，足関節の背屈および底屈の筋力，下腿三頭筋や後脛骨筋などの痙縮の程度などを評価した上で作製する．短下肢装具で膝関節も制動することができる．膝折れは装具の背屈を制動・制限することで防止可能で，反張膝は装具の底屈を制動・制限することで矯正できる．短下肢装具の作製は，回復期リハビリテーション病棟入院後 1 か月以内に検討するとよい．
- 歩行障害に対しては，部分免荷トレッドミル歩行訓練（body weight support treadmill training；BWSTT），機能的電気刺激（functional electrical stimulation；FES），歩行補助ロボットを用いた訓練，神経筋電気刺激なども用いられる．歩行障害に対する FES は，歩行周期にあわせて総腓骨神経に電気刺激を加えて前脛骨筋を収縮させ，患側の足関節を背屈させる（図 1-6）．
- 麻痺側上下肢の痙縮は，発症後 1 か月以上が経過してから出現してくることが多い．痙縮に対しては，当初はストレッチや経口筋弛緩薬の投与などで対処する．ボツリヌス療法や ITB（髄腔内バクロフェン投与）療法は，回復期リハビリテーション病棟を退院した後に考慮する．

ADL 低下に対して

- ADL 訓練は，可能な限り病棟でも反復して行う．
- 食堂で食事をし，排泄はトイレで行う．入浴も浴槽を使用するなど実際の生活を想定した訓練を病棟でも行う．
- 必要に応じて自助具（クリップタイプの箸，柄の太いスプーン，ループ付きタオルなど）を用いながら ADL 訓練を行う．
- 利き手の麻痺が重度の場合は，利き手交換を行う．
- 調理，掃除，洗濯，コンピュータ操作，公共交通機関の利用などの手段的 ADL の再獲得をゴールに設定する場合もある．

認知機能障害に対して

- 失語症については，病棟生活のなかで会話する機会をより多くとるように工夫する．

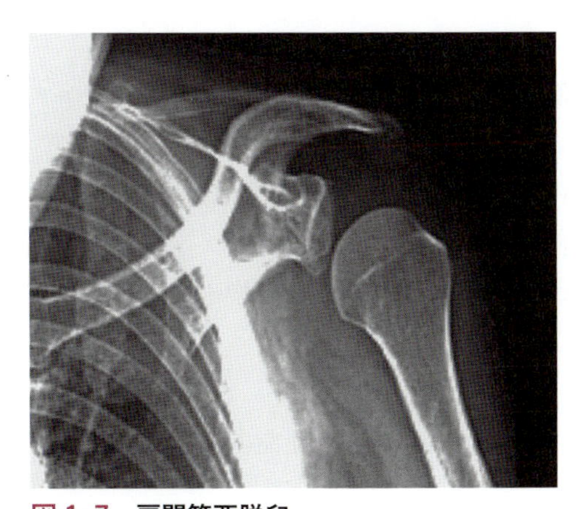

図 1-7　肩関節亜脱臼

肩関節亜脱臼は，肩手症候群の原因となりうる．

脳血管障害に伴ううつ

抑うつ気分
絶望・苦痛
希死念慮
罪業感
憂慮
不眠・食欲不振

活動性の低下
活気のなさ
精神運動の緩慢さ
易疲労
興味の喪失

アパシー

自発性の欠如
情動の平板化
持続力の欠如
社会性の減退
無関心・無頓着

図 1-8　脳血管障害に伴ううつとアパシーとの鑑別

両者に共通する症状もあり，両者を合併することもある．

- 左半側空間無視がある場合は，患者の右側に物を置くなどの環境調整を試みる．
- 覚醒度が高まりADLが拡大するにつれて，記憶障害，注意障害，遂行機能障害などの高次脳機能障害の存在を示唆する行動がみられることがある．そのような場合は，それぞれについてのスクリーニング検査を行い，異常があればさらに詳細な評価を進める．
- 記憶障害，注意障害，遂行機能障害に対しては，回復期リハビリテーション病棟の入院中に代償手段（外的補助手段）の訓練を行う．

摂食嚥下障害に対して

- 急性期に経口摂取を開始している場合は，段階的に直接訓練を行い，嚥下機能に最も適した食形態を決定する．
- 摂食嚥下障害の改善が悪く（もしくは意識レベルの改善が悪く）経管栄養を継続する必要がある場合は，経皮内視鏡的胃瘻造設術（percutaneous endoscopic gastrostomy；PEG）を行う．

合併症に対して

- 中枢性の疼痛（視床病変によるものなど）に対しては，プレガバリン，カルバマゼピン，クロナゼパム，三環系抗うつ薬などを投与する．
- 肩関節亜脱臼（図 1-7）の予防目的で，三角巾やスリングを用いる．
- 麻痺側の肩や手の痛み，皮膚温上昇，色調変化，浮腫を呈する肩手症候群は，交感神経系の異常が原因と考えられている．ステロイド内服，神経節ブロックなどが試みられる．
- 脳血管障害に伴ううつは，その責任病巣が明らかとなっておらず，いずれの大脳半球病変であっても出現しうる．脳血管障害に伴ううつでは，活動性の低下，活気のなさなどが目立つが，抑うつ気分，絶望・苦痛（悲壮感），希死念慮，罪業感は軽度である．選択的セロトニン再取り込み阻害薬（フルボキサミン，パロキセチン，セルトラリンなど）を投与する．
- 脳血管障害によって，アパシーを呈することが少なくない．脳血管障害に伴ううつとの鑑別が重要であるが，アパシーでは，患者本人には深刻感がなく，苦悩も希薄である（図 1-8）．やる気スコアで診断がなされる．ドパミンの脳内濃度を増す薬剤（アマンタジンなど），ノルアドレナリンの脳内濃度を増す薬剤（ニセルゴリン，ミルナシプランなど）を投与する．

その他

- 回復期リハビリテーション病棟入院早期は，介護保険の申請を行い，担当介護支援専門員/ケアマネジャーも早めに決定しておく．
- 自宅へ退院する患者については，退院予定日の 1～3 週間前に退院前訪問指導（家屋評価）を行い，必要があれば退院に備えて住宅改修を計画・実施する．
- 就労を目指す患者については，復職する職場があれば，産業医と連携し配置転換や段階的な復職に関して医療の立場から提案するとよい．

（下堂薗 恵・安保雅博）

生活期

概要

- 脳血管障害の生活期のリハビリテーション診療は，生活期に在宅で行われるリハビリテーション診療のすべてを含む．
- 生活期のリハビリテーション診療の 1 つのポイントは，「住み慣れたところ，住み慣れた地域」で行うことである．
- 医療保険によるものとして，外来でのリハビリテーション診療がある．また，介護保険によるものとして，通所リハビリテーション，訪問リハビリテーションがある．なお，現状では，医療保険によるリハビリテーション診療と介護保険によるリハビリテーションマネジメントを同時に受けることはできない．
- 通所リハビリテーション・訪問リハビリテーションの対象者の約 40%は脳血管障害患者である．
- 通所リハビリテーション・訪問リハビリテーションは，いずれも医師の指示と計画に基づいて行われる．
- 地域包括ケアにおいては，介護予防にもリハビリテーションアプローチが必要とされている．
- 就労を目指した訓練は，障害者職業センター，障害者就業・生活支援センター，障害者雇用支援センターなどで行われる．脳血管障害患者の場合，管理職・事務職では職業復帰率が高いのに対して，建設業・販売業では職業復帰率が低い．

リハビリテーション治療

- 再発予防のための投薬（抗血小板薬，抗凝固薬，降圧薬，経口血糖降下薬など），残存症状を軽減させるための投薬（抗てんかん薬，抗うつ薬など），生活習慣の改善（減塩食，摂取カロリー制限，禁煙，適切な持久力訓練など）を徹底する．
- 排尿障害，痙攣予防，疼痛，脳血管障害を伴ううつ，アパシーなどに対する投薬を継続する．
- 失語症などの高次脳機能障害は，その回復が発症後 6 か月を超えても継続するという報告もある．よって，これらの障害をもつ患者については，外来でのリハビリテーション治療を長期的に継続することも検討する．
- 痙縮に対するボツリヌス療法や ITB（髄腔内バクロフェン）療法の必要性を検討する．

図 1-9　通所リハビリテーション

通所リハビリテーションにおける自転車エルゴメーターによる訓練．生活期であっても，筋力増強効果が期待できる．

通所リハビリテーション

- 集団訓練による運動機能の維持，体力の増強などが主たる目的となる．生活状況の確認と指導も行われる．
- 通常の立位・歩行訓練，筋力増強訓練，関節可動域訓練，集団体操のみならず，自転車エルゴメーターやトレッドミルなどの機器を用いた訓練が行われる（図 1-9）．
- 他の患者との交流や励ましあい，レクリエーションへの参加，自宅での閉じこもりからの解放，孤独の解消によって心理面にも好影響が及ぶ．
- 患者家族に対しても，レスパイトの時間を供給することになる．

訪問リハビリテーション

- 実際の生活の場で，個別訓練が提供される．通所リハビリテーションと比較して，利用者の重症度は高い．
- 自宅内外での移動能力や基本動作についての訓練が行われる．自宅での運動方法についても指導を行う．
- ADL や手段的 ADL に関する訓練が，実際の生活の場で行われることは重要なポイントである．特に移乗動作やトイレ動作の訓練が多くなされている．福祉用具や歩行補助具の導入についても検討する．
- 失語症に対する訓練，摂食嚥下障害に対する訓練と指導も行われる．

自主訓練

- 筋萎縮・筋力低下を予防するためには，習慣的に自宅で自主訓練を励行することが望まれる．
- 自主訓練は，筋力維持と増強に主たる焦点があてられる．できるだけ“簡単に安全にどこでも”行えるプログラムが望ましい．
- 特に大腿四頭筋や下腿三頭筋などの抗重力筋を強化するために，立ち上がり訓練（図 1-10），つま先立ち運動などが推奨される．

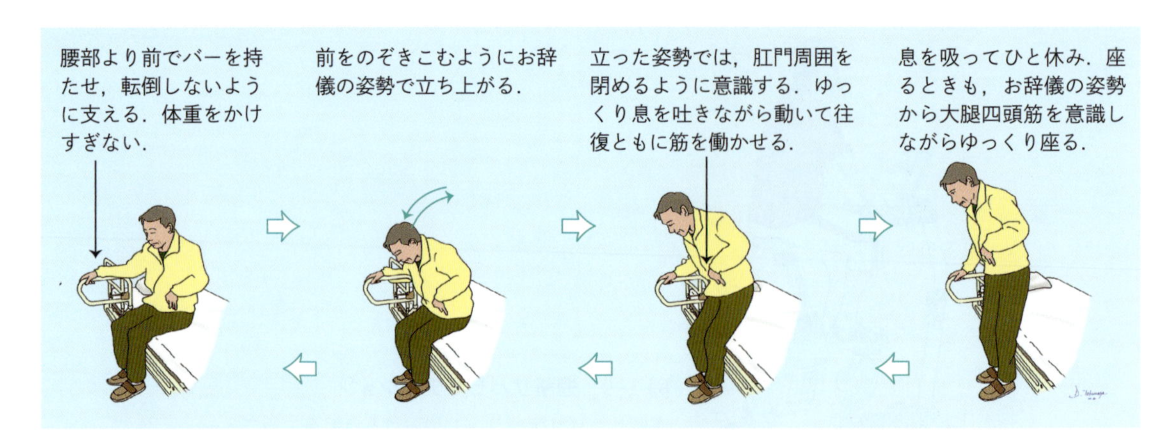

図 1-10　自主訓練の 1 例

立ち上がり訓練は，ゆっくりと確実に筋肉に力を入れさせることがポイントである．

3 頭部外傷（外傷性脳損傷）

基本的な知識

概要

- 頭部外傷は，頭皮挫傷や頭皮下血腫など軽微なものと，脳に損傷が及ぶ外傷性脳損傷（traumatic brain injury；TBI）に大別される．
- 外傷性脳損傷には，急性硬膜外血腫，急性硬膜下血腫，脳挫傷，脳内血腫，びまん性軸索損傷などが含まれ，局所性損傷とびまん性損傷に分けられる．若年者は交通外傷によるびまん性損傷，高齢者は転倒・転落による局所性損傷が多い．

診断

- 直接衝撃による脳挫傷，打撲部と反対側に起こる反衝損傷，減速や加速のずれ応力による神経軸索の損傷（びまん性軸索損傷）のみならず，血腫や浮腫を原因とする頭蓋内圧亢進による二次的な外傷性脳損傷も起こる．
- 外傷性脳損傷の好発部位は前頭葉や側頭葉であるが，病巣部位によって，麻痺や失調などの身体機能障害や高次脳機能障害などが複雑かつ多彩に臨床症状として出現する．
- 意識障害は，Japan coma scale もしくは Glasgow coma scale で評価する．
- 頭部 CT もしくは MRI で，病巣の部位と広がりおよびヘルニアの有無と程度を診断する．びまん性軸索損傷は，急性期においては画像診断で捉えにくいことがある．通常の脳画像では捉えることのできない微細な脳組織障害が高次脳機能障害を引き起こすこともある．

治療

- 急性期では，脳浮腫による頭蓋内圧亢進および脳ヘルニアの増悪を抑制するために，開頭血腫除去術，外減圧術などの緊急手術が行われる．

- 必要があれば，頭蓋内圧をモニタリングする．人工呼吸器管理下では，頭蓋内圧を下げるために過呼吸状態とする．$PaCO_2$ を 30〜35 mmHg にとどめるようにする．
- 外傷性てんかんが出現した場合は，フェニトイン，カルバマゼピン，ゾニサミド，フェノバルビタールなどを投与する．バルプロ酸は推奨されない．

リハビリテーション診療のポイント

急性期

- 関節拘縮，筋力低下などの不動による合併症の予防に努め，部分的な機能回復がみられれば，運動療法および認知療法を開始する．
- 意識障害の改善に伴い，せん妄，攻撃性，脱抑制，興奮状態が出現することがある．必要があれば，ハロペリドール，バルプロ酸などの投薬を試みる．

回復期

- 昼夜のリズムの正常化と覚醒度の向上を図る．身体訓練および ADL 訓練を行いながら高次脳機能障害にも対応していく．
- 高次脳機能障害に対しては，画像検査，神経心理学的検査，行動観察により的確な診断を心掛ける．機能的な改善とともに，認識しづらい障害をいかに自覚し代償させるかが重要である．

生活期

- 残存機能の活用や習慣化による代償をうまく取り入れ，日常生活をスムーズに送れるように配慮する．
- 反復訓練による認知療法，環境調整，心理的サポートなど多職種による包括的チームアプローチを行う．

4 高次脳機能障害

基本的な知識

概要

- 高次脳機能障害とは，脳の損傷が原因で生じた認知または精神機能障害の総称である．
- 高次脳機能障害は，広汎な前頭葉障害を原因とする広義の高次脳機能障害（記憶障害，注意障害，遂行機能障害など）と，限局性の大脳皮質病変による古典的高次脳機能障害（失語症，半側空間無視など．いわゆる巣症状に相当する）に大別される．
- 高次脳機能の原因疾患は，約 80%の患者では脳血管障害，約 10%の患者では頭部外傷である．若年患者は，脳挫傷やびまん性軸索損傷などの頭部外傷（交通事故が最多）を原因とすることが多いのに対して，高齢者では脳血管障害が主たる原因疾患となっている．
- 厚生労働省による高次脳機能障害の診断基準が発表されている（表 1-2）．

表 1-2　高次脳機能障害の診断基準

Ⅰ：主要症状など
1. 脳の器質的病変の原因となる事故による受傷や疾病の発症の事実が確認されている． 2. 現在，日常生活または社会生活に制約があり，その主たる原因が記憶障害，注意障害，遂行機能障害，社会的行動障害などの認知障害である．
Ⅱ：検査所見
MRI，CT，脳波などにより認知障害の原因と考えられる脳の器質的病変の存在が確認されているか，あるいは診断書により脳の器質性病変が存在したと確認できる．
Ⅲ：除外項目
1. 脳の器質的病変に基づく認知障害のうち，身体障害として認定可能である症状を有するが，上記主要症状（Ⅰ-2）を欠く者は除外する． 2. 診断にあたり，受傷または発症以前から有する症状と検査所見は除外する． 3. 先天性疾患，周産期における脳損傷，発達障害，進行性疾患を原因とする者は除外する．
Ⅳ：診断
1. Ⅰ～Ⅲをすべて満たした場合に，高次脳機能障害と診断する． 2. 高次脳機能障害の診断は，脳の器質的病変の原因となった外傷や疾病の急性期症状を脱した後において行う． 3. 神経心理学的検査の所見を参考にすることができる．

- 1 人の患者が，複数の高次脳機能障害の症状を示すことは珍しくない．
- 生活課題の難易度が高まらないと，その存在が明らかにならないことがある．急性期病院や回復期リハビリテーション病院を退院して自宅生活を再開してから，もしくは就学・就労してから，高次脳機能障害が顕性化することも少なくない．

記憶障害（memory impairment）

- 記憶障害は，知識や出来事を覚えることができない，もしくは思い出すことができない状態である．すなわち，記銘（新しく覚えること），保持（覚えたことを忘れないこと），再生（思い出すこと）といった記憶のプロセスの一部あるいは全部が障害された状態である．
- 記憶は，その保持時間から瞬時記憶（数十秒以内程度），近時記憶（数日以内），遠隔記憶（数日以上）に分類される．
- 記憶は，過去に経験したことを記憶するエピソード記憶と，概念や知識の記憶に相当する意味記憶に二分される．また，エピソード記憶と意味記憶を合わせたものを陳述記憶とし，それに対して，運動技能や作業に関する記憶を非陳述記憶と定義することもある．
- 記憶に関する重要な神経基盤として，Papez の回路と Yakovlev の回路が知られている．
- 生活上では，同じ過ちを繰り返す，人との約束を守れない，などとして顕性化することがある．
- 評価法としては，定量化できるものとして，標準言語性対連合学習検査（standard verbal paired-associate learning test；S-PA），三宅式記銘力検査，Benton 視覚記銘検査，Rey の複雑図形再生課題（図 1-11）などがある．総合的な評価法としては，Wechsler 記憶検査（Wechsler memory scale-revised；WMS-R），Rivermead 行動記憶検査（Rivermead Behavioural Memory Test；RBMT）などがある．

注意障害（attention disorders）

- 注意障害は，注意機能が低下した状態と定義される．

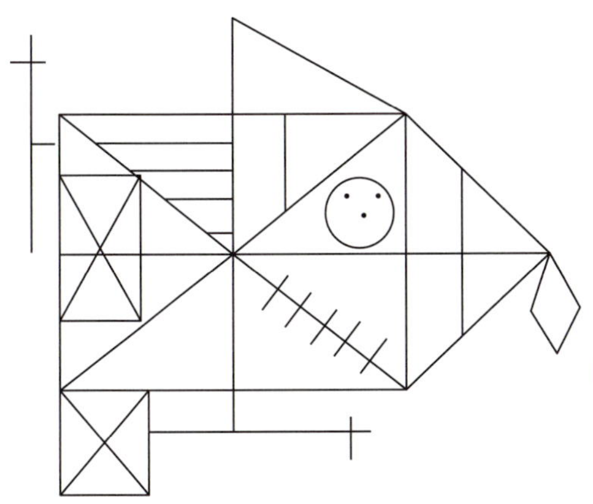

図 1-11 Reyの複雑図形再生課題
無意味で複雑な図形を，被検者に模写させ，その後一定の時間が経過してから，それを想い出させて描かせる．

- 注意機能は，①持続性注意（集中力を維持する），②選択性注意（関係のない刺激に妨げられることなく注意を持続できる），③転換性注意（異なった刺激や情報に注意を転換させることができる），④配分性注意（複数の対象に同時に注意を払うことができる）の4つに分類される．
- 注意障害は，大脳皮質のいずれの部分が障害された場合でも出現する可能性がある（責任病巣を局所的に断定することはできない）．
- 生活上で，注意散漫で集中できない，ボーっとしていて周囲に興味を示さない，課題を終わらせるのに長時間を要する，などとして明らかになることがある．
- 評価法としては，PASAT（paced auditory serial addition test，直前に聞いた数字と1つ前に聞いた数字との和を次々に答えていく），TMT（trail making test，数字や五十音を順番につないでいく），仮名ひろいテスト（文章の中から，指定された字にのみマークをつける）がある．また，これらの一部を含んだ総合的評価法として，標準注意検査法（clinical assessment for attention；CAT）が考案されている．

遂行機能障害（executive function disorders）

- 遂行機能障害は，課題を遂行するための，“目標の設定”，“計画の立案”，“目標に向けた計画の実行”，“効果的な行動”という4段階のいずれかが障害された状態である．
- 遂行機能は，高次脳機能の階層構造の中で，記憶，知覚，言語など他の要素的認知機能よりも上位の機能として位置づけられる．
- ワーキングメモリーに関係が深い背外側前頭前野の損傷によって，遂行機能が障害されると考えられている．
- 生活上において，要点をしぼれない，物事の優先順位をつけることができない，間違いに気づいて修正することができない，よりよい解決策を選択できない，などとして表面化する．
- 評価法としては，BADS（behavioral assessment of the dysexecutive syndrome），WCST（Wisconsin card sorting test），FAB（frontal assessment battery）が用いられる．

社会的行動障害（social behavior disorders）

- 社会的行動障害には，意欲・発動性の低下，情動コントロールの障害，対人関係の障害，依存的行動，固執などが含まれる．

表 1-3　失語症のタイプ分類

	病巣部位	自発言語	聴覚理解	呼称	復唱	書字	読字	備考
Broca 失語	Broca 野（左下前頭回）	× 非流暢性	○〜△	△〜×	×	×	△〜×	発話量は減少．発話は努力性．
Wernicke 失語	Wernicke 野（左上側頭回）	× 流暢性	×	×	×	×	×	錯語，語健忘，ジャルゴンあり．
全失語	左 Sylvius 裂周囲の大病巣	× 非流暢性	×	×	×	×	×	数語の残語，発声が残る程度．
伝導失語	左頭頂葉（縁上回，弓状束）	× 流暢性	○〜△	×	×	×	△	音韻性錯語がみられる．
健忘失語	局在なし（左角回，前部側頭葉）	△ 流暢性	○	×	○	△	○〜△	語健忘，迂言がみられる．
アナルトリー（純粋語唖）	左中心前回	△ 非流暢性	○	○〜△	×	○	△	構音の誤りには一貫性がない．

- 人が自分自身や他人の心の内面を想定する能力は“心の理論（theory of mind）”と称されるが，社会的行動障害ではこれが障害されている可能性がある．
- 特に内側前頭前野の障害では意欲・発動性の低下が生じ，眼窩前頭野の障害では情動コントロールの障害（脱抑制もしくは衝動性）が生じるとされる．情動コントロールの障害によって，衝動的な怒り（anger burst）が出現する．
- 社会的行動障害の評価法としては，意欲・発動性の評価としてやる気スコア（apathy scale）や標準意欲評価法（clinical assessment for spontaneity；CAS）が，情動コントロールの評価法としてギャンブリング課題などがある．実際の行動観察に基づいて評価・診断することが一般的である．
- 自分自身の障害に気づかず，場合によってはそれを否定する，病識の欠如がみられることもある．この場合，患者は治療や訓練を拒否したり，能力的に不可能なことを行おうとしたりする．

失語症（aphasia）

- 失語症は，脳の言語中枢の損傷によって，それまでは正常に機能していた言語機能が低下あるいは障害された状態である．
- 言語中枢としては，Broca 野（運動性言語中枢）と呼ばれる優位半球下前頭回（Brodmann 野 44 と 45）と，Wernicke 野（感覚性言語中枢）と呼ばれる優位半球上側頭回（Brodmann 野 22）の 2 領域がある．
- 自発言語，聴覚理解，呼称，復唱，書字，読字などそれぞれの言語機能を評価し，その結果から失語症のタイプ分類が行われる（表 1-3）．わが国では，標準失語症検査（standard language test of aphasia；SLTA）や西部失語症バッテリー（Western aphasia battery；WAB）日本語版を用いて評価されることが多い．
- Broca 失語では，発話が努力性で非流暢となり，句の長さは短く音の歪みがみられるようになる．しかしながら，聴覚理解は比較的良好に保たれる．
- Wernicke 失語では，聴覚理解が著しく障害される．発話は流暢ではあるが，錯語が頻発して会話が空疎で内容に乏しくなることがある．
- 全失語とは，最も重度な失語症のタイプであり，全般的に言語機能が障害される．
- 伝導失語では，復唱の障害が顕著であり，健忘失語では，喚語困難（呼称の障害）が中核となる．

線分抹消課題

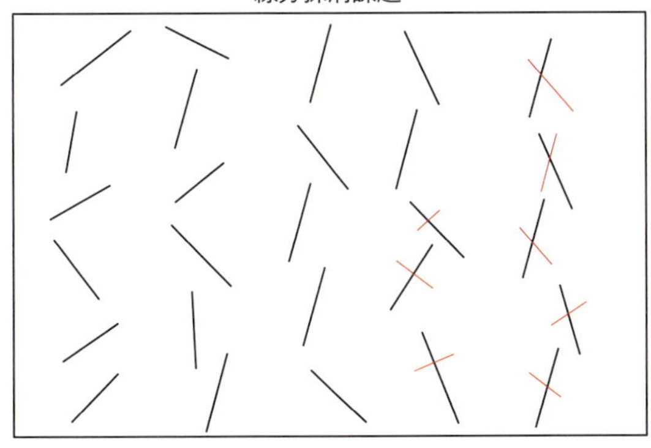

図形（星）課題

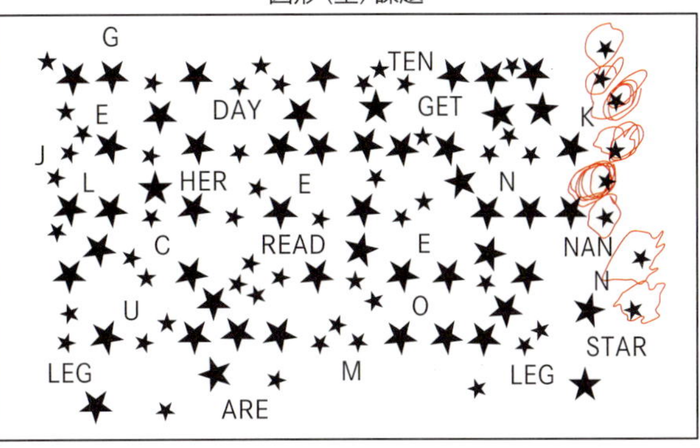

図 1-12　抹消課題

紙面上のターゲットに印をつけていく．紙面左側のターゲットにやり残しがあり，左半側空間無視があると診断する．

失行症（apraxia）

- 失行症は，運動麻痺や感覚障害がないにもかかわらず，習熟した動作が行えなくなる状態である．Liepmann の提唱による，肢節運動失行，観念失行，観念運動失行の 3 つのタイプが中核である．
- 評価法としては，WAB 失語症検査の行為に関する下位検査，標準高次動作性検査（standard performance test for apraxia；SPTA）などが用いられる．
- 肢節運動失行は，動作がぎこちなくなる状態を指す．
- 観念失行は，道具を使う行為の障害である．たとえば，歯を磨く行為や髪を櫛でとく行為ができなくなる．左半球頭頂葉後方（角回を含む部分）が責任病巣と考えられている．
- 観念運動失行では，病前には行うことができた習慣的行為を言語命令や模倣命令に応じて遂行することができなくなる．たとえば，「おいでおいで」や「バイバイ」などの動作ができなくなる．左頭頂葉の縁上回がその責任病巣であるとされている．
- 構成失行では，空間的（二次元もしくは三次元）な形態の構成能力が障害される．
- 着衣失行では，衣服を上下反対に着たり，裏返しに着たりする．右頭頂葉の障害でみられ，左半側空間無視に合併することがほとんどである．

半側空間無視（unilateral spatial neglect）

- 半側空間無視は，視覚や聴覚に異常がないにもかかわらず，左右どちらか一方にある対象物に気づかなかったり，どちらか一方からの刺激に反応できない状態である．
- 最も高頻度に遭遇するものは，右頭頂葉の下頭頂小葉を責任病巣とする左半側空間無視である．
- 左半側空間無視では，左側に置かれた食事に手をつけない，テレビ画面に映る左側の画像を見落とす，新聞や雑誌を左側まで読み進められない，絵を描く際に左側だけ描き忘れてしまうなどの症状がみられる．
- 評価の机上課題としては，線分二等分課題（20 cm の直線を二等分させる），模写課題（時計や花の絵を模写させる），抹消課題（図 1-12）がある．総合的な評価法としては，机上の検査と行動場面での検査から構成される行動性無視検査（behavioral inattention test；BIT）がある．

図 1-13　記憶障害に対するメモの活用

記憶することができない情報をメモに書き記し，再生する必要があるときにそれを確認する．高次脳機能障害に合併する記憶障害の補完手段として，いろいろな種類のメモが活用される．職場でのスケジュールや作業手順などの情報管理には，メモリーノートも用いられる．

失認症（agnosia）

- 失認症とは，感覚機能は保持されているが，見たもの，聞いたもの，触ったものが正しく認知できない状態を指す．
- 後頭葉の障害によって，視覚失認が生じる．視覚失認には，対象物が何であるかわからなくなる物体失認，文字が理解できなくなる純粋失読，よく知った風景や建物がわからなくなる街並失認，熟知している人物の顔を見ても誰であるかがわからなくなる相貌失認がある．
- 聴覚失認は側頭葉の障害によって起こり，触覚失認は一側性の頭頂葉病変によって反対側の上肢にみられる．

リハビリテーション診療のポイント

記憶障害

- 記憶を改善させる治療としては，記憶を保持する時間を徐々に長くしながら，それを繰り返して再生させる間隔伸長法がよく知られる．
- 内的補助手段（障害されていない能力で記憶想起を促す方法）として，視覚イメージ法（視覚的イメージに置き換えて記憶をする），PQRST 法（事柄を深く解釈することで記憶に残るようにする）がある．
- 記憶障害が残存していても日常・社会生活を送ることができるように，代償手段（外的補助手段）として，メモやノートを活用するのがよい（図 1-13）．つまり，記憶することができない情報をメモなどに書き記し，再生する必要がある時にそれを確認するというものである．また，約束や予定の時間にタイマーを鳴らすことで，それを気づかせるという方法や，日々のスケジュール確認のための日課表を目につきやすい場所に明示する方法もある．
- 生活パターンや日課を決めてやる，予定の変更は極力避ける，持ち物を必要最小限にする，などの対処も望ましい．

注意障害

- 注意障害に対する訓練として，抹消課題（新聞や雑誌の文章から，決まった文字を消していく課題）や視覚探索課題（紙面上にランダムに配置された文字や数字を，順序正しく線で結んでいく課題）がある．
- 整理整頓された静かな場所で課題を行うなどの環境調整，簡単なものから1つずつ課題を与えるなどの課題調整を行う．
- 周囲の人は，課題遂行のための時間を十分に与える，指示は1つずつ与える，手順を声に出して伝える，などといったようにかかわり方に工夫をする．

遂行機能障害

- ゴールマネジメント訓練（ゴールへの意識づけ，ゴール設定，ゴールまでのステップの決定，実行したことのチェック，などを段階的に進める），問題解決法（問題解決のプロセスをいくつかに分割して，それを意識づける）などを試みる．
- 部屋を整理する，静かな場所を確保する，業務量を少なくする，家族が患者のスケジュールを管理する，などの環境設定も行う．本人の（症状についての）気づきのレベルが低い場合には，環境設定がより重要となる．

社会的行動障害

- 意欲・発動性の低下に対しては，するべきことのチェックリストを作る，言葉やタイマーで活動開始の合図を出す，本人が興味を持ちそうな作業・課題を用意するなどの対応が勧められる．
- Anger burst については，患者の気づきのレベルが高ければ認知的アプローチが，それが低ければ行動的アプローチが望まれる．認知的アプローチでは，怒りが生じるパターンを考えさせると同時に，怒りが爆発したときおよびそれを抑えたときに起こりうる帰結を自己洞察させる．行動的アプローチとしては，タイムアウト（怒りを生じそうになったときに，その場所から数分間離れる），小道具の利用（メモや写真を見ることで心を落ち着かせる）などがある．
- 病識の欠如に対しては，できないことの気づきを患者が得られるような環境を工夫するとよい．

失語症

- 失語症のタイプおよび重症度に基づいて，訓練プログラムを決定する．
- よく知られた Schuell の6原則では，①適切な言語刺激を選択すること（刺激の提示速度や音量など），②強力な言語刺激を与えること（視覚や触覚なども組み合わせる），③何度も反復して刺激を与えること，④刺激によってなんらかの反応を患者から引き出すようにすること（反応によってフィードバック機能を活性化する），⑤得られた正反応に対して正の強化を与えること（褒めるなど），⑥矯正するよりも刺激を与えること，がうたわれている．
- 失語症患者に対しては，単純な短い単語や文章で話す，“はい”，“いいえ”で答えられる質問をする，ジェスチャーや指差しを交える，ゆっくりとした口調で話しかける，などといったように会話も工夫する．
- 失語症を残存しても，人格，情緒，礼節，社会性，判断能力などは障害されていないことが多いので，患者の人格を尊重して対応する．

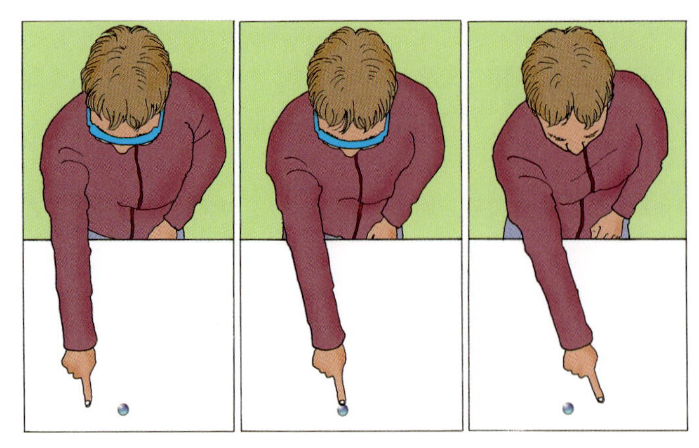

図 1-14　プリズム適応訓練

外界が右へ 10° 偏倚して見えるプリズム眼鏡を掛けて，目の前に提示された印へのポインティングを繰り返す．そうすることで，プリズム眼鏡を外した後も左への無視が軽減される．半側空間無視は脳血管障害に合併する症状で，右大脳半球損傷において頻度が高く，日常生活に強い影響をもたらす．プリズム順応課題は，視野が 10° 変わるプリズムレンズの眼鏡を掛けて，提示された視標に対して到達訓練を行う．

失行症

- 生活動作を再獲得させるために，生活場面に近い環境で目的とする動作を繰り返して訓練する．場合によっては，環境，使用する道具，動作対象物などを調整することで適切な動作を行わせる．間違う直前に声かけや動作の誘導を行うエラーレス・ラーニングが推奨されている．正しい方法を見せて模倣させたり，動作時に手を添えてやるのもよい．

半側空間無視

- 左半側空間無視に対しては，左方へ注意を向ける訓練（左側に置いた物品を移動させる，文章の書写や描画をさせるなど），生活場面での環境調整（食事の器を右側に置く，よく使う物品を右側に置く，壁が右側にくるようにして右へ注意を減ずるなど）を行う．
- プリズム適応訓練が左半側空間無視に対して試みられることがある（図 1-14）．

失認症

- 視覚失認に対しては，線パターンの模写や図形のなぞり描きを行ったりする．純粋失読では，まずは写字を訓練させて，これが可能となればなぞり読みを訓練させる．簡単な文字から，より画数の多い複雑な文字へと進めていく．
- 聴覚失認がある場合には，読話を促すように口元を見せながら話をするとよい．

リハビリテーション支援

- 高次脳機能障害患者が就労のために利用できる施設として，公共職業安定所（ハローワーク），地域障害者職業センター（ジョブコーチによる支援を供給する），障害者職業総合センター，障害者就業・生活支援センターなどがある．
- 高次脳機能障害の場合，“器質性精神障害”（ICD-10 では，F0 に相当）として，精神保健福祉手帳の申請が可能である．たとえば，記憶障害が中核であれば“器質性健忘症候群”，社会的行動障害が中核であれば“脳の疾患，損傷および機能不全による人格および行動の障害”と診断される．

（岡本隆嗣・角田　亘）

5 脳腫瘍，水頭症など

基本的な知識

概要

- 脳腫瘍は，原発性と転移性に大別される．原発性は，その組織型から神経上皮性腫瘍（星細胞腫，膠芽腫，乏突起神経膠腫，上衣腫など），神経鞘腫，髄膜腫，トルコ鞍部腫瘍（頭蓋咽頭腫，下垂体腺腫など），悪性リンパ腫などに分けられる．転移性の原発巣は，肺がん，乳がん，大腸がんなどが多い．脳腫瘍の悪性度は，Grade I〜IVで分類され，Grade IVが最も悪性度が高い．
- 水頭症の原因となる疾患は，先天奇形（脊髄髄膜瘤，Chiari 奇形など），髄膜炎，脳炎，脳出血，脳腫瘍，頭部外傷などである．腰椎穿刺による脳脊髄圧が 200 mmH_2O 以下を示す場合，正常圧水頭症と診断される．
- 髄膜炎はくも膜および軟膜の炎症が本態であり，細菌性，真菌性，結核性，ウイルス性などと分類される．
- 脳炎は，単純ヘルペスウイルスによって生じるものが多いが，最近では悪性腫瘍に合併する辺縁系脳炎や抗 NMDA 受容体脳炎が注目されている．
- 低髄液圧症候群は，腰椎穿刺後や特発性に脳脊髄液が漏出して低髄液圧となる疾患である．

診断

- 脳腫瘍の症状としては，頭蓋内圧亢進症状，大脳の巣症状，痙攣発作などが多い．脳腫瘍は造影剤による増強効果を受けることが多いため，造影 CT もしくは MRI を行うのがよい．ただし，最近では，脳ドックで無症状なうちに発見されることもある．
- 正常圧水頭症の 3 主徴は，認知機能障害（treatable dementia の 1 つ），歩行障害，尿失禁である．典型的には，髄液タップテスト（約 30 mL の髄液を腰椎穿刺で排出してみる）で症状が改善する．
- 髄膜炎では，発熱，頭痛，悪心，嘔吐が主症状である．脳炎の場合，これらに加えて意識障害，精神症状，痙攣などが出現する．髄液検査（細胞数増加）で診断を確定する．
- 低髄液圧症候群では，座位や起立位で増悪する頭痛，頚部痛，めまい，倦怠感などが主症状となる．診断を確定するには，RI 脊髄脳槽シンチグラフィーで髄液漏出を直接的に確認するのがよい．

治療

- 脳腫瘍の治療は，摘出術，化学療法，放射線療法があるが，組織型によって治療方針が異なる．
- 特発性水頭症では，適応があればシャント手術（脳室-腹腔シャントなど）を行う．
- 細菌性髄膜炎では，適切な抗菌薬（カルバペネム系，第三世代セフェム系など）の選択と早期治療が原則である．
- ヘルペス脳炎は，疑った段階からアシクロビルを投与する（アシクロビルとステロイドの併用も有効とされる）．
- 低髄液圧症候群に対しては，まずは保存的に大量の水分摂取をすすめるが，必要があれば硬膜外自家血パッチを行う．

リハビリテーション診療のポイント

脳腫瘍

- いかなる治療を受けた場合も，早期離床を促すのがよい．
- 頭蓋内圧が亢進すると，意識レベルの低下，頭痛，悪心などがみられる．このような場合には，怒責を避けるように配慮し，高負荷の筋力増強訓練も避ける．逆に，過呼吸にさせることで，頭蓋内圧は一時的には低下する．頭部の位置を挙上するほど静脈還流が増加して，頭蓋内圧は低下する．
- 化学療法（抗がん薬）による骨髄抑制（感染症への配慮），悪心，食欲不振に注意する．
- 緩和ケアを要する状態では，関節可動域訓練，体位変換，誤嚥予防がリハビリテーション治療の中心となる．

水頭症

- 正常圧水頭症に対するシャント手術の後は，歩行訓練を積極的に進める．特に，歩幅を大きく，足を高く上げて歩くように指導する．

脳炎

- 頭蓋内圧亢進症状や意識障害が持続している間は，体位変換や関節可動域訓練にとどめる．
- 記憶障害や性格変化を残遺した場合には，評価および患者家人への生活指導を行う．

低髄液圧症候群

- 座位もしくは起立位で症状が出現した場合は，速やかに臥床させて，経口での水分摂取を促す．

（角田　亘）

各論

2 運動器疾患

1 運動器とは

- 運動器とは，四肢・体幹の骨格，関節，靱帯，筋，脊髄・神経であり，反射的あるいは意志に基づく身体の運動を行う器官である（図 2-1）．

2 長管骨，関節，脊椎の構造

- 長管骨は，骨端（epiphysis），骨幹端（metaphysis），骨幹（diaphysis）から構成される（図 2-2）．
- 成長期には，骨端と骨幹端の間に成長軟骨板（epiphyseal plate）が存在し，長軸方向への成長に寄与する．
- 関節は，骨，関節軟骨，関節包，靱帯，半月（板），滑膜（synovium）などから構成される．滑膜は滑液（synovial fluid）を産生する（図 2-3）．
- 脊椎は，椎間板（intervertebral disc）と左右一対の椎間関節（facet joint）の 3 点で，上下の椎体が連結して構築される．
- 脊柱管内には脊髄〔第 1 腰椎以遠は馬尾（cauda equina）〕を内包する．各椎体間から左右の神経

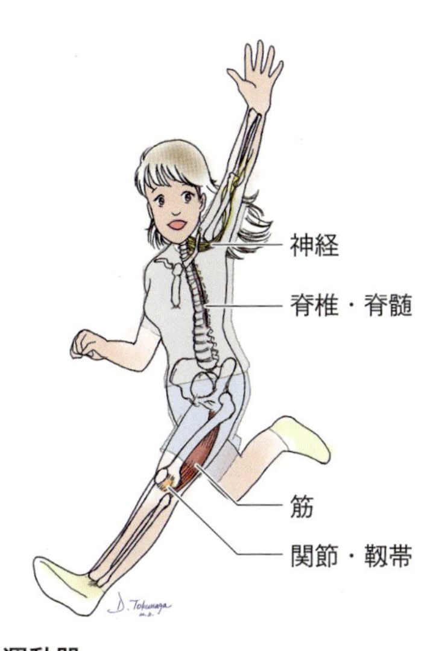

図 2-1　**運動器**

四肢・体幹の骨格，関節，靱帯，筋，脊髄・神経の総称．

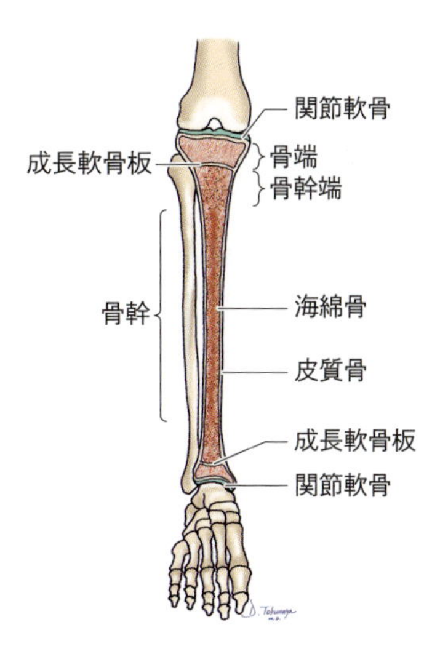

図 2-2　**長管骨の構造**

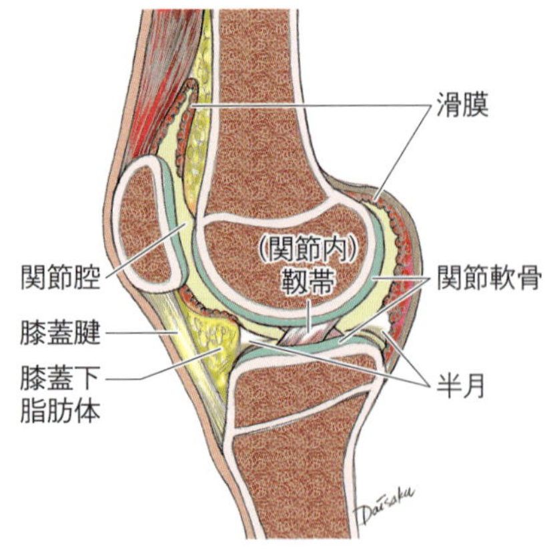

図 2-3 関節の構造

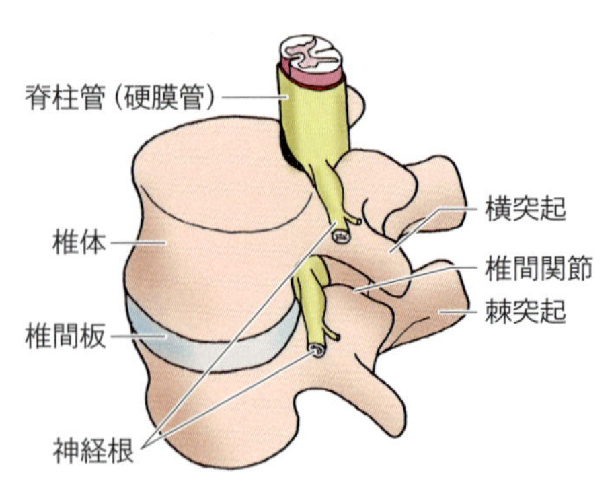

図 2-4 脊椎の構造

根 (nerve root) が分岐し脊柱管外に出る (図 2-4).

3 運動器におけるリハビリテーション診療のポイント

- 上肢機能では，リーチ動作が重要であり，可動域の獲得が上肢の訓練のポイントである.
- 上肢ではできるだけ早期に関節可動域訓練を開始し，愛護的に進めることが重要である．暴力的な関節可動域訓練は禁忌である．上肢の可動域の 1 つの目標は，結髪動作ができることである.
- 下肢機能では，座位保持，起立，移乗，歩行という能力の獲得がポイントである.
- 下肢では，股関節，膝関節，足関節の関節可動域訓練は重要であり，拘縮が生じないように注意する．大腿四頭筋は，起立，歩行に関して非常に重要である.
- 運動器のリハビリテーション診療では，運動器疾患の手術適応の基本を知っておくべきである．手術が適応であると判断したときは，信頼できる専門医に紹介する.

(千田益生・堀井基行)

4 肩関節の疾患・外傷

肩関節周囲炎・凍結肩

基本的な知識

概要

- 中高年で，退行変性を基盤とし肩関節の疼痛と拘縮が生じる疾患の総称である．凍結肩 (五十肩) とも呼ばれる．疼痛の原因として，腱板疎部の癒着や肩峰下圧の上昇，関節周囲の血流低下などがあげられる.
- 炎症の後に滑液包や靱帯，腱板疎部，関節腔などに癒着が生じ，可動域制限をきたし，拘縮が進行する.

症状と病期

- 炎症期（freezing phase），拘縮期（frozen phase），回復期（thawing phase）に分けられる．炎症期には運動時痛を初発として安静時痛，夜間痛が生じ，拘縮期には痛みは軽減するが関節可動域は減少する．1年程度で回復することが多い．

治療

- 保存療法でも拘縮が残存する場合に，生理食塩水・局所麻酔薬の関節腔内・肩甲下滑液包注入，全身麻酔下の愛護的なマニピュレーション，鏡視下靱帯・関節包切離術などにより癒着を除去し，さらに関節可動域訓練を行う．

リハビリテーション診療のポイント

- 癒着の予防・改善，肩峰下圧の減少のため，軟部組織の柔軟性を保つ必要がある．
- ストレッチや関節可動域訓練が重要となる．
- 肩関節周囲を冷やさない生活指導や，就寝時に過度な水平内転肢位をとらないようにするなどの姿勢に関する指導も有効である．
- 疼痛が強い炎症期には三角巾や装具による安静を基本とし，消炎鎮痛薬の内服，ヒアルロン酸やステロイドの関節腔内注入を行う．物理療法として，鎮痛と局所の循環改善を目的として温熱療法を行う．
- 拘縮期には局所の保温や温熱療法に加えて関節可動域訓練を積極的に行う．Codman体操，臥位での対側手で支えた肩挙上運動，内外旋ストレッチ，棒運動，肩甲胸郭関節の可動域訓練などが行われる（図2-5）．

文献

1） 長野 昭，他(編)：整形外科専門医テキスト．pp640-643，南江堂，2010
2） 井樋栄二：肩関節の疾患．井樋栄二，他(監修)：標準整形外科学，第14版，pp438-456，医学書院，2020

肩腱板損傷

基本的な知識

概要

- 概念：肩腱板構成筋は，棘上筋，棘下筋，小円筋，肩甲下筋であり，肩腱板の腱性部分が断裂し，腱線維の連続性が絶たれた状態である．
- 病態：断裂の原因は，加齢による腱の変性，腱板構成筋収縮による応力集中，肩峰との機械的な衝突，外傷などさまざまな要因が重なって発症する．

診断

- 症状：無症候性断裂が半数以上を占める．症状を呈する場合は，動作時痛とともに安静時痛や夜間痛を認めることが多い．肩関節外転60～120°の間で疼痛が生じる有痛弧徴候（painful arc sign）

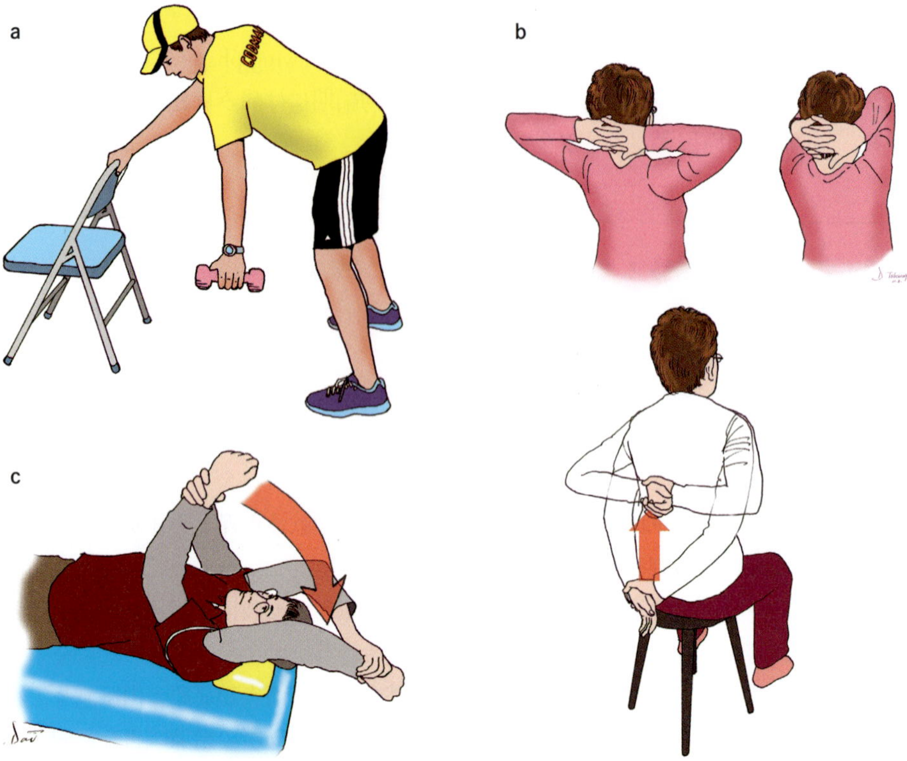

a

b

c

図 2-5　肩関節の拘縮に対する関節可動域訓練

a：Codman 体操．対側手を椅子などに置いて体を支え，患肢を下垂位とし，屈曲伸展方向への振り子運動，あるいは重りを軽く回す．
b：肩の内外旋運動．両手を頭の後ろに置き，肘を後方に引いて肩関節を外旋する（上）．両手を腰で組み，組んだ手を頭側に移動させて肩を内旋する（下）．
c：臥位での挙上運動．対側の手で支えながら内旋位で肩を屈曲する．

が一般的に陽性となる．棘上筋腱断裂では外転筋力，棘下筋腱断裂では外旋筋力，肩甲下筋腱断裂では内旋筋力が低下する．

- 身体所見：full can test（棘上筋），empty can test（棘上筋），external rotation lag sign（棘下筋），肩甲下筋の機能テストなどにより，肩腱板の障害を診断しておく．
- 画像診断：単純 X 線では，大断裂が長期間放置されると上腕骨頭の上方化が起こる．精度の高い診断には MRI が有用であり，断裂の有無や程度が描出できる．エコーも有用な方法であるが，手技に慣れる必要がある．

治療

- 保存療法：中高年の腱板断裂ではまず，内服や貼付による消炎鎮痛薬，ヒアルロン酸やステロイドなどの関節腔内注入といった薬物療法を行った上で運動療法や物理療法を行う．運動療法では，愛護的に動かして痛みを最小限にしながら少しずつ可動域を増やしていく．
- 手術療法の適応：若年者の外傷性断裂やスポーツによる断裂，あるいは高齢でも大断裂の場合は，手術療法が適応となる．多くは鏡視下手術を行う．術後の再断裂率は 17～70％と報告されており，かなりの高率である．

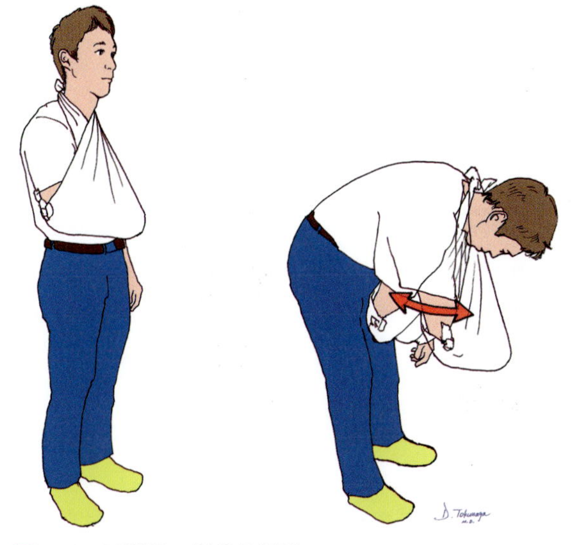

図 2-6　肩関節の振り子運動

上半身が床と平行になるように前傾姿勢をとり，患肢の力を抜いて前後・左右に振る．

リハビリテーション診療のポイント

- 肩腱板損傷のリハビリテーション治療を始める前に，鑑別診断をしっかりと行う．たとえば，頚髄疾患や肩甲上神経などの神経障害であれば，訓練の内容も注意点も異なってくる．
- 訓練の基本は保存療法であっても手術療法であっても，損傷部位を拡大させないこと，残存している部位をできる限り機能させることである．
- 損傷部位を拡大させないために，腱板損傷の原因となる動きや肢位，オーバーヘッドの上肢動作，肩の外転・外旋，疼痛を誘発させる動作を制限する．
- 関節可動域訓練では疼痛に配慮し，ゆっくりとした動作をさせながら可動域を増やしていく，振り子運動（図 2-6）などは有効である．
- 筋力増強訓練は，腱板を構成するそれぞれの筋ごとに実施する．たとえば，棘上筋の筋力増強訓練では，scapular plane（肩甲骨面）上で，かつ挙上上限が 30～45° までの範囲で行う．このとき，腱板損傷の拡大や代償運動の防止のために低負荷から開始し，数週間かけて筋組織の増大を図りながら負荷を徐々に上げていく（図 2-7）．
- また，肩甲骨と体幹の運動連鎖が腱板に影響するため，腱板構成筋群のみでなく肩甲骨を安定させることが重要となる．前鋸筋，僧帽筋，菱形筋などの運動訓練を積極的に実施する．
- 肩甲上腕関節の関節可動域訓練は当然であるが，肩甲胸郭関節についても十分に行う．温熱療法などを運動療法に併用すると効果があがる．およそ 7 割の患者がリハビリテーション治療で軽快する．

腱板断裂手術の周術期におけるリハビリテーション診療

- 術前に疼痛，関節可動域，筋力など基本的な事項を評価する．機能的評価として簡易上肢機能検査（simple test for evaluating hand function；STEF），QOL 評価として SF-36，日本語版上肢障害評価表（the disabilities of the arm, shoulder and hand；DASH）などを用いる．

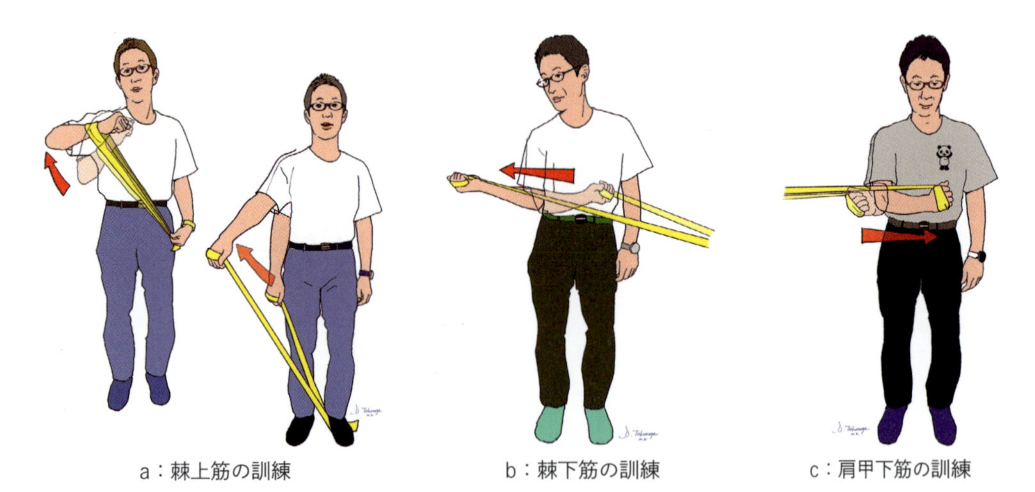

a：棘上筋の訓練　　　　b：棘下筋の訓練　　　　c：肩甲下筋の訓練

図 2-7　肩腱板構成筋の筋力増強訓練

トレーニングチューブは，強度によって色分けがされている．肩のインナーマッスルの訓練では，黄色（普通の強度）のものがよく用いられる．

経過	術前	手術当日	術後1日	術後2日	術後3日〜7日	第2週	第3週	第4週	第4週〜
日付		(/)				(/)・(/)	(/)・(/)	(/)・(/)	
安静度 装具		ベッド上安静	装具装着にてトイレ歩行許可 スリング，外転枕の装着，固定 →				→	外転枕除去 →	スリング除去 (6〜8w) →
評価 訓練	上肢機能評価 ROM-T Grip DASH		関節可動域訓練 ※他動運動開始 → 肩甲帯 肘，手 手指運動		訓練における目標角度 屈曲100° 外転90°	訓練における目標角度 屈曲120° 外転100°	訓練における目標角度 屈曲130° 外転110°	訓練における目標角度 屈曲140° 外転120° →	関節可動域訓練 筋力増強訓練 (4〜8w) →
処置 検査	採血 X線撮影	抗菌薬点滴	採血	ドレーン， バルーン抜去	ガーゼ交換 (2日ごと)	採血 抜糸（7〜10日）→	採血	採血	退院
入浴 その他	爪きり		トイレ，洗面許可	清拭	介助入浴 外転装具の装着 (防水シャワー) →			入浴時外転装具の装着はなし →	

図 2-8　肩腱板損傷の手術におけるクリニカルパス（例）

- 急性期：術直後より肩外転装具を装着して離床する．肩関節以外の関節には関節可動域訓練と筋力増強訓練を行う．肩関節は他動で術後 7 日までは屈曲 100°，外転 90° を目標とする．術後 21 日までは，他動で屈曲 130°，外転 110° までを目安とし，4 週目に入ると外転装具を除去し，関節可動域訓練と筋力増強訓練を開始する．術後 28 日で，屈曲 140°，外転 120° を目標とし退院とする（図 2-8）．
- 回復期・生活期：急性期に続いて関節可動域と筋力などを回復させる．ADL に障害がある場合には，その ADL 項目に重点を置いたリハビリテーション治療を行う．
- 障害を受けやすい肢位や過用（オーバーユース）を避ける．再断裂の危険性を認識し，スポーツ復帰，職場復帰を行っていく．

文献
1) 井樋栄二：腱板断裂．井樋栄二，他(監修)：標準整形外科学，第 14 版，pp442-445，医学書院，2020
2) 伊藤博元：腱板損傷．日本運動器科学会，他(監修)：運動器リハビリテーションシラバス，改訂第 3 版，pp155-157，南江堂，2014

肩関節不安定症

基本的な知識

- 肩が不安定になっている状態であり，外傷性肩関節脱臼とそれに続発する反復性肩関節脱臼が代表的である．また，非外傷性に先天的に肩関節の動揺性がみられる動揺性肩関節もこの範疇に入る．

リハビリテーション診療のポイント

- 肩甲上腕関節をまたぐ肩甲下筋，棘上筋，棘下筋，小円筋などの腱板を構成する筋群の筋力増強訓練が重要である．
- 動揺肩では肩甲骨周囲筋に対して壁押し運動や内外旋筋力強化が 80%程度の症例に有効である．
- 肩関節脱臼では不安定性に関与している部位として，関節上腕靱帯などの靱帯とともに肩甲下筋などがあげられる．また，上腕二頭筋は肩関節をまたぐ筋である．肩の安定性を得るためのリハビリテーション治療としては，肩甲下筋と上腕二頭筋の筋力増強訓練が重要である．
- 肩関節には骨性の連続がないため，肩関節を取り巻く筋である前鋸筋，肩甲挙筋，菱形筋，僧帽筋などの筋力増強訓練も重要となる．

上腕骨近位部骨折

基本的な知識

原因・分類

- 原因：若年者は交通事故や外傷によることが多い．高齢者では転倒で発生することが多く，骨粗鬆症を基盤とする脆弱性骨折の 1 つである．女性に多い．
- 分類：上腕骨近位部は上腕骨頭，大結節，小結節，骨幹部の 4 つのセグメントに分けられる．これを利用した分類に Neer 分類がある．1 cm 以上，あるいは 45° 以上のずれを転位とする．

診断

- 単純 X 線検査では，肩関節前後方向，肩甲 Y，Velpeau 腋窩の 3 方向から撮影する．
- CT は骨折部を立体的に把握するために有効である．

リハビリテーション診療のポイント

- リハビリテーション治療を実施する前に，骨折の分類を理解する．骨折のタイプ分類から，どの筋による収縮が骨片転位に影響するかを考慮する．たとえば，前方凸の変形の場合は，大胸筋の強い収縮により骨折部の転位が進むことがある．このような場合は大胸筋を使わない肢位や動作で訓練する必要がある．

- 一般的に，骨折部の連続が保たれる2パートの骨折では，保存療法が実施されることが多く，三角巾を使用しながらの振り子運動や，関節可動域訓練などを早期から開始する．また，ハンギングキャストなどを使用し，早期から上肢にかかる重力を利用した訓練も有用である．
- 3〜4パートで転位があり，手術が実施された場合は骨折部位とその安定性がリハビリテーション治療を行う上で重要となる．身体所見や画像所見を参考にしながら訓練する筋を検討する．高齢者では人工骨頭置換術が行われることがある．特に，大結節や小結節は，腱板を構成する筋群が付着するため，安定性を十分確認したうえで関節可動域訓練と筋力増強訓練を行っていく．
- 上腕二頭筋長頭腱は，上腕部から結節間溝を経由して肩甲骨へ付着する筋であり，筋の収縮により上腕骨頭と臼蓋の安定性へ寄与する．一方，結節部へ負荷がかかることも注意しなければならない．
- 脱臼を伴った症例では骨折のみの評価だけではなく，軟部組織の損傷の程度も評価する必要がある．また，整復後の肩関節不安定性や腋窩神経麻痺などの有無にも留意してリハビリテーション治療を行う．

文献

1) 金子和夫：上腕骨近位部骨折．井樋栄二，他(監修)：標準整形外科学，第14版，pp776-778，医学書院，2020
2) 伊藤博元：上腕骨近位端骨折．日本運動器科学会，他(監修)：運動器リハビリテーションシラバス，改訂第3版，pp157-158，南江堂，2014

（千田益生）

5 肘関節の疾患・外傷

上腕骨外側上顆炎

基本的な知識

概要

- いわゆるテニス肘と呼ばれる疾患で，中年・女性に多い．
- 上腕骨外側上顆に起始をもつ手指・手関節伸筋群の過用（オーバーユース）による変性や微小断裂が原因とされている，特に短橈側手根伸筋起始部の変性が主要因と考えられている．

症状と診断

- 前腕近位橈側の疼痛や倦怠感，上腕骨外側上顆の圧痛などを訴える．回内位での持ち上げ動作，タオルを絞ったりドアノブを回したりする動作，手関節背屈位でのキーボード操作などで疼痛が生じる．
- 各種誘発テスト（Thomsen test, chair test，中指伸展テスト）が参考となる．

治療

- 消炎鎮痛薬の内服・貼付，ステロイドの局所注射などを行う．
- 手術療法には腱起始部の新鮮化・再縫着，鏡視下デブリードマンなどがある．

リハビリテーション診療のポイント

- 原因となっている動作やスポーツを休止し，疼痛を誘発するADLを避ける．この際，疼痛が誘発されないような代償動作を指導することも重要である．
- 急性期：圧痛のある筋に対し選択的ストレッチを行い，筋内圧の低下を図る．疼痛の再燃を避けるためゆっくりとストレッチを行う．障害を起こしている筋の緊張を軽減する目的で肘関節内反ならびに前腕回内を抑制するテーピングを施す．同じ目的でテニス肘用バンドも処方される．
- 亜急性期：疼痛が軽減した段階で外側側副靱帯複合体を追加しながらストレッチを積極的に進める．また，上腕骨外側上顆炎の疼痛と肩甲帯の緊張状態の関連性が報告されており，肩甲帯の運動療法も考慮する．
- 温熱療法（ホットパック，超音波），肩関節〜手関節のストレッチ，装具療法（テニス用肘バンド，サポーター）を組み合わせて治療を行う．疼痛が激しい場合にはシーネ固定も用いる．

野球肘

基本的な知識

- 野球少年に好発する肘の障害である．投球に伴って，肘内側側副靱帯への強い張力や上腕三頭筋の牽引力，上腕骨小頭，橈骨頭への圧迫力が生じる．この力学的ストレスが繰り返し上腕骨小頭・橈骨頭・肘頭・肘頭窩などにかかり，上腕骨小頭の離断性骨軟骨炎をはじめとする骨・軟骨・靱帯の障害が生じてくる．

リハビリテーション診療のポイント

透亮期，分離前期（図2-9）

- 保存療法の適応であり，投球を禁止して安静をとらせる．可能であれば肩甲帯，下肢体幹の可動性を改善させる訓練を行う．
- 3〜6か月の経過でも単純X線上で改善が認められないときには手術療法を検討する．単純X線で修復が確認されれば，シャドーピッチング，軽い素振りなどを許可する．スポーツ復帰までには，通常6か月は要する．

分離後期，遊離期（図2-9）

- ドリリング，骨釘移植，骨軟骨移植などの手術療法が行われることが多い．術後2週までは三角巾などで安静とし，術後4週より徐々に関節可動域訓練を行う．また，疼痛を軽減し上腕骨小頭の関節面にストレスを与えないように，外側側副靱帯複合体のストレッチも併せて行う．
- 術後3か月で画像上修復が認められたら，シャドーピッチング，軽い素振りなどを許可する．投球フォームでは肘下がりにならないよう，打撃フォームではバットヘッドが下がらないように矯

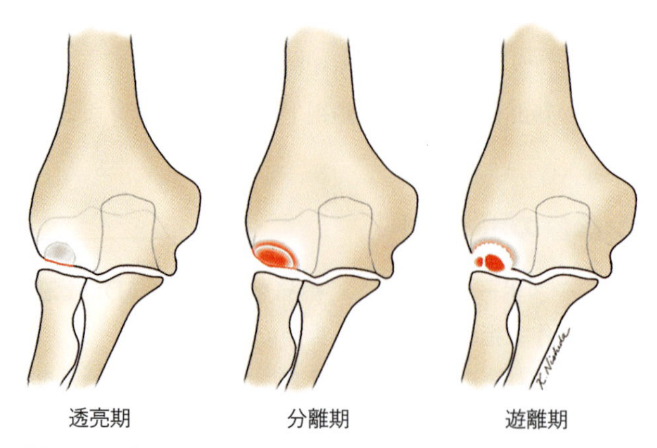

図 2-9 肘離断性骨軟骨炎の単純 X 線による病期分類

透亮期には上腕骨小頭に骨吸収像を，分離期には周囲に骨硬化像を認め，遊離期には遊離体やその分節化を認める．

正も行っていく．

- スポーツ復帰は修復の程度にもよるが，どんなに早くとも 3〜4 か月，通常 6 か月は要するため，焦らずにリハビリテーション治療を継続するように指導することも重要である．
- 予防には指導者による投球数の適切な制限と早期発見が大切である．

文献

1) 奈良　勲(監修)，森山英樹，他(編)：運動器疾患の病態と理学療法，pp218-237，医歯薬出版，2015
2) 稲垣克記：肘関節．井樋栄二，他(編)：標準整形外科学．第 14 版，pp451-467，医学書院，2020

上腕骨遠位部骨折

基本的な知識

原因・分類

- 上腕骨遠位部の骨折は，小児や高齢者に多い．
- 上腕骨遠位部骨折は，AO 分類が用いられることが多く関節外骨折，部分関節内骨折，完全関節内骨折に分けられる (図 2-10)．
- 転倒による受傷が最も多い．肘関節伸展位で手をついて内外反ストレスがかかることなどで内側や外側の剥離骨折も合併する．
- 上腕骨遠位部骨折の治療の際には，正中・尺骨・橈骨神経麻痺の有無，循環障害をチェックする必要がある．神経や血管の損傷が疑われる場合は手術の適応になる．腫脹が増大し Volkmann 拘縮が起こる可能性があるため無理な徒手整復操作を繰り返してはならない．

診断

- 単純 X 線検査は不可欠である．

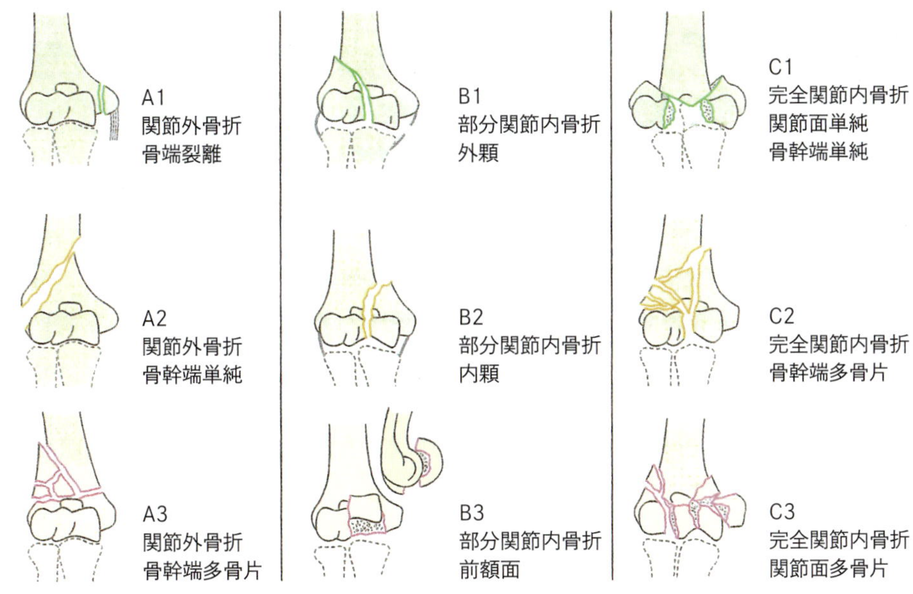

図 2-10　上腕骨遠位部骨折の AO 分類

A：関節外骨折：骨折線が関節面に入らない骨折.
B：部分関節内骨折：関節面が骨折しているが片側は骨幹部と連続性を保っている骨折.
C：完全関節内骨折：すべての関節面の骨片が骨幹部から完全に遊離している骨折.
（[http://www.aofoundation.org/] より）

- CT は骨折の状態を立体的に把握するために有効である.

治療

- 前腕屈筋のコンパートメント症候群は，Volkmann 症候群として有名である．転位の高度な上腕骨顆上骨折に続発することが多い．前腕屈筋阻血性壊死により前腕回内・手関節屈曲・手指屈曲の拘縮が生じる.
- 早期に診断し，ギプスなどの除去，骨片整復，筋膜切開による減圧などの早期治療が必要である．手術適応がある場合は，観血的に骨接合術を行う.

リハビリテーション診療のポイント

- 保存療法：ギプスなどで外固定を行う．外固定されていない関節には早期から関節可動域訓練と筋力増強訓練を行う．単純 X 線で経過を確認し，仮骨が確認できたら外固定を除去して，その関節に対して関節可動域訓練と筋力増強訓練を行う．関節可動域訓練は自動的に行うことを基本とし，他動の場合は愛護的に行う．暴力的な関節可動域訓練は骨化性筋炎を誘発する.
- 手術療法：手術により骨折部の固定が得られれば，関節可動域訓練を開始する．関節可動域訓練は疼痛に配慮しながら徐々に進める.

文献

1)　金子和夫：上腕骨遠位部骨折．井樋栄二，他(編)：標準整形外科学．第 14 版，pp780–781，医学書院，2020

（倉田慎平・城戸　顕）

6 手関節・三角線維軟骨複合体（TFCC）損傷・手の疾患・外傷

橈骨遠位端骨折

基本的な知識

原因・分類

- 中高齢者が転倒して手をついて受傷する頻度が高く，骨粗鬆症を基盤としていることが多い．
- 小児や若年者で最も頻度の高い骨折の 1 つである．
- 従来は Colles 骨折，Smith 骨折，Barton 骨折などとして治療されていたが，最近では AO 分類が広く用いられ，これにより治療法が選択されている．関節外骨折は A 型，部分関節内骨折は B 型，完全関節内骨折は C 型に分類されている．

症状と診断

- 手関節部の腫脹，疼痛，変形を認める．
- 正中神経損傷を合併することがある．
- 診断は X 線検査で行うが，関節内骨折の把握には CT が有用である．

治療

- 保存療法：徒手整復，外固定を行う．遠位方向に牽引して整復位を得て外固定する．
- 手術療法：骨折が整復できない場合や整復位が保持できない場合には手術療法の適応になる．関節内骨折については解剖学的整復を目指して手術療法が行われる．手術法として掌側からのロッキングプレートによる固定法の適応が増えている．

リハビリテーション診療のポイント

- 骨折部の十分な固定が得られていないときは，罹患部周囲の関節以外の関節可動域訓練などを行う．
- 保存療法では固定を除去した後に，手術療法では術後早期から関節可動域訓練を開始する．可動域制限が十分改善しないときには他動的に関節可動域訓練を行う．疼痛や腫脹を軽減し，ADL 向上を図る目的で渦流浴などの水治療法，温熱療法を考慮する．ただし，手術により金属が体内にある場合には，マイクロウェーブなどでの温熱療法は禁忌である．
- ADL の障害を認めるときには，作業療法を行う．

文献

1） 金子和夫：橈骨遠位端骨折．井樋栄二，他（編）：標準整形外科学，第 14 版，pp786-789，医学書院，2020

TFCC（三角線維軟骨複合体）損傷

基本的な知識

構造

- 三角線維軟骨複合体（triangular fibrocartilage complex；TFCC）は関節円板（TFC proper），メニスカス類似体，尺側側副靱帯，掌側および背側橈尺靱帯，尺側手根伸筋腱鞘で構成される．
- TFCCはハンモック構造を持つ遠位橈尺関節（distal radioulnar joint；DRUJ）の重要な支持機構であり，圧負荷に対する緩衝作用，手根骨に対する滑走面の提供などの役割を担う．

原因・分類

- 外傷性損傷のうち，単独損傷は，転倒により手関節背屈を強制された場合やスポーツなどで過剰な負荷が繰り返された場合に生じる．また，橈骨遠位端骨折や尺骨茎状突起骨折に合併して生じることもある．
- 変性損傷は尺骨突き上げ症候群に合併することが多い．
- Palmer分類が一般的で，外傷性損傷（Class 1）は部位によって中央部穿孔（1A），尺側部断裂（1B），遠位（手根部）断裂（1C），橈側（橈骨付着部）断裂（1D）に分けられる．変性損傷（Class 2）は程度によって2A～2Eに分類される．

症状と診断

症状

- 手関節背屈や前腕回内回外時の手関節尺側部痛やクリック，握力低下が主症状である．
- 日常生活では，ドアノブを回す時やタオルを絞る時など手関節をひねる動作で疼痛が出現する．
- 手関節が抜けるような感じや遠位橈尺関節の不安定感を訴える場合もある．

診断

- 手関節掌背屈可動域はほとんど障害されないが，軽度の前腕回内回外制限を認める．
- 三角靱帯に損傷がある場合には尺骨茎状突起と尺側手根屈筋の間に圧痛を認める（fovea sign）．
- 誘発テスト
  ①尺骨頭ストレステスト（ulnocarpal stress test）：前腕回内時に手関節を尺屈させると疼痛やクリックを生じる．
  ② DRUJ compression test：尺骨遠位をDRUJに押し付けて回内回外させると，疼痛，クリック，回内回外制限を認める．
- 画像診断：TFCCの損傷部位の診断にはMRIの冠状断像が有用である．Gradient echo法によるT2強調画像や脂肪抑制によるT1強調画像で高信号として描出される．

治療

保存的治療

- ギプスシーネやサポーターを用いて手関節を6～12週間固定する．
- 安静時痛には消炎鎮痛薬などを処方する．

手術的治療

- 鏡視下部分切除術や縫合術，小切開による三角靱帯 fovea 付着部の再建術などを行う．
- 尺骨突き上げ症候群を有するものでは，尺骨短縮骨切り術を併用する．

リハビリテーション診療のポイント

保存的治療に対するリハビリテーション治療

- スポーツなど原因となった動作は禁止しながら手指の運動訓練を行う．
- 入浴時などで固定を除去した際には手関節尺屈位での物を持ち上げる動作を避けるように指導する．
- シーネやサポーター除去後徐々に手関節および前腕の運動を行っていく．

手術療法後のリハビリテーション治療

- 縫合術，再建術を行った場合には術後 3 週ほどは上腕からの long arm cast で固定し，この間手指の自動運動を積極的に行う．さらに 3 週程度 short arm cast で手関節を固定し，肘関節の屈伸運動を行うが，前腕の回内外運動は控える．
- ギプス除去後から徐々に手関節の掌背屈運動，前腕回内外運動を開始する．
- 筋力増強訓練は 8 週以降とする．スポーツや手に荷重のかかる仕事は術後 6 か月以降とする．

文献

1) Palmer AK, et al：The triangular fibrocartilage complex of the wrist-anatomy and function. J Hand Surg Am 6：153-162, 1981
2) Nakamura T, et al：Functional anatomy of the triangular fibrocartilage complex. J Hand Surg Br 21：581-586, 1996
3) Culp RW, et al：Arthroscopic repair of the triangular fibrocartilage complex（TFCC）. In：Gelberman RH ed：The Wrist, pp355-366, Lippincott Williams & Wilkins, Philadelphia, 2010

手指伸筋腱・屈筋腱断裂

基本的な知識

概要

- 鋭的，あるいは鈍的に損傷されるが，皮膚を含む軟部組織・神経・血管・長期放置例，骨・関節の損傷を同時に伴う場合も多く，腱の癒着の原因となる．
- 鋭的な損傷では受傷後早期であれば端々縫合が可能である．挫滅創・汚染創・軟部腫瘍切除後・関節リウマチなどの炎症性疾患に伴う断裂では腱の欠損に対する腱移植術や腱移行術が適応となることが多く，術後のリハビリテーション治療は各々の症例により工夫が必要である．
- 縫合術では術後 5～7 日が最も再断裂しやすい時期で，縫合部の修復には約 6 週，牽引に対する強度の正常化には約 12 週を要する．それまで縫合部に強い力がかからないように注意する．
- 術直後は浮腫の軽減に努める．

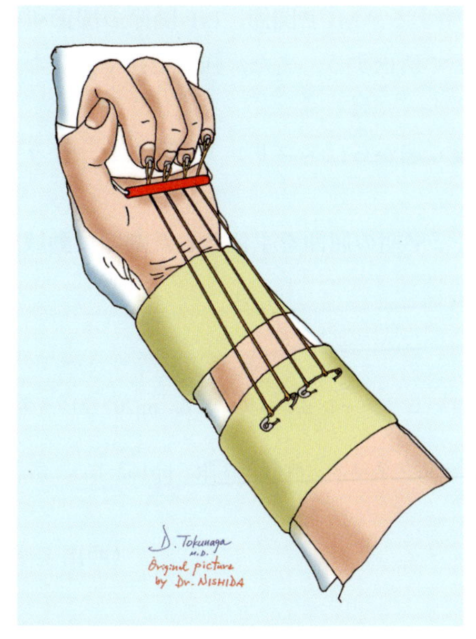

図 2-11　手指屈筋腱損傷に対する Kleinert 変法

成人の新鮮で鋭利な Zone I，II 損傷に対し，損傷部の縫合が十分に行えた場合には，癒着防止のため，術翌日の早期から関節可動域訓練を行う．術後 4 週頃まで，手関節・MCP 関節屈曲位で装具を用いた屈曲と伸展の関節可動域訓練を行う．

手背部～手関節部での伸筋腱断裂の治療

- 長期放置例では，断裂腱近位の筋腹が拘縮に陥り腱が短縮している．
- 伸筋腱は薄く，遊離腱移植術や腱移行術での縫合には端側縫合を行う．移植腱には長掌筋腱や足底筋腱が用いられる．腱移行には示指あるいは小指の固有伸筋腱を用いたり，隣接する伸筋腱に端側縫合する．

成人の新鮮 Zone I，II〔MP（metacarpo phalangeal）関節以遠〕での鋭利な屈筋腱断裂の治療

- 術中所見，腱縫合の方法，固定性，滑走の状態がリハビリテーション治療の計画の際に重要となる．
- 術直後は浮腫の軽減に努める．十分な縫合ができた場合には手関節，MCP（metacarpophalangeal）関節を屈曲位に固定し，Kleinert 変法による訓練を術翌日より開始できる（図 2-11）．

リハビリテーション診療のポイント

手背部～手関節での伸筋腱断裂に対する訓練

- 端々縫合の場合，手関節軽度背屈位，MCP 関節軽度屈曲位，PIP（proximal interphalangeal）関節伸展位で 4 週間固定を行う．遊離腱移植術や腱移行術の後は，癒着防止のために dynamic splint を用いた早期からの訓練を行う．関節リウマチなどの多数腱断裂に対しては，隣接する指伸筋腱に端側縫合を行い，隣接指とテープで固定して早期の訓練を行う場合もある（石黒法）．

成人の新鮮 Zone I，II での鋭利な屈筋腱断裂に対する訓練

- 指節間関節の拘縮予防のため，手関節掌屈位で各指個別に隣接関節を伸展位とした状態で関節可動域訓練を行う．
- 術後 3 週からは屈曲を主体とした関節可動域訓練を行う．

- 術後4週を経過したら手関節の関節可動域訓練を開始する．MCP関節，PIP関節の関節可動域訓練も許可するが，手関節と手指の同時伸展は6週まで禁止する．また，強い把持や急激な伸展を避けるために夜間シーネも併用する．
- 術後5週から他動伸展の関節可動域訓練を開始，術後6週からはスプリントを除去し，徐々に筋力増強訓練を開始する．
- 6-strand sutureなどさらに強固な縫合ができた場合には早期の屈曲を主体とした関節可動域訓練が開始できる．

文献

1) 大橋正洋，他(編)：骨関節疾患のリハビリテーション．リハビリテーションMOOK 6，pp207-219，金原出版，2003
2) 日本運動器科学会，他(監修)：運動器リハビリテーションシラバス，改訂第3版，pp162-163，南江堂，2014

（西田圭一郎）

7 上肢の絞扼性神経障害

基本的な知識

概要

- 末梢神経が生理的狭窄部位で絞扼されることによって生じる神経障害である．上肢では腕神経叢部が斜角筋などで絞扼される胸郭出口症候群（図2-12），尺骨神経が肘関節内側で絞扼される肘部管症候群，正中神経が手関節部で絞扼される手根管症候群，橈骨神経が上腕部で障害される橈骨神経麻痺がよく知られている．

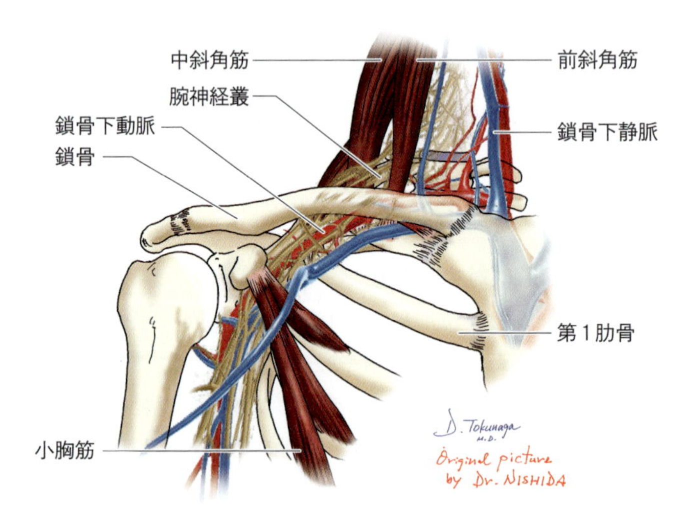

図2-12　胸郭出口の解剖

腕神経叢と鎖骨下動脈は斜角筋三角（前・中斜角筋と第一肋骨の間隙），肋鎖間隙（鎖骨と第1肋骨の間），小胸筋の下層を通過する．鎖骨下静脈は小胸筋下層，肋鎖間隙を通過し，前斜角筋の前内側を通過する．

- 胸郭出口症候群では，上肢のしびれ・脱力・倦怠感，頚部から前胸部の痛み・凝り感，冷感などを訴え，上肢挙上で症状の悪化があり，wright test, roos test などで診断する．
- 肘部管症候群では，小指，環指の尺側 1/2・手背尺側の感覚障害があり，肘関節部で Tinel 様徴候陽性を認め，進行すると背側骨間筋の萎縮，環指・小指の鉤爪変形（claw hand deformity：鷲手）などが生じ，Froment 徴候が陽性となる．
- 手根管症候群では，母指，示指，中指・環指（橈側）のしびれ感や感覚障害が夜間・早朝にも生じ，手根管部での Tinel 様徴候，Phalen test 陽性などを認める．進行すると母指と示指で作る円（perfect O）が作れない．母指球の萎縮（猿手，ape hand deformity）が徐々に生じ，つまみ動作や箸が使いにくくなる．
- 橈骨神経麻痺は長橈側手根伸筋枝より近位（肘関節からやや近位）の損傷で下垂手を呈し，それより遠位の後骨間神経麻痺では手関節伸展はできるが，指が伸展できない下垂指を呈する．
- 橈骨神経麻痺での感覚障害は手背第 1〜第 4 指橈側にあり，後骨間神経麻痺では感覚障害は認めない．橈骨神経麻痺では上腕中央部外側に Tinel 様徴候を認めることが多い．上腕骨中央部では，橈骨神経が上腕骨に接しているため，その部位の圧迫で橈骨神経が障害されやすい．
- 肘部管症候群では，骨棘，ガングリオンなどによる圧迫が，手根管症候群では手の過用（オーバーユース），妊娠，閉経などが発症に関係している．関節リウマチによる炎症，透析におけるアミロイド沈着，ガングリオンなどが原因となることも多い．橈骨神経麻痺は，上腕骨骨幹部骨折に伴うもの，注射によるもの，honeymoon palsy（人の頭などによる圧迫）などで発症する．

診断

- 単純 X 線：胸郭出口症候群では頚肋や鎖骨・第 1 肋骨の変形の有無を，肘部管症候群では変形性肘関節症の存在の有無を，手根管症候群では過去の橈骨遠位端骨折後の変形の有無を確認する．橈骨神経麻痺では上腕骨の状態を評価する目的で検査する．
- 神経伝導速度検査：肘部管症候群では同部位を挟んでの伝導速度・振幅の低下と波形の変化を，手根管症候群では終末潜時の延長・振幅低下・波形変化などを調べる．橈骨神経麻痺では，橈骨神経の知覚神経伝導速度を測定する．橈骨神経麻痺では知覚神経伝導速度は低下するか消失する．後骨間神経麻痺では，知覚神経伝導速度は正常であるが，後骨間神経支配の指伸筋群に脱神経所見を認める．
- エコー：神経の絞扼部位やガングリオンなどの占拠性病変の有無を確認する．
- QOL 評価：包括的 QOL 評価として SF-36，疾患特異的 QOL 評価として DASH などを用いる．

治療

- 症状が軽い場合には保存療法が選択される．
- 自覚症状が強かったり，筋萎縮が進行した場合には手術療法が考慮される．上腕骨骨幹部骨折後の橈骨神経麻痺，脱臼などの外傷による正中，尺骨神経麻痺，腫瘍による神経麻痺などは早期に手術が必要である．また保存的治療に抵抗する場合も手術療法が考慮される．
- 胸郭出口症候群では第 1 肋骨切除術などが，肘部管症候群や手根管症候群では絞扼部を開放する手術が行われる．

リハビリテーション診療のポイント

保存療法

- 胸郭出口症候群では保存療法が中心となり，頚部・肩甲帯のストレッチ，温熱療法などを行う．
- 肘部管症候群や手根管症候群の軽症例では局所の安静が中心となり，後者では，装具による手関節の外固定も考慮する．また，筋萎縮が強いときには，機能（良）肢位の保持，機能の代償を目的に短対立装具を処方することもある．
- 橈骨神経麻痺では，原因が明らかでないものや回復の可能性があるものは保存治療が選択される．下垂手を呈するので，手関節装具（カックアップスプリント）を処方する．麻痺筋の筋萎縮を防ぐために治療的電気刺激（therapeutic electrical stimulation；TES）も考慮する．

手術療法

- 基本的に術後の肢位に制限はないため，疼痛に応じて関節可動域訓練と筋力増強訓練を行う．手根管症候群で母指球筋麻痺による母指対立障害が強い場合には対立再建術が行われる．リハビリテーション治療としては，当初は機能（良）肢位の保持，拘縮の予防・改善を図り，その後は母指対立運動などによる筋力増強訓練，手指巧緻運動訓練を行う．

文献

1）稲垣克記：肘部管症候群．井樋栄二，他（監修）：標準整形外科学，第 14 版，pp104，461-462，医学書院，2020
2）千田益生：電気生理学的検査．関節外科 35（2016 年 10 月増刊号）：78-87，2016

（千田益生）

8 股関節の疾患・外傷

変形性股関節症

基本的な知識

概要

- 変形性股関節症は関節軟骨の変性，骨の増殖性変化，二次性の滑膜炎により症状をきたし，徐々に股関節の変形が進行する疾患である．
- 原因が明確でない一次性股関節症，発育性股関節形成不全（developmental dysplasia of hip；DDH）・寛骨臼形成不全・外傷などに伴う二次性股関節症に分類される．
- わが国では DDH や寛骨臼形成不全に続発した二次性股関節症の頻度が高い．

症状と診断

- 主な症状は疼痛，関節可動域制限，歩行障害などである．
- 単純 X 線の所見から病期は，前股関節症（関節裂隙狭小化なし，先天的・後天的変形あり），初期股関節症（関節裂隙狭小化あり），進行期股関節症（一部関節裂隙の消失），末期股関節症（広範な関節裂隙の消失）の 4 期に分類される．

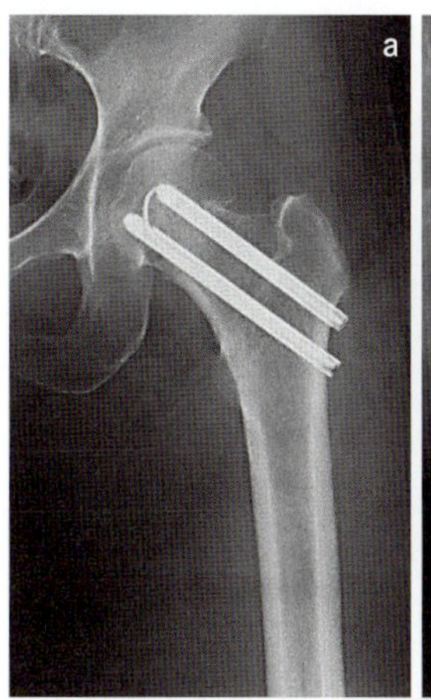

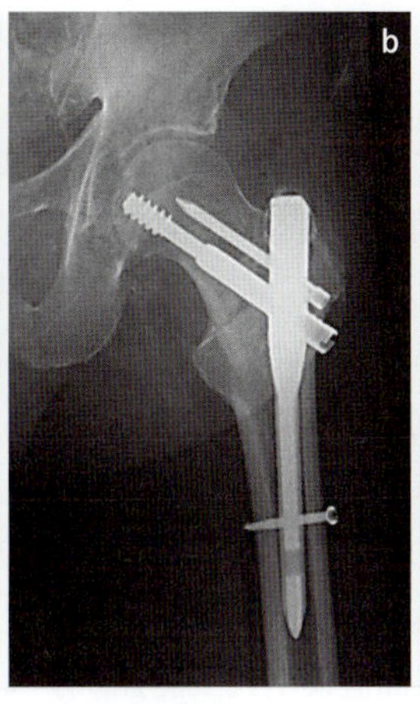

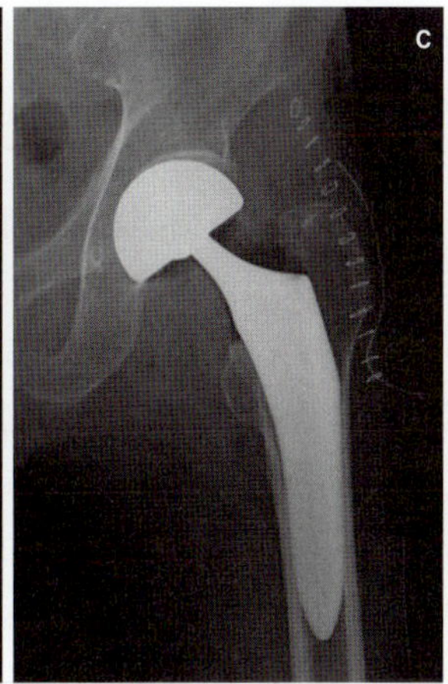

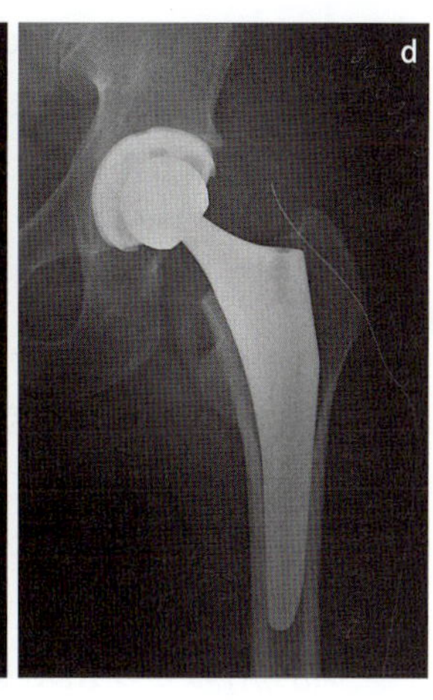

図 2-13　股関節疾患に対する各手術療法

a：Hansson pin による骨接合術，b：short femoral nail による骨接合術，c：人工骨頭置換術，d：人工股関節全置換術．

治療

- 保存療法：急性の疼痛に対しては鎮痛薬，股関節周囲筋のストレッチ，歩行補助具使用などの歩行指導を行う．慢性の疼痛には鎮痛薬，筋力増強訓練，減量・荷物の持ち方などの生活指導を行う．
- 手術療法：初期股関節症では関節適合性の改善を目的とした，寛骨臼回転骨切り術や大腿骨内反骨切り術などの関節温存手術が推奨される．中高年以降の進行期，末期股関節症では人工股関節全置換術（total hip arthroplasty；THA）が一般的に選択される（図 2-13d）．

リハビリテーション診療のポイント

保存療法におけるリハビリテーション治療

- 杖や歩行器などの歩行補助具の使用には，患肢への荷重軽減による疼痛改善効果と，基底支持面の拡大による転倒予防効果がある．
- 関節可動域訓練では股関節周囲筋のストレッチ効果も得られ，筋バランスの最適化により疼痛改善効果も期待できる．膝関節の屈曲拘縮は股関節の伸展制限を助長するため，膝関節可動域訓練も行い伸展可動域の確保に努める．
- 筋力増強訓練では転倒予防と歩行機能改善の観点から，立位・歩行姿勢の制御や推進力に必要な筋を中心に，股関節屈曲・伸展・外転筋，膝関節周囲筋，体幹筋の訓練を行う．
- 水中歩行訓練や自転車エルゴメーターでは，股関節荷重の減少による疼痛改善効果，有酸素運動による筋持久力の改善効果も期待できる．

手術療法におけるリハビリテーション治療

人工股関節全置換術後

- 術直後は人工関節の易脱臼性があるため，体位変換時には注意を要する．後側方アプローチでは後方脱臼予防のため屈曲・内転・内旋位を避ける．前方および前外側アプローチでは後方脱臼の可能性は低いが，前方脱臼予防のために伸展・内転・外旋位を避ける．

- 前方アプローチによる低侵襲手術（筋・腱切離を行わない）後には従来使用された股関節の外転枕が用いられなくなった．
- 不動による合併症に留意して早期離床を目指す．離床までの期間には弾性ストッキングや間欠的空気圧迫法（フットポンプ）を使用し，深部静脈血栓症の予防に努める．
- 術翌日より患側の股関節の関節可動域訓練，大腿四頭筋の筋力増強訓練，足関節自動底背屈訓練，健側下肢の筋力増強訓練，頭部挙上による体幹筋の筋力増強訓練を開始する．
- 消炎鎮痛薬による疼痛管理下に座位訓練，健側下肢支持による車いす移乗訓練も開始する．
- 全身状態が安定していれば術翌日から起立・歩行訓練も考慮する．骨移植術併用例では，その範囲や固定方法に応じて荷重時期の調整が必要である．T字杖使用による安定した歩行を目指す．
- 脱臼危険肢位に関する説明を十分に行い，寝返り動作，床上動作，更衣動作，靴下着脱動作，入浴動作などのADLを指導する．大骨頭径の表面置換型人工関節，デュアル・モビリティー（二重摺動）カップを用いた人工関節や前方アプローチによる低侵襲手術後には，術後肢位の制限が緩和されてきておりADLが拡大している．
- 退院前には居住環境に応じたADL指導を再度行い，脱臼予防，転倒予防に努める．
- 術後のスポーツ活動は筋力が回復する3〜6か月以降が適切であり，低衝撃性のウォーキング，水泳，ゴルフ，自転車エルゴメーター，ハイキングなどが推奨され，これらのスポーツに必要な筋力増強訓練と持久力訓練を追加する．野球・サッカーなどのコンタクトスポーツ，ジョギングは回避すべきである．

大腿骨頭壊死症

基本的な知識

概要

- 大腿骨の無菌性，阻血性の壊死をきたし，大腿骨頭の圧潰・変形が生じると二次性股関節症に至る疾患である．
- 原因が明らかでない特発性（狭義の特発性，ステロイド性，アルコール性）と基礎疾患が原因の二次性（外傷，塞栓症，放射線障害）に大きく分類される．

症状と診断

- 主な症状は疼痛，可動域制限，歩行障害である．
- 特発性大腿骨頭壊死症調査研究班による診断基準に基づいて診断される．
- 単純X線およびMRIの所見から，壊死範囲による病型分類，進行度による病期分類がある．
- 病型分類で壊死範囲が広範な場合（Type C1・C2）では圧潰を生じやすい．一方で，壊死範囲が狭くても荷重部に存在すると圧潰をきたすことがある．

治療

- 保存療法：急性の疼痛に対しては安静および消炎鎮痛薬が適応となる．
- 歩行補助具を使用した免荷療法では，圧潰の進行を防ぐことはできない．
- 手術療法：荷重部の圧潰（Type B・C，Stage 3-A・B）が生じた場合には，健常な残存範囲とその位置により大腿骨内反骨切り術や大腿骨頭回転骨切り術が適応となる．関節症性変化が出現している場合，壊死範囲が広い場合，高齢である場合などには人工骨頭置換術や人工股関節全置換術が適応となる．

リハビリテーション診療のポイント

保存療法におけるリハビリテーション治療

- 拘縮予防を目的とした関節可動域訓練を行う．
- 股関節に不要な負荷が加わることを避け，疼痛に配慮しながら股関節周囲筋の筋力増強訓練を行う．
- 圧潰進行予防としての歩行補助具による免荷歩行の効果は期待できない．

手術療法におけるリハビリテーション治療

大腿骨内反骨切り術後

- 術翌日から膝関節周囲筋の筋力増強訓練，足関節自動底背屈訓練を開始する．
- 薬物による疼痛管理を行いながら，できるだけ早期から股関節の関節可動域訓練，筋力増強訓練を開始する．
- 骨切り部の安定が得られれば，術後5週で部分荷重を開始し，4週間かけて全荷重とする．
- 骨癒合が得られても骨梁構造の改変が生じるまでは骨折の危険性がある．過度な負荷がかかる動作運動を避け，術後6か月間は術側の対側にT字杖を処方し歩行を継続する．

大腿骨頭回転骨切り術後

- 術翌日から膝関節周囲筋の筋力増強訓練，足関節自動底背屈訓練を開始する．
- 回旋動脈への緊張を避けるため前方回転では屈曲30°，後方回転では完全伸展位を3週間保持する．
- 内反骨切り術に比較して骨切り部の安定に慎重な配慮が必要なため，術後3週から股関節の関節可動域訓練，筋力増強訓練を開始する．
- 術後5週で部分荷重を開始し，4週間かけて全荷重とする．
- 術後6か月間はT字杖歩行を継続する．

人工骨頭置換術後

- 以下の「大腿骨頸部・転子部骨折」の項を参照．

人工股関節全置換術後

- 「変形性股関節症」の項を参照（⇒ 172頁）．

大腿骨頸部・転子部骨折

基本的な知識

原因・分類

- 高齢者が転倒などによる軽微な外傷により受傷する．高度な骨粗鬆症例では受傷機転のはっきりしない骨脆弱性骨折も発生する．
- 大腿骨頸部骨折は関節包付着部より近位で生じた骨折であり，転位例では偽関節や大腿骨頭壊死の発生が危惧される.

- 大腿骨転子部骨折は関節包付着部より遠位で生じた骨折であり，適切な整復，安定した固定により骨癒合が十分に期待できる.

症状と診断

- 臨床症状は股関節周囲の疼痛，腫脹，皮下出血，股関節可動域の制限，歩行不能などである.
- 単純X線による分類として大腿骨頚部骨折ではGarden分類が使用されるが，初回単純X線検査では明らかな異常所見を認めない不顕性骨折も存在する．不顕性骨折の診断にはMRIが有用である.
- 大腿骨転子部骨折ではAO分類が使用されるが，近年はより詳細な骨折形態の評価法として3D-CTが有用である.

治療

- 保存療法：骨癒合まで長期間を有することから不動による合併症のリスクが高いため，手術不能例を除いては保存療法が選択されることは少ない.
- 手術療法：早期離床に向けた受傷後早期の手術が望ましい．大腿骨頚部骨折に対しては，非転位型では内固定による骨接合術（図2-13a），転位型では人工骨頭置換術（図2-13c），すでに関節症性変化を生じている例では人工股関節全置換術が選択される．大腿骨転子部骨折では強固な内固定（compression hip screw；CHSやshort femoral nail；SFN）による骨接合術が選択される（図2-13b）.

リハビリテーション診療のポイント

受傷後急性期におけるリハビリテーション治療

- 疼痛のため体動困難となりベッド上臥床となることが多い．不動による筋萎縮・関節拘縮・深部静脈血栓症などの予防のため，健側下肢の筋力増強訓練，患側の足関節自動底背屈訓練，頭部挙上による体幹筋の筋力増強訓練を指導する.
- 呼吸器合併症予防のためファーラー位またはセミファーラー位をとらせ，排痰訓練も指導する.
- 入院中の多職種連携診療が推奨される．合併症（尿路感染症，栄養障害，術後せん妄など）を予防し，歩行能力・ADL・QOLを改善させるために有効である.

手術療法におけるリハビリテーション治療

骨接合術後

- 術翌日より患側の股関節，膝関節，足関節の関節可動域訓練，股関節・膝関節周囲筋の筋力増強訓練，足関節底背屈訓練，頭部挙上による体幹筋の筋力増強訓練を開始する．健側下肢の自動運動訓練は継続する.
- 早期離床を目指し薬物による疼痛管理下に，座位訓練，健側の下肢支持による車いす移乗訓練を行う.
- 安定した座位保持が可能となるまで排痰訓練を継続する.
- 大腿骨頚部骨折では，非転位型骨折で固定性が良好であれば，術後1週間以内に起立・歩行訓練を開始する.

- 大腿骨転子部骨折では，固定性が良好であれば術翌日から起立・荷重歩行訓練を開始する.
- 受傷前に歩行可能であった症例では，T字杖使用による安定した歩行能力の再獲得を目指す.
- 大腿骨近位部骨折地域連携パスを利用し，急性期から回復期，生活期まで切れ目のない計画的なリハビリテーション治療を行い，最適な活動への復帰・維持，再受傷の予防に努める.

人工骨頭置換術後

- 術翌日より患側の股関節，膝関節，足関節の可動域訓練，股関節・膝関節周囲筋の筋力増強訓練，足関節自動底背屈訓練，頭部挙上による体幹筋の筋力増強訓練を開始する．健側の下肢の自動運動訓練は継続する.
- 薬物による疼痛管理下に座位訓練，健側下肢支持による車いす移乗訓練を開始する.
- 安定した座位保持が可能となるまで排痰訓練を継続する.
- 全身状態が安定していれば術翌日から起立・荷重歩行訓練を開始する.
- 受傷前に歩行可能であった症例では，T字杖使用による安定した歩行能力の再獲得を目指す.
- 大腿骨近位部骨折地域連携パスを利用し，急性期から回復期，生活期まで切れ目のない計画的なリハビリテーション治療を行い，家庭や社会での活動への復帰，再受傷の予防に努める.

文献

1） 馬庭壯吉，他：治療学—運動療法．久保俊一(編)：股関節学，pp292-299，金芳堂，2014
2） Alzahrani MM：Primary total hip arthroplasty：equivalent outcomes in low and high functioning patients. J Am Acad Orthop Surg 24：814-822, 2016
3） Sugano N, et al：The 2001 revised criteria for diagnosis, classification, and staging of idiopathic osteonecrosis of the femoral head. J Orthop Sci 7：601-605, 2002
4） Miyamoto RG, et al：Surgical management of hip fractures：an evidence-based review of the literature. I：femoral neck fractures. J Am Acad Orthop Surg 16：596-607, 2008
5） 塩田直史，他：成人の股関節疾患—大腿骨頸部骨折・大腿骨転子部骨折．久保俊一(編)：股関節学，pp660-678，金芳堂，2014
6） Kaplan K, et al：Surgical management of hip fractures：an evidence-based review of the literature. II：intertrochanteric fractures. J Am Acad Orthop Surg 16：665-673, 2008
7） 手術進入法はTHAの成績に影響するか．日本整形外科学会　日本股関節学会(監修)：変形性股関節症診療ガイドライン 2016　改訂第2版，pp196-199，2016
8） 菅野伸彦：3　特殊型　表面置換型人工股関節(適応症例，手術手技，ピットフォール)．菅野伸彦，久保俊一(編集)：人工股関節全置換術　改訂2版，pp231-235，2015
9） Romagnoli M, et al：The efficacy of dual-mobility cup in preventing dislocation after total hip arthroplasty：a systematic review and meta-analysis of comparative studies. Int Orthop 43：1071-1082, 2019
10） Cowie JG, et al：Return to work and sports after total hip replacement. Arch Orthop Trauma Surg 133：695-700, 2013
11） 大腿骨頚部/転子部骨折で入院中の多職種連携診療は有用か．日本整形外科学会　日本骨折治療学会(監修)：大腿骨頚部/転子部骨折診療ガイドライン 2021　改訂第3版，pp138-141，2021

（馬庭壯吉）

9 膝関節の疾患・外傷

変形性膝関節症

基本的な知識

概要

- 膝関節において関節軟骨の変性，骨の二次性増殖性変化，滑膜炎が生じ，慢性・進行性に変形をきたし臨床症状を呈する疾患である．
- わが国では40歳以上の男性の約40%，女性の約60%が罹患しているとされ，内側大腿脛骨関節に主病変があり，内反アライメントを呈する内側型関節症が85%以上を占める．
- 発症の危険因子として高齢，女性，肥満，膝外傷の既往，職業，下肢アライメント異常などが報告されている．
- ロコモティブシンドロームを引き起こす主要因の1つであり，転倒リスクが増大する．

症状と診断

- 主な臨床症状は疼痛，腫脹，関節水腫，関節可動域制限，関節変形，動揺関節である．
- 単純X線では関節裂隙の狭小化と骨棘形成，アライメント異常が典型的な所見である（図2-14a）．進行度分類としてKellgren Lawrence分類が最も一般的に使用されている．
- MRIでは軟骨病変，軟骨下骨の骨髄異常像，軟骨下骨陥凹，骨嚢腫，骨棘，半月板病変，靱帯変性，滑膜炎のなどの所見が観察され，それらをスコア化したwhole organ magnetic resonance imaging score（WORMS）法により病変の進行度評価が可能である．
- エコーは外来診療で簡便に行うことができ，関節水腫，滑膜増生，関節裂隙狭小化，半月（板）

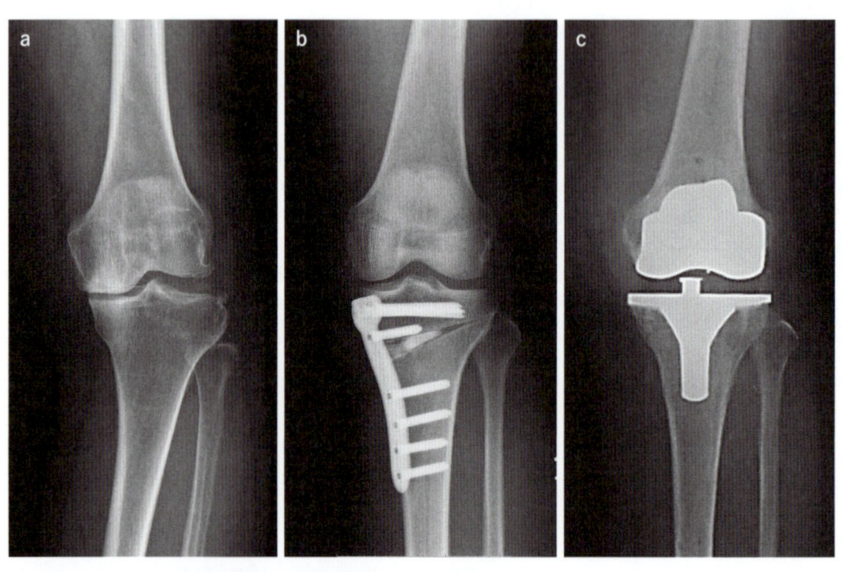

図2-14 変形性膝関節症の単純X線と手術治療

a：変形性膝関節症（内側関節裂隙の狭小化，骨棘形成，内反アライメント） b：高位脛骨骨切り術後 c：人工膝関節全置換術後．

逸脱，骨棘などの所見が得られる．
- 患者立脚型評価法として日本版膝 OA 機能評価（Japanese knee osteoarthritis measure；JKOM），knee injury and osteoarthritis outcome score（KOOS），knee society knee scoring system（KSS）などがある．

治療
- 保存療法：薬物療法として消炎鎮痛薬（内服・外用），神経障害性疼痛治療薬，ヒアルロン酸（関節腔内注射）が用いられる，運動療法として下肢筋力増強訓練，関節可動域訓練が行われる．内反アライメント矯正として外側楔状足底板の処方が，関節動揺に対して膝装具療法が行われる．
- 手術療法：高位脛骨骨切り術（high tibial osteotomy；HTO）は内反アライメントを伴う内側型関節症に対し適応がある．活動性の高い中高年で関節可動域がよく保たれている場合，術後成績は良好である（**図 2-14b**）．近年では近位脛骨での骨切り術に加え，遠位大腿骨での骨切り術，その両者を併用した骨切り術が報告されており，AKO（around knee osteotomy）と総称される．人工膝関節全置換術（total knee arthroplasty；TKA）は進行期～末期関節症に対して適応があり，良好な長期成績のためには正確な骨性アライメントと軟部組織バランスの獲得が必須である（**図 2-14c**）．術後のリハビリテーション治療を円滑に行うため，関節周囲カクテル注射，持続神経ブロックなどによる疼痛対策は有用である．

リハビリテーション診療のポイント

保存療法におけるリハビリテーション治療
- 疼痛や膝関節機能などの改善とともに，特に高齢者では歩行能力改善，転倒予防にも留意する．
- 筋力増強訓練は，膝関節周囲筋のみならず股関節周囲筋や体幹筋に対しても行うことが推奨される．
- 年齢，疼痛，体重，認知機能などを念頭に，訓練方法も OKC（open kinetic chain）と CKC（closed kinetic chain）を適宜選択して行う．
- 可能であれば歩行や自転車エルゴメーターによる持久力訓練，水中訓練なども取り入れ，筋持久力，全身持久力の改善も図る．

手術療法におけるリハビリテーション治療
高位脛骨骨切り術後
- 従来からの closing wedge 法に比較して，opening wedge 法ではロッキングプレートと人工骨補填剤の使用により術後のリハビリテーション治療が加速化され早期からの荷重が可能となった．
- 術前から自宅での訓練として関節可動域訓練，筋力増強訓練を指導する．
- 深部静脈血栓症の予防のため弾性ストッキングの装着や間欠的空気圧迫機器を使用するとともに，可能な限り早期より足関節自動底背屈運動を行わせる．
- 術翌日から持続的他動運動（continuous passive motion；CPM）による関節可動域訓練を開始し，徐々に他動的な徒手伸張訓練を追加する．伸展制限は成績不良因子となるため，早期に完全伸展の獲得を目指す．
- 下肢挙上訓練，大腿四頭筋の筋力増強訓練（パテラセッティング）を開始する．
- 術後 1～2 週より平行棒を使用した荷重歩行訓練を開始し，骨切り部の安定性や歩行能力に応じて歩行器歩行やT字杖歩行を行う．

- 若年症例では可能な限り発症前の生活様式への復帰を目指し，必要に応じて強度を上げた筋力増強訓練と持久力訓練を行う．

人工膝関節全置換術後

- 適応患者には高齢者が多いため，不動による合併症予防の観点からも，早期離床を目指したリハビリテーション治療を行う．
- 術前から自宅での訓練として関節可動域訓練と筋力増強訓練を指導する．
- 深部静脈血栓症の予防のため弾性ストッキングの装着や間欠的空気圧迫機器を使用するとともに，可能な限り早期より足関節自動底背屈運動を行わせる．
- 十分な疼痛管理下で，術翌日からCPMによる関節可動域訓練を開始し，徐々に他動的な徒手伸張訓練を追加する．術後1週間以内に膝関節完全伸展および屈曲90°の獲得を目指す．
- 下肢伸展挙上訓練，大腿四頭筋等尺性筋力増強訓練を開始する．順次股関節周囲筋，体幹筋筋力増強訓練を追加する．
- 術後3〜4日から平行棒内での起立・歩行訓練を開始し，歩行能力に応じて歩行器歩行やT字杖歩行を行う，
- 自宅退院の際には，居住環境や移動能力に応じて生活様式の変更や転倒予防対策を指導する．
- 術後にスポーツ活動への参加を希望する場合には，ウォーキング，自転車，ゴルフなどの低インパクトスポーツを推奨し，それに必要な筋力増強訓練と持久力訓練を追加する．

膝前十字靱帯損傷

基本的な知識

概要

- 大多数がスポーツ活動中の受傷であり，同一スポーツ内での比較では男性に比較して女性で2〜8倍高率に発生する．
- 着地，方向転換，停止といった急激な減速動作による非接触型損傷が多く，膝関節に発生する外反トルクが受傷メカニズムに関与する．
- 膝前十字靱帯（anterior cruciate ligament；ACL）は自然治癒能力に乏しいため，損傷放置例では前方不安定性が残存し，半月（板）や関節軟骨の二次的損傷をきたし，変形性膝関節症の早期発生リスクが増大する．

症状と診断

- 受傷後急性期の主な臨床症状は疼痛，腫脹，関節血腫，可動域制限，関節不安定性である．急性期症状の消退後は，スポーツ活動やADLで膝くずれ（giving way）が生じる．
- 前方引き出しテスト，Lachman test（図2-15），pivot-shift test（図2-16）などの徒手検査により，脛骨前方移動量の増大，脛骨前外側亜脱臼が認められれば診断が可能である．
- 単純X線では，脛骨外側顆の裂離骨折（Segond fracture），大腿骨外顆関節面の陥凹（lateral femoral notch sign）がみられる．
- MRIではACLの輝度変化・膨化像・途絶像，大腿骨外顆・脛骨外側高原の骨挫傷像，後十字靱

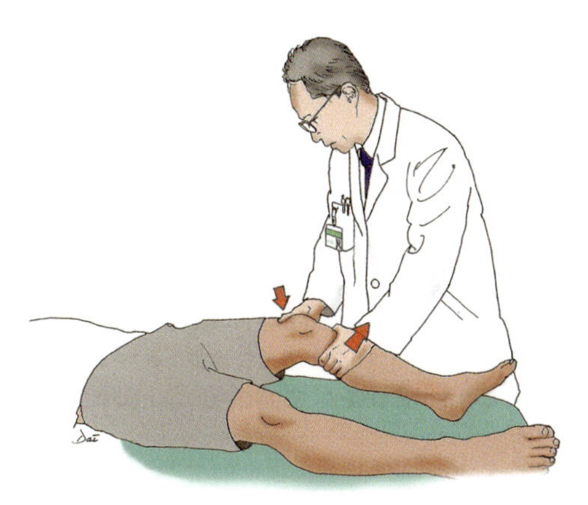

図 2-15 Lachman テスト
前十字靱帯断裂があると，脛骨の終点が触知できず過大に前方に引き出され，Lachman テスト陽性となる．

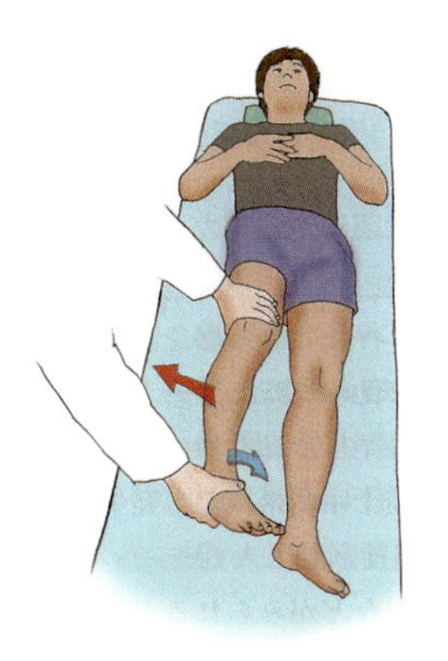
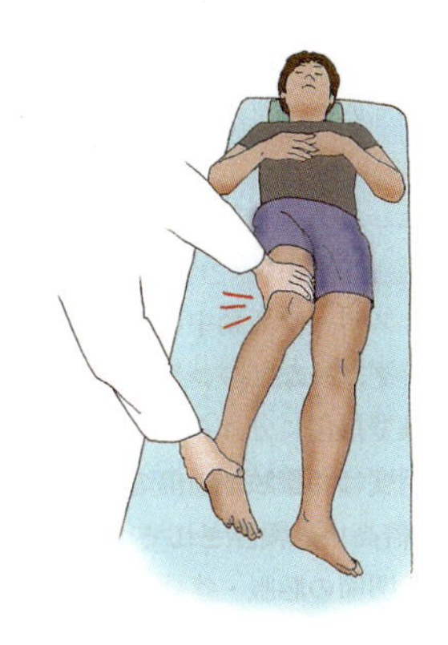

図 2-16 pivot-shift テスト
前外側回旋不安定性を評価する検査である．膝伸展位で膝外反・下腿内旋のストレスを加え，膝を屈曲させると 30° ほどでカクンと整復される．

帯の走行異常（PCL angle），外側半月後節の輝度変化が観察される．

治療

- 保存療法：小児の骨端線開存例においては，閉鎖後の待機手術を原則とし，保存療法が選択される．ACL 装具を処方し，膝関節に負担のかかるスポーツ活動は休止させる．半月（板）損傷や関節軟骨損傷を合併している場合には，骨端線温存手技による再建術を考慮する．
- 手術療法：骨端線閉鎖以降は再建術が第一選択となる．わが国では内側ハムストリングス腱あるいは骨付き膝蓋腱による自家移植腱を用いた再建術が一般的である．正常膝関節に近い機能を獲得するために，ACL 付着部内に移植骨孔を作製する解剖学的再建術が推奨される．

リハビリテーション診療のポイント

受傷後急性期におけるリハビリテーション治療

- 受傷直後は RICE 療法を行い，疼痛，腫脹の軽減を図る．
- 早期より積極的に関節可動域訓練と筋力増強訓練を行い，正常可動域および筋力の維持に努め再建術に備える．

再建術におけるリハビリテーション治療

- 術直後は膝伸展位で装具固定とし，大腿四頭筋等尺性筋力訓練を開始する．
- 膝伸展位固定のまま松葉杖による荷重歩行を開始し，2 週間以内に全荷重を許可する．
- 疼痛と腫脹の軽減後（通常は 1 週間以内），関節可動域訓練を開始し早期に完全伸展位の獲得を目指す．
- 術後 2 週から OKC と CKC を適宜選択した膝周囲筋の筋力増強訓練を進めるとともに，体幹安定化を意識した股関節周囲筋と体幹筋の筋力増強訓練を追加する．動作ごとに下肢アライメントや重心位置を確認し，正確な基本動作の習得を指導する．
- 術後 3 週から不安定板を用いたバランス訓練，自転車エルゴメーターによる持久力訓練を開始する．
- 術後3か月からスポーツに必要な基本的な動作の指導を下肢アライメントや重心位置に留意しながら行う．健側比70%以上の膝周囲筋筋力を獲得できればランニングを開始する．
- 術後4〜5か月で健側比80%以上の膝周囲筋筋力が獲得できればジャンプトレーニングを開始する．ステップ動作，カッティング・ターン動作，敏捷性訓練を随時追加する．
- スポーツ特異性を考慮し，受傷頻度の高い動作では姿勢制御や危険肢位回避による再損傷予防への意識づけを行う．
- スポーツ復帰には術後9〜12か月を要する．復帰後も再受傷予防訓練として体幹安定化訓練，バランス訓練の継続を指導する．

膝後十字靱帯損傷

基本的な知識

概要

- 膝屈曲位で下腿近位前面に後方への直達外力が加わることで発生する．スポーツでは衝突プレーの多いラグビーやアメリカンフットボール，柔道などの格闘技で発生頻度が高い．
- 後方不安定性が高度な例では後十字靱帯に加え後外側・後内側支持機構の損傷を高率に合併している．

症状と診断

- 急性期の主な臨床症状は疼痛，腫脹，関節血腫，可動域制限，関節不安定性である．理学所見として膝窩部の圧痛，sagging徴候，後方引き出しテスト陽性がみられる．
- Gravity sag viewによる単純X線で，脛骨後方変位量を測定し後方不安定性を評価する．中高齢者では脛骨付着部裂離骨折との鑑別を要する．
- MRIでは後十字靱帯（posterior cruciate ligament；PCL）の輝度変化・膨化像・途絶像がみられる．後外側・後内側支持機構の異常所見にも留意する．
- 後方不安定性が高度の場合や高エネルギー外傷による受傷では，神経・血管損傷の合併に注意する．血管損傷が疑われた場合には造影CTを行う．

治療

- 保存療法：多くのPCL単独損傷では，保存治療により後方不安定性を訴えることなく日常生活やスポーツに復帰可能である．PCL装具装着下の運動療法を行う．
- 手術療法：合併する後外側・後内側支持機構損傷は，可能な限り一期的に修復する．PCL損傷に対しては保存治療を行った後も不安定性を訴えるものに対して，自家ハムストリング腱あるいは骨付き膝蓋腱による再建術を行う．

リハビリテーション診療のポイント

受傷後急性期におけるリハビリテーション治療

- 受傷直後は RICE 療法を行い，疼痛，腫脹の軽減を図る．

保存療法におけるリハビリテーション治療

- RICE 療法を行い，急性期症状が鎮静した後，PCL 装具を装着して関節可動域訓練，荷重歩行訓練を開始するが，受傷後4週間は屈曲90° 以内にとどめ，PCL に過度な張力が加わるのを避ける．
- 大腿四頭筋の筋力増強訓練は等尺性収縮訓練から開始し，関節可動域の回復に応じて等張性訓練，漸増抵抗訓練を追加する．
- ハムストリングスの筋力増強訓練は伸展位での等尺性訓練から開始し，屈曲位での訓練は受傷後3 か月以降とする．
- スポーツ復帰を希望する場合は，受傷後 4 週でランニングを開始し，2〜3 か月での競技復帰を目指す．

再建術におけるリハビリテーション治療

- 術後 2 週間は膝関節伸展位固定とし，大腿四頭筋の筋力増強訓練，荷重歩行訓練を開始する．
- 術後 2 週以降は角度制限付き PCL 装具を装着し，1 週ごとに屈曲角度制限を 30° ずつ緩め関節可動域訓練を行う．
- 関節可動域の回復に応じて大腿四頭筋の等張性筋力増強訓練，漸増抵抗訓練を追加する．
- ハムストリングスの筋力増強訓練は伸展位での等尺性訓練を開始し，屈曲位での訓練は受傷後 3 か月以降とする．
- スポーツ復帰を希望する場合は，術後 3 か月でランニングを開始し，スポーツ特異的な動作を徐々に追加しながら 9〜12 か月後の競技復帰を目指す．

半月（板）損傷

基本的な知識

概要

- 半月（板）の機能として荷重伝達，衝撃吸収，潤滑，関節位置角，関節安定化があり，その機能低下により関節接触面積減少と接触圧増加が生じ，早期変形性膝関節症の発生リスクが増大する．
- 受傷機転には外傷による新鮮断裂，過用（オーバーユース）による損傷，加齢による変性変化などがあげられる．断裂形態にも縦断裂，横断裂，水平断裂，フラップ状断裂，バケツ柄断裂などがある．
- 関節包付着部周囲以外の大部分は無血行野であるため，一部の辺縁部断裂を除き自然治癒は期待できず，症状がある場合は手術療法が考慮される．

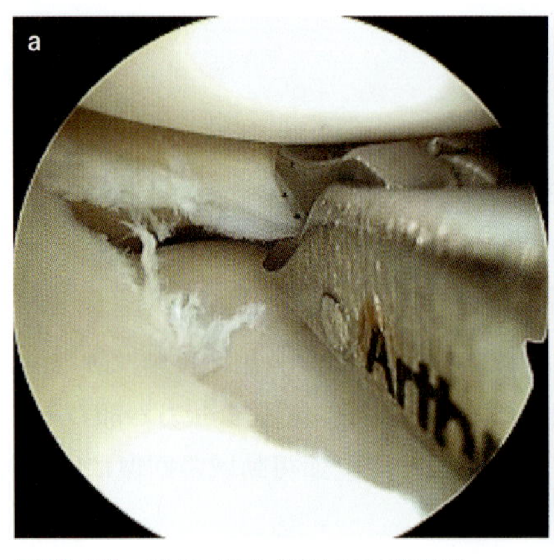

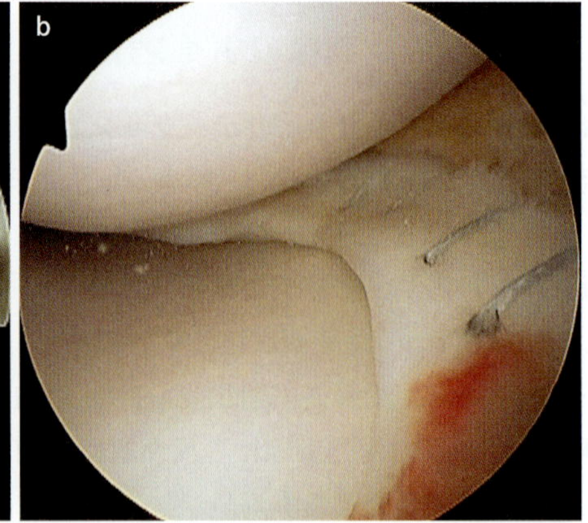

図 2-17　半月（板）損傷の手術療法

a：部分切除術，b：縫合術

症状と診断

- 主な臨床症状として疼痛，引っ掛かり感，関節可動域制限，ロッキング，関節水腫などがある．
- 徒手検査として McMurray test，Apley test などがあるものの特異度は低い．徒手検査のみによる確定診断は困難である．
- MRI は最も有用な診断方法であり，異常所見として半月（板）の輝度変化，転位像，欠損像，関節外への逸脱像などが描出される．

治療

- 保存療法：断裂部の治癒を目的とした保存療法は効果が期待できない．中高年以降で関節可動域制限やロッキング症状がなく，薬物投与や活動制限で症状の軽減が得られる場合に適応となる．
- 手術療法：損傷半月（板）の断裂形態，部位，範囲，変性所見に加え，年齢，発生からの期間，活動性，生活様式などを考慮し部分切除術か縫合術を選択する（図 2-17）．近年では半月（板）機能の温存が重視され，手術手技や器械の改良により縫合術が推奨されている．外側円板状半月（板）に対しては中心部の形成的部分切除を行い，温存した辺縁部の損傷に対しては縫合術を追加する．

リハビリテーション診療のポイント

受傷後急性期におけるリハビリテーション治療

- 外傷に伴って発生した半月（板）損傷に対しては，受傷直後から RICE 療法を行い疼痛や腫脹の軽減を図る．
- 疼痛，腫脹消退後は速やかに関節可動域訓練，膝周囲筋の筋力増強訓練を開始する．

手術療法におけるリハビリテーション治療

部分切除術後

- 術翌日より関節可動域訓練，膝周囲筋の筋力増強訓練を開始し，疼痛に応じて荷重歩行を許可する．

- スポーツ復帰を希望する場合は，OKC，CKC を行い，減速動作における衝撃吸収能を意識した膝周囲筋遠心性筋力訓練，体幹安定性を意識した股関節周囲筋および体幹筋の訓練を追加する．
- 術後 4～6 週で疼痛，腫脹の消退を確認できればランニングを許可する．
- ジャンプ，ターン，カッティングなどスポーツ特異的な動作を追加し，術後 3～4 か月を目安に競技スポーツへの復帰を目指す．
- 外側半月（板）や円板状半月（板）の切除術後では，急速な軟骨破壊や離断性骨軟骨炎の発生をきたすことがあり，不用意なリハビリテーション治療の短縮・加速化は禁物である．

縫合術後

- 縫合手技や部位・範囲に応じて，術後 2～3 週間は軽度屈曲位に装具で固定し，松葉杖による免荷歩行を行う．
- 早期から罹患関節以外の訓練として股関節周囲筋，体幹筋の筋力増強訓練を開始し，体幹の安定性の改善を図る．
- 固定除去後は関節可動域訓練，荷重歩行訓練を開始する．中後節を含む損傷例では，術後 3 か月間は荷重位での深屈曲は避けるように指導する．
- 膝周囲筋の筋力増強訓練は等尺性訓練から開始し，訓練法として OKC と CKC を適宜選択する．
- 術後 3 か月からジョギングを開始する．スポーツ特異的な動作を徐々に追加するとともに，極端な内外反や回旋肢位をとらないように動作指導を行う．
- 術後 6 か月を目安に無症状でスポーツ動作が行えるのを確認して競技スポーツへの復帰を許可する．
- 半月（板）縫合部の治癒には長期間を要する点を説明し，慎重なリハビリテーション治療により半月（板）に過度な負荷がかかることを避け，再断裂リスクの低減を図る．

膝関節周囲骨折

基本的な知識

- 膝関節周囲の骨折には，大腿骨顆上・顆部骨折，膝蓋骨骨折，脛骨近位部骨折などがある．
- 関節内骨折である場合が多く，手術療法が基本である．それぞれ代表的な分類があり，それに沿って手術術式を含む治療法が選択される．
- 関節面や内外反アライメントの整復不良は，二次性変形性膝関節症の発生リスクとなる．

症状と診断

- 受傷後急性期の主な臨床症状は疼痛，腫脹，可動域制限，変形，異常可動性がある．関節内骨折を有する場合は関節血腫がみられる．
- 単純 X 線により骨折線の部位，関節内骨折の有無，骨片の転位，アライメントを評価する．関節面の転位や粉砕骨折の程度は，3D-CT により正確に評価する．
- 転位の大きな骨折や高エネルギー外傷が疑われる場合には，神経・血管損傷や靱帯損傷の合併を疑い造影 CT や MRI を行う．

治療

- 保存療法：転位のない骨折では，ギプスや装具などの外固定を用いた保存治療が選択されることがある．長期の固定や免荷の期間を要するため，特別な理由がない限り積極的に選択されることは稀である．
- 創外固定術：開放骨折や軟部組織損傷が高度の場合には，創外固定器を用いた damage control orthopaedics を行い，二期的手術として骨接合術を計画する．
- 骨接合術：骨折部位や骨折形態に応じた内固定材料が選択される．関節面から骨幹端に及ぶ骨折にはロッキングプレート固定が頻用される．

リハビリテーション治療のポイント

受傷後急性期におけるリハビリテーション治療

- 受傷直後から RICE 療法を行い急性期の疼痛や腫脹の軽減を図る．
- 不動による合併症を防止するため，健側下肢自動運動，患側足関節・足趾の底背屈自動運動を行わせ，頭部挙上による体幹筋の筋力増強訓練を指導する．高齢者では呼吸器合併症予防として呼吸・喀痰訓練を指導する．

保存療法におけるリハビリテーション治療

- 外固定中は股関節，足関節，足趾の自動運動，健側下肢の筋力増強訓練を行う．
- 4〜6 週後に単純 X 線で仮骨形成がみられれば，外固定を除去し膝関節可動域訓練を開始する．
- 6〜8 週後から部分荷重を開始し，4 週間かけて全荷重まで進める．

骨接合術におけるリハビリテーション治療

- 術翌日から患側股関節，膝関節周囲筋の等尺性筋力訓練，CPM を用いた膝関節可動域訓練，足関節底背屈自動運動を開始する．頭部挙上による体幹筋の筋力増強訓練，健側下肢の関節可動域訓練や筋力増強訓練は継続する．
- 疼痛・腫脹の軽減後，股関節・膝関節の自動介助可動域訓練を追加する．
- 術後 2〜3 週から膝関節周囲筋の等張性筋力訓練を追加し，固定性に応じて漸増抵抗運動による筋力増強訓練を追加する．
- ロッキングプレート固定術では術後 3〜4 週から部分荷重歩行を開始し，2〜3 週間かけて全荷重歩行に移行する．
- 平地での 1 本杖歩行が安定したら，階段昇降，応用歩行を順次追加する．

文献

1) McAlindon TE, et al：OARSI guidelines for the non-surgical management of knee osteoarthritis. Osteoarthritis Cartilage 22：363-388, 2014
2) 千田益夫：推奨される運動療法．千田益夫(編)：変形性膝関節症の運動療法ガイド，pp76-87，日本医事新報社，2014
3) 久保充彦：リハビリテーション．石橋恭之，他(編)：パーフェクト人工膝関節置換術，pp142-144，金芳堂，2016
4) Malempati C, et al：Current rehabilitation concepts for anterior cruciate ligament surgery in athletes. Orthopedics 38：689-696, 2015

5) Ellman MB, et al：Return to play following anterior cruciate ligament reconstruction. J Am Acad Orthop Surg 23：283-296, 2015
6) Pierce CM, et al：Posterior cruciate ligament tears：functional and postoperative rehabilitation. Knee Surg Sports Traumatol Arthrosc 21：1071-1084, 2013
7) O' Donnell K：Rehabilitation protocols after isolated meniscal repair：A systematic review. Am J Sports Med 45：1687-1697, 2017
8) Cavanaugh JT：Rehabilitation of meniscal injury and surgery. J Knee Surg 27：459-478, 2014
9) Colton C, et al：AO surgery reference：online reference in clinical life(https://www2.aofoundation.org/wps/portal/surgery)

（津田英一）

10 足関節・足部の疾患・外傷

足関節靱帯損傷

基本的な知識

概要

- 多数のスポーツ種目において，スポーツ活動中に発生する外傷の中で最も頻度の高いものの 1 つである．
- 受傷機転の多くは足関節の回外位の強制であり，90％以上は外側靱帯損傷である．
- 底屈位で緊張が強くなる前距腓靱帯（anterior talofibular ligament；ATFL）の損傷頻度が最多であり，踵腓靱帯（calcaneofibular ligament；CFL）および後距腓靱帯（posterior talofibular ligament；PTFL）の単独損傷は稀である．
- 重症度はⅠ度（前距腓靱帯の部分断裂），Ⅱ度（前距腓靱帯単独の完全断裂），Ⅲ度（前距腓靱帯＋踵腓靱帯断裂）と分類される．

症状と診断

- 急性期の主な症状は損傷部位に一致した疼痛，腫脹，圧痛および関節可動域制限である．
- 徒手検査で前方引き出しテストのみ陽性の場合は ATFL 単独損傷，内反ストレステストも陽性の場合には ATFL と CFL の合併損傷である可能性が高い．
- 単純 X 線を用いて上記徒手検査を行い，それぞれ距骨前方移動量，距骨傾斜角の患健側差を計測し不安定性を評価する．
- 足関節部の骨折との鑑別には，OAR（Ottawa ankle rules）が有用である．①受傷直後に 4 歩以上の歩行不可，②外果または内果の遠位 6 cm 以内に圧痛のいずれかがあれば，骨折の疑いがあるため単純 X 線検査を行う．
- 疼痛が遷延する場合には，骨軟骨損傷の合併を疑い MRI を検討する．

治療

- 保存療法：原則として新鮮例では保存療法が第一選択となる．
- 手術療法：新鮮例でもアスリートの ATFL と CFL の合併損傷では手術療法を検討する．手術は Broström-Gould 法に代表される残存した靱帯を腓骨に縫合する修復術が一般的である．残存靱帯の質が悪い例では再建術を行う．

リハビリテーション診療のポイント

受傷後急性期におけるリハビリテーション治療

- 受傷直後は RICE 療法を行い，疼痛，腫脹の軽減を図る．受傷直後のアイシングや U 字パッドを用いた局所圧迫は，早期の機能回復やスポーツ復帰に有効である．

保存療法におけるリハビリテーション治療

- RICE 療法に引き続き，重症度に応じて固定を継続する．疼痛に応じて適宜松葉杖などを使用し，可及的早期より疼痛に応じて荷重を許可する．
- 急性期の症状が消退した時点（通常受傷後 1 週間以内）で固定を除去し，底背屈運動を許容しつつ内外反制動効果を有する短下肢軟性装具やテーピングに変更する．
- 装具装着下に底背屈筋力増強訓練，バランス訓練を開始する．関節可動域訓練も行う．
- スポーツ復帰を希望する場合は，受傷後 2〜3 週でランニング，ジャンプ動作・ステップ動作訓練を追加する．
- 再発予防として足関節周囲筋筋力増強訓練，バランス訓練，体幹筋の筋力増強訓練を追加し 4〜6 週での競技復帰を目指す．
- 十分なリハビリテーション治療を受けることなく早急にスポーツ復帰すると，再受傷や giving way を繰り返し，慢性足関節不安定性（chronic ankle instability；CAI）へと移行しやすい．

修復術におけるリハビリテーション治療

- 術後は足関節の固定ギプスを 4 週間装着する．ギプス内で等尺性筋力訓練を開始する．
- 術後 2 週からギプス固定のまま荷重歩行を許可する．
- ギプス除去後は短下肢軟性装具とし，足関節可動域訓練，底背屈筋力増強訓練，バランス訓練を行う．
- スポーツ復帰を希望する場合は，再発予防も兼ねて術後 4 週から足関節内外反筋力増強訓練，体幹筋の筋力増強訓練を行う．
- 術後 6 週からランニング，ジャンプ動作・ステップ動作訓練を追加し，8〜12 週での競技復帰を目指す．

アキレス腱断裂

基本的な知識

概要

- スポーツ活動中に発生することが多く，ジャンプやダッシュ，蹴り出しなど下腿三頭筋が急激に収縮すること，あるいは着地や踏み込みで下腿三頭筋の収縮下に足関節が背屈強制されることにより発生する．
- 中高年のレクリエーションスポーツで好発し，加齢に伴う血管の減少，コラーゲン線維の変化が発生に関与している．

症状と診断

- 受傷時にはアキレス腱部に衝撃感，断裂感を伴って疼痛が出現する．
- 視診，触診では断裂部位に一致して皮下の陥凹が観察・触知される．
- 足関節の自動底屈は可能なこともあるが著明な筋力低下を示し，つま先立ちが不能となる．
- Thompson squeeze test が陽性となる．患者を腹臥位として下腿三頭筋を握ると，正常では足関節が底屈するが，患肢では底屈がみられない．

治療

- 保存療法：最終的な関節可動域と下腿三頭筋の筋力には保存療法と手術療法で差はないとされており，積極的なスポーツ復帰を希望しない患者には保存療法が推奨される．再断裂率は，従来からのギプス固定による治療では手術療法と比較して高率であったが，早期運動療法（荷重・可動域訓練）により同等程度に改善している．
- 手術療法：手術療法では，下腿三頭筋の筋萎縮，腱延長による筋力低下などの可能性が低いため，競技レベルのスポーツ選手には手術療法が推奨される．

リハビリテーション診療のポイント

受傷後急性期におけるリハビリテーション治療

- 受傷直後は RICE 療法を行い，疼痛，腫脹の軽減を図る．

保存療法におけるリハビリテーション治療

- 4 週間のギプス固定を行う．
- 足趾屈筋群，膝関節・股関節周囲筋の筋力増強訓練を開始する．
- 受傷 2 週後からギプス固定のまま荷重歩行を開始する．
- ギプス除去後は足関節可動域訓練を開始し，ヒール型足底装具を装着し，荷重歩行を許可する．
- 受傷後 2 か月より踵上げ訓練（カーフレイズ）による下腿三頭筋訓練を開始する．降下時には緩徐に踵を戻すようにし，下腿三頭筋の遠心性収縮訓練も兼ねる．

縫合術におけるリハビリテーション治療

- 術後は 4 週間の短下肢ギプス固定を行う．
- 足趾屈筋群，膝関節・股関節周囲筋の筋力増強訓練を開始する．
- 術後 2 週後からギプス固定のまま荷重歩行を開始する．
- ギプス除去後は足関節可動域訓練，下腿三頭筋のストレッチを開始し，ヒール型足底装具による歩行とする．
- 術後 2 か月から，カーフレイズによる下腿三頭筋訓練を開始する．
- スポーツ復帰希望者では早期から罹患部以外の訓練を追加し，術後 2 か月よりランニングを開始する．
- 術後 3～4 か月を目安に，片脚カーフレイズが健側と同等に行えるのを確認し徐々にスポーツ動作の訓練を追加する．術後6か月以降のスポーツ復帰を目指す．

足関節周囲骨折

基本的な知識

原因・病態

- 足関節果部骨折は発生頻度の高い骨折の1つであり，足関節部に加わった外力の方向によって，外果・内果・後果の骨折や三角靱帯，脛腓骨靱帯結合（tibiofibular syndesmosis）などの損傷が組み合わさって発生する．
- 脛骨関節面荷重部の骨折である脛骨天蓋骨折はPilon骨折とも呼ばれ，高エネルギー外傷による軸圧によって発生する．足関節周囲の軟部組織損傷を伴うことが多い．

症状と診断

- 急性期の臨床症状は足関節の疼痛，腫脹，変形および異常可動性である．
- X線検査により，骨折線の部位，骨片の転位，アライメントを評価する．関節面の転位や粉砕骨折の程度は3D-CTにより正確に評価できる．

治療

- 保存療法：転位のない果部骨折ではギプスや装具による外固定を選択する．
- 創外固定術：軟部組織損傷が高度な脛骨天蓋骨折では，創外固定器を用いたdamage control orthopaedicsを行い，二期的手術として内固定法による骨接合術を計画する．
- 骨接合術：転位を伴う果部骨折ではKirschner鋼線やスクリュー，プレートによる，脛骨天蓋骨折ではロッキングプレートによる内固定術が選択される．

リハビリテーション診療のポイント

受傷後急性期におけるリハビリテーション治療

- 受傷直後はRICE療法を行い，疼痛，腫脹の軽減を図る．
- 早期より足趾の自動底背屈訓練を開始する．

保存療法におけるリハビリテーション治療

- 3～4週間のギプス固定を行う．疼痛消退後はギプス固定のまま荷重歩行を開始して筋萎縮の予防に努める．足趾の自動底背屈訓練を継続する．
- ギプス固定除去後は足関節軟性装具を装着し，足関節可動域訓練を開始する．
- 筋力増強訓練は底背屈の等張性訓練から開始し，徐々に漸増抵抗訓練および内外反の筋力増強訓練も追加する．
- スポーツ復帰希望がある場合は早期から罹患部位以外の訓練を追加し．受傷後8～12週でランニングから開始し，各種スポーツ動作を順次許可する．

手術療法におけるリハビリテーション治療

果部骨折骨接合術後

- 術後早期より足趾の自動底背屈運動を開始する．疼痛，腫脹の消退後は速やかに足関節可動域訓練，荷重歩行を開始する．
- 筋力増強訓練は底背屈の等尺性訓練から開始し，順次，等張性訓練，漸増抵抗訓練および内外反の筋力増強訓練も追加する．
- スポーツ復帰希望がある場合は早期から罹患部位以外の訓練を追加し，受傷後 8〜12 週でランニングから開始し，各種スポーツ動作を順次許可する．

脛骨天蓋骨折（Pilon 骨折）骨接合術後

- 術後早期より足趾の自動底背屈訓練を開始する．薬物による疼痛管理下に足関節可動域訓練を開始し関節拘縮の発生を予防する．
- 筋力増強訓練は底背屈の等尺性訓練から開始し，順次，等張性訓練，漸増抵抗訓練および内外反の筋力増強訓練も追加する．
- 固定部の安定性に応じて術後 4〜6 週から部分荷重歩行を開始し，3〜4 週かけて全荷重に移行する．
- 免荷期間中は膝関節・股関節周囲筋の筋力増強訓練を追加する．

外反母趾

基本的な知識

概要

- 外反母趾は，第 1 中足骨の内反および基節骨の外反により，母趾中足趾節関節（metatarsophalangeal joint；MTP 関節）が内側に突出する変形である．母趾列の回内を伴うことも多く，複合的な変形を呈する．
- 外因性要因には，ヒールが高くつま先が細くなっている靴の習慣的な着用がある．内因性要因には，遺伝的素因（家族内発生）や，エジプト型足趾（母趾が第 2 趾より長い），扁平足や開張足などの変形がある．中高年の女性に好発する．

症状と診断

- 臨床症状として母趾 MTP 関節の内側突出，疼痛，発赤，腫脹がある．
- 第 2〜5 趾の MTP 関節底側および第 2 趾 PIP 関節背側に有痛性胼胝形成がみられる．
- 立位正面の単純 X 線で，外反母趾（hallux valgus；HV）角と第 1・2 中足骨間（first/second intermetatarsal；M1M2）角を計測する．一般的には HV 角 20° 以上を外反母趾と診断する．

治療

- 保存療法：靴の指導を行う．疼痛に対しては消炎鎮痛薬（内服・外用）の投与を行う．リハビリテーション治療としては足底装具・外反母趾矯正装具療法，歩行補助具の使用，母趾外転筋の筋力増強訓練がある．
- 手術療法：多くの術式が報告されており，手術手技により軟部組織解離術，骨切り術，関節形成術，関節固定術に大別される．わが国では軟部組織解離術と骨切り術の併用が多い．

リハビリテーション診療のポイント

保存療法におけるリハビリテーション治療

- 高齢者では転倒予防の観点から歩行補助具の使用をすすめる．
- つま先のゆったりとしたヒールの低い靴の使用を指導する．
- 扁平足に対してアーチサポート，胼胝に対して中足骨パッドを処方する．
- 母趾外転筋の機能低下に対して母趾外転筋の筋力増強訓練を行う．
- 第1 MTP 関節外側関節包の拘縮，母趾内転筋の短縮に対してストレッチを行う．

骨切り術におけるリハビリテーション治療

- 術後4週間はギプス固定を行い，免荷歩行とする．
- 早期から膝関節・股関節周囲筋の筋力増強訓練を開始する．
- ギプス除去後はアーチサポートを装着し荷重歩行を開始する．足趾および足関節の関節可動域訓練を開始する．
- 術後8週から積極的な前足部での荷重訓練を開始する．再発予防として母趾外転筋の筋力増強訓練を指導する．

変形性足関節症

基本的な知識

概要

- 足関節は靱帯損傷や骨折などの外傷発生頻度が高いため，変形性足関節症の約80％が二次性関節症である．
- 一次性関節症である内反型，外反型は中年以降の女性に多く，両側性に発生する．

症状と診断

- 一般的な症状は疼痛，腫脹，関節可動域制限であるが，一次性関節症では末期になるまで関節可動域は温存される．
- 単純X線では，関節裂隙の狭小化，軟骨下骨の骨硬化像，関節面の不整，骨棘形成がみられる．内反型関節症では脛骨関節面の内反，前方開きがみられ，正面天蓋角および側面天蓋角は減少する．

治療

- 保存療法：疼痛に対して消炎鎮痛薬（内服・外用）の投与を行う．リハビリテーション治療としては足底板，足関節装具の装着，歩行補助具の使用指導，下肢筋力増強訓練を行う．
- 手術療法：進行期では，アライメント矯正を目的とした下位脛骨骨切り術が，末期では足関節固定術が適応となる．関節面の適合性が保たれている例では侵襲の低い関節鏡視下固定術が推奨される．近年，わが国でも人工足関節全置換術（total ankle arthroplasty；TAA）が選択される場合が徐々に増加しつつある．

リハビリテーション診療のポイント

保存療法におけるリハビリテーション治療

- 疼痛増悪時には杖使用による免荷指導を行い，内側型には外側楔状足底板，扁平足を伴う外反型にはアーチサポート，靱帯損傷による関節動揺性に対しては足関節装具を処方する．
- 足関節底背屈筋に加え，内反型では腓骨筋群，外反型では後脛骨筋の筋力増強訓練を行う．高齢者では転倒予防の観点から膝関節・股関節周囲筋および体幹筋の筋力増強訓練を追加する．
- 足部の機能改善のため前足部のモビライゼーション，足趾屈筋群の筋力増強訓練を行う．

鏡視下足関節固定術におけるリハビリテーション治療

- 術後は 4 週間のギプス固定を行う．
- 術後早期より足趾の自動底背屈訓練，足関節底背屈の等尺性筋力訓練を開始する．膝関節・股関節周囲筋および体幹筋の筋力増強訓練を追加する．
- ギプス除去後は足関節装具装着とし，部分荷重歩行を開始する．症状に応じて 2～3 週間で全荷重とする．
- 前足部のモビライゼーション，足趾屈筋群の筋力増強訓練を開始する．
- 単純 X 線で完全な骨癒合が得られるまでは，歩行時の足関節装具装着，T 字杖使用を継続するよう指導する．

文献

1) Doherty C, et al：Treatment and prevention of acute and recurrent ankle sprain：an overview of systematic reviews with meta-analysis. Br J Sports Med 51：113-125, 2017
2) Verhagen E, at al：Acute ankle injuries. Brukner P, et al(eds)：Clinical Sports Medicine, 4th ed., pp806-827, McGraw-Hill Education, Australia, 2011
3) McCormack R, et al：Early functional rehabilitation or cast immobilisation for the postoperative management of acute Achilles tendon rupture? A systematic review and meta-analysis of randomised controlled trials. Br J Sports Med 49：1329-1335, 2015
4) Huang J, et al：Rehabilitation regimen after surgical treatment of acute Achilles tendon ruptures：a systematic review with meta-analysis. Am J Sports Med 43：1008-1106, 2015
5) Lin CW, et al：Rehabilitation for ankle fractures in adults. Cochrane Database Syst Rev 11：CD005595, 2012
6) Bloch B, et al：Current concepts in the management of ankle osteoarthritis：a systematic review. J Foot Ankle Surg 54：932-939, 2015
7) Nix SE, et al：Characteristics of foot structure and footwear associated with hallux valgus：a systematic review. Osteoarthritis Cartilage 20：1059-1074, 2012
8) 小松　史：外反母趾．越智光夫(編)：カラーアトラス膝・足の外科，pp411-425，中外医学社，2010

（大橋鈴世）

11 脊椎疾患

- 脊椎疾患は先天性疾患，成長に伴い生じる疾患，変性疾患，外傷など多岐にわたる．本項では，リハビリテーション診療で多く遭遇する変性疾患について記す．

脊椎変性疾患の基本的な知識

- 脊椎の変性は椎間板から始まる．力学的ストレスや加齢によって髄核を囲む線維輪に亀裂が入り，椎間板中央に位置する髄核から水分が失われる．分子レベルでは水分保持能を有する髄核内のプロテオグリカンが減少する．
- 変性の進行とともに荷重に対する椎間板の支持性は低下し，椎間板は高さを次第に減じながら脊柱管内に膨隆する．
- 椎間板変性の進行に伴い，後方の椎間関節では，力学的ストレスが加わり四肢の関節にみられる変形性関節症と同様の変化が生じて関節軟骨の摩耗や骨棘の形成が生じる．黄色靱帯は肥厚して椎体間の制動に働く．
- 加齢に伴う脊椎の変化を脊椎症性変化と呼び，その過程で脊椎の可動域制限や痛みなどが生じた状態が変形性脊椎症であり，高位により，変形性頚椎症・胸椎症・腰椎症と呼ぶ．
- 椎間板変性の進行とともに椎間安定性は損なわれるが，自然経過のなかで骨棘の形成や椎骨周囲の靱帯の肥厚，椎間関節の拘縮などにより安定性が回復することがある．

頚椎の変性疾患（頚椎椎間板症，頚椎椎間板ヘルニア，頚椎症性神経根症，頚椎症性脊髄症）

基本的な知識

病態

- 頚椎椎間板の変性により，荷重を緩衝する機能が失われて後頚部～背部・肩の疼痛や凝りが生じる疾患を頚椎椎間板症と呼ぶ．
- 髄核が線維輪を穿破して脊柱管に突出し，脊髄や神経根が圧迫を受け症状をきたす疾患が頚椎椎間板ヘルニアである．
- 変形性頚椎症では，加齢とともに椎間板の膨隆や靱帯の肥厚，椎間関節の関節症変化が進み，脊柱管の狭小化をきたすことで圧迫性脊髄症が生じやすくなる．動的因子の存在が神経症状の発症や増悪に大きく関与する．
- 頚椎椎間板ヘルニア・変形性頚椎症のいずれも，脊髄症・神経根症を惹起しうる．変形性頚椎症により脊髄症・神経根症をきたした状態を頚椎症性脊髄症・頚椎症性神経根症と呼ぶ．
- 頚椎椎間板ヘルニアや頚椎症脊髄症は，頚椎の運動時に最も負荷が集中するC5/6が責任高位になることが多い．
- 負荷が集中した椎間板では変性が進み，椎体間の可動性が失われる．頚椎への力学的負担が隣接する上位の椎間板へ集中すると同じ変化が生じ，頚椎全体の可動域は徐々に制限されていく．最後まで可動性が保たれる椎体間の高位が，高齢者の脊髄症の責任高位になることが多い．
- 後縦靱帯が肥厚・骨化し，脊髄を圧迫することで脊髄症を呈するのが頚椎後縦靱帯骨化症である．原因は明らかでなく，厚生労働省の指定難病に認定されている．遺伝的背景が指摘されており，頚椎後縦靱帯骨化症は日本人男性に多い．骨化は緩徐に進むため，脊髄に高度な圧迫があっても無症状であることも多い．

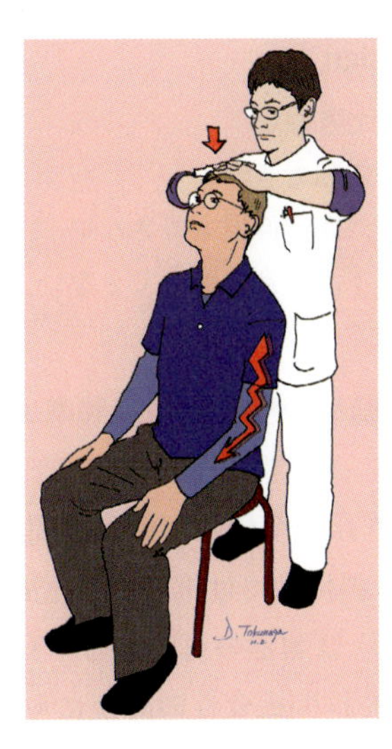

図 2-18　Jackson テスト
Jackson テストでは，頚椎をやや後屈位として頭部を圧迫させて，患側上肢の放散痛の有無を判定する．Spurling テスト（頚椎を患側に後側屈させて軸圧を加える）とともに，よく行われる．ただし，痛みは恐怖や不安を助長するので，このような疼痛誘発試験は，過度に行わないように注意が必要である．

症状

- 頚椎疾患の症状は，筋の過緊張や骨の破壊・支持性の低下による疼痛などの症状と，脊柱管や椎間孔で神経が障害される脊髄症・神経根症による症状とに大きく分けられる．脊髄症は，長索路症状と髄節症状からなる〔各論 3「脊髄損傷」（⇒ 206 頁）参照〕．
- 脊髄症では，上肢の巧緻運動障害として手指の伸展障害が目立ち，箸の使用やボタンかけがしにくくなる．階段昇降に手すりが必要となり，痙性歩行を呈する．
- 長索路症状がなく，片側上肢に感覚障害を伴わない著明な筋力低下・筋萎縮が急速に出現することがある．若年では前腕尺側から手部（oblique atrophy，平山病）に，成人では C5 支配筋（Keegan 型麻痺，頚椎症性筋萎縮症）に症状が生じることが多い．
- 神経根症の症状は髄節症状に類似するが，疼痛が強いこと，片側性であること，筋萎縮が出現しやすいことが特徴である．

診断

- 問診や身体診察所見（神経学的所見）から原因や障害高位を推測した上で画像診断を行う．
- 後頚部を中心とした疼痛を訴え，臥位で軽減する場合は頚椎の支持性の低下が原因であることが多く，椎間板や骨の病変を疑う．
- 前屈で増強する疼痛は頚椎前方に位置する椎間板の障害，後屈で増強する疼痛は後屈位で狭窄が強くなる椎間孔での神経根の圧迫を疑う．
- 神経根症では障害されている神経根の感覚支配領域の疼痛や感覚障害，支配筋の筋力低下が生じる．
- 頚椎伸展位で軸圧をかける Jackson テスト（図 2-18）や，側屈位で軸圧をかける Spurling テストで感覚支配領域への放散痛が生じることが多い．
- 脊髄症では運動感覚障害，排尿排便障害などが生じ，痙性麻痺，深部腱反射の亢進，病的反射の発現などの錐体路障害を呈することが多い．
- 脊髄症による上肢の巧緻性の診断には，10 秒テスト（20 回以下は異常），finger escape sign（表 2-1）が用いられる．後索障害の診断には，Romberg テスト，Mann テストが用いられる．客観的評価としては timed up and go test，片脚起立時間などが用いられる．

表 2-1　Finger escape sign

0	小指の内転位が維持できない
1	小指または環小指が内転できない
2	環小指が内転できず，完全伸展もできない
3	中環小指が内転できず，完全伸展もできない

- 脊髄症の全般評価には，日本整形外科学会頚髄症治療成績判定基準（JOACMEQ），Nurick score などが用いられる．
- 単純X線では，正面像と側面像で頭蓋を含めた頚椎全体の配列，椎間板腔の高さ，骨性脊柱管の前後径，骨棘や靱帯骨化などをチェックする．斜位像では椎間孔と椎間関節の形状がよくわかる．
- 前屈位・後屈位での側面からの撮影（機能撮影）は頚椎の可動域と不安定性の評価に用いる．
- MRI は脊髄の評価に用いるが，骨の質的評価や椎間板変性の評価にも適している．
- CT は，骨病変の評価や術前のシミュレーションに広く使われている．3D 再構築像があれば頚椎全体を立体的に把握することができる．
- 高齢者では変性の進行に伴う脊髄の圧迫所見を認めても，無症状であることも多く，診断は神経学的所見を重視して画像診断は補助的に用いる．

治療

保存療法

- 神経症状を伴わない疼痛に対しては，消炎鎮痛薬や筋弛緩薬などによる薬物療法や頚椎カラーを使った装具療法が選択される．明確な圧痛を認める症例ではトリガーポイント注射が奏効することがある．
- 神経根症による激しい上肢痛に対し，X線透視下またはエコーガイド下に神経根ブロックを行うことがある．

手術療法

- 脊髄症において運動・感覚機能障害，排尿排便障害，巧緻運動障害，歩行障害などが出現し日常生活に支障をきたす場合は手術療法を考慮する．神経根症では保存療法で効果が得られない場合に手術療法が考慮される．
- 頚髄や神経根の圧迫に対し，術後管理が比較的容易な椎弓形成術などの後方除圧術が選択されることが多い．

リハビリテーション診療のポイント

保存療法におけるリハビリテーション治療

- 装具療法は，疼痛の軽減や軽度の脊髄症の改善に有効である．頚椎が軽度前屈位となるよう頚椎カラーを装着させ，日常生活で頚椎を後屈しないよう指導する．

手術療法におけるリハビリテーション治療

- 術直後から体幹や四肢の筋力増強訓練，拘縮予防を目的とした関節可動域訓練などを開始する．
- 手術症例のほとんどが四肢の運動機能障害を伴っており，評価・診断の上，筋力増強訓練，巧緻運動機能訓練，歩行訓練など必要な訓練を行う．
- 頚椎後方手術後の患者は，肩をすぼめて顔を前方に突き出すような不良姿勢をとることが多い．このような姿勢は後頚部や肩の疼痛や凝りの原因になるので，両肩を引いて胸を張り，目線をあげるよう指導する．
- 神経根や脊髄に由来しない脊柱軸に沿った痛みを軸性疼痛と呼ぶ．術後長期間の固定が軸性疼痛の原因の 1 つとされ，頚椎カラーの除去後は頚椎の自動運動を積極的に行う．
- 頚椎カラー装着下では頚椎前屈が制限されるため，足元を見ることができない．転倒事故が起きないよう配慮する．頚椎椎弓形成術では長期の外固定は不要とされている．

胸椎の疾患（胸椎後縦靱帯骨化症，胸椎黄色靱帯骨化症）

基本的な知識

病態

- 胸椎は肋骨や胸骨と供に胸郭を形成している．椎体間の可動範囲は狭く，経年的な変性所見を認めることは少ない．
- 胸椎に生じる主な疾患は，胸椎椎間板ヘルニア，胸椎後縦靱帯・黄色靱帯骨化症，脊髄腫瘍，がんの骨転移や化膿性脊椎炎などである．
- 胸椎後縦靱帯骨化症は頚椎後縦靱帯骨化症とは異なり女性に多い．胸椎黄色靱帯骨化症では，胸椎に繰り返し加わる外力が発生の誘因になることがある．

症状

- 胸椎疾患では胸髄症による下肢のしびれ感や歩行障害で発症することが多い．
- 胸髄症では髄節症状が乏しく，長索路症状が中心である．
- 胸椎レベルに位置する脊髄円錐部・円錐上部には，狭い範囲に多くの髄節が存在するため，この部位が障害されると下垂足や排尿排便障害を含めた多彩な神経症状が出現する．

診断

- 腰椎疾患と同じく，下肢の運動感覚障害や歩行障害をきたすが，痙性歩行や深部腱反射の亢進を認めれば胸髄症の可能性が高い．
- 画像診断では単純 X 線だけで評価することは難しい．両下肢に錐体路症状を呈し，上肢の症状を欠くときには胸髄症を疑い，MRI を撮像する．
- CT は骨腫瘍や化膿性・結核性脊椎炎の診断，靱帯骨化症での骨化巣の評価に適する．

治療

保存療法

- 胸椎疾患で保存療法の適応となるのは，抗菌薬の投与や化学療法の効果が見込める化膿性・結核性脊椎炎，血液がん，手術の適応とならない転移性骨腫瘍などである．
- 脊髄動静脈瘻や動静脈奇形では，血管造影検査と同時に血管内治療が行われることが多い．

手術療法

- 椎弓切除術により脊柱管後方から脊髄の除圧を行うことが多い．除圧操作によって脊椎後方の支持組織に大きな侵襲が加わるときには固定術を追加する．
- 支持性が低下した症例では，インストゥルメンテーション手術が選択される．低侵襲術式として経皮的椎弓根スクリュー（percutaneous pedicle screw；PPS）が普及しており，化膿性脊椎炎や転移性骨腫瘍に対しても適応が広がりつつある．

リハビリテーション診療のポイント

保存療法におけるリハビリテーション治療

- 疼痛を軽減させ，骨破壊の進行を防ぐために硬性コルセットによる装具療法が行われる．

手術療法におけるリハビリテーション治療

- 四肢の筋力増強訓練と拘縮予防を目的とする下肢関節可動域訓練，歩行訓練などを直ちに開始する．独歩が可能になれば，階段昇降などの応用歩行訓練を行い，ADL の自立につなげる．
- 下肢筋力の低下により安定した歩行が難しい場合は，筋力低下の程度に合わせた下肢装具を積極的に処方し歩行訓練を進める．
- 痙縮が強い場合は，ボツリヌス療法や髄腔内バクロフェン療法〔intrathecal baclofen（ITB）therapy〕を考慮する．

腰椎疾患（腰痛症，腰椎椎間板ヘルニア，腰部脊柱管狭窄症）

基本的な知識

病態

- 腰椎疾患は，日常生活で最も負担がかかる L4/5 高位に好発する．
- 腰椎疾患の症状は腰痛のほか，脊柱管内や椎間孔内・外で神経を圧迫・刺激することによる下肢の痛みや運動感覚障害，排尿排便障害が中心となる．
- 腰痛は，さまざまな病態によって生じるが，原因を特定できない腰痛を腰痛症，または非特異性腰痛と呼んでいる．急性腰痛症は，数日～数週間で改善することが多いが，発症後 3 か月以上持続する場合は慢性腰痛とする．
- 椎間板変性に伴う支持性や荷重緩衝機能の低下により腰痛が生じる病態を腰椎椎間板症と呼ぶ．
- 腰椎椎間板ヘルニアは，膨隆型（髄核が線維輪を穿破していない），突出型（髄核が線維輪を穿破し，硬膜外腔に達する），遊離型（硬膜外腔で髄核が椎間板と遊離する）に大別される（図 2-19）．後縦靱帯を穿破した髄核に対しては吸収機転がはたらき，2～3 か月で縮小することがある．
- 椎間板の膨隆，椎体後縁の骨棘，椎間関節の肥大，黄色靱帯の肥厚などによって脊柱管や椎間孔に狭窄が生じ，神経が圧迫を受け症状をきたすのが腰部脊柱管狭窄症である．脊柱管の断面積は前屈位で広がり，後屈位で狭くなるため，症状も姿勢によって変化する．

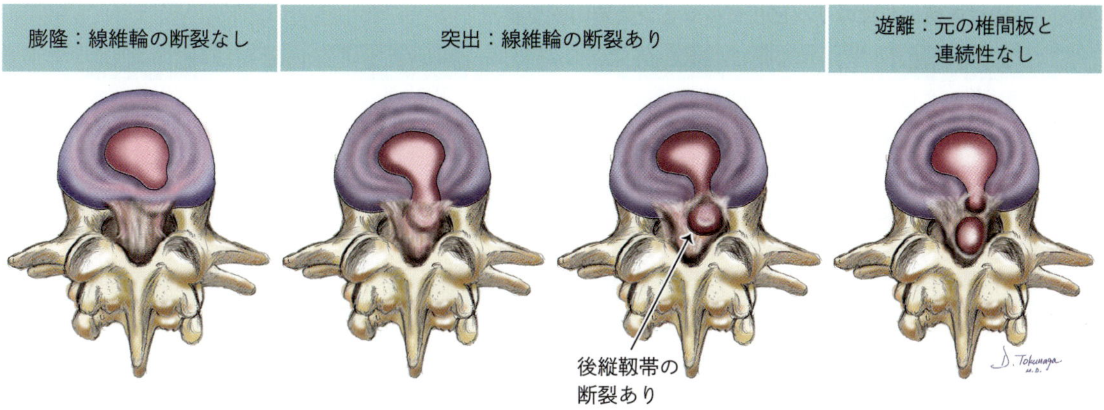

膨隆：線維輪の断裂なし
突出：線維輪の断裂あり
遊離：元の椎間板と連続性なし
後縦靱帯の断裂あり

図 2-19　腰椎椎間板ヘルニアの分類

表 2-2　重篤な脊椎疾患を疑う red flags

・発症年齢 < 20 歳または > 55 歳	・体重減少
・時間や活動性に関係ない腰痛	・広範囲に及ぶ神経症状
・胸部痛	・構築性脊柱変形
・がん，ステロイド治療，HIV 感染の既往	・発熱
・栄養不良	

症状

- 腰椎椎間板症では，椎間板の内圧が上昇する座位・立位前屈位の持続や姿勢変換時に腰痛をきたすが，動き始めると疼痛が軽減することが多い．
- 腰椎椎間板ヘルニアでは，ヘルニアが脊柱管の正中に突出した場合は腰痛が主症状となり，傍正中に突出した場合は臀部〜下肢痛が主な症状となる．神経根が強く障害されると，神経根の感覚支配領域の疼痛や感覚障害，支配筋の筋力低下が生じる．
- 腰部脊柱管狭窄症では，立位や歩行で腰椎が伸展すると硬膜外腔の圧が上昇して症状が出現する．
- 歩行により下肢の痛み・しびれ感・脱力感が生じて歩行を中断するが，休息によって症状が軽減し，再び歩けるようになる状態を間欠跛行と呼ぶ．
- 神経根が障害され片側下肢の疼痛やしびれ感を主症状とする神経根型と，馬尾が障害され両下肢後面や会陰のしびれ感，排尿排便障害をきたすことがある馬尾型，両者の症状を併せ持つ混合型に大別される．
- 高齢者の腰痛の原因に胸腰移行部〜腰椎の骨粗鬆症性椎体骨折がある．軽微な外力で骨折が起こり，転倒など明らかな誘因なく骨折が見つかることも多い．

診断

- 腰椎疾患では姿勢や動作により症状の増悪軽減を認めること多く，問診で確認しておく．夜間など安静時にも疼痛を自覚するときには，がんの骨転移や化膿性脊椎炎を疑う．
- 発熱を伴った腰痛患者では，化膿性脊椎炎や腸腰筋膿瘍を疑い，血液・生化学検査や画像診断を行う．
- 重篤な脊椎疾患を疑う red flags（危険信号）を表 2-2 に示す．

表 2-3　腰椎疾患の各種のリハビリテーション治療の推奨度

腰痛診療ガイドライン 2019	推奨度※1	合意率	エビデンスの強さ
急性腰痛に対しては安静よりも活動性維持のほうが有用である.	2	89%	C
温熱療法は腰痛の治療に有効である.	2	100%	C
装具療法は腰痛の治療に有効である.	2	80%	C
運動療法は慢性腰痛に対して有用である.	1	91%	B
患者教育と認知行動療法は腰痛患者に有用である.	2	90%	C
腰椎椎間板ヘルニア診療ガイドライン 2021	**推奨度※2**	**合意率**	**エビデンスの強さ**
運動療法は腰椎椎間板ヘルニアに対して有用である.	推奨なし	100%	D
装具療法は腰椎椎間板ヘルニアに対して有用である.	推奨なし	100%	D
腰部脊柱管狭窄症診療ガイドライン 2021	**推奨度※2**	**合意率**	**エビデンスの強さ**
運動療法を行うことを提案する.	2	92%	B
専門家の指導下に行う運動療法は痛みの軽減や，身体機能や ADL, QOL の改善にセルフトレーニングより有効である.			
葬具療法，物理療法の有用性に関するエビデンスは乏しい.	明確な推奨がでていない	85%	D
コルセットは疼痛軽減と歩行距離延長に有用な可能性がある.			

※1推奨の強さ
1. 行うことを強く推奨する
2. 行うことを弱く推奨する
3. 行わないことを弱く推奨する
4. 行わないことを強く推奨する

※2推奨の強さ
1. 「行うこと」または「行わないこと」を強く推奨する
2. 「行うこと」または「行わないこと」を提案する，条件付きで推奨する

エビデンスの強さ
A　効果の推定値に強く確信がある
B　効果の推定値に中程度の確信がある
C　効果の推定値に対する確信は限定的である
D　効果の推定値がほとんど確信できない

- 身体診察では，立位前屈・後屈など疼痛を誘発する姿勢がないか確認する.
- L5，S1 神経根障害では，SLR（straight leg raising）テストが，L2〜L4 神経根障害では FNS（femoral nerve stretch）テストが陽性となることが多いが，高齢者では陰性になることがある.
- 評価には，Roland and Morris disability questionnaire，日本整形外科学会腰痛疾患問診表（JOA-BPEQ），Oswestry disability index などを用いる.
- 腰椎単純 X 線では，正面像と側面像で，骨盤を含めた腰椎全体の配列や椎骨の変形，椎間板腔の高さ，骨棘や靱帯骨化などをチェックする．側面動態撮影では椎間の可動性を評価する.
- MRI では単純 X 線で描出されない椎間板，神経，靱帯，筋の形状や状態を評価するだけでなく，骨粗鬆症性椎体骨折や骨病変の有無を判定できる.
- わが国のコホート研究で，一般住民の 80%近くに画像所見で中等度以上の脊柱管狭窄が認められている一方，強い脊柱管狭窄を認めた住民のなかで症状を有していたものは 20%に満たないことも明らかになっている．画像所見だけで診断を下すことはできず，十分な問診と診察が欠かせない.

治療（表 2-3）

保存療法

- 薬物療法，日常生活指導，運動療法が保存療法の中心となる.
- 急性腰痛に対しては消炎鎮痛薬が，慢性腰痛に対してはセロトニン・ノルアドレナリン再取り込

み阻害薬や弱オピオイドの効果に高いエビデンスがある．アセトアミノフェン，ワクシニアウイルス接種家兎炎症皮膚抽出液製剤の投与も推奨されている．
- 腰部脊柱管狭窄症に対する薬物療法として，経口プロスタグランジン E_1 誘導体製剤であるリマプロストアルファデクスの投与が推奨されている．
- 疼痛の原因が神経根や馬尾の障害であり，経口薬で鎮痛効果が得られない場合には，硬膜外ブロックや神経根ブロックが選択される．疼痛が減弱すれば，体幹筋の筋力増強訓練やストレッチなどの運動療法を行う．
- 腰椎椎間板ヘルニアに対し，髄核の構成成分であるグリコサミノグリカンを特異的に分解する酵素（コンドリアーゼ）を経皮的に髄核へ注入し，椎間板内圧を下げることでヘルニアによる神経根の圧迫を軽減させる治療法が行われるようになった．

手術療法

- 排尿排便障害や，筋力低下が急速に出現し進行すれば速やかに手術療法を行う．
- 腰椎椎間板ヘルニアに対する手術は，後方から神経を圧迫している椎間板を摘出するのが一般的であり，直視下（Love 変法）や顕微鏡視下，内視鏡下（microendoscopic discectomy；MED）に手術が行われてきた．
- 現在では背筋に対する侵襲がほとんどない局所麻酔下の経皮的内視鏡下椎間板摘出術（percutaneous endoscopic lumbar discectomy；PELD）が普及しつつある．
- 腰部脊柱管狭窄症に対する手術で広く行われている後方除圧術では，後方から神経を圧迫している椎弓や椎間関節の一部と肥厚した黄色靱帯を，直視下・顕微鏡視下・内視鏡下に切除する．
- 椎体間に不安定性がある場合や，除圧術により不安定性が危惧される場合には椎弓根スクリューなどのインプラントを用いた固定術が考慮される．
- 前方からの固定術として，低侵襲化した側方経路腰椎椎体間固定術（lateral lumbar interbody fusion；LLIF）が行われるようになった．

リハビリテーション診療のポイント

保存療法におけるリハビリテーション治療

- 腰痛疾患すべてに対し，疼痛を惹起しにくい動作を体得するよう指導する．胸郭・骨盤帯の可動性やハムストリングスの柔軟性などを改善させ ADL における腰椎への負荷軽減を図る．
- 疼痛を強く感じない範囲で通常の活動を行うことが望ましく，急性腰痛では，必要以上の安静が腰痛軽減を遷延させ慢性化につながりやすいとされている．
- 運動療法では，体幹筋の筋力増強訓練やストレッチを行う．
- 各種ガイドラインでは，慢性腰痛や腰部脊柱管狭窄症（重症例以外）に対する運動療法が推奨されているが，効果的な運動療法の種類は明確にされていない．
- 腰痛症に対し体動時の腰痛が強いときに軟性コルセットが処方されることがあるが，その効果について十分な根拠となるエビデンスはなく，効果を実感できなければ装着する意義はない．
- 椎体骨折には装具療法が行われるが，骨粗鬆症性椎体骨折に関しては，硬性装具と軟性装具のいずれを選択しても予後は大きく変わらないとされる．

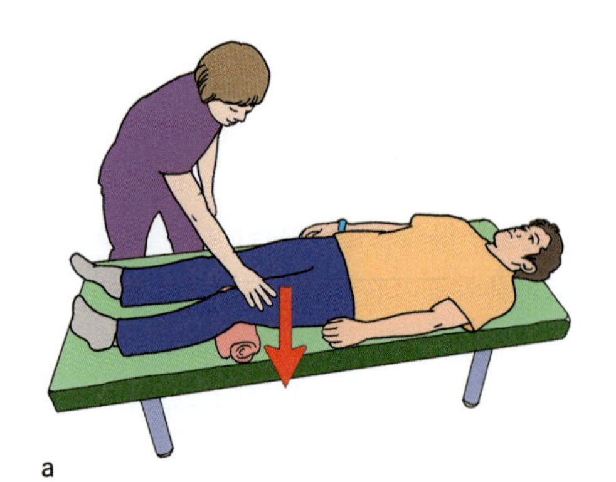

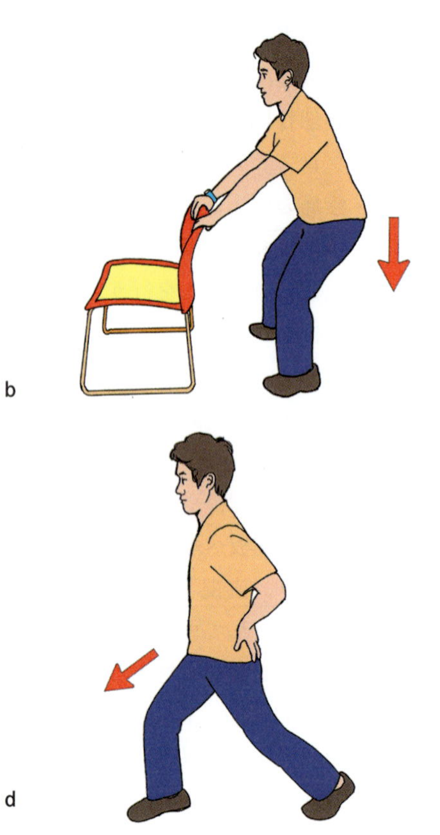

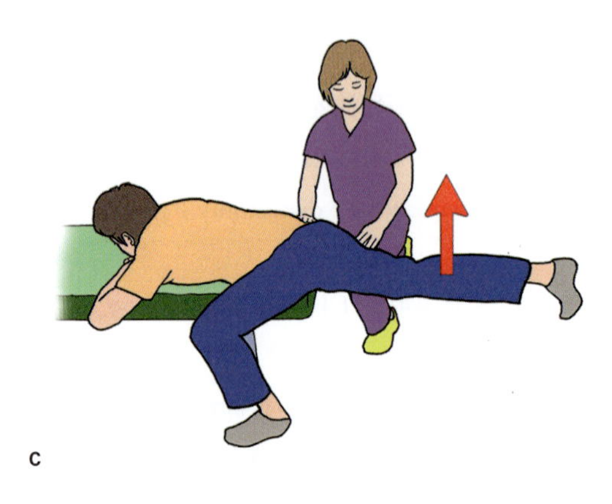

a　b　c　d

図 2-20　胸腰椎手術後の筋力増強訓練

a：セッティング　b：スクワット　c：バックキック　d：ランジ

セッティングはベッド上でも行えるので，歩行が可能となっても床上で継続して行う．立位が安定すれば，椅子などにつかまり体幹を真っ直ぐ保持したままスクワットを行う．バックキックやランジは，体幹筋，大殿筋や下肢筋力を増強させることができるが，必ず体幹が前屈しないように注意して行う．

手術療法におけるリハビリテーション治療

- ほとんどの手術で，手術翌日または2日目に離床が許可される．創部に留置されたドレーンに配慮しながら，下肢の筋力増強訓練と歩行訓練などを直ちに開始する（図 2-20）．
- ヘルニア摘出術を施行した場合は，再発を予防するために前屈で重錘を持つような椎間板内圧が上がる姿勢・動作を避ける．
- 筋力低下により歩行に支障がある場合は筋力低下の程度に応じた下肢装具を処方し歩行訓練を進める．
- L5/S1 間の固定術後では，股関節の深屈曲は避けることが望ましい．
- 脊柱変形など対する腰椎から骨盤に至る広範囲の固定術後には，和式の生活や靴下脱着が困難になる場合が多く，術後の生活について患者が十分理解しておく必要があり，術前の患者教育は欠かせない．

文献

1）　日本整形外科学会，他（監修）：腰痛診療ガイドライン 2019 改訂第 2 版，南江堂，2019

2）　日本整形外科学会，他（監修）：腰部脊柱管狭窄症診療ガイドライン 2021 改訂第 2 版，南江堂，2021

3） 日本整形外科学会，他（監修）：腰椎椎間板ヘルニア診療ガイドライン 2021 改訂第 3 版，南江堂，2021
4） Ishimoto Y, et al：Associations between radiographic lumbar spinal stenosis and clinical symptoms in the general population：the Wakayama Spine Study. Osteoarthritis Cartilage 21：783-788, 2013

（三上靖夫）

12 脊柱変形

基本的な知識

- 正常な脊柱では前額面での彎曲はなく，矢状面では頚椎・腰椎は前弯，胸椎は後弯しており，胸椎の後弯角は 20～45° である．
- 正常での立位矢状面のアライメントは C7 椎体から鉛直に下した線が仙骨 S1 上面の終板を通る．（図 2-21）．

病態

小児脊柱変形

- 疼痛・脚長差などによる機能性側弯症と構築性側弯症に分類される．
- 思春期特発性側弯症が最も多く，脊椎奇形による先天性，神経線維腫症性，脊髄空洞症などの基礎疾患をもつ神経筋性側弯症，麻痺がある場合の麻痺性側弯症などがある．
- 特発性では，一般的に胸椎部で右凸となる．
- 肺胞の発達は 8 歳までであり，乳幼児期に高度脊柱変形による胸郭変形が強いと呼吸機能障害をきたしやすい．
- 90° 以下の側弯症では，心肺機能には大きな影響はなく，美容上・腰痛が主な問題である．

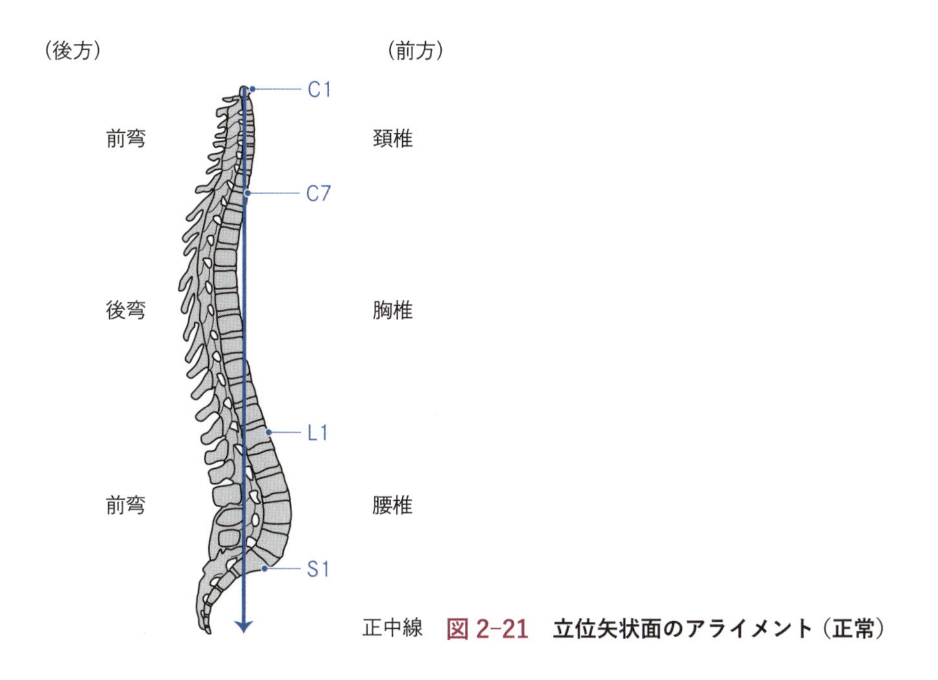

図 2-21 立位矢状面のアライメント（正常）

成人脊柱変形

- 矢状面の弯曲に，膝・股関節の可動域制限が影響する．
- 骨粗鬆症性椎体骨折は高齢者の姿勢異常の大きな原因である．
- 胸腰移行部から上位腰椎に多いが，60～70%は無症候性である．
- 胸腰移行部では脊髄円錐部の圧迫症状，上位腰椎では腰部脊柱管狭窄症の症状を呈することがある．
- 側弯症では，発育期の弯曲異常が加齢とともに増悪するものと，新たに発生するものがある．

症状

小児脊柱変形

- 美容上の問題が中心であるが，腰背部のだるさや疼痛を訴えることも少なくない．
- 頭部が骨盤の鉛直線上にない場合にはバランス不良となる．
- 乳幼児期側弯や90°を超える側弯では，呼吸機能障害から運動耐容能に問題が生じる可能性がある．

成人脊柱変形

- 長距離歩行，長時間立位時の腰背部の疲労感・こわばり，後弯増強，動作や姿勢保持の継続困難などが出現する．
- 変形の進行は，肺機能の低下，早期満腹感，胃部不快感，睡眠障害，うつ病，さらなる骨折を招き，死亡率の上昇にも結びつく．
- 手術療法で腰仙椎を含む広範な固定が行われた際には，靴下の脱着などが困難となる．

診断

小児脊柱変形

- 肩とウエストの左右差，肩甲骨の突出，体前屈時の肋骨隆起を認める．肋骨隆起は左右差 1 cm が目安となる．
- 腹皮反射異常があれば，脊髄空洞症を疑う．
- 脚長差に注意する．
- 麻痺性側弯症では，座位バランスが不良となる．

成人脊柱変形

- 問診で身長の変化を確認する．
- 全身のバランス，股関節・膝関節の関節可動域を確認する．

治療

小児脊柱変形

- 特発性側弯症に対して，装具療法は進行予防に有効[1)]だが，運動療法のエビデンスは乏しい．
- 装具療法の適応は，骨成熟度，弯曲度，主弯曲の部位などを参考に判断する．

成人脊柱変形

- リハビリテーション治療を基本とし，疼痛が強いときには装具療法を行う．
- 体幹のみならず，全身の筋力増強訓練とバランス訓練を考慮する．
- ADLの障害が強い場合は，手術療法を考慮する．

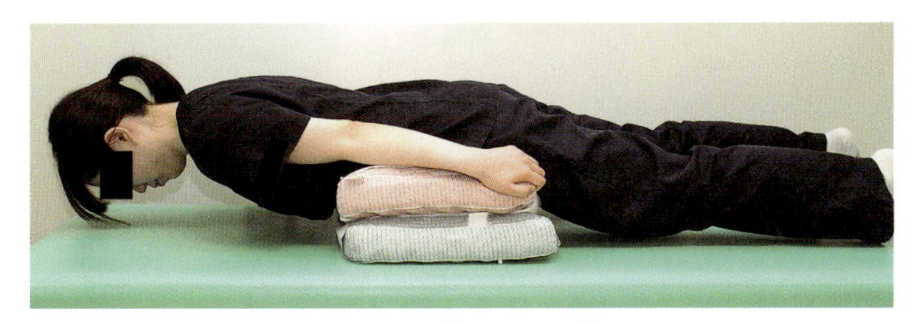

図 2-22　成人脊柱変形に対する訓練

リハビリテーション診療のポイント

小児脊柱変形

- 装具療法中であっても，積極的な ADL を維持する生活指導を行う．
- 麻痺性側弯症では，座位状態を確認した上で改善を図る．

成人脊柱変形

- 背筋のストレッチや筋力増強訓練により，脊椎柔軟性を高め，姿勢や QOL の維持・改善を図る．
- 骨粗鬆症を伴う高齢者では運動療法の際，安全性や疼痛の増悪に配慮する．
- 腹臥位で，腹部の下に枕を入れて体幹を重力に抗して持ち上げ，脊柱中間位で 5 秒間維持する訓練を 1 日 10 回，週 5 回程度実施する（図 2-22）．
- 関節可動域訓練などで股関節屈曲拘縮・腸腰筋の短縮の予防や改善に努める．
- 手術療法で腰仙椎を含む広範な固定が行われた際には，可動域が制限される．ADL を維持するため自助具なども考慮する[2]．

文献

1）　Weinstein SL, et al：Effects of bracing in adolescents with idiopathic scoliosis. N Engl J Med 369：1512-1521, 2013
2）　松山幸弘（編）：特集 高齢者の脊柱変形 Up to Date．脊椎脊髄 30：251-518，2017

（島田洋一）

各論

3

脊髄損傷

1 外傷性脊髄損傷，馬尾損傷

基本的な知識

脊椎・脊髄の構造と機能

- 脊柱は，体幹を支持しながら可動性をもち，さらに脊髄などの神経組織を保護する機能がある．

脊椎

- 脊柱は前額面では弯曲はなく，矢状面では頚椎では前弯，胸椎では後弯，腰椎では前弯をもつ．
- 正常では，立位でC7椎体からの垂線は前額面では仙骨中央，矢状面では腰仙椎椎間板内を通る．
- 隣接する2つの椎骨とこれらを連結する椎間板・靱帯群を，生体力学的には脊柱機能単位（functional spinal unit）という．
- 脊柱機能単位は，前方は椎間板，後方は一対の椎間関節，さらに全体は靱帯で連結されている．
- 脊柱機能単位の生体力学的安定性は，主には椎間板と椎間関節がもたらしている．
- 椎間可動性は，頚椎ではC5/6，腰椎ではL4/5が最も大きく，退行性変化はここから起こりやすい．

脊髄・神経根・馬尾

- 脊髄の白質を通過する長索路は，遠位のものほど外周に近い部分を通過する．
- 錐体路は脊髄側索を通過し，感覚のうち痛覚は主に脊髄前方部，深部感覚は脊髄後方部を通過し，触覚は脊髄後方が優位といわれている（図3-1）．
- 脊髄への血行は，前脊髄動脈が側索を含む前方2/3を支配している．
- 髄節が横断性に障害されると，その高位の髄節症状とそれより遠位の長索路症状が出現する．代表的な髄節支配筋を表3-1に示す．
- 神経根障害，馬尾障害では，脊髄髄節症状とほぼ同様の症状が出現する．

脊椎と脊髄の関係

- 脊髄は第一腰椎高位で終わることが多い．
- 椎体高位と脊髄の髄節のずれは，頚椎では1椎体分程度，胸椎では2椎体分程度であるが，脊髄円錐部では2椎体ほどの長さに多くの髄節が存在する．
- 頚椎部での脊柱管前後径は，日本人では12.5 mmが正常下限とされている．

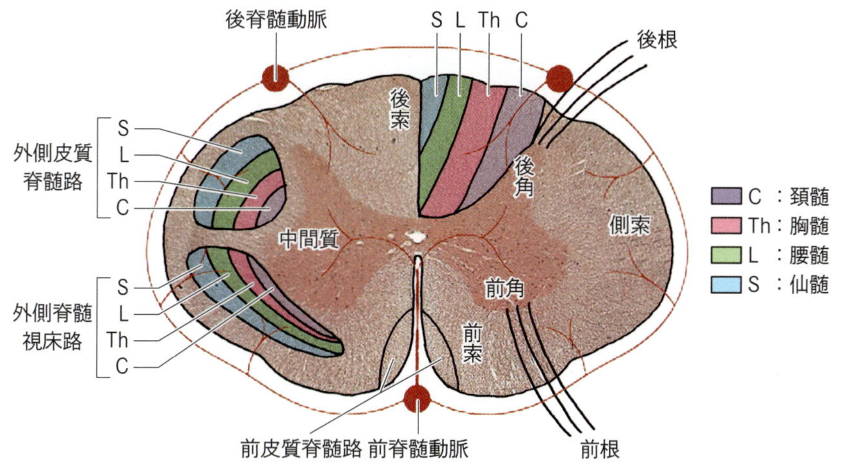

図 3-1 脊髄動脈の横断図

前脊髄動脈は，側索にある外側皮質脊髄路（錐体路：運動），脊髄視床路（疼痛）を含む，脊髄の前方 2/3 程度を栄養する．

表 3-1 International Standards for Neurological Classification of Spinal Cord Injury（ISNCSCI）の key muscles と motor score

C5	肘関節屈筋群	L2	股関節屈筋群
C6	手関節背屈筋群	L3	膝関節伸筋群
C7	肘関節伸筋群	L4	足関節背屈筋群
C8	中指深指屈筋	L5	長母趾伸筋
Th1	小指外転筋	S1	足関節底屈筋群

Motor Score は左右の Key Muscles の MMT の合計で，正常は 100% となる．

疾患・病態の概念

- 外傷性脊髄損傷（traumatic spinal cord injury）とは，外傷により脊柱の脊髄保護機能が破綻し，脊髄に機能障害を起こした状態をいう．
- 運動・感覚障害だけでなく，損傷高位以下の自律神経系を含めた，すべての神経機能が影響を受ける多臓器機能障害で，重度麻痺の完全回復は困難である．
- 頚髄損傷が 80%以上を占め，軽度の外傷による高齢者の不完全損傷が増加している．
- 合併症の予防・管理が，生命的・機能的予後に大きく影響する．

症状と診断

- 完全損傷か否かの評価は，仙髄領域（肛門周囲）に運動・感覚が残存しているかどうか（仙髄回避，sacral sparing）で判断する．
- 受傷直後は，麻痺域のあらゆる腱反射が消失する脊髄ショックにより弛緩性麻痺となる．不完全損傷でも起こり，脊髄損傷では数週間，馬尾損傷でも 1 週間程度持続するが，いわゆるショックバイタルとは異なることに注意する．
- 脊髄ショックからの離脱した後の運動麻痺は，損傷高位では髄節が障害され弛緩性，それより遠位では錐体路が障害され痙性麻痺となる．

表 3-2　Frankel 分類と ASIA impairment scale（AIS）

	Frankel 分類	ASIA Impairment Scale（AIS）
A	完全運動感覚麻痺	完全麻痺：S4-S5 髄節に運動・感覚機能なし
B	不完全麻痺：運動完全・感覚不完全	不完全麻痺：運動完全・感覚不完全
C	運動不完全麻痺：非実用的	不完全麻痺：損傷高位以下で運動機能が温存．麻痺域の Key Muscles の半分以上が MMT3 未満
D	運動不完全麻痺：実用的．多くは歩ける	不完全麻痺：麻痺域の少なくとも半数の Key Muscles の MMT3 以上
E	筋力低下，感覚障害，括約筋障害なし．異常反射はあってもよい	正常：運動・感覚機能とも正常

- 完全運動・感覚麻痺からの回復は困難である．
- 受傷直後に完全運動麻痺であっても，痛覚が温存されていれば予後は比較的良好である．
- 麻痺の重症度の大まかな評価には，Frankel 分類を改変した International Standards for Neurological Classification of Spinal Cord Injury（ISNCSCI）の ASIA impairment scale（AIS）（表 3-2）と，motor score（表 3-1）を使用する．
- 麻痺高位の呼称は，慣習的には温存されている高位とし，ISNCSCI では last normal segment（LNS）という．
- 深部静脈血栓症・肺塞栓症の高い発症リスクがある．
- 消化管潰瘍などの高い発症リスクがあるが，感覚麻痺のため症状に乏しい．
- 年齢・合併損傷などによる脳機能障害が訓練阻害因子となる．

高位別の特徴

頚髄・上位胸髄（第 5 胸髄節まで）

- 呼吸・循環をつかさどる髄節障害を含む．
- 完全麻痺では奇異性呼吸（吸気時に胸郭が縮小）となり，第 5 頚髄節完全麻痺の急性期では％肺活量が 50％程度となる．
- 気道分泌の亢進，線毛運動の低下により呼吸器合併症を引き起こしやすい．
- 重症の頚髄損傷では摂食嚥下障害を合併しやすい．
- 重度の麻痺では，徐脈と低血圧となり，起立性低血圧が遷延する．
- 電解質バランスの異常をきたすことがある．
- 上肢の詳細な麻痺の評価には Zancolli 分類を用いる（表 3-3）．
- 機能が残存する髄節機能高位により機能予後が大きく異なる．
- 完全運動・感覚麻痺で下肢機能の回復が望めなくても，髄節機能の改善により ADL 機能の改善の可能性がある．
- 座位バランスが不良である．
- 自律神経過反射が起こりやすい．
- 胸髄損傷では痙縮が強い傾向にある．

中下位胸髄損傷

- 高エネルギー外傷が多いため，内臓器や筋骨格系の合併損傷が多い．

表 3-3 Zancolliによる上肢機能の分類と達成可能な機能的予後

機能レベル	基本的作動筋	分類基準		達成可能な機能的予後
C1,2				終日人工呼吸
C3				睡眠時のみ人工呼吸
C4				顎コントロール式電動車いす*1
C5	上腕二頭筋 上腕筋	A. 腕橈骨筋機能なし		電動車いす，全介助*2
		B. 腕橈骨筋機能あり		普通車いす，全介助*3
C6	長・短橈側手根伸筋	A. 手関節背屈力弱い		車いす部分介助
		B. 手関節背屈力強い	Ⅰ. 円回内筋・橈側手根屈筋・上腕三頭筋の機能なし Ⅱ. 円回内筋の機能あり Ⅲ. 円回内筋・橈側手根屈筋・上腕三頭筋の機能あり	車いす移乗動作可能*4
C7	指・小指伸筋 尺側手根伸筋	A. 尺側指完全伸展可能 B. 全指伸展可能だが母指の伸展弱い		車いす ADL ほぼ自立
C8	固有示指伸筋 長母指伸筋 深指屈筋 尺側手根屈筋	A. 尺側指完全屈曲可能		車いす ADL 自立*5
		B. 全指完全屈曲可能	Ⅰ. 浅指屈筋機能なし Ⅱ. 浅指屈筋機能あり	

*1：顎コントロール式電動車いす

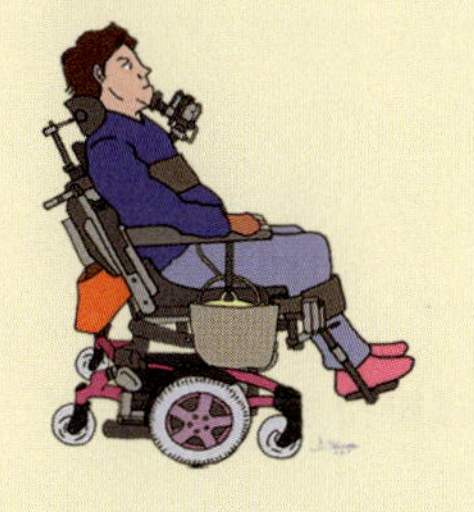

C4レベルの損傷では，チン（顎）コントロールによる電動車いすの操作が可能なことが多い．
コントローラーは，通常，電動車いすのオプション部品として装着され，体幹保持ベルトとヘッドレストが必要である．
起立性低血圧のためリクライニング機能が必要となる．

*2：電動車いす，全介助

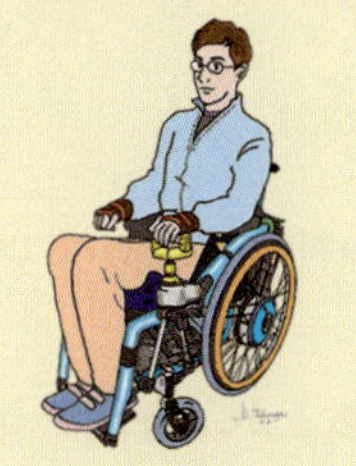

C5A損傷レベルの場合，コの字型ジョイスティックを使用して電動車いすの操作が可能である．手関節の背屈ができないので，手関節の装具が必要となる．

*3：普通車いす，全介助

C5Bの損傷レベルでは，車いす駆動用手袋を使用して，平地で手動車いすの操作が可能である．上腕二頭筋を使って駆動する．

*4：車いす移乗動作可能

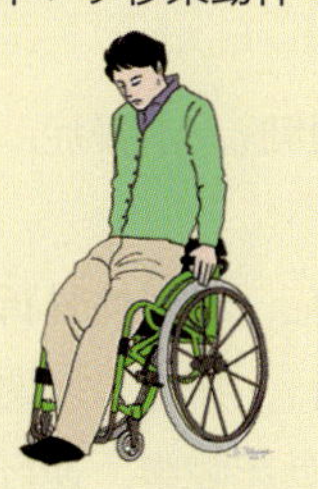

肘が伸展した際の関節安定性でプッシュアップが可能となる（図 3-3）．

*5：車いす ADL 自立

イラストは，車いすバスケットボール選手で，損傷レベルはT6．
パラスポーツ（障がい者スポーツ）では，障害の種類や程度に応じて「クラス分け」が行われ，参加できる種目やグレードが異なる．
車いすバスケットボールでは，5人の選手の障害の程度に応じた「持ち点」のトータルが14点以内に決められていて，腹筋や背筋が機能しない選手は，バランスをとることが難しいため，持ち点は1点となる．

- 胸腰移行部では脊髄円錐部損傷と馬尾損傷が混在する.
- 脊髄円錐部損傷では核下型神経因性膀胱となる.
- 手術時の脊柱の固定範囲が広いと移乗動作に影響を及ぼす.

馬尾損傷

- 弛緩性麻痺となり，まだらな麻痺を呈することもある.
- 神経因性膀胱は，片側の神経機能が良好であれば大きな問題を生じないことが多い.

主な合併症

急性期から回復期

- 循環：徐脈・低血圧，深部静脈血栓症・肺塞栓症，自律神経過反射
- 呼吸：呼吸筋麻痺，奇異性呼吸，肺炎，肺水腫
- 排尿：尿路感染，尿路結石
- 消化器：イレウス，消化管潰瘍
- 骨関節：拘縮，異所性骨化
- 褥瘡
- 過高熱

生活期

- 循環：自律神経過反射，徐脈・低血圧
- 褥瘡
- 排尿・排便：神経因性膀胱，水腎症，尿路感染，尿路結石，便秘
- 痙縮・疼痛
- 骨関節：拘縮，骨粗鬆症，脆弱性骨折，Charcot（神経病性）脊椎
- 脊髄空洞症：麻痺の上行，痙縮の増悪
- 性機能障害：男性では勃起障害，逆行性射精が起こり，女性の妊娠能力は維持されているが，出産時には早産・墜落分娩・自律神経過反射が起こりうる.

特に注意すべき合併症

神経因性膀胱（neurogenic bladder）

- 排尿は蓄尿・禁制・排尿の過程があり，異なった高位に中枢をもつ複数の神経によってコントロールされている（図 3-2）.
- 脊髄損傷後，体性神経と同様に脊髄ショックの状態にあり，弛緩性麻痺であるが，脊髄ショックからの離脱までの期間は体性神経より長い.
- 反射弓が温存されている核上性と，反射弓が損傷されている場合の核性・核下性に大別される.
- 核上性では，膀胱収縮と尿道括約筋弛緩の時期が一致しない排尿筋括約筋協調不全（detrusor sphincter dyssynergia；DSD）が起こりやすい.
- 排尿筋括約筋協調不全では高圧排尿となり，膀胱尿管逆流から水腎症をきたして，腎機能障害の原因となる.
- 長期の尿道留置カテーテルは，尿道粘膜の不可逆性変化や尿道下裂などを起こしたり，膀胱がんの危険因子となる.
- 腹圧排尿は，高圧排尿の原因となる.

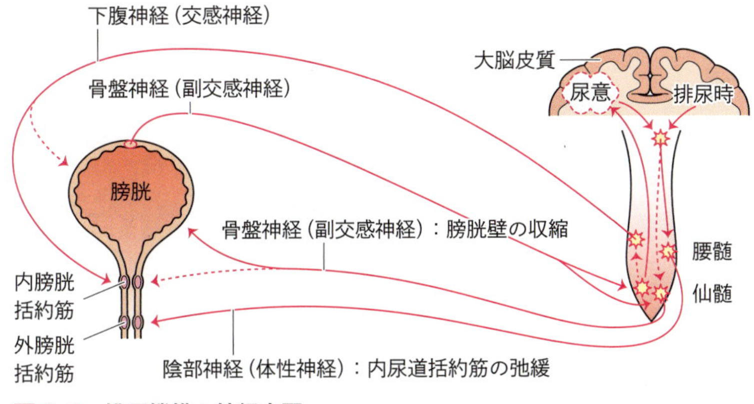

図 3-2 排尿機構の神経支配

- 排尿のゴールは，C5 以上では集尿器排尿もしくは膀胱瘻，男性では C5B 以下，女性では C6B 以下では自己導尿もしくは叩打排尿とする．
- 清潔間欠導尿でも，無菌間欠導尿と尿路感染の発生に大きな差はないとの報告がある．
- 1 回排尿量は 400 mL を超えないようにする．
- 飲水量，排尿量，失禁量の管理を行い，導尿時間と飲水量を調整し，膀胱過伸展，繰り返す尿路感染を防ぎ，失禁の減少を図る．
- 便秘は排尿状態悪化の原因となる．

自律神経過反射（autonomic dysreflexia）

- 麻痺がなければ，痛いであろう刺激などが誘因となって内臓および末梢での血管収縮が起こり，血圧が時には 250〜300/200〜220 mmHg を超える状態となる．
- Th 5 より高位の重篤な麻痺症例で起こりやすい．
- 脳出血などの原因となる．
- 頭痛，紅潮，発汗，鼻づまりなどが起こり，緊急の対応を要する状態である．
- 疑われれば，まず降圧処置を行い，排尿状態を確認する．

リハビリテーション診療のポイント

リハビリテーション治療の到達度目標（完全損傷の場合）（表 3-3）

- C1〜3：環境制御装置（舌・頭部ポインタなど）を利用し，電動車いすの操作が可能．ほかは全介助．
- C4：顎によるスティック操作などで電動車いすの操作が可能．Balanced forearm orthosis を用いれば食事動作も一部可能となる．
- C5：平滑な路面での車いす駆動が可能．C5B では机上での食事・整容動作が可能となる．
- C6：ベッド上，寝返り・起き上がり動作は，C6A では一部，C6B では可能．ベッド車いす間の移乗は直角アプローチで C6A・C6BI では半数程度，C6BⅡ〜Ⅲではほぼ可能．車いすの車への積み込みが可能な場合もある（図 3-3）．
- C7〜8：側方アプローチによる移乗が可能．C8B では，床から車いすへの移乗が可能である．

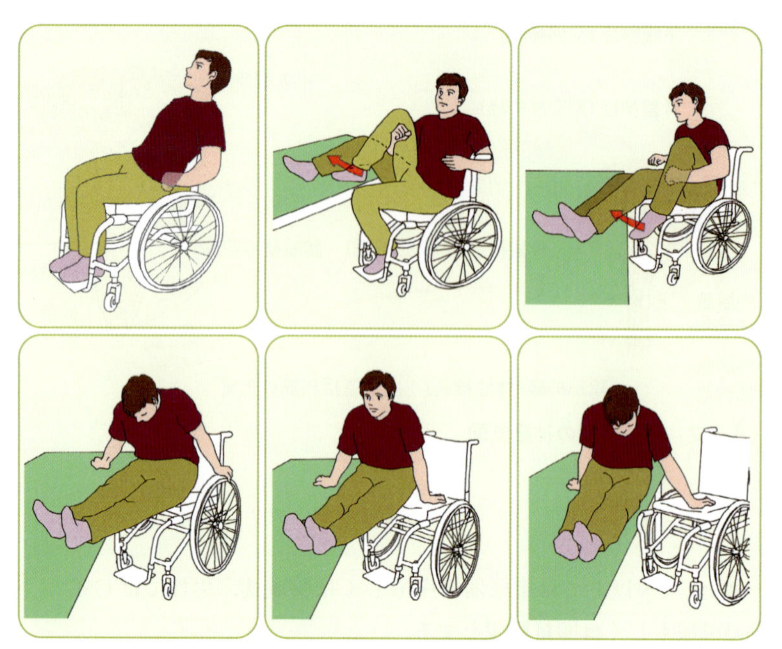

図 3-3　C6 完全麻痺（肘伸展筋力なし）の場合の移乗動作
〔https://www.physiotherapyexercises.com をもとに作成〕

- 胸・腰髄・馬尾損傷：車いすでの ADL は自立．実用的な歩行には，L3 の有効な機能が必要となる．

急性期

- 3 時間ごとの体位変換，適切なポジショニングなどで，呼吸器合併症・褥瘡を予防する．
- 脊柱安定性が問題なければ，早期に離床して，座位・立位バランスの獲得とともに，起立性低血圧に対する耐性を獲得する．
- 平均動脈圧は，弾性ストッキング，腹帯，薬剤などを併用し，85〜90 mmHg に維持して，脊髄への灌流圧を維持する．
- 気道吸引時の迷走神経反射・心臓反射による徐脈・心停止，電解質バランスに留意する．
- 詳細な神経所見から予後を予測し，リハビリテーション治療目標の設定を行い，チーム内で共有するとともに，これに基づいて患者本人の障害受容を図る．
- 四肢骨折などの合併損傷の治療の際も，到達目標を考慮して，関節拘縮をきたさないように過度の外固定などに留意する．
- 肩関節や手指などの関節拘縮予防のため，訓練時以外も上肢を外転位で保持しておくこと，手のアーチを保持するためにタオルなどを握らせておくこと，などの工夫をする．
- 深部静脈血栓症/肺血栓塞栓症発症のリスクが高く，訓練中はサチュレーションモニターを使用し，一過性の血中酸素飽和度の低下などの徴候に注意する．
- 脊柱の柔軟性が失われると，移乗・自己導尿に支障をきたす．
- 過度の関節可動域訓練により異所性骨化が惹起されることがある．
- 障害受容と在宅復帰に向けて，継続的・計画的な患者と家族の教育を行う．

回復期

- 排痰訓練や呼吸器の機能訓練により呼吸器合併症の予防に努める．
- 尿道カテーテルを抜去し，長期的な排尿管理を確立する．
- 拘縮予防や残存筋の強化とともに，座位バランスを獲得する．
- 医療チームによる多方面からの機能評価とそれに基づいた社会的資源の活用を進める．
- 自助具・福祉用具の導入を進める．
- 障害受容と在宅復帰に向けて，継続的・計画的な患者と家族の教育を進める．
- 自律神経過反射への対応を，本人と家族に理解させる．
- 社会復帰している脊髄損傷者との交流の機会（ピアサポート）を設ける．
- 将来的にも生活に介助が必要と見込まれる場合は，地域完結型医療への移行を進める．

生活期

- 尿路管理を中心とした定期的な医学的経過観察による潜在的な疾病（水腎症，脊髄空洞症，骨粗鬆症など）の早期発見と進行予防を図る．
- 定期的に車いすの座面や移乗動作などの確認を行い，褥瘡の予防に努める．
- 低活動による生活習慣病の進行を予防するため，スポーツをはじめとした運動習慣の獲得・継続を推奨する．
- 胸郭の柔軟性の維持により，呼吸器合併症の予防に努める．
- 痙縮による関節拘縮の進行に注意する．痙縮が増悪するようであれば脊髄空洞症の有無などを確認し増悪要因を明らかにする．
- 痙縮には，必要に応じて，ボツリヌス療法，髄腔内バクロフェン療法［intrathecal bacrofen (ITB) therapy］などの治療を行う．
- 疼痛は場所により損傷髄節（at level）と，それより遠位の麻痺域（below level）に分類され，ADLに支障をきたすようであれば，運動療法やADL訓練に加え，経皮的電気神経刺激（transcutaneous electrical nerve stimulation；TENS），プレガバリンなどの薬物療法，認知行動療法などを行う．

文献

1) 芝 啓一郎(編)：脊椎脊髄損傷アドバンス—総合せき損センターの診断と治療の最前線．南江堂，2006
2) 徳弘昭博：脊髄損傷—日常生活における自己管理のすすめ．第2版，医学書院，2001
3) 脊髄損傷における下部尿路機能障害の診療ガイドライン［2019年版］．中外医学社，2019

（加藤真介）

各論

4

神経・筋疾患

1 Parkinson病

基本的な知識

概要

- Parkinson 病（Parkinson' s disease；PD）は，50〜70 歳台で発症する原因不明の神経変性疾患であり，中脳黒質緻密部のドパミンニューロンの脱落とそれに続く二次的な線条体の機能障害が主たる病変である．しかしながら，剖検による検索からは，迷走神経背側核，嗅球，縫線核，青斑核などにも変性病変の広がりが確認されている．
- 特徴的な神経病理学的所見として，これらの病変部位にはα-シヌクレインを主な構成要素とする Lewy 小体が検出される．
- わが国における PD の有病率は，人口 10 万人に対して約 100〜120 人である．孤発性が大半を占めるが，約 5%は遺伝性である．

診断

- PD の臨床症状は，運動症状と非運動症状とに大別される．
- 振戦，筋固縮，無動，姿勢反射障害が運動症状の 4 大症候である．初発症状としては振戦が最も多く，安静時振戦として手に出現することが多い．固縮は，四肢の関節を他動的に動かしたときの抵抗として観察される．無動は，動作全般にわたる動きの遅さとして現れる．
- 前傾前屈姿勢，突進現象，小刻み歩行，すくみ足，首下がり，体幹屈曲（camptocormia），摂食嚥下障害，声量低下などもみられる．
- 非運動症状としては，認知障害，幻覚，抑うつ，睡眠障害，排尿障害，便秘，起立性低血圧，ドパミン調節異常症候群（意味のない動作の反復，摂食行動の異常，病的賭博）などがみられる．
- 抗 PD 薬の副作用として，ジスキネジアが出現することもある．
- PD の運動症状の評価法としては，Hoehn-Yahr の重症度分類（HY 分類）（表 4-1）が最もよく知られているが，最近では，MDS-UPDRS（Movement Disorder Society-Unified Parkinson's Disease Rating Scale）も広まりつつある．MDS-UPDRS は，非運動症状（認知障害，抑うつ気分など 13 項目），日常生活で経験する運動症状の側面（歩行とバランスなど 13 項目），運動症状（振戦，固縮など 18 項目），運動合併症（ジスキネジア，運動症状変動など 6 項目）の 4 つを評価するスケールであり，点数が高いほど症状が重度となる（最高点は 260 点）．

表 4-1 Hoehn-Yahr の重症度分類

ステージ	内容
1	症状は一側性である.
2	症状は両側性であるが，平衡障害はない.
3	姿勢調節障害はあるが，1人での生活は可能である.
4	自力による生活は困難であるが，歩くことは可能である.
5	立つことも不可能で，ベッドまたは車いすが必要である.

- SPECT (single photon emission computed tomography) のドパミントランスポーター (dopamine transporter；DAT) イメージングは PD の診断に有用である．PD 患者に DAT イメージングを行うと，黒質線条体ニューロンの障害を反映して，被殻における DAT 結合の特徴的な低下がみられる．
- PD 患者では，MIBG (meta-iodobenzylguanidine) 心筋シンチグラフィーにおいて，心臓交感神経の終末密度の減少による MIBG 集積低下が心臓部分に認められる．

治療

- 治療薬としては，L-ドパとドパミンアゴニストが中核となる．非高齢者 (70 歳未満) で精神症状や認知機能障害を呈していない場合には，ドパミンアゴニストでまず治療を開始して，効果が不十分な場合は L-ドパを追加する．
- 高齢者 (70 歳以上)，精神症状や認知機能障害がある場合などは，L-ドパで治療を開始する．
- ドパミンアゴニストは，麦角系と非麦角系とに二分される．麦角系には心臓弁膜症の合併が報告されているため，現在では非麦角系が第一選択として推奨されている．
- 運動症状の日内変動としての wearing-off 現象が現れたら，エンタカポンなどのカテコール-O-メチル転移酵素 (catechol-O-methyltransferase；COMT) 阻害薬を追加する．
- 薬物コントロールが困難になれば視床下核刺激術や淡蒼球刺激術などの脳深部刺激 (deep brain stimulation；DBS) を考慮する．

リハビリテーション診療のポイント

- PD では，重症度が高まるにつれて運動症状とそれに付随する筋力低下や筋萎縮などの合併症が顕著になってくる．PD に対するリハビリテーション治療では，運動症状に対しては残存能力の利用もしくは代償機能の獲得を目標としながら，合併症を早期から予防するよう心がける．
- Keus らが提唱するように，PD に対しては，その重症度の変化に伴って訓練の内容を順次変化させていくのがよい．
- HY 分類でステージ 1〜2 の軽症に対しては，身体能力を維持し，社会活動を継続させることがリハビリテーション治療の目的となる．患者の疾病理解や自己管理を促しながら，ストレッチ，姿勢矯正 (体幹・頚部・四肢のアライメントの修正)，筋力増強訓練，バランス訓練，立位・歩行訓練，持久力 (心肺機能) 訓練を行う．
- HY 分類でステージ 3〜4 の中等症になると，姿勢反射障害がみられ，ADL の一部に介助を要する状態になる．転倒予防と ADL の向上を目指して，座位や起立などの基本動作訓練，すくみ足

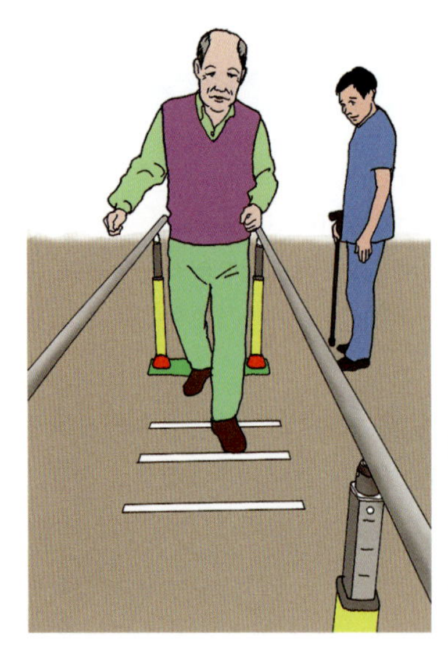

図 4-1 すくみ足に対する訓練
すくみ足に対しては，目の前の横線を跨がせる視覚刺激などの cueing が有効である．床に描いた白い線を external cue として視覚刺激に用い，歩行訓練を行っている．

に対する訓練などを行う．

- すくみ足に対しては，目の前の横線を跨がせる視覚刺激やメトロノームによる聴覚刺激などによる cueing が有効である（図 4-1）．先端に横木をつけた L 字型杖の使用や，音リズム刺激に合わせて歩行訓練を行う音楽療法も推奨される．
- HY 分類でステージ 5 の重症では，QOL の向上がリハビリテーション治療の目標となる．褥瘡，拘縮，全身性の合併症（肺炎，尿路感染症など）の予防などを目的として，ベッドや車いす上での姿勢保持訓練や関節可動域訓練を行い，体位変換や排痰を促す．
- PD の認知機能障害では，遂行機能や手続き記憶が障害されるのが特徴である．これに対する訓練として，環境を整えた上でいくつかの日常的な動作を繰り返して行わせることで動作パターンを獲得させる方法がある．
- 比較的高頻度に合併するうつに対する心理的アプローチも重要である．
- 摂食嚥下障害が生じた場合には，口腔顔面運動の自主訓練，食形態の変更，食事の際の姿勢指導などを行う．
- 発話明瞭度が低下した場合には，声量増大訓練や発話速度の調整訓練を行う．Lee Silverman Voice Treatment の有用性も注目されている．
- PD 患者に対するリハビリテーションマネジメントは，長期的に在宅生活下で行われることが多いため，介護保険下での通所リハビリテーションや訪問リハビリテーションを積極的に利用するのがよい．
- 近年，大脳皮質補足運動野への高頻度反復性経頭蓋磁気刺激が，歩行障害などの運動症状を改善させることが報告されている．

文献

1）水野美邦（編）：パーキンソン病診療 Q & A110．中外医学社，2009
2）長岡正範（編）：パーキンソン病のリハビリテーション．MB Med Reha No. 135，全日本病院出版会，2011

2 筋萎縮性側索硬化症

基本的な知識

概要

- 筋萎縮性側索硬化症（amyotrophic lateral sclerosis；ALS）は，中年以降に発症し，上位運動ニューロンと下位運動ニューロンの両者が散発性・進行性に変性脱落する神経変性疾患である．
- ALS の大半は原因不明の孤発例であるが，約 5％は家族性である．家族性 ALS のなかでは，*SOD1* 遺伝子の異常によるものが最多である．
- わが国における ALS の発症率は 10 万人あたり毎年 1.1〜2.5 人である．
- 神経病理学的には，神経細胞体の変性脱落に加えて，Bunina 小体，TDP43 陽性封入体が特徴的な所見である．

診断

- 症状として，腱反射亢進，痙縮，病的反射出現などの上位運動ニューロン徴候と，筋力低下，筋萎縮，線維束性収縮などの下位運動ニューロン徴候とが混在してみられ，これらが多髄節性に進行する．
- 初発症状として最も多いものは，一側上肢の遠位部からはじまる筋力低下および筋萎縮であるが，約 1/4 の患者では構音障害や摂食嚥下障害などの球症状が初発症状になる．
- 経過中に呼吸筋障害による呼吸不全もみられる．
- ALS では，感覚障害，眼球運動障害，膀胱直腸障害，褥瘡などはあまりみられない．
- 針筋電図では安静時の線維束性収縮電位，線維自発電位，陽性棘波，運動単位の振幅増大・多相化，持続時間延長，運動単位発射頻度の増加，リクルートメントの低下がみられる．
- 神経伝導検査では，複合筋活動電位の振幅低下，F 波出現率の低下が認められる．

治療

- 治療薬としては，グルタミン酸による神経毒性を抑制するリルゾールが推奨されている．しかしながら，現状として ALS の治療は対症療法，栄養管理，呼吸管理が中心である．
- ALS の場合，状態の変化に伴って，胃瘻造設，気管切開，人工呼吸器装着などの処置が必要となる．
- 病状の進行に即した説明を随時行い，治療方針の決定には患者本人のリビングウィル（生前の意思）をあらかじめ確認しておくことが重要である．
- わが国における調査によると，ALS 発症から死亡までの全経過は，気管切開や人工呼吸器装着を行った場合は平均 49.1 か月であったのに対し，行わなかった場合は平均 35.8 か月であった．
- わが国では ALS 患者の約 3 割が人工呼吸器を用いているが欧米における割合は 1 割以下である．

リハビリテーション診療のポイント

- ALS では，発症後早期から拘縮や筋力低下を予防するために，ストレッチ，関節可動域訓練，適度の筋力増強訓練，座位保持訓練などを行う[1]．

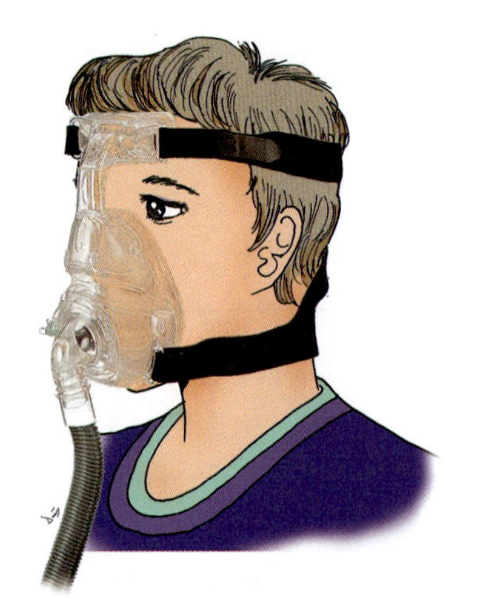

図 4-2　非侵襲的陽圧換気療法（NPPV）

フェイスマスクによるNPPVであれば，開口時にも十分な酸素供給が期待できる．ただし，状態が安定していれば，より軽量で閉塞感も少ない鼻マスク使用下でのNPPVが望ましい．

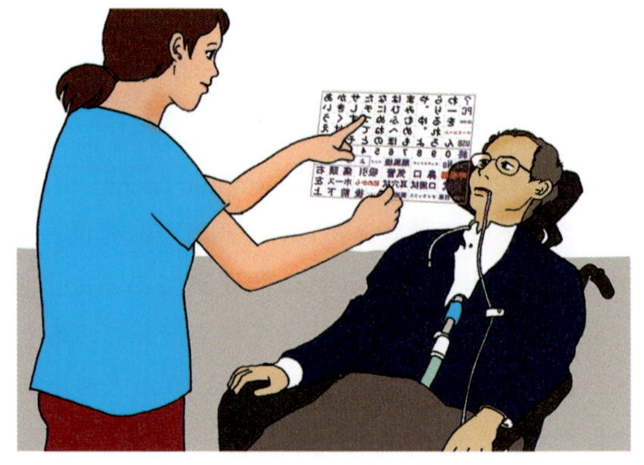

図 4-3　対面式の透明アクリル文字盤

代替コミュニケーション手段として，対面式の透明アクリル文字盤が使用される．患者は伝えたい文字を見つめることで意思を表示し，介護者は患者の視線を読み取る．透明文字盤を，患者から読める向きで示し，一文字ずつ視野の位置を確認しながら会話をする．

- 筋力増強訓練は，軽度～中等度の患者では有用とされるが，逆に過剰な筋力増強訓練が筋力を低下させる可能性があるため，負荷量や訓練時間には十分な配慮が必要である．
- 呼吸器には，呼吸不全が出現する前から訓練を開始するのがよい．呼吸筋の筋力増強訓練，胸郭の可動域を維持する訓練，咳を促す訓練，排痰訓練などを行う．CO_2分圧の上昇（45 Torr以上），睡眠中の動脈血酸素飽和度の低下（88%以下），努力性肺活量の低下（50%以下）が出現してくれば，人工呼吸の導入を考慮する．
- 人工呼吸としては，まずは食事や会話に支障をきたさない非侵襲的陽圧換気療法（non-invasive positive pressure ventilation；NPPV）を導入する（図 4-2）．
- NPPVの使用時間が12時間/日以上になったり，球麻痺症状によって気管への唾液流入が増した場合には，換気効率に優れ喀痰の吸引も容易な気管切開下陽圧換気療法（tracheostomy positive pressure ventilation；TPPV）へ移行する．
- 球症状が増悪した場合には，誤嚥のリスクを考慮して胃瘻を造設する．胃瘻造設は，呼吸不全が出現する前に行う．
- 構音障害，発声障害，身体表現障害（ジェスチャーの困難）などが生じた場合，当初は，口腔周囲筋や舌筋の訓練などで対処するが，いずれは代替コミュニケーション手段の確立が必要となる．
- 広く用いられている代替手段は，視線によって意思を伝達する，対面式の透明アクリル文字盤の使用である（図 4-3）．コミュニケーション用のさまざまなIT機器も開発されている．
- ALSでは，病名の告知や病勢の進行によって，反応性のうつや不安が生じる．したがって，患者の家族背景・社会的背景を理解した上での心理的アプローチも重要である．
- ALS患者の場合，在宅療養生活を送ることも多いため，医療保険，介護保険，身体障害者施策，難病対策の4制度を組み合わせて活用し，訪問診療を含めた医療と介護の連携体制を構築する．

- 介護者の介護負担の軽減は大きな課題である．

文献
1) 日本神経学会(監修)，「筋萎縮性側索硬化症ガイドライン」作成委員会(編)：筋萎縮性側索硬化症ガイドライン 2013．南江堂，2013

（角田 亘）

3 脊髄小脳変性症

基本的な知識

概要

- 脊髄小脳変性症（spinocerebellar degeneration；SCD）には，小脳のみが障害される型（純粋小脳型）と小脳以外に病変が広がる型（多系統障害型）がある．
- SCD の特定医療費（指定難病）受給者証所持者数は約 27,000 人（2019 年度；痙性対麻痺を含み，多系統萎縮症を除く）である．
- 多系統萎縮症を含めた SCD の 2/3 が孤発性（多くは多系統萎縮症），1/3 が遺伝性〔大半は常染色体顕性遺伝（優性遺伝）〕である．
- 遺伝性の SCD は，その遺伝子診断によって多くの病型に分類されるが，わが国で多いものは，脊髄小脳失調症 3 型（spinocerebellar ataxia；SCA3）(Machado-Joseph 病)，SCA6，歯状核赤核淡蒼球ルイ体萎縮症（dentatorubral pallidoluysian atrophy；DRPLA），SCA31 などである．
- 遺伝子異常としては，SCA1，SCA2，SCA3，SCA6，SCA7，SCA17 があげられる．DRPLA では，エクソン内の 3 塩基 CAG 繰り返し配列の異常伸長がみられる．これらの CAG リピート病（CAG 繰り返し配列は，ポリグルタミン鎖をコードするため，ポリグルタミン病とも呼ばれる）では，その繰り返し数が多いほど発症年齢が低くなる．

診断

- 小脳性運動失調が主症状であり，多くの場合は歩行障害で発症し，その後徐々に四肢の運動失調，構音障害，眼振などが出現する．
- 多系統障害型では，パーキンソニズム，末梢神経障害，自律神経障害（起立性低血圧，排尿障害など），錐体路障害（痙縮など），後索障害，ミオクローヌスてんかん（DRPLA の場合）などを合併する．
- 重症度評価には，ICARS（international cooperative ataxia rating scale）や SARA（scale for the assessment and rating of ataxia）などが用いられる．
- 頭部 MRI では，小脳萎縮は多くの場合でみられる．疾患により，脳幹や大脳にも病変を認める．T2 強調像で橋の十字状の高信号域（hot cross bun sign）は多系統萎縮症で認められることが知られているが，SCD でも認めることがある．

治療

- 甲状腺刺激ホルモン放出ホルモン誘導体（注射剤のプロチレリン酒石酸塩水和物，経口剤のタル

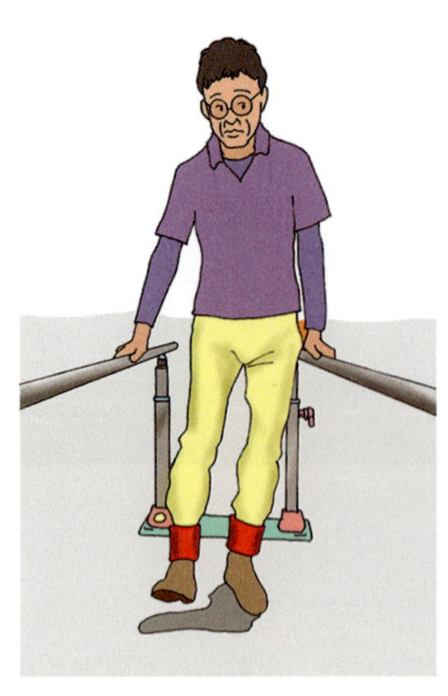

図 4-4　重錘負荷による訓練

重錘負荷によって，筋紡錘から小脳への求心性入力が増大し，小脳による運動制御機能が改善すると考えられている．実際の負荷は，下肢では 0.5～1 kg 程度の重錘が用いられる．

チレリン水和物）が投与される．

リハビリテーション診療のポイント

- 進行性の疾患であるため，重症度（特に歩行能力）に応じてリハビリテーション治療の内容を変えていく．
- 歩行が可能なうちは，転倒予防に重点をおき，歩行訓練，階段昇降などの応用歩行訓練，自転車エルゴメーターを用いた持久力訓練，立位でのバランス訓練などを行う．
- 小脳性運動失調を主症状とする SCD に対して，バランスや歩行に対する運動療法を集中的に行うと，運動失調や歩行が改善することが示されている．
- 運動失調に対して，重錘負荷による訓練（四肢の末梢部に数百 g～1.0 kg 程度の重錘をつけた訓練）（図 4-4）や弾性緊縛帯を用いた訓練，Frenkel 体操（視覚や固有感覚などの感覚入力を強化して，運動制御を改善させる）などが行われる．歩容やバランスを改善させることが目的である．
- 歩行が困難となれば，起立訓練，座位でのバランス訓練などを行う．車いすへの移乗訓練や操作訓練も考慮する．
- 症状が進行する（SARA が 15～20 点以上）と ADL に支障が出る．ADL 改善を目指した動作訓練や自助具の導入などを検討する．
- 活動性が低下し，不動による合併症が認められる場合，筋力増強訓練を考慮する．
- 構音障害には，発話速度を遅くして音節を区切って話すように指導する．
- 摂食嚥下障害では，誤嚥性肺炎，脱水，低栄養状態を予防するため，食の楽しみや QOL を考慮しつつ，食形態・食器・食事の際の姿勢などの検討を行う．
- 長い経過をとる疾患であるため，在宅生活の環境調整（両手で支持できる手すりの設置，移動距離が短くなるような家具の配置換えなど）を適切に行う．
- 介護者の負担軽減を図ることや，介護者へ腰痛予防などの健康指導を行うことも重要である．

文献
1) 日本神経学会，他(監修)：脊髄小脳変性症・多系統萎縮症診療ガイドライン 2018，南江堂，2018

(服部憲明)

4 多発性硬化症

基本的な知識

概要

- 多発性硬化症(multiple sclerosis；MS)は，中枢神経細胞に時間的空間的に多発する脱髄性炎症である．ミエリンに対する自己免疫機序が原因とされ，寛解と再発を繰り返す．
- 高緯度地域の欧米人に多い．わが国の有病率は人口 10 万人あたり 8〜9 人で，女性に多く，好発年齢は 25 歳前後とされる．
- MS の類型と考えられている視神経脊髄炎(neuromyelitis optica；NMO)では，視神経炎と横断性脊髄炎が出現する．NMO の発症は，抗アクアポリン 4 抗体によるアストロサイトの障害が原因と考えられている(ミエリンが障害される MS とは病態が異なる)．

診断

- MS の診断には，McDonald 診断基準(2010 年に改訂されたもの)を用いる．
- 大脳病変では運動障害や感覚障害が，脳幹や小脳の病変では複視や失調が，脊髄病変では対麻痺や排尿障害が出現する．Lhermitte 徴候と有痛性強直性痙攣が特徴的である．さらに，高次脳機能障害を合併することが経過とともにあり，適宜評価が必要となる．
- MRI が有用で，病変部は T2 強調画像およびガドリニウム造影画像で病変部は高信号域として描出される．
- 脳脊髄液検査で，IgG 増加，オリゴクローナルバンド出現，ミエリン塩基性蛋白増加がみられる．視覚・聴覚・体性感覚誘発電位でも異常がみられる．

治療

- 急性期の治療としては，ステロイドのパルス療法が一般的である(視神経脊髄炎はステロイド抵抗性のことが多い)．反応性が悪い場合には，血漿交換療法の併用を考慮する．
- 再発予防としては，NMO でない MS には，インターフェロンβ，グラチラマー酢酸塩，フィンゴリモド，ナタリズマブなどを用いる．NMO には，ステロイドや免疫抑制薬(アザチオプリンなど)を投与する．

リハビリテーション診療のポイント

急性期

- 能動的動作は避け，不動による合併症の予防に努める．機能肢位(良肢位)保持や受動的な四肢の関節可動域訓練を中心に行う．

図 4-5 Uhthoff 徴候

体温上昇によって神経症状が増悪する．運動後や入浴後に生じる．症状は多彩で，視力障害，脱力，痙攣などが特徴である．温熱療法は禁忌である．

回復期

- 再髄鞘化が始まり運動麻痺が回復し始めたら，関節可動域訓練に加えて，筋力増強訓練，座位保持などの基本動作訓練，立位・歩行訓練，バランス訓練などを行う．
- 過度の運動負荷はかけないようにする．安静期間を入れた反復訓練が望ましい．特徴的な易疲労性も，小刻みに休憩をとることによって軽減される．
- 体温上昇によって神経伝導障害が増悪し，神経症状が悪化するUhthoff（ウートホフ）徴候が出現する（図 4-5）．したがって，暑熱時の外出，長時間・高温度の入浴や過度の暖房を避けるように指導する．温熱療法は，原則的に禁忌である．

生活期

- 運動障害と視覚障害を重複している場合には，白杖の使用，より明るい照明の設置や手すりの取り付けなどの環境調整を行う．
- MSの再発率は，妊娠後期には低下するが，出産後3か月間には増加する．過労，ストレス，感染症により再発リスクは高くなるため，生活指導が重要となる．
- 指定難病認定，身体障害者手帳申請の手続きを遅滞なく行う．

（中馬孝容）

5 Guillain-Barré 症候群と慢性炎症性脱髄性多発根ニューロパチー

基本的な知識

概要

- Guillain-Barré 症候群（Guillain-Barré syndrome；GBS）は，弛緩性運動麻痺を主症状とする急性炎症性脱髄性疾患である．
- 約2/3の症例では，*Campylobacter jejuni* や *Haemophilus influenzae* などの先行感染が認められ，これらに対して産生される抗GM1抗体などの抗ガングリオシド抗体が組織障害を惹起する．

- GBSは，軸索障害型と髄鞘障害型とに大別されるが，わが国を含むアジアでは軸索障害型が多い．
- GBSと同様に慢性炎症性脱髄性多発根ニューロパチー（chronic inflammatory demyelinating polyneuropathy；CIDP）も，細胞性・液性免疫による末梢神経の髄鞘障害が本態であるが，疾患特異的な標的抗原や自己抗体は確認されていない．

診断

- 典型的なGBSは，左右対称性の弛緩性麻痺が，数日間から数週間をかけて上行し，ついには四肢麻痺を呈する．障害部位の腱反射は，低下もしくは消失する．約10%の症例では呼吸筋麻痺のため人工呼吸管理が必要となる．脳神経麻痺（顔面神経麻痺，球麻痺が多い）や自律神経障害を呈する場合もある．重症度評価には，Hughes機能的重症度分類が用いられる．
- GBSでは，脳脊髄液検査で，発症後1週間ころから蛋白細胞解離（細胞数の増加を伴わない蛋白濃度上昇）がみられる．神経筋電図検査では，H波およびF波の消失・潜時延長，複合筋活動電位振幅の低下，伝導ブロックなどが認められる．
- CIDPの診断基準としては，欧州神経学会/国際末梢神経学会診断基準（2010年改訂）が知られている．典型的には，2か月間以上かけて進行する四肢のびまん性・対称性の筋力低下および感覚低下がみられる．
- CIDPでは，神経伝導検査で脱髄所見（伝導ブロック，伝導速度低下，時間的分散など）を2つ以上の運動神経で認める．

治療

- GBSに対しては，発症後早期から血漿交換療法や免疫グロブリン大量静注療法を行う．
- CIDPには，免疫グロブリン大量静注療法，血漿交換療法，ステロイド投与（GBSと異なり，ステロイドが有効）が行われるが，重篤な副作用が少ない免疫グロブリン療法が最も推奨される．

リハビリテーション診療のポイント

GBSの急性期

- 体位変換，機能肢位（良肢位）保持，関節可動域訓練にとどめて，筋力増強訓練は避ける．
- 症状の進行が止まれば，筋力増強訓練を開始する．低負荷の多数回反復訓練として，過用（オーバーユース）にならないように注意する．漸増抵抗運動は避ける．
- 呼吸障害をきたした患者には，早期から体位変換による排痰や胸郭ストレッチなどを行う．人工呼吸器管理となった場合には，肺活量の改善度を随時確認しながら上記の処置を行う．

GBSの回復期および生活期

- 運動症状の回復には数か月以上を要することもあるので，回復期リハビリテーション病棟の治療から在宅でのリハビリテーションマネジメントへの円滑な移行を心掛ける．

CIDP

- まずは関節可動域訓練を開始して，不動による合併症を予防する．

- 筋の過用（オーバーユース）や疲労に注意しながら，残存している筋力を維持する．可能であれば筋力増強も試みる．CIDPでは，完全麻痺となることは稀である．
- 日常の活動レベルでも易疲労がみられる．Activity-induced weaknessが出現することがある．これがみられれば，休息をとるのがよい．
- 再発を繰り返す症例が多いため，リハビリテーション治療の長期計画を立てることが望ましい．

6 筋ジストロフィー

基本的な知識

概要

- 筋ジストロフィー（muscular dystrophy；MD）は，筋線維の変性・壊死を主病変として，進行性の筋力低下を呈する疾患である．
- MDは単一遺伝子変異による遺伝性疾患であり，いくつかの型に分類されるが，最も多いものは遺伝子座Xp21に存在するジストロフィン遺伝子の変異によるDuchenne型MDである．これは，X連鎖潜性遺伝（劣性遺伝）形式をとり，出生した男子およそ3,500人に1人が発症する．
- Duchenne型MDは，筋のジストロフィン蛋白の欠損を呈するため，その軽症型（症状が軽く，発症時期が遅い）であるBecker型MDとともにジストロフィノパチーと称される．

診断

- Duchenne型MDは，ひとたび歩行を獲得（ただし，歩行開始はやや遅れる）した後に，3〜5歳ころに転びやすい，走れないなどの歩行障害で発症する．高CK血症により発症前に偶然発見されることもある．
- 5歳頃に運動能力のピークをむかえ，以後は腰帯と下肢の筋力低下による登攀性起立（Gowers徴候）（図4-6）を呈する．10歳頃には歩行不能となり，その後に呼吸不全や心筋症状としての心不全がみられる．
- ジストロフィンは神経細胞にも発現するため，Duchenne型MD患者の平均知能指数は低く，約1/3は知的障害のレベルにある．
- Duchenne型MD患者の70%以上では，歩行能力喪失後に20°以上の側弯を呈する．
- Duchenne型MDの障害段階分類としては，わが国では8段階に分類する厚生省MD研究班による新分類が用いられることが多い．
- 検査所見としては，持続する血清CKの著明な高値が特徴的である．
- 筋生検のジストロフィン免疫染色で，ジストロフィン蛋白の欠如が確認される．
- ジストロフィン遺伝子診断によって診断が確定される．ジストロフィン遺伝子は79個のエクソンからなる巨大な遺伝子であるが，Duchenne型MDの約60%ではエクソン欠失が，約10%では重複がみられる．

図 4-6　登攀性起立（Gowers 徴候）

臥位からの起立時に手を膝の上にあてて，その支えで努力しながら体を起こす徴候である．典型的には Duchenne 型 MD において腰帯筋，下肢近位筋の筋力低下によって生ずる．

図 4-7　電動車いす

ジョイスティック付きの電動車いすであれば，ある程度症状が進行しても，患者自ら操作可能である．
〔https://parada.com/273879/linzlowe/meet-reagan-imhoff-8-ambassador-for-the-muscular-dystrophy-association/を参考に作成〕

治療

- 近年，ステロイドの長期的内服により歩行不能となる時期を遅らせうる可能性が報告されている．
- 呼吸不全に対する人工呼吸器管理，β遮断薬や ACE 阻害薬による心不全治療が主たる対処となる．
- わが国における本疾患の生命予後は改善しており，1990 年代前半までは平均寿命が 20 歳以下であったが，現状ではこれが 30 歳以上である．これは主に，人工呼吸器管理の発達に伴い呼吸不全による死亡が激減したことによる．現状では心不全が最多の死因となっており，心室頻拍や心室細動による突然死が少なくない．

リハビリテーション診療のポイント

- 進行性の疾患であるため，歩行障害や呼吸障害の増悪にあわせて，リハビリテーション治療の内容も変化させていく．
- 歩行が可能な時期では，短縮が生じやすい下肢筋（下腿三頭筋など）のストレッチ，下肢の関節可動域訓練を行う．不動による合併症を予防するために，MMT（manual muscle testing）で 3 以上の筋については筋力増強訓練を行うのがよい．骨格筋の脆弱性があるため筋の過用（オーバーユース）には十分に配慮する．抵抗訓練は慎重に行う．
- 歩行が不可能となれば，まずは普通型車いすを処方するが，それに座位保持装置を装着することが勧められる．手指機能が低下してくれば，ジョイスティック付き電動車いすの使用が必要となる（図 4-7）．

- 脊柱変形（側弯）がみられる場合，手術療法として脊椎固定術が施行されることもある．
- %肺活量が40%以下もしくは咳のピークフローが270 L/分以下となれば，咳や深吸気を促す訓練を開始する．咳を促す場合は，排痰補助装置（mechanical insufflation-exsufflation；MI-E）を用いるのもよい．呼吸筋の筋力増強訓練は，過用（オーバーユース）の危険性から推奨されない．
- NPPV（図4-2）は，通常は夜間のみの装着から開始し，徐々にその装着時間を延長する．睡眠時のNPPVの適応は，睡眠時の酸素飽和度が92%未満，睡眠時の経皮炭酸ガス分圧が45 mmHg以上などである．
- 呼吸器感染症や窒息の合併でNPPVの継続が困難となれば，TPPVを考慮する．
- 法律条件に基づく各種の制度より医療助成を受けることができる．小児慢性特定疾病医療費助成，難病医療費などの助成制度を受けることも，地域によっては可能である．

文献

1） 日本神経学会，他（監修）：デュシェンヌ型筋ジストロフィー診療ガイドライン 2014．南江堂，2014

（角田 亘）

7 炎症性筋疾患（皮膚筋炎，免疫介在性壊死性ミオパチー，抗ARS抗体症候群，封入体筋炎）

基本的な知識

- 筋病理所見，自己抗体，臨床像をもとに診断と治療を行う．
- 検出される自己抗体は，生じる可能性のある症状・合併症や予後の予測，治療方針の決定，疾患活動性の判定に有用であることがわかってきている．

皮膚筋炎（dermatomyositis；DM）

- 数週間から数か月の経過で亜急性に進行する四肢近位筋，体幹，頚部筋の筋力低下が主症状である．摂食嚥下障害を初発症状とする例もある．
- 特徴的な皮膚所見（ヘリオトロープ疹，Gottron丘疹，ショールサイン，Vネックサイン，爪周囲紅斑など）や関節炎がみられる．
- 抗MDA5抗体陽性例では間質性肺炎の合併例が多く，抗TIF1-γ抗体陽性例では摂食嚥下障害と悪性腫瘍の合併例が多い．
- 筋力と血清CK値とは筋炎の病勢を評価する上で有用な指標である．
- 針筋電図では，随意収縮時の低振幅電位や安静時自発電位を認める．
- 炎症部位はT2強調MRI，脂肪抑制MRIで高信号を呈する．
- 薬物療法として，ステロイド，免疫抑制薬，免疫グロブリン療法などが用いられる．

免疫介在性壊死性ミオパチー（immune-mediated necrotizing myopathy：IMNM）

- 免疫学的機序により発症し，筋病理所見で壊死した筋線維と再生線維を認める疾患群である．
- 亜急性に，近位筋優位の筋力低下をきたし，血清CK値が上昇する．
- 乳児期発症例，小児発症例も報告されている．若年発症例では慢性進行性に経過することが多く，筋ジストロフィーとの鑑別が重要である．

- 自己抗体としては，抗シグナル認識粒子抗体（抗 SRP 抗体），抗 3-ヒドロキシ-3-メチルグルタリル CoA 還元酵素抗体（抗 HMGCR 抗体），ミトコンドリア M2 抗体が検出される．
- 心筋炎や不整脈などの心合併症をきたすことがある．
- ステロイド療法や免疫グロブリン療法が用いられるが，治療抵抗性の難治例もある．
- スタチン誘発性ミオパチーの中には抗 HMGCR 抗体陽性 IMNM の場合がある．

抗 ARS 抗体症候群（anti-synthetase syndrome：ASS）

- 抗 Jo-1 抗体などアミノアシル tRNA 合成酵素に対する自己抗体が検出される．
- 多臓器障害をきたし，筋炎，間質性肺炎，関節炎，発熱，Raynaud 現象，機械工の手（手指の角質化と色素沈着），ハイカーの足（つま先や足底の角化性病変）などの症状が出現する．
- ステロイド療法に対する反応性は良好なことが多い．
- 再発例や間質性肺炎合併例には免疫抑制薬が併用される．
- 死因は間質性肺炎，肺高血圧症，悪性腫瘍が多い．

封入体筋炎（sporadic inclusion body myositis：sIBM）

- 数か月以上の経過で緩徐に進行する．
- 中高年に発症し，左右非対称性に大腿四頭筋と深指屈筋の筋力低下と筋萎縮を呈する．
- 摂食嚥下障害の合併例が多い．
- 治療抵抗性である．

リハビリテーション診療のポイント

- 薬物療法開始早期からリハビリテーション治療を実施する．
- 発症早期は，不動による合併症を予防し，適切な姿勢保持，関節可動域訓練などを行う．
- 訓練では過負荷にならないように血清 CK 値，筋力，筋痛，疲労を確認しながら，負荷を調整する．
- 慢性期には，外来で筋力・筋痛・ADL・手段的 ADL・血清 CK 値の状態を確認し，自主訓練量を提示しながら負荷がかかり過ぎないように生活指導を行う．
- 経過では筋力低下の原因が，筋炎の進行によるものか，ステロイドミオパチーによるものか，不動によるものかの鑑別が難しい場合も少なくない．筋力・筋痛・ADL・手段的 ADL・血清 CK 値の変化を定期的に評価することが重要である．
- ステロイドの長期使用によって，大腿骨頭壊死症を合併することがある．

文献

1） 厚生労働科学研究費補助金難治性疾患等政策研究事業，自己免疫疾患に関する調査研究班（編）：多発性筋炎・皮膚筋炎診療ガイドライン（2020 年暫定版），2020

（横関恵美）

8 ポリオ・ポストポリオ症候群

基本的な知識

概要

- ポリオウイルスの感染で発症したものが急性灰白髄炎（通称，ポリオ）であり，生じた障害を脊髄性小児麻痺（小児麻痺）と呼ぶ．脳性麻痺とは異なる．
- わが国では，1940年代後半頃から1960年初頭にポリオが流行した．1961年に弱毒化生ワクチンの接種が開始され激減した．以降，少数ではあるがワクチンによるポリオの発症を認めたため，2012年からは不活化ワクチンが導入された．
- ポリオウイルスは脊髄前角細胞を障害し，四肢に弛緩性麻痺を生じさせる．感覚障害は生じない．残存神経が末梢神経末端部でsprouting（発芽）し，ある程度は麻痺が回復する場合がある．
- ポリオ経験者が中高年となってから新たな筋力低下や易疲労性が生じることがあり，ポストポリオ症候群（post-polio syndrome；PPS）と呼ばれる．PPSは，少数の残存した運動ニューロンへの長年の過剰な負荷〔過用（オーバーユース）〕が原因とされる．
- 患肢だけでなく，麻痺がないと考えていた肢に生じることもある．その領域の脊髄前角細胞にも幼少期のポリオ感染時によって何らかの障害が生じていたためと考えられる．
- 一般医療現場では，ポリオは「過去の病」として看過されていることが多い．そのためポリオ経験者が，過度な筋力増強訓練を行うなど過用（オーバーユース）の状態にあることもある．

診断

- HalsteadによるPPSの診断基準を表4-2にあげる．
- PPSの神経伝導検査では，前角細胞障害を示すF波出現率低下，反復F波，高振幅F波を認める．針筋電図検査では，運動単位電位（motor unit potential；MUP）の振幅増大，干渉波減少を認める．PPSが進行している時期には，安静時に脱神経所見がみられる場合がある．
- 血清CK値の変化が，PPSの病勢の参考になる場合がある．
- 骨格筋のCTによって萎縮筋の評価が可能である．
- 麻痺のある部位以外の関節障害などにも注意する．

表4-2 HalsteadによるPPS（post-polio syndrome）の診断基準

ポリオに罹患した後に部分的もしくは完全な神経学的・機能的な回復を示した患者において，少なくとも15年以上の症状安定期間を経た後に，1～5の症状が2つ以上みられた場合にPPSと診断される．ただし，これらの症状の原因となりうる他の疾患の存在が否定される必要がある．	1 普通でない疲労
	2 筋痛もしくは関節痛
	3 新たな筋力低下
	4 機能低下
	5 寒冷に対する耐性の低下
	6 新たな筋萎縮

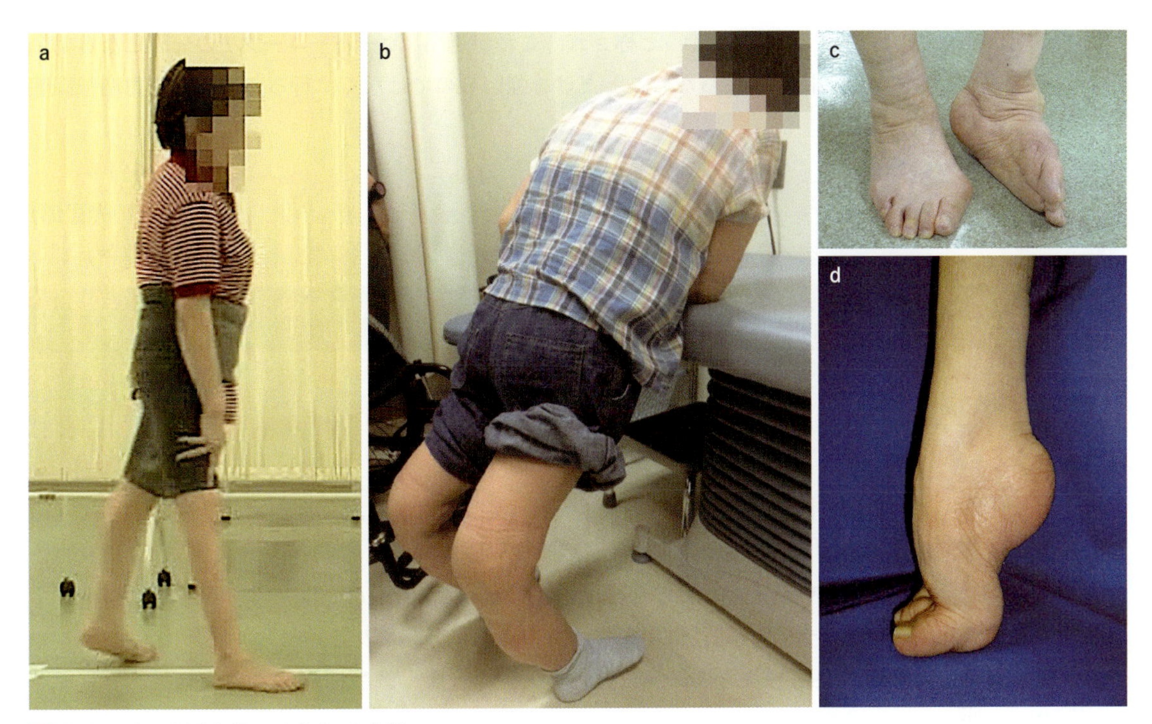

図 4-8 ポリオ罹患後にみられる症状

a：膝折れ（右立脚期に右膝関節を右上肢で伸展させている） b：反張膝（両） c：内反（左）d：尖足（右）（著者提供）

リハビリテーション診療のポイント

- PPS 発症・進行予防のリハビリテーション診療は，以下の 3 つを中心に行う．すなわち，①生活スタイルの調整，②運動療法，③補装具の使用である．
  - ①生活スタイルの調整：適宜，休憩をとる，同じ動作は繰り返さないなど，身体の一部に連続した負荷がかからないような生活を考える．体重の負荷を増やさないために，肥満を予防する．
  - ②運動療法：関節可動域訓練を指導し，動作時の負荷を減らす．可能な施設では電気生理学的検査により，主要な筋に対する筋力増強訓練の負荷の目安．自主訓練方法を指導する．翌日に疲労感を残さない程度の運動が推奨される．
  - ③補装具の使用：下肢長不等，萎縮，膝折れ，反張膝，尖足，下垂足，内がえしなどを認めることが多い（図 4-8）．変形や代償を利用し，下肢装具を使用せず歩行する場合も少なくない．補装具を使用した治療を検討する．初めて下肢装具を処方する場合は，患者が実際に使用できるシンプルな形状を心がける．すでに下肢装具を使用している場合の再処方では，生活強度（たいていは低下）に見合った構造を考え，下肢装具の重量自体が過用（オーバーユース）の原因とならないよう軽量化に努める．PPS における定型的な下肢装具はない．求める機能を見極め，使用者の能力（ときには代償も含む）を極力阻害しないものとする．歩行補助具の導入やその軽量化も検討する．
- 肩関節，および健側下肢（または軽度麻痺側）の膝関節に疼痛を訴えることが多い．動作指導，関節可動域訓練，補装具の使用，消炎鎮痛薬投与，ヒアルロン酸やステロイドの関節腔内注射などを行う．

- ポリオ経験者の性格は“頑張り気質”と称され，これが過用（オーバーユース）の一因となる場合もある．指導する際には，頑張らないことだけを強いるのではなく，行ってもよい筋力増強訓練や動作方法を伝える．

（沢田光思郎）

9 ニューロパチー

基本的な知識

概要

- ニューロパチー（末梢神経障害）は，代謝性（糖尿病性，尿毒症性，ビタミン欠乏性），中毒性（鉛中毒，薬剤性，アルコール性），血管炎性（結節性動脈周囲炎，アレルギー性血管炎），絞扼性（正中神経麻痺，尺骨神経麻痺，腓骨神経麻痺），遺伝性（Charcot-Marie-Tooth 病，家族性アミロイドポリニューロパチー），悪性腫瘍に伴うものなどに分類される．
- 日常臨床で高頻度に遭遇するものは，絞扼性ニューロパチー，糖尿病性ニューロパチー，アルコール性ニューロパチー，などである．
- ニューロパチーは，その障害部位の分布から，単ニューロパチー（1 つの末梢神経のみが障害される），多巣性単ニューロパチー（2 つ以上の単ニューロパチーが生じる），多発性ニューロパチー（左右対称性に障害される）に分類される．

診断

- 糖尿病性ニューロパチーは，慢性の経過を取る．下肢優位・遠位優位に左右対称性の感覚優位の症状を呈することが多い．両側アキレス腱反射の低下・消失，両足関節内果の振動覚低下などが確認される（図 4-9）．
- 単ニューロパチー（動眼神経麻痺，顔面神経麻痺）として急性発症することも，自律神経障害（胃腸の機能低下，起立性低血圧，勃起不全）として発症することもある．筋の痙攣やこむら返りが目立つこともある．
- アルコール性ニューロパチーでは，主に感覚神経が障害され，手足の先のピリピリとした痛みが生じる．
- 正中神経麻痺（手根管症候群）は，原因不明の特発性手根管症候群が多く，猿手を呈する．
- 腓骨神経麻痺は，下肢外旋に伴う膝部外側部での圧迫やギプス固定による腓骨頭部での圧迫などを原因とすることが多く，下垂足を呈する．

治療

- 糖尿病性ニューロパチーの場合，（特に 1 型糖尿病では）良好な血糖コントロールによって，神経障害の進行が抑制される．アルコール性ニューロパチーの場合，禁酒の継続がポイントとなる．
- 神経障害性疼痛には，プレガバリン，デュロキセチン，トラマドールとアセトアミノフェンの合剤などの内服が推奨される．

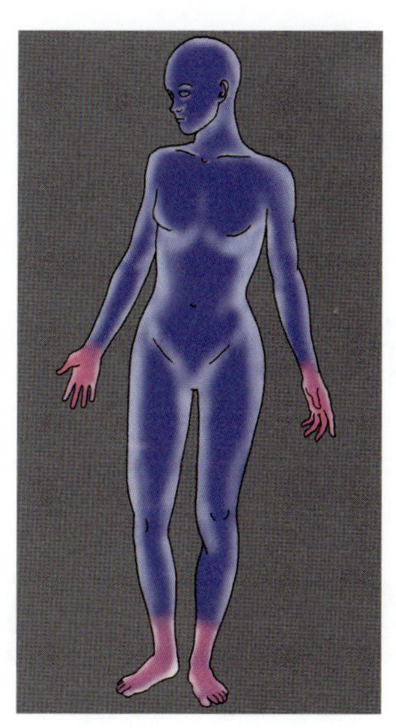

図 4-9 糖尿病性ニューロパチー

糖尿病性ニューロパチーでは，典型的には，慢性の経過で下肢優位・遠位優位に左右対称性の感覚優位の症状が認められる．アキレス腱反射の低下・消失，内果の振動覚低下もみられる．

リハビリテーション診療のポイント

- 運動優位の症状（麻痺症状）が出現もしくは増悪した場合，まずは補装具を用いるなどして機能肢位（良肢位）を保ち，拘縮予防の関節可動域訓練を行うようにする．その後，麻痺の回復がみられれば徐々に筋力増強訓練を追加していく．
- 特に運動症状を呈するニューロパチーの回復期（末梢神経の再生時）では，過負荷にならないように注意する．低負荷かつ短時間の筋力増強訓練を頻度を高くして行う．
- 絞扼性ニューロパチーは，通常は保存療法で対処され，装具療法も用いられる．正中神経麻痺には短対立型装具（母指を対立に保つ），尺骨神経麻痺にはナックルベンダースプリント（MP 関節を屈曲位に保つ）が有用である．
- 麻痺症状がみられる場合には，低周波電気刺激療法も適用される．
- 糖尿病性神経障害は，介護保険の特定疾病の 1 つである．通所リハビリテーションや訪問リハビリテーションなども適宜活用する．

（角田 亘）

各論

5

切断

1 切断総論

切断の基本的な知識

概要

- 切断（amputation）とは四肢の一部が切離された状態であり，関節部分で切離されたものは離断（disarticulation）と呼ばれる．そして，失われた機能を補完し，切断者の活動を育むためには義肢（義手と義足）が必要である．
- 切断の原因には外傷，末梢循環障害，悪性腫瘍，感染，先天奇形などがある．
- 下肢切断が圧倒的に多く，労働災害の減少により上肢切断は減少傾向にある．下肢切断の主な原因は糖尿病性壊疽，閉塞性動脈硬化症（arteriosclerosis obliterans；ASO），Buerger病（閉塞性血栓血管炎，thromboangiitis obliterans；TAO），急性動脈閉塞症などの末梢循環障害と外傷であるが，血行再建手術の普及により外傷性下肢切断は大幅に減っている．
- ASOなどの動脈閉塞は腹部大動脈，腸骨動脈，大腿動脈など大血管に好発するので，大腿切断，下腿切断に至ることが多い．また，糖尿病性壊疽では，大血管閉塞による切断以外に感染を伴う末梢の難治性糖尿病性潰瘍が原因となる足部での切断も少なくない．しかし，重症下肢虚血に対する自家骨髄細胞・自家末梢血CD34陽性細胞・自家脂肪組織由来幹細胞などを用いた血管再生治療も先進治療や医師主導型治験として行われるようになり，下肢切断が回避されるケースも増えてきている．

症状と診断

- 一般に切断レベルに応じた義肢の処方が必要である（図5-1）が，上肢と下肢では補完されるべき機能が異なる．
- 上肢には把持機能，下肢には支持（歩行）機能が必要である．
- 下肢切断では支持（歩行）機能再獲得のため，義足が処方される．そのため，義足装着を前提に，ソケットが適合しやすいように切断術が行われる．
- 足関節部より遠位での切断（サイム切断など）の場合，長い断端長と断端の高い負荷性のため，畳の上での生活が多い日本では必ずしも義足を必要としない．
- 足部部分切断では，残存部位で完全な末端支持が可能となるため，足根中足義足あるいは通常の靴に入れる足底装具でも歩行機能の再獲得が可能である．

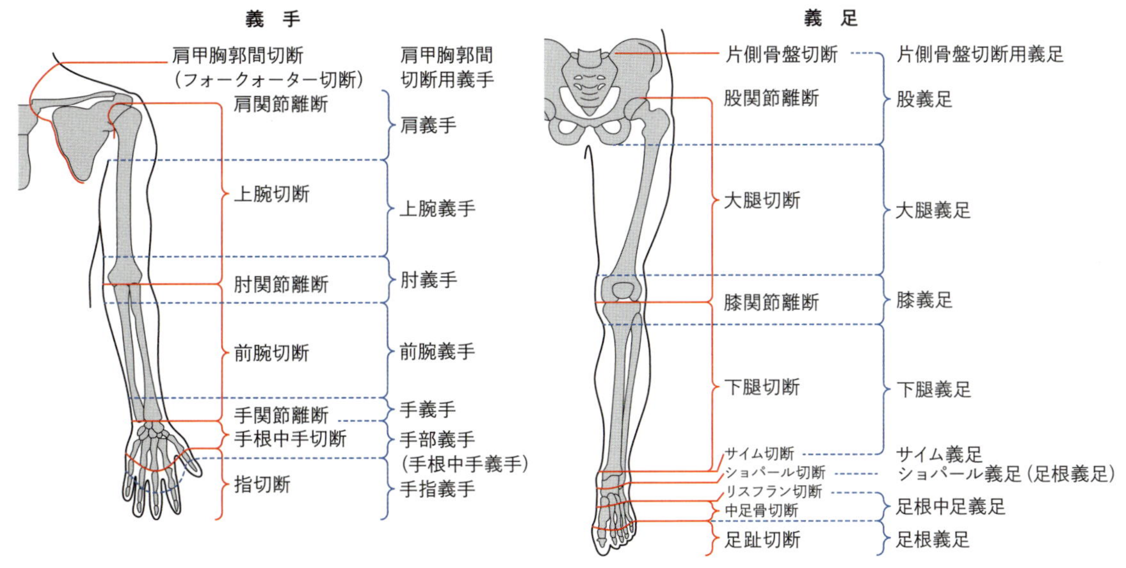

図 5-1　切断レベルに応じた義肢の名称

〔蜂須賀研二（編）：服部リハビリテーション技術全書，第3版．p572，医学書院，2014，川村次郎，他（編）：義肢装具学，第4版．p73，医学書院，2009を一部改変〕

- 上肢切断では，無機能の完全な装飾義手や，対側上肢と肩甲帯の運動を利用する能動義手，切断側の残存筋の筋電信号を利用して手指を開閉する筋電義手など切断高位や必要とされる機能に応じた義手が処方される．

切断の実際

- 切断は義肢装着が容易になるように至適な長さの切断端とする．
- 若年，青壮年の下肢切断者の義足歩行獲得成功率は切断レベルに関係なく高いが，高齢切断者の義足歩行獲得成功率は大腿切断，下腿切断ともきわめて低く，切断レベルが膝上/膝下により機能予後も大きく変わる．
- 重症下肢虚血疾患や糖尿病性壊疽では，原疾患が切断高位を規定することが多いが，歩行能力再獲得のためには膝関節温存の可能性を検討したい．
- 大腿切断では，短断端であっても股関節離断より義肢の装着感に優れるので，大腿骨を可及的に残すことを考慮するが，短断端では股関節の外転・屈曲・外旋位拘縮を生じやすいので，短断端となる場合は，切離した内転筋群の断端遠位への縫着と術後早期からの股関節内転・伸展訓練が必須である．
- 切断のリハビリテーション治療の前提として，義肢装着に適した断端が形成されている必要がある．具体的には①痛みなくソケットが装着できて近隣の関節を動かせる，②軟部組織により過不足なく被覆されている，③有痛性の神経腫がない，④十分な血流がある，などである．

切断のリハビリテーション治療のポイント

急性期

- 切断術後の急性期のリハビリテーション治療は，全身管理と局所（断端）管理に分けられる．

- 全身管理は切断原因となった疾患の治療，合併症に対する内科的治療，筋力・体力の低下や関節拘縮の予防と，切断という喪失体験などへの対応である．
- 局所（断端）管理は，最近は弾性包帯を用いたsoft dressing法がほとんどである．また，抜糸後は段階的に異なるサイズのライナー（シリコン，ウレタンなど）を用いて断端の成熟（収縮）を図る方法も行われるようになった．
- 断端が成熟して訓練用仮義足が装着できるようになるまでは，筋力・体力の低下や呼吸器合併症などを防ぐための早期離床，切断部位近隣の関節拘縮（下腿切断では膝屈曲拘縮，大腿切断では股屈曲拘縮）を予防するための関節可動域訓練や関節拘縮を誘導する不良姿勢を防止するための臥位・座位姿勢の指導，筋力低下を防ぐための筋力増強訓練などを可及的早期から開始する．
- 切断術後は「義肢装着訓練を要する状態」として回復期リハビリテーション病院へ訓練継続や義肢作製を目的に転院が可能であるので，地域医療連携室に転院支援を依頼する．

回復期

- 切断創が治癒したら，義肢装着前訓練として健側下肢筋力増強訓練・立位訓練・バランス訓練などを行う．
- 断端形状に応じた適切なソケットと必要に応じて切断高位や切断者の体力・活動性に応じた膝継手などの部品を選択し，訓練用仮義足を作製する．
- 義肢装着訓練としてライナーやソケットの着脱，仮義足装着での起立・歩行などを下肢筋力・関節可動域訓練とあわせて行う．

生活期

- 生活期で義肢は日常の移動手段，あるいは生活手段として不可欠なものとなる．
- 義肢を使い続けるためには，義肢を使うための筋力や体力，関節可動域の維持，断端のケアなどリハビリテーション治療の継続と義肢のメンテナンスや破損・故障への対応が必要である．
- 切断後に作製される義肢は訓練用義肢（治療用装具）として医療保険や労働者災害補償保険，自動車損害賠償責任保険などから給付されるが，それ以後は原則生活用義肢（更生用装具）として，障害者総合支援法では身体障害者手帳による申請・許可後，労働者災害補償保険では症状固定後に支給される．
- ソケットや膝継手の変更などを義肢使用者が希望することもよくあるが，部品の変更などが必要であると義肢装具等適合判定医あるいは義肢装具士が判断した場合は，医療機関で適切に対応することが望ましい．
- 義肢の耐用年数は区分・名称・形式によって異なるが，義肢装具等適合判定医や義肢装具士は破損，不適合などに対応できるように，情報提供や適切な間隔での診察（定期検診）を行わなければならない．

義肢の基本的な知識

構造・名称

- 義肢の構造は義手と義足で大きく異なる．
- 義手は殻構造が，義足では骨格構造が一般的であるが，骨格構造により軽量化できるので，高齢者などには骨格構造義手はよい選択肢である.

- 義手は機能的に, ①装飾義手, ②能動義手・作業用義手（さまざまなタイプの手先具がある）, ③動力義手（力源を外部に依存する体外力源義手であり, 筋電義手が一般的である）の3つに分類される.
- 義肢の基本的構成要素は, ①ソケット, ②支柱部（殻構造と骨格構造）, ③継手（肘継手・手継手, 股継手・膝継手・足継手）, ④手先具と足部からなる.
- 基本的構成要素の相対的な位置関係（配列）がアライメントである. 義肢装具がその機能を十分に発揮するためには,「よい適合」と「よいアライメント」が必須である.
- 義肢装具では, 義肢装具と身体との接触部分をできるだけ広くして接触部分の単位面積当たりの圧力を低くする（圧の分散）. また, 組織が均一でなければ, 軟らかい組織の圧迫を大きく, 硬い組織の圧迫を小さくして圧の均一化を図る.
- 耐圧性の高い組織では圧迫を強くし, 低い組織では圧迫を弱くすることによって, 快適で強固な支持性を得る（圧の差別化）.

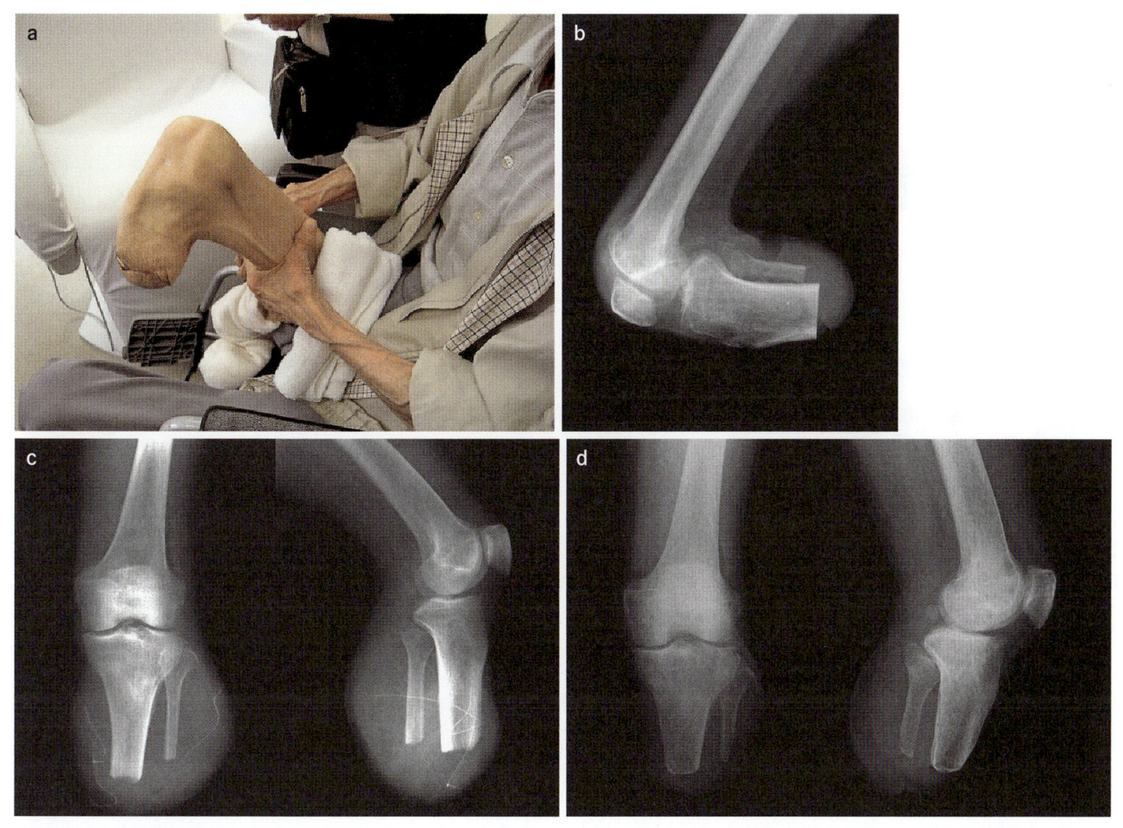

図 5-2　下腿切断

a, b：80 歳男性. 閉塞性動脈硬化症により下腿切断を受けるも, 術後に適切な関節可動域訓練が行われなかったため膝関節重度屈曲拘縮をきたし（a）, 脛骨遠位端の処置もなされていない（b）. 健側下肢の筋力低下もあり, 移動には車いすが必要である.
c：81 歳男性. 足部の悪性黒色腫により下腿切断を受ける. 下腿骨（脛骨・腓骨）遠位端は滑らかに形成され, 術直後からのリハビリテーション治療により, 下腿装具を装着し ADL は自立, 毎日, ボランティア活動に参加している.
d：図 c の男性の 10 年後. 下腿骨（脛骨・腓骨）の切断端はソケットに適合している. ADL は自立, 歩行能力は維持され, 回数は減ったが, 病院ボランティア活動にも参加している.

- この圧力の変化（圧力勾配）が急峻であると剪断力が生じて接触部位表層を傷つけてしまうので，義肢装具の辺縁に丸みをつけたり，下腿切断では切断した脛骨遠位端前部を滑らかに形成したりする（図 5-2）．
- このような義肢装具と身体との接触関係を「適合」と呼ぶ．
- 断端と義肢を機械的につなぐソケットの最も重要な機能は，断端の運動を義肢に忠実に伝達することと義肢に加わった力を切断端に伝達することであり，そのために「よい適合」が要求される．
- 義肢の支柱をつなぐ継手が円滑に動いたり，荷重時に不安定な動きにならないためには，解剖学的関節軸と継手軸を一致させたり，下肢荷重線より後方に膝継手を配置したりするような「よいアライメント」が要求される．
- 一般にソケット内での圧分布はアライメントの影響を直接受ける．すなわち，悪いアライメントは悪い適合を引き起こすので注意が必要である．

文献

1) 日本整形外科学，他（監修）：義肢装具のチェックポイント．第 9 版，医学書院，2021
2) 森谷純治，他：【重症下肢虚血（CLI）に対する治療】重症下肢虚血に対する血管再生治療の現状．心臓 45：29-32，2013
3) Fletcher DD, et al：Trends in rehabilitation after amputation for geriatric patients with vascular disease：implication for future health resource allocation. Arch Phys Med Rehabil 83：1389-1393, 2002
4) 川村次郎，他（編）：義肢装具学，第 4 版，医学書院，2009

2 上肢切断

基本的な知識

概要

- 上肢切断の原因は外傷が大部分である．手指切断が圧倒的に多く（80％超），能動義手の適応となる前腕切断，上腕切断，手関節離断，肩関節離断は 20％弱にすぎない．
- 片側上肢切断では健側手でほとんどの ADL が遂行可能であるので，能動義手が適応となる上肢切断者であっても約 90％は装飾義手を装着している．
- 上肢切断の機能障害は片側性か両側性か，利き手側か否か，あるいは切断高位に応じてその程度が大きく異なる．
- 能動義手を適合させた場合でも，切断高位によって獲得できる義手操作能力に大きな違いが生じる．
- 運動機能以外に留意すべき障害は断端痛である．訴えは切断者によってさまざまであるが，痛みやしびれなどは鎮痛薬などの頓用と弾性包帯による適切な断端処置や能動義手の訓練によって対処可能である．
- 上肢切断者のリハビリテーション診察の目的は義手訓練適応の判断である．
- 義足と比べて義手は，使用に際して併存疾患や体力などに左右されないが，義手作製や装着に関する重要な要因は，切断端の状態（長さ，形状，皮膚の状態），近接関節の可動域，片側切断か両側か，訓練に対する意欲や訓練内容を理解の有無などである．
- 同居者などの家族状況，受傷前や復職後の就労内容を把握しておくことも大切である．

治療のポイント

- 上肢欠損による精神的ダメージは大きく，断端を直視できない患者もいる．焦らずにリハビリテーション治療を開始する前から義手の説明を十分に行いながら，患者の希望や要望の把握に努めるが，義手訓練に最も重要な情報は切断者が義手を用いて何をしたいのかということである．
- 本義手支給にかかわる制度は義足と同様であるが，筋電義手は特例補装具となり，また，労働者災害補償保険法と障害者総合支援法とでは手続きが異なる．

義手のパーツの特徴

- 義手のパーツには「肘継手」，「手継手」，「手先具」などがあるが，詳細は専門書[1]を参照されたい．

リハビリテーション治療のポイント

急性期

- 術後の適切な断端ケアが重要である．
- 通常は弾性包帯を用いたsoft dressing法が行われる．また，関節拘縮を予防するために関節可動域訓練や適切な筋力増強訓練を可及的早期から開始する．

回復期

- 切断者が義手を使って何をしたいか（就労や家事，趣味など）という希望を確認し，リハビリテーション治療のゴール設定を行う．
- 切断創の治癒が得られている場合は早期に訓練用仮義手を作製し，リハビリテーション治療を開始する．なお，利き手が切断側の場合には利き手交換訓練を同時に行う．

前腕用能動義手

- 義手の基本的構成を図5-3に示す．
- リハビリテーション治療のポイントは手先具の開閉操作の習得である．手先具の位置決めや操作の正確性を獲得するために，ハーネス操作時の肩関節屈曲の動きをできるだけ小さくして，肩甲骨外転運動が効率的に行えるようにする．
- 訓練期間中は作業療法士によるハーネス・コントロールケーブルシステムの頻繁な調整が必須である．

上腕用能動義手

- 義手の基本的構成を図5-4に示す．
- 手先具の操作は前腕義手と同じであるが，前腕義手と異なり肘継手の操作が加わる．
- 肘継手の固定（ロック）のために切断側肩関節の細かな屈曲・伸展動作が必要であるが，この動作の修得が最も困難である．
- はじめは肘屈曲操作時に手先具も同時に開いて把持した物体を落としてしまうが，根気よく訓練を繰り返す．

筋電義手

- 適応は手部切断の一部，手関節離断や前腕切断である．訓練の詳細は標準化されたマニュアルを参照されたい[2]．

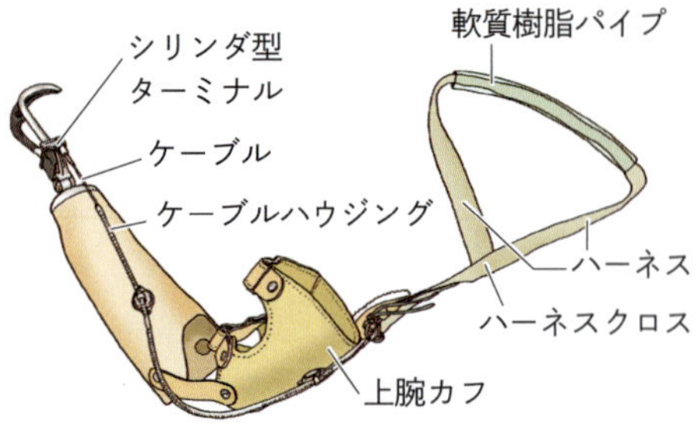

図 5-3　前腕用能動義手

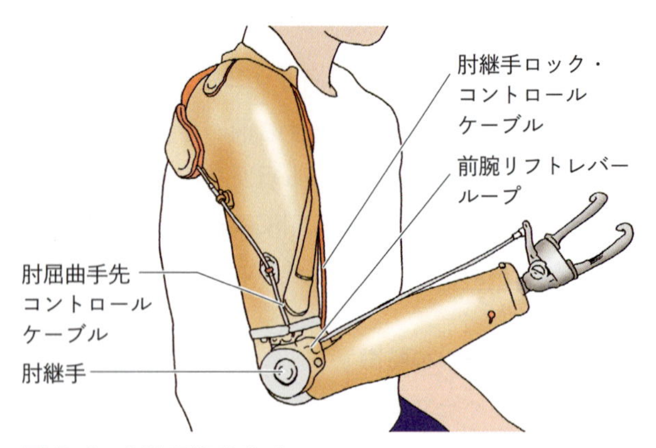

図 5-4　上腕用能動義手

肩甲骨や肩の動きを，義手の手や肘の動作に変換するもので，ハーネスと呼ばれる仕組みが用いられる．ワイヤーケーブルは切れることがしばしばあり，取り外しができるようになっている．

生活期

- 義手はいったん日常生活や職場で使い始めると不可欠なものとなるので，義手のメンテナンスや破損・故障への対応，医療機関や義肢装具士との連携体制の整備が重要である．

文献

1)　日本整形外科学，他(監修)：義肢装具のチェックポイント．第 9 版，医学書院，2021
2)　陳　隆明(編)：筋電義手訓練マニュアル．全日本病院出版会，2006

3 下肢切断

基本的な知識

概要

- 近年，切断のリハビリテーション治療の対象者は，末梢循環障害に起因する高齢下肢切断者が多い．

下腿切断

- 膝関節が温存されているため義足歩行時の身体的負荷が小さく，体力的な要因は大きく影響しないが，膝関節の重度屈曲拘縮（20～30° 以上）(図 5-2)，椅子から起立不能，歩行補助具が使えない上肢機能障害，訓練意欲がない，訓練や義足の取り扱いに支障をきたすほどの知的障害や認知機能障害・内部障害（血液透析や虚血性心疾患）などはリハビリテーション治療の阻害因子である．

大腿切断・股離断

- 機能予後の判断には，①年齢，②切断高位，③併存疾患，④片脚起立能力，⑤体力，⑥訓練意欲

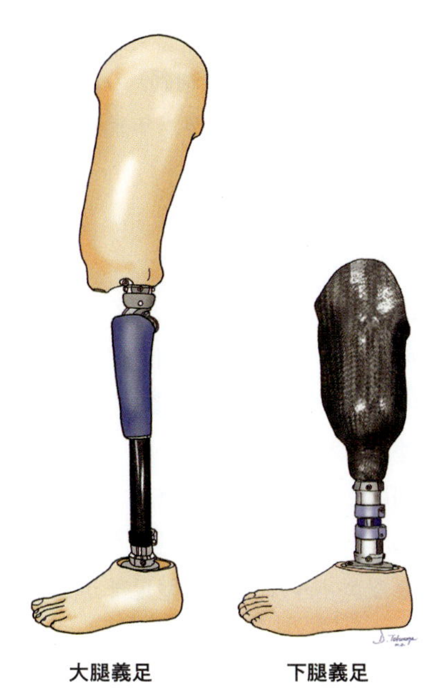

図 5-5 義足
“骨格構造” の義足では，いろいろな種類の継手や足部の部品を組み合わせて，アライメントの調整や部品の交換ができる．

などの要因を考慮して多職種による詳細な評価を行う．

治療のポイント

- 切断者は歩行再獲得についての大きな不安をもっているので，希望を把握してリハビリテーション治療開始前から，ある程度明確なゴールを説明しておく．義足歩行が困難と想定される場合には代替手段を提案する．
- ライナー使用時の皮膚トラブル予防のために自身による断端保清，ライナー洗浄などの自己管理が可能かどうかを見極める．
- 本義足の支給では利用可能な制度を確認しておくことが重要である．

義足の構造と特徴

- 義足は構造上（支持部）の特徴によって殻構造と骨格構造とに分類される．現在の主流は骨格構造でモジュラータイプの義足である．軽量で部品の交換やアライメントの調整が完成後も可能である（図 5-5）．
- 義足の構成要素はソケット，継手（股，膝）を含む支持部と足部である．
- ソケットのよい適合と義足のよいアライメントが重要である．また，大腿切断では切断者の年齢や身体機能を考慮した膝継手の選択が機能予後を大きく左右する．

ソケット

- 切断高位により，さまざまなソケットがあるが，断端の状態や切断者の活動性などに応じて選択する．詳細は専門書を参照されたい．

膝継手

- 膝の安定性の獲得（立脚相制御）と下腿の振りだし（遊脚相制御）の役割を担う．
- ①固定，②単軸，③多軸，④コンピュータ制御などがあるが，年齢や活動量，到達目標などに応じて選択する．

足部

- 足部に必要な機能は，踵接地時の衝撃吸収（前脛骨筋の代償），スムーズな体重移動，踏み切り時の前方への推進力発揮（下腿三頭筋の代償）であり，①単軸，②SACH（solid ankle cushion heel），③多軸（multi-axis foot），④エネルギー蓄積型などがある．
- 単軸足部は安定しておりアライメント調整がしやすい．
- エネルギー蓄積型足部は内蔵バネの力を利用して立脚期の荷重エネルギーを踏み切り時の推進力に変える，活動量の多い切断者向けの足部であり，最も多く処方されている．
- 近年では高齢者や体力虚弱者などにも軽量なエネルギー蓄積型足部が処方される．

義足訓練のポイント

急性期

- 適切な管理による断端成熟と装着した義足を十分に使用できるだけの近隣関節の可動域，筋力およびバランス機能や体力の維持と向上が大切である（義肢装着前訓練）．

回復期

- リハビリテーション治療中も，義足の適合評価をリハビリテーション科医が義肢装具士，理学療法士と一緒に行う．ソケットの適合性，義足の長さやアライメント（静的・動的）のチェックが重要である．
- 義足装着訓練でソケットを正確に装着できるようになるには一定期間（約 2 週間）を要するので，はじめは理学療法士が援助する．
- 基本訓練は起立・歩行訓練を平行棒内から開始する．
- 義足への体重負荷，義足立脚時の膝安定性の確保（大腿切断者では随意制御の学習），体重心の移動訓練（前後・左右）を行う（図 5-6）．
- その後，前後へのステップ訓練，交互膝屈曲訓練を行い，徐々に平行棒内から平行棒外での歩行訓練へと移行する．そして，切断者の身体的特徴に応じて必要な歩行補助具を選択し平地歩行の獲得を目指す．
- 習慣となった異常歩行は修正することが困難なので，歩行訓練中に異常歩行の評価と修正を行う．
- 平地歩行訓練後は，応用歩行訓練と ADL 訓練を行う．具体的には，義足装着下での床や椅子からの起き上がり，段差越え，階段や坂道，不整地での歩行訓練などである．
- 最後に在宅生活を想定して，屋内での義足非装着下の移動や動作訓練を行う．
- 医療者は切断者の生活に応じた訓練と工夫を，切断者，家族と相談しながら実施することが重要である．

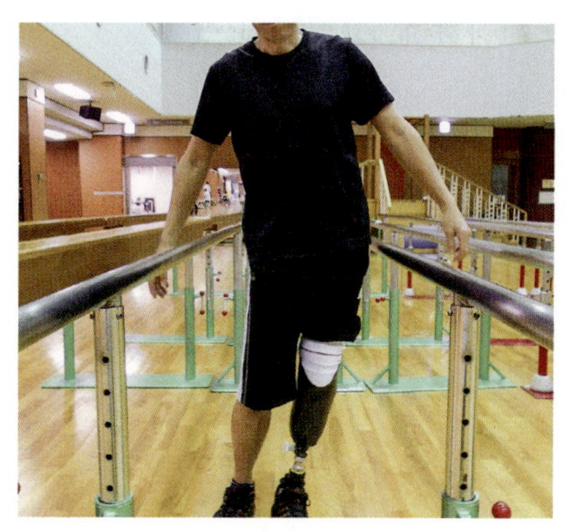

図 5-6 平行棒内での歩行訓練

生活期

- 義足は日常の移動手段として不可欠なものである.
- 義足のメンテナンスや破損・故障への随時対応は必須であり，医療機関や義肢装具士は常に義足使用者と連絡を保つことが望まれる.
- 義足不使用の原因の多くが，メンテナンス体制の不備にあり，修理対応が困難で代替義足の貸出が必要となることも少なくないので，すぐに提供できる体制の整備も大切である.

文献

1） 陳 隆明：高齢下肢切断者の Prosthetic Rehabilitation Outcome に影響する因子．リハ医学 40：13-17，2003
2） 陳 隆明，他：下腿切断者に対するシリコンライナーを用いた創治癒後断端マネージメントの経験―本法による病院間連携の提案．臨床リハ 17：405-409，2008
3） 日本整形外科学，他(監修)：義肢装具のチェックポイント．第 9 版，医学書院，2021

（陳 隆明）

各論

6

小児疾患

1 小児疾患に対するリハビリテーション診療

基本的な知識

概要

- 「発達」は生体が機能・構造を成熟させることを指す．身長や体重が増大することを成長と呼ぶのに対し，運動機能，精神機能，知的機能が成熟することが発達である．
- 小児の発達では，鍵となる指標を milestone と呼ぶ．代表的なものと標準的な時期は次の通りである．
- 運動発達では，3～4 か月で定頚，5～6 か月で寝返り，7～8 か月でおすわり，11～12 か月でひとり立ち，12～18 か月でひとり歩きが可能となる．
- 言語発達では，11～12 か月で有意語，2 歳で 2 語文が可能となる．
- 原始反射の遷延は小児の運動発達の異常の検出に有用である．代表的な反射と標準的な時期は次の通りである（図 6-1）．
- 交差伸展反射（2 か月），Moro 反射（4～6 か月），非対称性緊張性頚反射（4～6 か月），対称性緊張性頚反射（4～6 か月），手掌把握反射（3～6 か月），足底把握反射（9～10 か月）
- 摂食嚥下機能の発達も重要である．哺乳反射は 4～7 か月に消失，分離運動へ発達し，嚥下，捕食，咀嚼，摂食機能を獲得していく．

症状と診断

- 小児の発達（運動，社会性，言語など）を評価するには，DENVER II（デンバー発達判定法），遠城寺式乳幼児分析的発達検査，新版 K 式発達検査などの発達評価法が有用である．言語発達遅滞がある場合，原因として聴覚障害を見落とさないように注意する．
- 小児の知能評価法には，WPPSI（Wechsler preschool and primary scale of intelligence）-III 知能検査，WISC（Wechsler intelligence scale for children）-V 知能検査，KABC（Kaufman assessment battery for children）-II，DN-CAS（Das-Naglieri cognitive assessment system）認知評価システムなどがある．
- 小児の ADL，機能・活動・参加，適応行動などの評価法には WeeFIM，PEDI（pediatric evaluation of disability inventory），Vineland-II などがある．

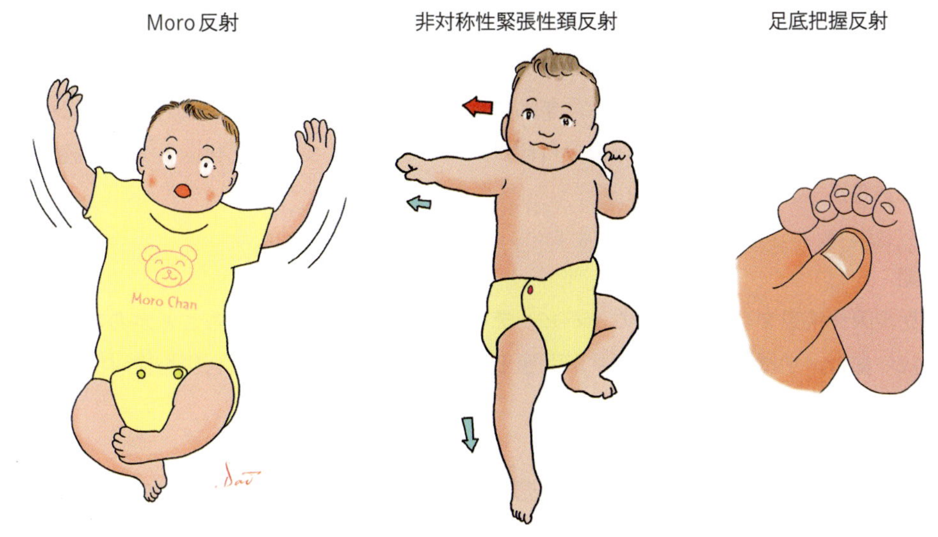

図 6-1 代表的な原始反射

発達の milestone や原始反射は，発達の遅れを発見するのに有用である．発達の遅れは乳幼児健診で気づかれることも多い．Moro 反射は，子どもが生まれつきもっている原始反射の一種で，頭部を急に下げたとき上肢の反射が起こる．生後3〜4 か月で消失する．

治療

- 小児のリハビリテーション診療での代表的な疾患には脳性麻痺，二分脊椎，運動器疾患，発達障害がある．一般的に診察を最初に行うのは小児科医であるが，治療には小児神経科，小児整形外科，小児外科，小児泌尿器科，小児精神科などさまざまな診療科が関与する．治療内容や治療方針について，担当診療科医，関連の職種と情報を共有しておくことが重要である．

リハビリテーション診療のポイント

急性期

- 脳炎・脳症などの脳疾患・外傷性脳損傷，運動器の外傷，熱傷，手術療法や悪性腫瘍の治療中，肺炎をはじめとする呼吸器疾患など，小児後天性疾患では成人と共通の急性期のリハビリテーション診療が必要となることがある．
- 早期のリハビリテーション診療の実施を検討すべきであり，PICU（pediatric intensive care unit）に入室している場合でも可能であれば治療を開始する．
- NICU（neonatal intensive care unit）のリハビリテーション治療では，早産・低出生体重児では未熟性に十分留意し，minimal handling（必要最小限の介入）を心がける．
- 小児ではリハビリテーション治療に対する理解や意欲は必ずしも十分ではない．年齢に応じて，本人にもわかるような言葉で目的や必要性を説明する．リハビリテーション治療に対して痛い，つらい，つまらないという印象を小児がもってしまうと，効果的な訓練は不可能である．遊びの要素を含むなど小児が取り組みやすい訓練の実施や，良好なラポール（相互の信頼関係）形成を心がける．
- 保護者との関係も重要である．リハビリテーション治療の目的や実施内容，予後予測についてよく説明し，理解や協力を得ることも重要である．重症疾患の突然の発症に保護者が動揺している場合は，予後予測などの説明は担当診療科主治医や関連の職種と相談し慎重に行う．

- 小児のバイタルサインの基準値は，年齢によって異なる．たとえば，成人と比較し小児の血圧は低く，心拍数は多い．訓練の可否や負荷量を決定するうえで，小児科医とよく相談することが重要である．

回復期

- 小児後天性疾患では，回復期のリハビリテーション治療の対象となることがある．
- 入院の場合，学童期であれば復学が問題となる．院内学級があれば利用を検討する．

生活期

- 小児先天性疾患や発達障害などが，小児のリハビリテーション診療の大部分を占める．医療としての外来でのリハビリテーション診療のほか，障害児通所支援などのサービスも医療ソーシャルワーカーと検討する．早期療育を心がける．
- 該当する場合，身体障害者手帳・療育手帳・精神障害者保健福祉手帳の取得・更新や，小児慢性特定疾病・指定難病の申請・更新を行う．また，適切な装具や車いすの処方・更新を行う．
- 重症心身障害児では肺炎などの呼吸器疾患の予防が重要である．
- 就学の検討が必要な場合は，知能検査などの検査を就学前に実施し，必要に応じて特別支援学校（訪問学級を含む），特別支援学級，普通級（通級を含む）などの選択肢を説明する．

文献

1）伊藤利之（監修），小池純子，他（編）：こどものリハビリテーション医学―発達支援と療育．第3版，医学書院，2017

2 脳性麻痺，二分脊椎

基本的な知識

概要

脳性麻痺

- 旧厚生省の脳性麻痺研究班会議（1968年）は，「脳性麻痺とは受胎から新生児期（生後4週間以内）までの間に生じた脳の非進行性病変に基づく，永続的なしかし変化しうる運動および姿勢の異常である．その症状は満2歳までに発現する．進行性疾患や一過性運動障害または将来正常化するであろうと思われる運動発達遅延は除外する」と定義している．国際的には，Workshop in Bethesda（2004年）における定義が有名である．
- 原因・リスク因子として，早産，低出生体重，子宮内感染症，多胎，胎盤機能不全，新生児仮死，帝王切開，高・低血糖，脳室周囲白質軟化症，脳室内出血，脳出血，感染，痙攣，高ビリルビン血症などが知られている．

図 6-2 脳性麻痺

典型的な症状である内反尖足では，程度や年齢により，関節可動域訓練，短下肢装具，ボツリヌス療法，手術療法（アキレス腱延長など）などの治療が行われる．脳性麻痺には，痙直型，失調型，弛緩型，アテトーゼ型，混合型などがあり，痙直型が最も多い．痙縮は腓腹筋，ヒラメ筋や後脛骨筋に出現し，尖足歩行から，“はさみ足”などの異常姿勢が生じる．

二分脊椎

- 二分脊椎は，先天的に脊椎の後方要素（棘突起，椎弓など）が欠損している状態と定義され，神経管閉鎖不全の１つである．
- 発症要因の１つとして母体の葉酸欠乏があり，妊娠前からの適切な葉酸摂取により発症予防が可能とされる．

症状と診断

脳性麻痺（図6-2）

- 麻痺の型から，痙直型，失調型，弛緩型，アテトーゼ型，混合型に，麻痺の部位から，四肢麻痺，両麻痺，片麻痺などに分類される．両麻痺とは，両下肢の麻痺に比べて両上肢の麻痺が軽い状態をいう．
- 小児の運動および姿勢保持の能力は変化する．１歳までは，その後の正常化を予測することや，他疾患による運動発達異常を鑑別することが困難である．２歳以降でないと確定診断できないことも多い．
- 粗大運動能力分類システム（gross motor function classification system；GMFCS）は，カナダのCanChildで考案された評価法である．脳性麻痺児の座位および移動を中心とした粗大運動能力から，最終的に到達するレベルを判別する．
- レベルⅠ：制限なしに歩く，レベルⅡ：制限を伴って歩く，レベルⅢ：手にもつ移動器具を使用して歩く，レベルⅣ：制限を伴って自力移動；電動の移動手段を使用してもよい，レベルⅤ：手動車いすで移送される，に分けられる．GMFCSの拡張・改訂版であるGMFCS E&Rの日本語版も公開されている（藤田保健衛生大学藤田記念七栗研究所のホームページから閲覧可能である）．
- 粗大運動能力尺度（gross motor function measure；GMFM）は，脳性麻痺児の粗大運動能力の経時的な変化や治療効果を評価するための評価法である．88項目の運動課題について0，1，2，3点の４段階のスコアをつける．日本語訳は『GMFM 粗大運動能力尺度―脳性麻痺児のための評価的尺度』として出版されている（医学書院，2000）．

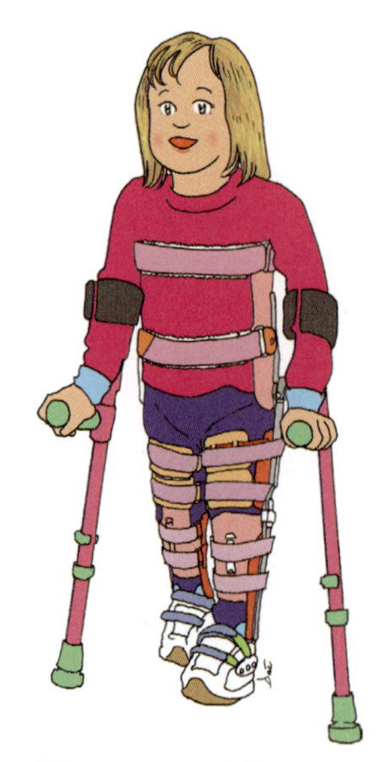
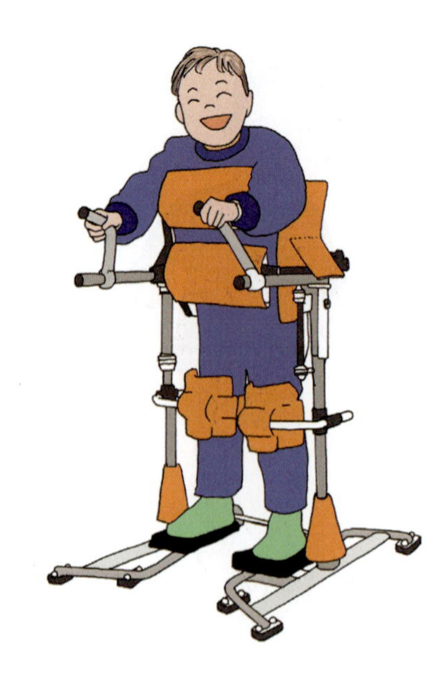

図 6-3　二分脊椎

(左) Sharrard 分類：II 群，Hoffer 分類：non-functional ambulator．ロフストランド杖の使用と骨盤帯付き長下肢装具の装着で歩行可能である．実用的には車いすによる自走．車いすで ADL が自立していたとしても，リハビリテーション治療は必要である．
(右) Sharrard 分類：I 群，Hoffer 分類：non-ambulator．立位保持装置による立位訓練．体重移動を利用して前へ進むことが可能なものもある．

- 新生児期の評価には，新生児行動評価（neonatal behavioral assessment scale；NBAS）や Dubowitz の神経学的評価法が有用である．

二分脊椎（図6-3）

- 脊髄や馬尾神経が背側に脱出し瘤を形成するものを嚢胞性二分脊椎，脊椎後方要素の癒合不全のみで髄膜や神経組織に脱出を伴わないものを潜在性二分脊椎と呼ぶ．嚢胞性二分脊椎は水頭症，Chiari 奇形，脊髄空洞症などの中枢神経異常を伴うことがある．
- 麻痺の神経学的高位分類には Sharrard 分類が，移動能力評価には Hoffer 分類がよく用いられる．
- 主な症状は脊髄・馬尾神経障害による先天的な運動麻痺（対麻痺），感覚障害，膀胱直腸障害である．
- 症状は麻痺高位によりさまざまで，たとえば足部変形は，高位麻痺では内反尖足，低位麻痺では外反踵足をとりやすい．脊髄係留では足部変形，膀胱直腸障害などが成長に伴い出現，悪化する．二次障害として感覚障害に起因する褥瘡が問題となる．

共通

- 知的発達の遅れを合併することがあり，疑う場合は発達検査や知能検査で診断する．

治療

脳性麻痺

- 痙縮の治療には，経口抗痙縮薬，ボツリヌス療法，バクロフェン髄腔内投与療法（ITB），選択的脊髄後根切断術，選択的軟部組織解離術などがある．
- 上肢を装具で適切な位置に固定することで，上肢の操作性や歩行が向上する．下肢装具には，アライメントを整える効果と筋力を補い支持性を高める効果がある．
- 手術療法には，足部変形や膝関節拘縮に対する軟部組織解離術や筋腱移行術，股関節拘縮や脱臼に対する軟部組織解離術や骨盤・大腿骨骨切り術などがある．
- 脊椎変形や頚髄症に対し，選択的筋解離術や骨性手術（後方固定，前方固定，椎弓形成など）が行われる．

二分脊椎

- 皮膚欠損を伴う嚢胞性二分脊椎症では，新生児期に閉鎖手術が行われる．水頭症を合併する場合には，シャント手術なども行われる．
- 足部変形に対する手術療法として軟部組織解離術や骨性手術があり，側弯・後弯変形に対する手術療法も行われる．
- 排尿・排便障害には，薬物療法のほか，清潔間欠自己導尿などの泌尿器科的管理や糞便充塞の管理が必要となる．
- 脊髄係留症候群に対しては，係留解除術を行うが，手術適応に関して統一した見解は定められていない．
- 下肢装具には，アライメントを整える効果と筋力を補い支持性を高める効果がある．麻痺の高位に応じて，足底装具，短下肢装具，長下肢装具，骨盤帯付き長下肢装具を処方する．感覚障害があり，装具による褥瘡に注意する．

共通

- 側弯症に対して装具を用いることがある．進行を抑えることは困難であるが，座位姿勢の安定に有用である．座位保持装置や車いすに工夫をすることもある．
- 座位・立位保持装置は座位や立位の獲得や補助のため，歩行補助具・車いすは移動の獲得や補助のために用いる．
- いずれの治療法も，運動療法との併用で効果を発揮する．

リハビリテーション診療のポイント

脳性麻痺

- 運動機能障害には，神経発達学的治療法（Bobath 法），Vojta 法，conductive education などさまざまなリハビリテーション治療が行われているが，いまだその有効性を示す科学的根拠は十分ではない．
- 片麻痺児の麻痺側上肢機能の改善と自発的使用頻度の増加に CI 療法（constraint induced movement therapy）が効果的である．合併する感覚障害へのアプローチを重視した療法として，感覚統合療法がある．
- リハビリテーション治療については，公益社団法人日本リハビリテーション医学会が監修する『脳性麻痺リハビリテーションガイドライン 第 2 版』が刊行されている（金原出版，2014）．

二分脊椎

- 麻痺の程度に応じた適切な移動能力の獲得がリハビリテーション治療の主な目標となる．関節拘縮や変形は立位・歩行の妨げとなるので，新生児期・乳児期から関節可動域訓練を行うほか，ポジショニングやハンドリングでさまざまな肢位を取らせ，筋活動を促す．
- 高位の麻痺では将来の実用的な移動が車いすとなることが多いが，後述するように立位・歩行訓練も行う．低位の麻痺では実用的な歩行を目指す．

共通

- 思春期以降，特に体重が増えることで運動機能が低下することがある．また，社会での活動の拡大により移動にスピードを要求され，歩行可能であっても車いすを使用することがある．
- 将来的に立位や歩行が実用的でないと予測される場合でも，立位・歩行訓練を行うことは，認知発達促進や骨萎縮予防のほか，移乗などの動作を安全に行うために必要である．
- 脳性麻痺では抗痙縮薬や手術療法など，二分脊椎では排尿・排泄障害や中枢神経合併症に対する治療について，小児科，整形外科，泌尿器科，脳神経外科などとの連携が大切である．

文献

1) 伊藤利之(監修)，小池純子，他：こどものリハビリテーション医学—発達支援と療育．第3版，医学書院，2017

（真野浩志・芳賀信彦）

3 小児の運動器疾患

基本的な知識

概要

- 義肢装具療法を含むリハビリテーション治療の対象となる小児の運動器疾患には，以下のようなものがある．

  ①上肢の疾患：分娩麻痺，先天性上肢形成不全

  ②下肢の疾患：発育性股関節形成不全（先天的股関節脱臼），Perthes 病，大腿骨頭すべり症，O脚・X 脚，内反足・外反足，先天性下肢形成不全，脚長不等

  ③体幹の疾患：斜頚，脊柱変形（側弯など）

  ④全身性疾患：若年性特発性関節炎，骨系統疾患，先天性多発性関節拘縮症

  ⑤部位が一定でない疾患：外傷，骨関節感染症，スポーツ障害
- 小児の骨・関節は成人と解剖学的に異なり，また形態が成長に伴い変化する．たとえば正常小児の下肢の前額面のアライメントは，1～2 歳までは内反膝（O 脚）を示し，その後外反膝（X 脚）に転じ 3 歳でピークを迎え，以後 7～8 歳までかけて成人と同じアライメントとなる．

症状と診断

- 症状は疾患により異なるが，小児は症状を自身の言葉で訴えることができないことも多い．たとえば四肢の一部をあまり動かさない場合，麻痺がなくても，痛みのために動かそうとしない（仮性麻痺）場合があり注意を必要とする．
- 疾患により以下のように特徴的な肢位や徴候を示すことがある．

  ①分娩麻痺：waiter' s tip position（上腕は内旋し下垂，前腕は回内位をとる）

  ②発育性股関節形成不全：股関節開排制限，Allis 徴候（見かけの脚長差）

  ③大腿骨頭すべり症：Drehmann 徴候（股関節の屈曲に伴う外旋）
- 単純 X 線による診断では，軟骨成分が多いため注意を要する．このためエコーも用いられる．

治療

- 治療は疾患により異なる．疾患の自然経過や長期予後を理解したうえで治療法を選択する必要がある．軽症の分娩麻痺，若年発症のPerthes病，生理的O脚・X脚，基礎疾患を伴わない外反扁平足などは自然治癒が望めるため特別な治療を行わないこともある．
- 治療の目標は，生涯にわたり機能障害ができるだけ少ない状態を保つことである．たとえば，股関節変形を残して治癒したPerthes病では，若年期には機能障害がなくても，中年以降に変形性股関節症による疼痛が問題になることがある．

リハビリテーション診療のポイント

- リハビリテーション診療の意義，ゴールなどを養育者に十分説明するとともに，ある程度の年齢以降の児に対してはわかりやすい言葉で説明する．
- リハビリテーション治療により苦痛や痛みを誘発しては，適切な治療を継続することができない．治療により「泣かせてはいけない」ことを肝に銘じる．
- 小児の骨・関節は，成人より脆弱である．特に骨形成不全症，くる病，麻痺のある四肢など骨軟骨の脆弱性のある疾患では，他動的な関節運動により関節の傷害や関節近傍の骨折を生じないように注意する．
- 骨系統疾患など全身性の疾患では，局所の障害にとらわれることなく，運動器以外の障害にも配慮する必要がある．

 文献

1）日本小児整形外科学会(編)：小児整形外科テキスト．改訂第2版，メジカルビュー社，2016

（芳賀信彦）

4 発達障害

基本的な知識

概要

- わが国の発達障害者支援法では，『「発達障害」とは，自閉症，アスペルガー症候群その他の広汎性発達障害，学習障害，注意欠陥多動性障害などの脳機能の障害で，通常低年齢で発現する障害』と定義されている．なお，米国精神医学会「精神疾患の診断・統計マニュアル第5版（DSM-5）では，自閉スペクトラム症，限局性学習症，注意欠如・多動症の用語が用いられる．
- 米国の発達障害者援助と権利規定法では，「発達障害とは，重い慢性的・永続的な障害で，1. 精神的，身体的，あるいは両方の機能障害に起因し，2. 22歳以前に現れ，3. 明らかに持続するものであり，4. 主要な生活活動（①セルフケア，②受容および表出言語，③学習，④移動，⑤自己指南，⑥自立生活，⑦経済的充足）の3つ以上の領域で本質的な機能的制約を持ち，5. 生涯あるいは長期にわたって，個別に計画された特別で，学際的かつ包括的サービスや支援を受けるニーズがあるものをいう」と定義されている．
- 「発達」とは本来，運動発達，精神発達，知的発達など幅広い概念である．わが国では上記の通

り自閉スペクトラム症や注意欠如・多動症を中心とした疾患に重点が置かれているが，脳性麻痺や二分脊椎といった神経疾患，筋ジストロフィーやミオパチーといった筋疾患，知的障害・精神遅滞など，発達が障害される病態は数多くある．発達障害とは本来包括的なもので，医学的にも福祉的にも幅広い障害概念であることに留意が必要である．

症状と診断

- 世界的に使用される診断基準には，WHOの国際疾病分類（international classification of diseases；ICD）と，米国精神医学会の精神障害の診断と統計マニュアル（diagnostic and statistical manual of mental disorders；DSM）がある．
- 発達障害領域で使用される知能・発達の評価法として，Wechsler式検査（WAIS，WISC，WPPSI），KABC-Ⅱ，新版K式発達検査，田中ビネー知能検査，KIDS乳幼児発達スケールなどがある．
- 自閉症特性の評価法として，M-CHAT（modified checklist for autism in toddlers），PARS（pervasive developmental disorders autism society Japan rating scale），CARS（childhood autism rating scale），PEP-3（psychoeducational profile-3rd edition）などがある．
- 注意欠如・多動症（attention deficit hyperactivity disorder；ADHD）特性の評価法として，ADHD-RS（ADHD rating scale），Conners 3，CAARS（Conner's adult ADHD rating scale）などがある．
- 学習障害の評価法として，LDI-R（learning disabilities inventory-revised）などがある．

治療

- 薬物療法が選択される場合があるが，現時点で発達障害の原因に対する治療法はない．基本特性や併存・合併する問題への対症療法が主となる．
- 自閉スペクトラム症では，易刺激性・パニック・興奮・攻撃性，常同行動・こだわり，気分障害，不眠などに対して，非定型抗精神病薬（リスペリドン，アリピプラゾール），定型抗精神病薬（ハロペリドール），選択的セロトニン再取り込み阻害薬（フルボキサミン，セルトラリン），抗てんかん薬（バルプロ酸，カルバマゼピン），メラトニン受容体作動薬（ラメルテオン，メラトニン）などが使用される．
- 注意欠如・多動症では，多動，衝動性，不注意に対して中枢神経刺激薬（メチルフェニデート徐放剤）や選択的ノルアドレナリン再取り込み阻害薬（アトモキセチン），選択的α2Aアドレナリン受容体作動薬（グアンファシン）などが使用される．

リハビリテーション診療のポイント（図6-4）

- 発達障害の症状は個人により異なり，たとえば自閉症スペクトラム障害では重度の知的障害を合併するものから，高い知能を示すものまでさまざまである．
- 個人が置かれている環境も異なる．個人および家族が抱えている問題を明らかにし，ゴールを設定するうえで，適切な評価法を用いた評価が重要である．
- ペアレントトレーニングは，養育者が自分の児に対する最良の治療者になれるという考えに基づき，養育者を対象に児の養育技術を獲得させるトレーニングである．通常，養育者のみでグループを作り，週1回～隔週程度のペースで約10セッションのトレーニングが行われる．

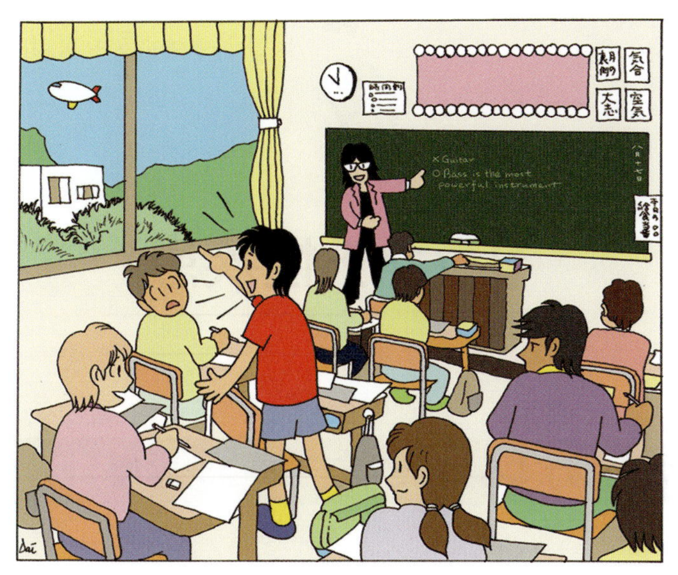

図 6-4　教室で離席してしまう子ども

リハビリテーション治療では発達障害の治癒ではなく，社会適応を高めることを目標とする．自尊心の低下や不登校などの二次障害の予防にも留意する．

- 基礎にある理論は行動療法で，児の行動特徴をよく観察し，なぜそのような行動をとるのかを考える．好ましい行動はほめたりシールなどのごほうびを与えたりし，好ましくない行動は無視して好ましい行動を待ち，破壊的な行動は警告やタイムアウトを用いることで，好ましい行動を強化し好ましくない行動を減らしていく．
- 生活技能訓練（social skill training；SST）は集団生活を送るうえで必要なノウハウを身につけるための支援である．ロールプレイなどを通じて，必要な社会生活技能を身につける．
- 自閉症の治療教育として世界で広く受け行われているプログラムとして，米国ノースカロライナ大学の TEACCH プログラムがある．基本的な考え方である構造化とは，理解しやすい環境を構成することによって学習や適切な社会的行動を容易にすることで，個人の認知特性に合ったわかりやすい形に整理することである．「いつ」「どこで」「何を」「どうやって」「どのくらい」行い，終わったら「次に何を」するのかという 6 つの情報を明確に伝える．
- 自閉症の認知発達治療プログラムとして，太田らによる自閉症の Stage 別発達課題がある．
- 運動や手先が不器用な場合，発達性協調運動障害の併存を考え運動機能に対する運動療法，作業療法の適応を検討する．
- 合併症や薬物療法については，小児神経科や小児精神科とよく連携する．

文献

1）太田昌孝，他：自閉症治療の到達点 2　認知発達治療の実践マニュアル―自閉症の Stage 別発達課題．日本文化科学，1992
2）有馬正高，他：発達障害―基礎と臨床．日本文化科学社，2014
3）辻井正次，他：発達障害児者支援とアセスメントのガイドライン．金子書房，2014

（真野浩志・芳賀信彦）

各論

7

リウマチ性疾患

1 関節リウマチに対するリハビリテーション診療

基本的な知識

- リウマチ性疾患は主に運動器を障害する非感染性・非腫瘍性の全身性炎症性疾患の総称であるが，単に運動器の障害だけにとどまらず全身の臓器を侵す膠原病の概念に当てはまるものも多い．その代表的な疾患は関節リウマチ（rheumatoid arthritis；RA）である．

関節リウマチの概要

- RA は遷延化する滑膜炎により，骨・関節・脊椎・筋/腱/軟部組織などが破壊される運動器疾患である．
- 自己免疫疾患であるが病因は不明である．
- 発熱，全身倦怠，体重減少，強膜炎などの眼症状，血管炎，末梢神経障害，間質性肺炎や心外膜炎といった呼吸・循環器障害，アミロイドーシス，蛋白尿，貧血など全身の臓器に及び生命予後に影響する関節外症状も少なくない．
- 推定有病率は 0.6%（患者数 60〜70 万人），20〜50 歳台の女性に多い（男女比＝1：4）．
- この年代の女性患者は WoCBA（women of child-bearing age，妊娠出産育児年齢の女性）患者とも呼ばれ，妊娠や出産などの生活イベントに配慮した治療が重要である．
- 近年，高齢発症あるいは病歴が長い高齢 RA 患者が増えており，加齢による退行変性（老化）や疾病・障害を併せ持つ複合障害や重複障害が問題となっている．
- 薬物治療が奏効しなければ，関節破壊や脊椎変形による機能障害から ADL が制限される．
- 適切な装具療法や外科手術で機能改善，機能再建ができればよいが，関節破壊や脊椎変形が著しい場合には，日常生活や社会活動での参加の制約に至ることも少なくない．

関節リウマチの症状と診断

- 初発症状を「朝のこわばり」として自覚する手指の多発性関節炎である．
- 足趾の腫脹で発症することも多い．
- 左右対称に発症することが多く遷延化する．
- 脊椎（特に上位頚椎）病変と貧血，間質性肺炎，神経炎などの関節外症状にも注意する．
- 2010 年米国・欧州リウマチ学会合同（ACR/EULAR）関節リウマチ分類基準（表 7-1）を参考に診断する．

表 7-1　2010 年米国・欧州リウマチ学会合同（ACR/EULAR）関節リウマチ分類基準

他の疾患では説明できない臨床的関節滑膜炎 1 個以上	
罹患関節（0～5）	
大関節 1 か所（肩・肘・股・膝・足）	0
大関節 2～10 か所（肩・肘・股・膝・足）	1
小関節 1～3 か所（PIP・MP・2～5MTP・手関節）	2
小関節 4～10 か所（PIP・MP・2～5MTP・手関節）	3
関節 11 か所以上（1 か所以上の小関節）	5
血清学的検査（0～3）	
リウマトイド因子（－）かつ 抗 CCP 抗体（－）	0
いずれかが陽性（低値）	2
いずれかが陽性（高値：基準値の 3 倍以上）	3
症状の持続（0～1）	
6 週間未満	0
6 週間以上	1
急性期反応物質（0～1）	
C 反応性蛋白（CRP）正常かつ赤血球沈降速度（ESR）正常	0
CRP，ESR のいずれかが異常	1

→ 6 点以上 関節リウマチと分類

〔Aletaha D, et al：2010 Rheumatoid arthritis classification criteria：an American College of Rheumatology/European League Against Rheumatism collaborative initiative. Arthritis Rheum 62：2569-2581, 2010 より〕

- 関節破壊を防ぐために早期診断が重要であるが，まずは RA 以外の疾患を除外することが重要である．
- 血液検査では診断目的にリウマトイド因子，抗 CCP 抗体を測定するが，感度，特異度に注意する．
- 薬効評価は腫脹関節数・疼痛関節数，C 反応性蛋白（CRP）値，患者および医師による全般的評価から疾患活動性を算出して行う．
- 肝・腎機能や呼吸機能障害および貧血など薬物による副作用や免疫抑制による感染徴候の評価も必要である．
- 単純 X 線で関節破壊（関節裂隙狭小・骨びらん）を評価して診断し，点数化して治療効果（構造的寛解）の指標とする．
- 肺合併症の評価には血清マーカー（KL-6）の測定や胸部 X 線/CT が有用である．
- 関節エコーによる関節炎評価（滑膜浮腫・血流増加など）が診断と治療効果の判定に有用である．
- MRI は滑膜炎，脊椎・脊髄病変，骨髄内変化などの描出や評価に有用である．

関節リウマチの治療

- 早期診断と薬物治療の開始が重要である．
- 薬物治療はアンカードラッグであるメトトレキサート（methotrexate；MTX）を基本に抗炎症薬（非ステロイド性抗炎症薬/ステロイド）と MTX 以外の抗リウマチ薬，生物学的製剤あるいはヤヌスキナーゼ（JAK）阻害薬を組み合わせて使う．
- 抗炎症薬は炎症（滑膜炎）を沈静化して腫脹，疼痛を軽減させるが，根治療法ではない．副作用も多いので注意が必要である．
- RA の発症後，関節破壊や変形が生じないうち（治療機会の窓）に寛解導入を目指す．

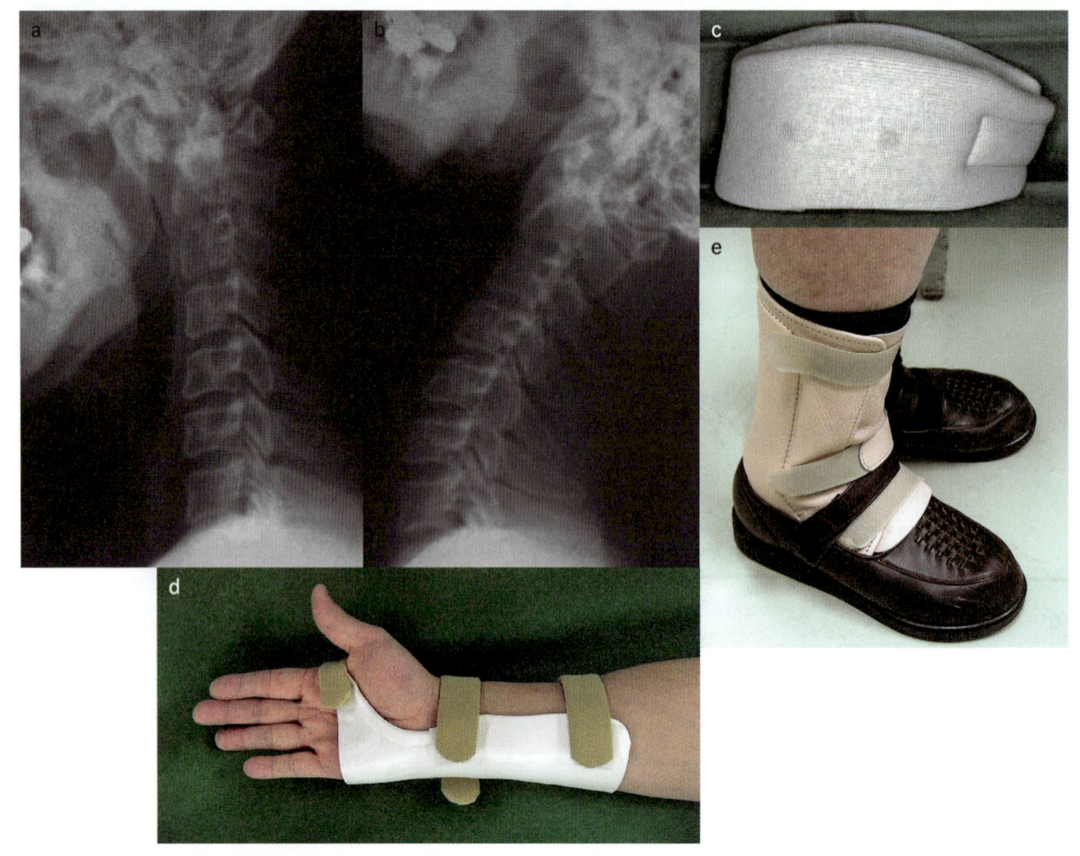

図 7-1　関節リウマチの装具療法

a〜c：上位頚椎不安定性（a，b）と頚椎カラー（c），d：手関節スプリント（アルナーガタースプリント），e：短下肢（足関節固定）装具と靴型装具．

- 治療は「目標達成に向けた治療（Treat to Target；T2T）」の概念に則って実施される．
- 薬物治療の効果判定には寛解基準を用いる．
- 薬物治療が奏効せず関節破壊や脊椎変形が生じ，装具療法や運動療法が奏効しない場合には機能障害や能力低下の改善，機能再建を目的に腱再建術，関節固定術・形成術，人工関節置換術，脊椎手術などの整形外科的治療も選択される．

関節リウマチに対するリハビリテーション診療のポイント

急性期

- 薬物治療の開始後，関節炎が沈静化（腫脹・疼痛の軽減）するまでは過度の運動を避ける．
- 関節保護を目的に ADL や家事動作など手段的 ADL の指導を行う．
- 局所の安静・鎮痛・変形予防目的の頚椎カラー，スプリントや足底装具を処方する（図 7-1）．
- 過度の安静，関節の不動化による筋力低下，拘縮などの予防のためにリウマチ体操（図 7-2）など全身の運動を含む体操を指導する．
- 腫脹，疼痛の軽減目的に寒冷/温熱療法，水治療法などの物理療法を実施する．

下肢の運動

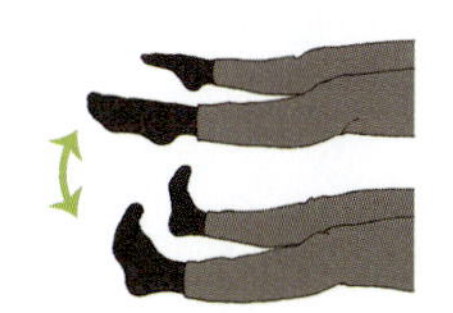

1. 足関節の運動
足部を左右同時に起こしたり伸ばしたりした状態で，それぞれ3～5秒保持する．

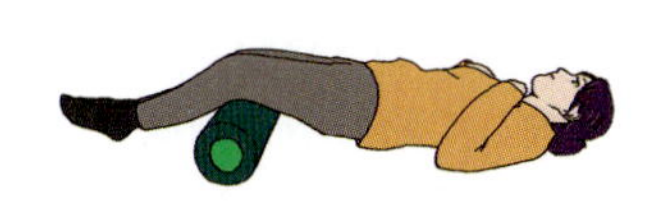

2. 大腿四頭筋セッティング
膝蓋骨を体のほうに引き上げるように膝を伸ばした状態で5秒保持する．

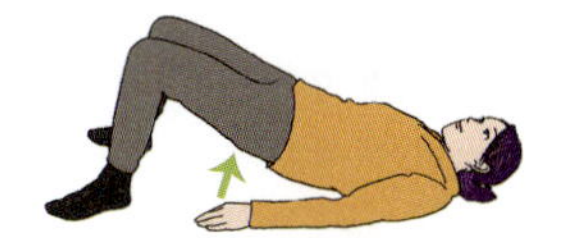

3. 腰上げ
膝を曲げて腰を上げた状態で3～5秒保持する．

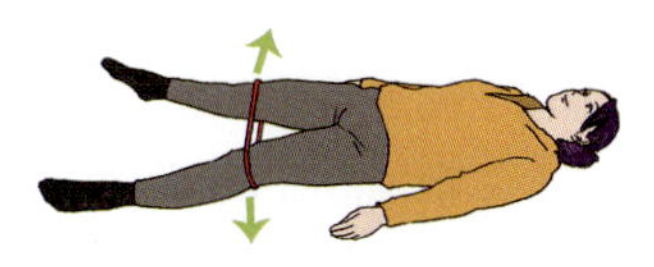

4. 足を開く運動
両大腿部に紐を掛け，膝蓋骨を上に向けた状態で，両足同時に外へ開き5秒保持する．

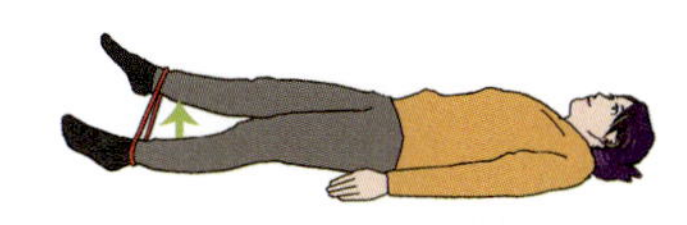

5. 足を上げる運動
紐を足関節に掛け，膝を伸ばした状態で，左右交互に挙上しそれぞれ5秒保持する．

6. 膝を曲げた位置での屈伸
椅子またはベッドに座り，足関節に紐を掛け，左右交互に前後方向に動かした状態で，それぞれ5秒保持する．この運動では紐を二重にして掛ける．

上肢の運動

7. 腕を上げる運動
前にならえをした状態で，5～10秒保持する．また，この位置より上方・側方へも運動を行う．

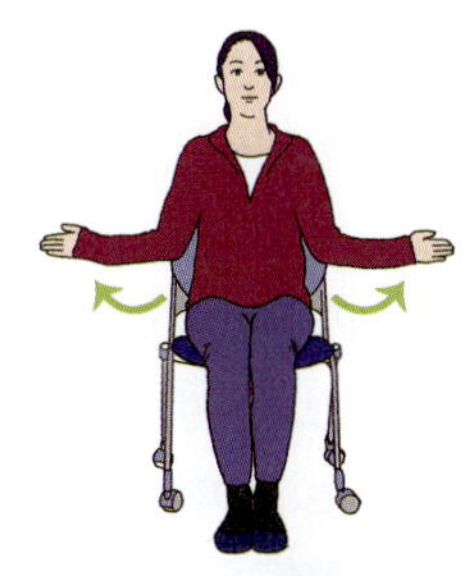

8. 肩をねじる運動
小さく前にならえをした状態で，前腕を外へ開き3～5秒保持する．

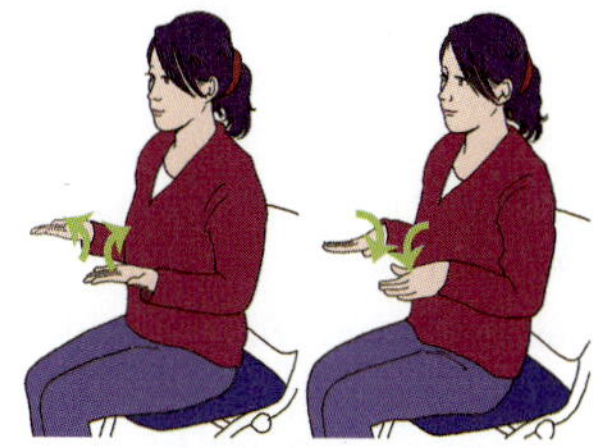

9. 前腕を回す運動
小さく前にならえをした状態で，手のひらを上に向けたり下に向けたりするように手首を回し，それぞれ5～10秒保持する．

10. 手関節の運動
手関節を左右同時に起こしたり下げたりした状態で，それぞれ3～5秒保持する．

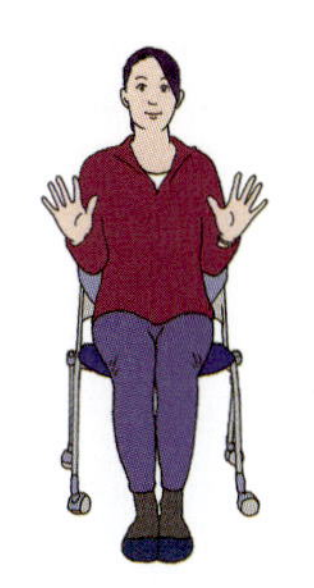

11. 手指の運動
指を大きく開いたり握ったりした状態で，それぞれ3～5秒保持する．

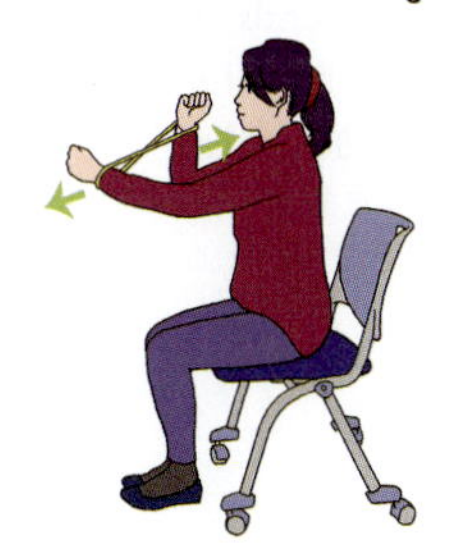

12. 肘の屈伸
紐を手関節に掛け左右交互に前後方向へ動かした状態で，それぞれ5～10秒保持する．

紐は長さ80～90cmくらいの太くやわらかな材質のものを用意し，両端を結びあわせて用いる．

図 7-2 リウマチ体操
〔リウマチ情報センター：家庭でできるリウマチ体操（http://www.rheuma-net.or.jp/rheuma/taisou/taisou.html）をもとに作成〕

回復期

- 薬物治療により関節炎が沈静化した後は，適度な運動を開始する．腫脹や疼痛が軽減すると，過用（オーバーユース）に陥りやすいので注意する．
- 筋力低下，体力低下に対して筋力増強訓練や体力増強訓練を行う．
- 残存する関節拘縮には，温熱療法や水治療法を併用しながら関節可動域訓練を行う．
- 薬物治療により寛解導入，あるいは低疾患活動性に落ち着いても関節保護のための負担の少ないADL/手段的ADLの遂行と運動による関節機能維持は継続させる．
- 残存する関節炎の沈静化や徒手矯正可能な変形の機能肢位での保持目的に頚椎カラー，スプリントや足底装具を急性期から継続あるいは新規に処方する．
- 運動機能や体力を維持するために散歩の励行やリウマチ体操など日常の身体活動賦活を継続する．
- 整形外科的治療後の回復期は術式に応じた物理療法，運動療法，機能訓練，装具療法などを実施する．

生活期

- 寛解導入，あるいは低疾患活動性を保ちながらライフステージに応じた運動機能維持と負担の少ないADL/手段的ADLの遂行による安全な日常生活を目指す．
- 身体機能や能力に応じて身体障害者福祉制度，介護保険制度を利用した環境調整，補装具・日常生活用具の導入，障害年金の申請などを行う．
- 生活期でもRAは寛解と増悪を繰り返すので，急性期と回復期のリハビリテーション治療に準じて関節保護動作の遂行，物理療法，機能訓練，装具療法を行う．
- 高齢RA患者には身体面，栄養面，精神面などへの多角的なアプローチが必要である．
- 高齢RA患者はRA治療内容の変更によりADL低下が起こりやすいので，社会資源を利用した環境整備や人的支援を含む地域生活の再構築と維持にも考慮する．
- 健康寿命延伸と質の高い生活の維持を目的に転倒・転落の予防や骨折リスク低減のためのリハビリテーション治療や環境整備も必要である．

文献

1） Aletaha D, et al：2010 Rheumatoid arthritis classification criteria：an American College of Rheumatology/European League Against Rheumatism collaborative initiative. Arthritis Rheum 62：2569-2581, 2010

2） Smolen JS, et al：Treating rheumatoid arthritis to target：2014 update of the recommendations of an international task force. Ann Rheum Dis 75：3-15, 2016

3） Felson DT, et al：American College of Rheumatology/European League Against Rheumatism provisional definition of remission in rheumatoid arthritis for clinical trials. Arthritis Rheum 63：573-586, 2011

4） 日本リウマチ学会(編)：関節リウマチ診療ガイドライン2014. pp90-93, メディカルレビュー社，2014

5） 厚生労働科学研究費補助金 免疫・アレルギー疾患政策研究事業「ライフステージに応じた関節リウマチ患者支援に関する研究」研究会：メディカルスタッフのためのライフステージに応じた関節リウマチ患者支援ガイド，p66-109，羊土社，2021

（佐浦隆一）

各論

8

循環器疾患

1 循環器の解剖と生理

心臓の解剖

- 冠動脈は Valsalva 洞から左冠動脈と右冠動脈の 2 本が分岐し，左冠動脈はさらに左前下行枝と回旋枝に分岐する．冠動脈は心筋の栄養動脈であり，拡張期に心筋へ血液を供給している．心拍出量の 5〜10%が冠動脈に供給される．
- 左前下行枝は前室間溝を下行し心尖部に至り，左室前壁・心尖部・心室中隔の前 2/3・前乳頭筋などを支配し，心臓のポンプ機能に関わる重要な血管である．回旋枝は左房室間溝を後ろへ回って走行し，左房・左室側壁・左室後壁の一部を支配する．
- 右冠動脈は右房室間溝を後ろへ回って走行し，後室間溝を走って左室後壁まで至る．右冠動脈は洞房結節・房室結節・心室中隔の後ろ 1/3 を支配し，刺激伝導系にかかわる血管である．
- 心筋は横紋筋であるが不随意筋であり，自律神経（交感神経と副交感神経）で調節されている．しかし，支配神経を断ってもなお自らの刺激伝導能によって収縮することができ，これを心臓の自動能と呼ぶ．
- 刺激伝導系は上大静脈と右房の境界に存在する洞結節から始まる．ここで生じた刺激は房室結節→ His 束→右脚・左脚→ Purkinje 線維と伝わり，血流を心房→心室→肺動脈・大動脈と順に送り出せるように収縮が起こる．

機能と生理

- 心筋細胞は，アクチンとミオシンという 2 つの蛋白から構成されている筋原線維，エネルギーをつくり出すミトコンドリア，細胞内 Ca^{2+} を蓄え筋原線維の収縮を開始させる筋小胞体，心筋細胞膜からなる．
- 心筋細胞膜にはイオンチャネルと呼ばれる蛋白があり，アデノシン三リン酸（adenosine triphosphate；ATP）を使って細胞内外のイオンをくみ出す能動輸送と濃度勾配に従ってイオンが動く受動輸送によって，細胞膜内外のイオンに電位差が生じる．
- 心筋細胞に興奮が伝わる前の細胞膜電位は，細胞外に対して細胞内がマイナスに荷電している．これを静止膜電位といい，およそ－90 mV 前後である．
- 刺激が伝わると Na^{+} チャネルが開き，Na^{+} が濃度勾配に従って細胞内に一気に流入するため膜電位は＋30 mV まで上昇する．これを脱分極という．

- その後，主に電気依存性 K^+チャネルの開口と Na^+-K^+ポンプ，また，Ca^{2+}チャネルの開口によりもとの静止膜電位を取り戻す．これを再分極という．

2 循環器疾患のリハビリテーション診療

基本的な知識

概要

- リハビリテーション診療の適応疾患は，心筋梗塞，狭心症，冠動脈形成術後，冠動脈バイパス術後，弁膜症手術後，大血管手術後，末梢動脈疾患，心不全，補助人工心臓植え込み後，心移植後と多岐にわたる．

症状と診断

- 循環器系の自覚症状としては胸痛，動悸，呼吸困難，チアノーゼ，間欠跛行などがあり，それらは活動を制限する．
- 診断のための基本的な検査は心電図，心エコー，血液・生化学検査，胸部単純 X 線であり，造影 CT や核医学検査なども選択される．
- 急性心筋梗塞では心筋トロポニンが鋭敏なバイオマーカーであり，心不全のバイオマーカーとして脳性ナトリウム利尿ペプチド（brain natriuretic peptide；BNP），脳性ナトリウム利尿ペプチド前駆体 N 端フラグメント（N-terminal pro-brain natriuretic peptide；NT-proBNP）がある．

治療

- リハビリテーション治療で行われる運動療法は主に心肺機能を高める持久力訓練（有酸素運動）である．

リハビリテーション診療のポイント

- 循環器疾患のリハビリテーション診療では，図 8-1 に示すように急性期，回復期，生活期（維持期）のフェーズで，それぞれの対応がある．疾患の治療とともに，活動を賦活して最良の ADL・QOL の獲得を目指す．
- 急性期のリハビリテーション診療は不動による合併症の予防と ADL の再獲得が目的である．合併症や訓練中の心血管イベントの予防のために監視下で行う．イベント発生後から室内歩行が可能になり，100 m 程度安定して歩けるようになるまでの期間が急性期に該当する．
- 回復期のリハビリテーション診療の期間は病棟歩行が可能になった状態から始まり，心臓イベント予防のための運動習慣・生活習慣が体得できるまでが目安である．社会生活への復帰に向けた治療であり，急性期と同様に監視下で行う．
- 生活期（維持期）では体得できた生活習慣を維持することを目的とした診療となる．
- 運動療法に加えて，患者教育，カウンセリングからなる包括的なプログラムとする．
- リハビリテーション治療は急性期のみで終了した場合より，回復期まで行った場合のほうが明ら

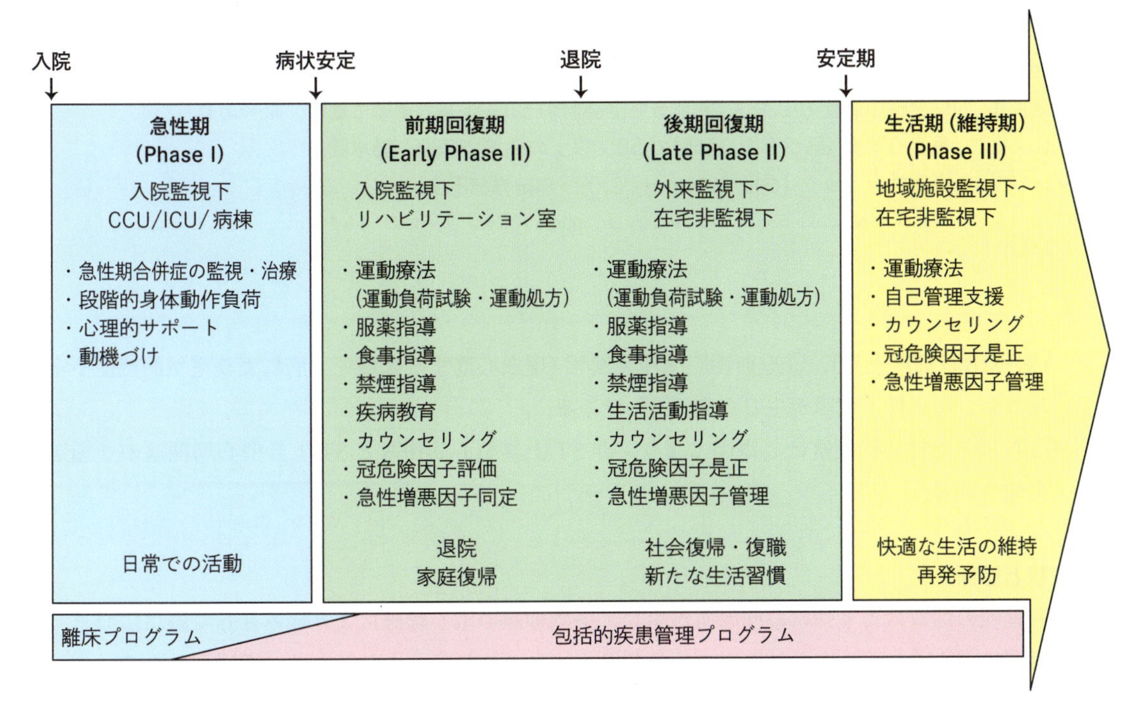

図 8-1　循環器疾患のリハビリテーション診療のフェーズ〔急性期・回復期・生活期（維持期)〕

(Izawa H, et al : Japanese Association of Cardiac Rehabilitation Standard Cardiac Rehabilitation Program Planning Committee. Standard Cardiac Rehabilitation Program for Heart Failure. Circ J 83 : 2394-2398, 2019)

かに生命予後がよい．必ず回復期，生活期（維持期）まで治療を継続すべきである．

- 運動療法で，負荷の増加によって運動負荷試験の中止基準〔総論表 4-11（⇒ 89 頁）〕[1] に当てはまる状況が出現したら，運動の範囲はそこまでとする．
- 運動療法の開始前に心肺運動負荷試験を行うことが望ましい．
- 各疾患に対する運動療法の禁忌を把握することは重要である．

文献

1）日本循環器学会，他：2021 年改訂版心血管疾患におけるリハビリテーションに関するガイドライン．日本循環器学会，2021

3 (急性) 心筋梗塞

基本的な知識

概要

- 冠動脈プラークの破綻とそれに伴う血栓形成により冠動脈内腔が急速に狭窄・閉塞し，心筋が虚血・壊死に陥る病態である急性冠症候群の 1 つである．
- 急性冠症候群には以下の 3 つの病態がある．①不安定狭心症〔心筋壊死に陥らなかった症例．クレアチンキナーゼ：CK（CK-MB）は軽度上昇のみ〕，②急性心筋梗塞（心筋壊死に陥った症例．

表 8-1　Killip の分類

Class Ⅰ	心不全徴候なし（肺ラ音なし，Ⅲ音なし）
Class Ⅱ	軽度～中等度の心不全（肺ラ音を全肺野の 50％未満の領域で聴取，Ⅲ音あり）
Class Ⅲ	重症心不全（肺ラ音を全肺野の 50％以上の領域で聴取，肺水腫）
Class Ⅳ	心原性ショック（血圧 90 mmHg 以下，末梢循環不全）

〔Killip T, et al：Treatment of myocardial infarction in a coronary care unit. A two year experience with 250 patients. Am J Cardiol 20：457-464, 1967 より改変〕

CK-MB は高度上昇），③虚血性心臓性突然死（虚血心筋または壊死心筋により電気的機能不全を起こし，致死性不整脈が生じた突然死）である．

- さらに，急性心筋梗塞は心電図により，非 ST 上昇型心筋梗塞と ST 上昇型心筋梗塞の 2 種類に分類される．

症状と診断

- 冠動脈の閉塞により強い心筋虚血が生じ，交感神経の求心線維により痛みとして脳に伝わる．心臓だけでなく左肩や左上肢からの痛み刺激も同じ部位に伝えられるため，関連痛となる．
- 一般に冠動脈の閉塞が 30 分以上になると，心筋虚血により壊死が起こり梗塞となる．心筋細胞の傷害により，細胞質内にある CK-MB や筋原線維を構成するトロポニン T が末梢血中に遊出してくる．
- 臨床的に心筋梗塞の診断は，①心筋虚血による胸部症状，②心電図の ST 変化，③生化学的心筋マーカー（CK-MB，トロポニン T）の上昇によって行われる．
- Peak CK は心筋壊死量の推定に有用であるが，再灌流療法を行った場合には CK 値からの推量はできない．
- 心エコーでは梗塞部位に収縮異常がみられ，動脈解離や肺血栓塞栓症との鑑別にも役立つ．
- 前壁梗塞は左前下行枝の閉塞により，V_2～V_4 に心電図変化が出る．下壁梗塞は右冠動脈の閉塞によりⅡ，Ⅲ，aVF に変化が出る．側壁梗塞は左回旋枝の閉塞により，aVL，V_5，V_6 に変化が出る．
- 右冠動脈の閉塞では房室ブロックや乳頭筋断裂が起こる．
- 左冠動脈の閉塞では心室細動などの頻拍性不整脈が出現し心室瘤なども起こる．
- 急性心筋梗塞では，心筋壊死の程度により種々の身体所見を呈し，活動制限につながる．急性心筋梗塞の重症度評価のうち，他覚的指標として身体所見を用いたのが Killip 分類である（表 8-1）[1]．これは肺うっ血，心原性ショックの所見から急性心筋梗塞を 4 つに分類したもので，心筋梗塞の急性期治療の指標となる．

治療

- 治療は梗塞責任冠動脈の再開通であり，一般に発症 12 時間以内であれば，冠動脈インターベンションによる再灌流療法の適応となる．
- 心筋梗塞後には不動によって心身機能のいずれもが低下する．このような状況からの回復を促進し，冠危険因子を減らし QOL を高め，社会復帰を促進し，再梗塞や突然死を予防するためにリハビリテーション診療が行われる．

表 8-2　運動負荷試験が禁忌となる疾患・病態

絶対的禁忌
1. 2日以内の急性心筋梗塞
2. 内科治療により安定していない不安定狭心症
3. 自覚症状または血行動態異常の原因となるコントロール不良の不整脈
4. 症候性の重症大動脈弁狭窄症
5. コントロール不良の症候性心不全
6. 急性の肺塞栓または肺梗塞
7. 急性の心筋炎または心膜炎
8. 急性大動脈解離
9. 意思疎通の行えない精神疾患
相対的禁忌
1. 左冠動脈主幹部の狭窄
2. 中等度の狭窄性弁膜症
3. 電解質異常
4. 重症高血圧※
5. 頻脈性不整脈または徐脈性不整脈
6. 肥大型心筋症またはその他の流出路狭窄
7. 運動負荷が十分行えないような精神的または身体的障害
8. 高度房室ブロック

※原則として収縮期血圧＞200 mmHg，または拡張期血圧＞110 mmHg，あるいはその両方とすることが推奨されている．

〔日本循環器学会/日本心臓リハビリテーション学会合同ガイドライン：2021 年改訂版心血管疾患におけるリハビリテーションに関するガイドライン．https://www.j-circ.or.jp/cms/wp-content/uploads/2021/03/JCS2021_Makita.pdf (2021 年 2 月閲覧)〕

リハビリテーション診療のポイント

- 急性心筋梗塞に対するリハビリテーション治療は大きく 3 相に分類され，それぞれ一定の目標に向かって行われる．これまでわが国では，退院までを急性期としていたが，最近では第 I 相急性期のリハビリテーション治療を入院早期に行い，さらに第 II 相前期の回復期のリハビリテーション治療も行う．その後，外来において第 II 相後期の回復期リハビリテーション治療を行い，第 II 相終了後に第 III 相の生活期 (維持期) のリハビリテーション治療を行う．
- 運動療法には，冠危険因子の改善，抗動脈硬化作用，抗虚血作用，抗炎症作用，抗血栓効果，血管内皮機能改善効果，骨格筋代謝改善効果，自律神経機能改善効果など，冠動脈疾患に対して多面的な効果がある．
- 運動療法を含むリハビリテーション治療は患者の運動耐容能を改善し QOL を向上させ，再入院を予防し，心血管死亡や総死亡率を低下させるなどの有益な効果がエビデンスとして確立されている．
- 絶対的禁忌と相対的禁忌は，「2021 年改訂版 心血管疾患におけるリハビリテーションに関するガイドライン」の運動負荷試験の禁忌となる疾患・病態に準じたものとなる (表 8-2)．

急性期

- 急性期のリハビリテーション治療の目的は食事・排泄・入浴などの自分の身の回りのことを安全に行うことができるようにすること，早期から二次予防に向けた教育を開始することである．
- 急性期の安静臥床の目的は，身体労作や交感神経刺激による心拍数や心筋酸素消費の増加を抑制することであるが，過剰な安静臥床による不動は身体機能を低下させるのでむしろ有害である．

- 繰り返す心筋虚血，遷延する心不全，重症不整脈などを合併する例を除いては，ベッド上安静時間は12〜24時間以内とする．
- 重症例では，ベッド上でできる低強度の筋力増強訓練が不動による合併症（骨格筋の萎縮，血栓塞栓症など）を予防する上で有用である．
- 合併症がなく室内歩行程度の負荷試験がクリアできれば，一般病棟へ転棟し前期の回復期のリハビリテーション治療に移行する．

回復期

- リハビリテーション治療において特に運動療法は入院中のみならず，退院後も継続することが重要である．退院後の回復期のリハビリテーション治療（後期第Ⅱ相）が患者のQOLや予後の面で特に重要である．そのため患者に応じた安全かつ効果的な運動療法の処方や運動指導，リスク管理が必要となる．
- 回復期のリハビリテーション治療の目的は，活動を活発化させ，良好な身体的・精神的状態で職場や社会に復帰することである．そのために①運動負荷試験による予後リスク評価，②積極的な運動療法，③生活習慣改善を含む二次予防を目的とした患者教育（食事療法，服薬指導，禁煙指導など），④心理カウンセリング，⑤復職などを包括的かつ体系的に実施する．
- 運動療法の処方の前には，運動負荷試験が不可欠である．通常はトレッドミルや自転車エルゴメーターを用いた多段階漸増負荷試験を行うが，わが国では呼気ガス分析併用運動負荷試験（心肺運動負荷試験，cardiopulmonary exercise testing；CPX）が用いられることが多い．
- CPXでは，心電図，心拍数・血圧反応以外に呼気ガス分析による最高酸素摂取量（peak oxygen uptake；peak$\dot{V}O_2$）や嫌気性代謝閾値（anaerobic threshold；AT）を確認する．AT以下で最高血圧150 mmHg未満，虚血性ST変化のないレベルでの運動強度を処方し，10分間程度から始め，30分間程度まで徐々に運動時間を延ばしていく．まず病前のADLを目標に，リスク管理下で個人に合わせた運動療法のプログラムを作成する．
- CPXが実施できない場合には，最高心拍数の64〜76%，心拍予備能の40〜60%，自覚的運動強度（Borg指数）の12〜13のレベルの処方とする．運動負荷試験中だけでなく運動療法中は危険な不整脈の出現，ST変化にも注意が必要である．
- 運動療法は心肺機能をあげるための持久力訓練（有酸素運動）と筋力増強訓練（レジスタンストレーニング）から構成される．
- 持久力訓練（有酸素運動）はAT以下の持続的運動療法であり，1回の運動は10〜20分間のウォームアップ後に20〜60分間の持久性運動，5〜10分間のクールダウンが望ましく，少なくとも週3〜5回（理想的には毎日）行うことが重要である（図8-2）．
- Static exerciseによる筋力増強訓練（レジスタンストレーニング）の導入時期は，心筋梗塞発症後や心臓外科手術を行った後，最低でも5週間は経過していること（監視型運動療法を4週間以上行っていること），PCI（percutaneous coronary intervention）治療後3週間は経過していること（監視型運動療法を2週間以上行っていること）が条件であり，運動療法禁忌の項目にあてはまらないことも確認する．
- 包括的なリハビリテーション診療には多職種が連携して行うことが重要である．患者のヘルスリテラシーを高める患者指導・援助が必要である．運動療法は理学療法士，患者教育は看護師，栄

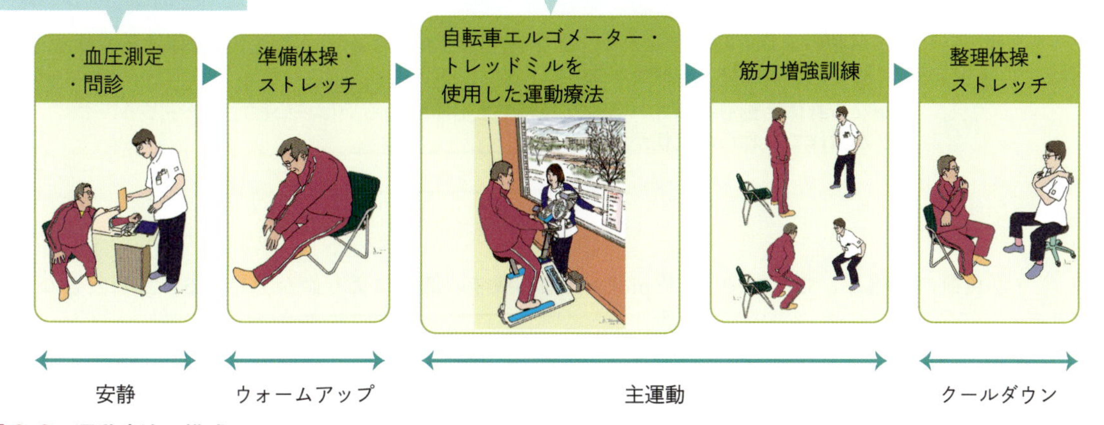

図 8-2　運動療法の構成

養指導は管理栄養士，服薬指導は薬剤師が担当する．リハビリテーション科医はそのチームをまとめる重要な役割を担っている．

生活期（維持期）

- 生活期（維持期）のリハビリテーション治療は，疾病管理を担う医療機関と患者自身の努力により行われている．医療機関では，服薬の管理のほか，血圧や体重の確認，生活に適した運動療法の指導，望ましい生活スタイルなど，生活の一部に治療が取り込まれるように指導や教育が行われる．

文献

1）　Killip T, et al：Treatment of myocardial infarction in a coronary care unit. A two year experience with 250 patients. Am J Cardiol 20：457-464, 1967

4　心不全

基本的な知識

概要

- 心不全とは「原因のいかんにかかわらず，その心臓のポンプとしての構造・機能が障害され，その結果，全身の臓器への血流の供給が損なわれている状態」と定義される．

症状と診断

- 心不全の活動制限は自覚症状に基づく重症度分類として，ニューヨーク心臓協会（New York Heart Association；NYHA）の心機能分類がまとめられる（表 8-3）．

表 8-3 NYHA 心機能分類

I度	心疾患はあるが身体活動は制限されない．通常の身体活動ではさほどの疲労，動悸，呼吸困難，狭心痛を生じない．
II度	軽度の身体活動の制限がある．安静時には苦痛がない．通常の身体活動で疲労，動悸，呼吸困難，狭心痛が生じる．
III度	身体活動の著しい制限をきたす．安静時には苦痛がない．通常以下の身体活動で疲労，動悸，呼吸困難，狭心痛が生じる．
IV度	いかなる身体活動も制限される．安静時でも心不全あるいは狭心症症状を生じる．わずかな労作でこれらの症状が増悪する．

- 心負荷の指標として，BNP，NT-proBNP は心機能の低下により値が上昇するので目安となる．

治療

- 薬物治療の進歩にもかかわらず，今なお心不全患者の予後は悪く，薬物療法だけでは心不全の治療と予防には限界がある．
- 不整脈を合併する場合には，非薬物療法としてペースメーカによる治療もある．心室内伝導障害を合併している症例では両心室ペーシングによる心室再同期療法（cardiac resynchronization therapy；CRT）が有効である．
- 病変部が特定されている特定の頻脈性不整脈ではカテーテルアブレーションが適応となる．
- 虚血性疾患に対する冠動脈バイパス術や弁膜症に対する弁置換術や形成術は，左室機能不全が高度なときには無効である場合があり，適応を慎重に判断する．
- 新たな心不全治療のなかで，運動療法は有効な治療方法である．従来の心不全患者の治療原則は安静であり，衰えた心筋にさらに過負荷をかけることから禁忌とみなされていたが，代償された安定期にある慢性心不全に対する運動療法により多くの有益な効果が得られることがわかってきた．

リハビリテーション診療のポイント

急性期

- 急性心不全で入院した直後の急性期は，血行動態の安定を目指して治療が実施される．この期間，安静臥床期間が長くなれば筋力の低下や運動耐容能の低下をきたすため，早期からの運動療法を実施する．

回復期

- 患者の診察の際に表 8-4 に示した病態に注意して運動療法の処方を行う．
- 高齢，左室駆出率低下，左室補助人工心臓（left ventricular assist system；LVAS）装着，植込み型除細動器（implantable cardioverter defibrillator；ICD）装着などは運動療法の禁忌とはならない．
- CPX を実施し，最高酸素摂取量（peak$\dot{V}O_2$）や AT を確認する．そこから，心拍応答や換気応答などを確認して，CPX の結果に基づき持久力訓練（有酸素運動）の運動の頻度，強度，持続時間，様式を処方する．

表 8-4 心不全の運動療法時に注意する病態

① 過去 1 週間以内における心不全の自覚症状（呼吸困難，易疲労性など）の増悪
② 不安定狭心症または閾値の低い〔平地ゆっくり歩行（2 METs）で誘発される〕心筋虚血
③ 手術適応のある重症弁膜症，特に大動脈弁狭窄症
④ 重症の左室流出路狭窄（閉塞性肥大型心筋症）
⑤ 未治療の運動誘発性重症不整脈（心室細動，持続性心室頻拍）
⑥ 活動性の心筋炎
⑦ 高度房室ブロック
⑧ 運動による自覚症状の悪化（疲労，めまい，発汗多量，呼吸困難など）

- 運動前のウォームアップ，運動後のクールダウンを含み，持久力訓練（有酸素運動）と筋力増強訓練（レジスタンストレーニング）から構成される運動処方を行う．
- 頻度：週 3〜5 回（重症例では週 3 回，軽症例では週 5 回まで増加させてもよい）．
- 強度：peak$\dot{V}O_2$ の 40〜60%のレベル，AT レベルの心拍数とする．
- 持続時間：5〜10 分×1 日 2 回程度から，20〜30 分×1 日 2 回まで 1 週間程度で徐々に増加させる．
- CPX が実施できない場合は，Borg 指数 11〜13（自覚的運動強度「楽である〜ややつらい」）のレベル，または心拍数予備能の 30〜50%〔Karvonen 係数で，軽症（NYHA Ⅰ〜Ⅱ度）では k＝0.4〜0.5，中等症〜重症（NYHA Ⅲ）では k＝0.3〜0.4〕で運動療法の処方を行う．
- 筋力増強訓練（レジスタンストレーニング）の頻度，強度，持続時間，様式を処方する．頻度は 2〜3 回/週，強度は低強度から中等強度とする．上肢運動では 1 RM の 30〜40%，下肢運動では 50〜60%を目安とする．ゴムバンド，足関節部や手関節部への重錘装着，ダンベル，フリーウエイト，プーリー，ウエイトマシンなどを用いる．1 セット 10〜15 回反復できる負荷量で Borg 指数 13 以下を 1〜3 セット行う．

生活期（維持期）

- 運動療法の適応を再検討する．心不全増悪や過大な運動負荷量を疑う徴候や所見を認めたときは，運動処方の見直しと訓練の強度を検討する．
- 多職種による医療チームで患者情報を共有し，定期的にカンファレンスを行う．
- 自己管理を目標とした患者教育を行い，運動耐容能に応じた適切な生活指導を行う．
- 心不全再入院予防のためには疾病管理が特に重要である．心不全増悪を疑う徴候や所見を認めたときは，心不全の専門医と連絡をとり，運動療法の中止などを判断して増悪因子の改善を目的とした生活指導を検討する．

5 心大血管疾患

基本的な知識

概要

- 心臓手術後は術創の影響や心不全などの病態により活動が制限されるが，術後できるだけ速やかにリハビリテーション治療による離床を進めることが有用であることがわかっている．

- 胸部大動脈瘤の手術後の合併症である対麻痺では長期にわたって活動が大幅に制限されやすいが，運動により脊髄血流は増大するので上肢の運動は行う．
- 禁忌事項に該当しない限り，術後の運動耐容能改善やQOL改善に訓練は有用である．したがって，大血管疾患に対してリハビリテーション診療を取り入れていくことは，現在の標準医療と考えられる．

リハビリテーション診療のポイント

術後急性期

- 運動負荷は術前より術後のほうが安全に行える．
- 自覚症状を聴取し，診察を行い，心電図，血圧，心拍数，呼吸数などを観察しながら運動負荷量を適宜増加させていく．安全を心掛ける．
- 200～500 mの歩行負荷が可能となったら，CPXまたはそれに代わる運動負荷試験を行い，AT，心機能評価の結果，不整脈の出現の有無，残存虚血の有無などを考慮して運動処方プログラムを作成する．
- 運動療法では自転車エルゴメーターなどの器具を用いた持久力訓練（有酸素運動）を主体とする．

回復期

- CPXにより，ATを決めるとともに運動療法の安全域を知ることが重要であるが，設備面などで実施が難しい場合も少なくない．
- 運動療法の構成内容は①ウォームアップ，②持久力訓練（有酸素運動），③筋力増強訓練（レジスタンストレーニング），④クールダウンから構成され，通常この順序で行う．さらにレクリエーションなどの追加運動が加わる場合がある．
- 持久力訓練（有酸素運動）には，ウォーキング，トレッドミル，自転車エルゴメーター，ハンドエルゴメーターなどが勧められる．運動強度は運動中の心拍数で把握することが多い．構成時間はウォームアップ約5～10分，ストレッチ約10分，持久力訓練（有酸素運動）20～60分，次いで筋力増強訓練（レジスタンストレーニング）10～30分，最後にクールダウンを5～10分行う．
- これらの運動を持久力訓練（有酸素運動）は週3～5回行い，筋力増強訓練（レジスタンストレーニング）は週2～3回補足的に行うことが推奨されている．ストレッチはウォームアップあるいはクールダウンの一部として行うことが多い．
- 血圧のコントロールが重要で130/80 mmHg未満とする．
- 運動強度はBorg指数11程度として，運動中の最高血圧は150 mmHgとすることが勧められる．
- 運動療法を行う上での注意事項は，①気分がよくないときは避ける，②食後すぐに激しい運動をしない，③天候に合わせて運動する，④適切な服装と靴を着用する，⑤安全範囲を把握する，⑥自覚症状に注意する，などである．
- 前脊髄動脈症候群が合併した場合は脊髄損傷のリハビリテーション診療に準じる．

生活期（維持期）

- 心筋梗塞の生活期に準じる．

6 末梢動脈疾患

基本的な知識

病態

- 末梢動脈疾患（peripheral arterial disease；PAD）には下肢閉塞性動脈硬化症（arteriosclerosis obliterans；ASO）と閉塞性血栓血管炎（thromboangiitis obliterans；TAO，Buerger病）がある．ASOは50歳以上の男性に好発する．
- 特徴的症状である間欠跛行は，神経性間欠跛行を除外する．また，潰瘍は静脈うっ滞性潰瘍や糖尿病性潰瘍との鑑別を要する．随伴症に勃起不全などがある．
- TAOは，50歳以下の喫煙歴のある男性に好発する．足趾末端の潰瘍の発生率が高い．上肢の症状，跛行，遊走性静脈炎なども特徴である．

症状と診断

- 下肢閉塞性動脈疾患の活動制限は，重症度分類であるFontaine分類でよく表される（表8-5）．
- 足関節血圧（ankle pressure）の左右差，足関節上腕血圧比（ankle brachial index；ABI），歩行負荷試験，近赤外分光法（near infrared spectroscopy；NIRS），皮膚血流，サーモグラフィーなどを用いて診断する．
- 画像診断には，MDCT（multidetector CT）によるCTA（CT angiography）および造影MRA（MR angiography）を行う．腎機能が低下した患者では，非造影MRAなどで代替する．
- 間歇跛行は疼痛，だるさ，こむらがえり，しびれを伴うことがある．一定の距離で出現し，休憩すると数分で軽減する．限局性の腸骨動脈病変では足部動脈の触知の異常がみられないことがあり，内腸骨動脈病変では勃起障害を伴うことがある．

治療

- 高血圧，糖尿病，脂質異常症などのリスクファクターに対する治療と禁煙を含む生活習慣の改善が基本である．まず，運動療法と薬物療法（抗血小板薬，血管拡張薬）が行われ，保存療法が無効の場合，血行再建術を考慮する．

リハビリテーション診療のポイント

急性期・回復期

- リハビリテーション診療の目的は，下肢の運動療法により側副血行路を発達させ，血行を改善し，活動を賦活化することである．
- 運動療法の適応となるのは，間欠跛行を呈している場合である．したがって，Fontaine分類ではII度となる．日本循環器学会およびACCF/AHA（American College of Cardiology Foundation/American Heart Association）のガイドラインによれば間欠跛行例には特に禁忌のない限り運動療法，それも監視下運動療法が推奨されている．
- 歩行距離を延長させる効果から，重症度が中等症以下の症例には，監視下歩行による運動療法が第一選択として推奨される．監視下歩行は，トレッドミルまたはトラックで行う．

表 8-5 Fontaine 分類

分類	症状
Ⅰ度	しびれ，無症状，冷感
Ⅱ度	少し歩くと足が痛む（→間欠跛行）
Ⅲ度	安静にしていても足が痛む（→安静時疼痛）
Ⅳ度	潰瘍，壊死

- 跛行を生じさせる強度で実施する．跛行出現直後に中断すると最適な治療効果が得られないため，痛みが中等度になるまで歩行を継続する．中等度の痛みに達したら，いったん歩行を中断し，インターバルをおいて歩行を再開することを繰り返す．1回30〜60分間，週3回を少なくとも3か月間行うことが望ましい．
- 運動療法により虚血の増悪をきたす可能性がある．禁忌となるのは下肢の高度な虚血，急性動脈閉塞（塞栓症，血栓症）である．また，全身状態として，不安定狭心症，有症状のうっ血性心不全，大動脈弁疾患，重症慢性閉塞性肺疾患，コントロール不能の重症糖尿病などがある場合も対象とならない．
- ASOでは前述のように全身への動脈硬化進展が予想されることから，有害事象の防止のため，運動療法の際には重要臓器の虚血に注意する必要がある．冠動脈疾患，不整脈などの出現に対応できるように心拍・脈拍数管理，血圧管理，心電図モニターによる監視を行う．

生活期（維持期）

- 家庭では，間欠跛行をきたす距離（亜最大歩行距離）を繰り返して歩くなどの自主訓練を行う．
- 歩数計による歩数チェックと運動日誌を用いて運動習慣が定着するよう支援する．

（牧田 茂）

各論

呼吸器疾患

1 呼吸器の解剖と生理

- 肺は左と右に分かれ，さらに肺は葉と呼ばれる部分に分けられる．右肺には3つの葉があり，それぞれ上葉，中葉，下葉と呼ばれ，左肺には2つの葉があり，上葉，下葉と呼ばれている．
- 筋が収縮することにより胸腔と肺が拡張する筋を吸気筋と呼び，安静時には主に横隔膜，一部外肋間筋がこれにあたる．
- 横隔膜はC3-C5からの横隔神経に支配され，吸息時に平坦化して下降し胸腔は拡張する．呼気は筋を用いず，伸展された肺の受動的反跳（膨らんだ肺が自然にもとに戻ろうとする力）によって行われる．
- 努力呼吸時には呼吸補助筋が用いられる．吸気に用いられる呼吸補助筋には大胸筋，胸鎖乳突筋，僧帽筋，斜角筋，肩甲挙筋，脊柱起立筋があり，呼気に用いられる呼吸補助筋には腹直筋，内腹斜筋，外腹斜筋，腹横筋などの腹筋群がある．呼吸補助筋は呼吸筋に比べ効率が悪く，呼吸によって消費する酸素量が多くなる．

2 呼吸器疾患のリハビリテーション診療

基本的な知識

概要

- 呼吸器疾患のリハビリテーション診療は急性期の排痰法中心の治療として開始された．
- その後，ガス交換（換気）・呼吸困難・運動耐容能向上などに効果があることが明らかとなっている．
- 現在はリハビリテーション診断に基づいた排痰訓練や呼吸機能訓練などの包括的な治療が行われ，ADL・QOLの向上が図られている．チームアプローチが重要となっている．

症状とリハビリテーション診断

- 呼吸器疾患の活動制限は主として呼吸困難による．呼吸困難の程度は修正MRC質問票〔modified Medical Research Council（mMRC）dyspnea scale〕により把握される（表9-1）．
- 肺気腫患者は肺が過度に膨張しており，終末呼気時の横隔膜の位置が本来よりも低くなる．そのため，同じ呼吸努力で作り出される張力は小さくなり，呼吸困難が誘発される．また，肥満患者

表 9-1　修正 MRC（mMRC）質問票

グレード分類	あてはまるものにチェックしてください（1 つだけ）	
0	激しい運動をしたときだけ息切れがある．	□
1	平坦な道を早足で歩く，あるいは緩やかな上り坂を歩くときに息切れがある．	□
2	息切れがあるので，同年代の人より平坦な道を歩くのが遅い，あるいは平坦な道を自分のペースで歩いているとき，息切れのために立ち止まることがある．	□
3	平坦な道を約 100m，あるいは数分歩くと息切れのために立ち止まる．	□
4	息切れがひどく家から出られない，あるいは衣服の着替えをするときにも息切れがある．	□

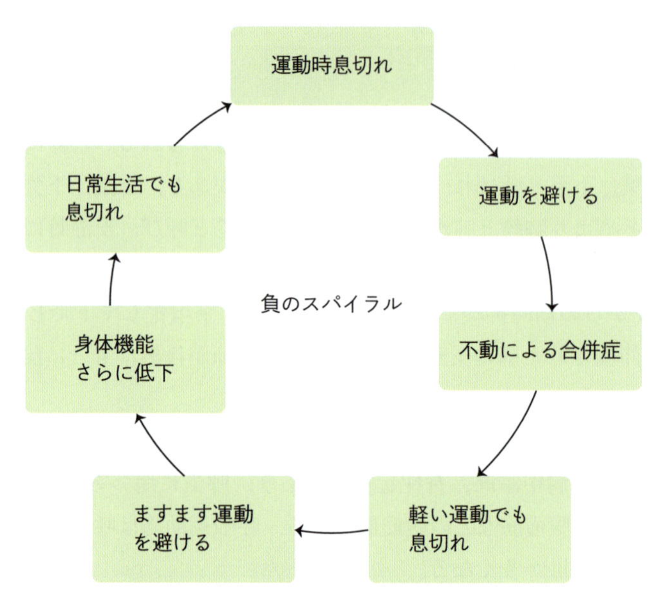

図 9-1　呼吸障害による負のスパイラル

では内臓脂肪により横隔膜が下がりきらず，本来よりも高くなり，同じ呼吸努力による張力は小さくなり，呼吸困難が誘発される．横隔膜が至適な位置からずれる場合に呼吸困難が生じる〔総論 2「臨床生理学」の項を参照（⇒ 34 頁）〕．

- 腹式呼吸というのは腹筋を意識した呼吸であるが，腹筋は呼吸運動では横隔膜と協調して動くので，横隔膜を意識した呼吸でもある．腹式呼吸により，横隔膜の位置が本来よりもずれているような病態でも，横隔膜が至適な位置に誘導される．
- 呼吸障害により負のスパイラルが生じる（図 9-1）．

治療

- 呼吸困難を改善し，運動耐容能を向上させることが重要となる．

リハビリテーション診療のポイント

急性期

- 超急性期といえども過度の安静は不動による合併症を引き起こすので，早期からの適切なリハビリテーション治療が重要である．
- 急性期に行われるのは，基本的に①ポジショニング，②排痰，③早期離床，④早期からの積極的な運動療法である．
- 集中治療室での早期運動療法により退院時のADLとQOLが有意に改善する．挿管下人工呼吸中でも同様である．
- 集中治療室での早期運動療法の合併症の発生率は低いが，適切なバイタルサインのモニターが必須である．

回復期（安定期）

- 慢性呼吸器疾患に対する治療の主目的は呼吸障害による負のスパイラル（図9-1）を断ち切ることにある．
- リハビリテーション治療では，運動療法，薬物療法，酸素療法，栄養管理などを行い，看護師による指導なども組み合わせる．
- 慢性呼吸器疾患の予後を左右するのは日常の活動度である．それを改善するリハビリテーション治療はきわめて重要である．

3 肺炎

基本的な知識

概要

- わが国の肺炎による死亡率は上昇しており，現在，脳血管障害を抜いて日本人の死因の3位である．肺炎で亡くなる人の95%以上が高齢者であり，その高齢者の肺炎の大半が誤嚥性肺炎である．誤嚥の原因として摂食嚥下障害が背景にある場合がほとんどである．
- 誤嚥性肺炎患者ではすでに要介護状態であったり，体力が低下している場合が多い．入院し尿道バルーンを入れてベッドに横たわってしまうと，不動による合併症が進行する．高齢者では不可逆的な筋力低下・筋萎縮がほぼ必発である．

症状と診断

- 高齢者の症状は非定型的である．なんとなく元気がないなどはっきりしないことも多い．
- 全身倦怠や呼吸困難により活動は低下し，高齢者ではせん妄などが出現することがある．
- 診断には胸部単純X線やCTを用いる．
- 治療は抗菌薬治療が中心であり，「成人肺炎診療ガイドライン2017」（日本呼吸器学会）などを参照する．

リハビリテーション診療のポイント

- 急性期であっても慢性期であっても，運動療法とADL訓練が柱となる．
- 早期の離床訓練や運動療法に加え，摂食嚥下障害に対する訓練も行う．
- 運動療法では，徐々に低負荷の筋力増強訓練（レジスタンストレーニング）や持久力訓練（有酸素運動）を加えていく．また，呼吸困難や筋力低下により困難となった日常生活での基本的動作も訓練を行っていく．
- 急性期でも不動を避けるため，酸素吸入やモニター装着をしたままで座位や立位などの訓練を行う．
- ゴールである自宅での生活を想定し，「車いす座位可」より「1日15分車いす上座位」や「1日1回体重測定」などといったように具体的に指示を出すことも大切である．
- 人工呼吸器装着中の運動療法には，①背臥位での四肢・頚部・体幹筋の筋力強化，②関節可動域訓練，③紐を利用した起き上がり・座位訓練，④蛇管を延長して，車いすへの移乗訓練と座位での筋力増強訓練（レジスタンストレーニング），⑤立位，足踏み，ベッド周りの歩行，⑥人工呼吸器を装着しての歩行などがある．
- 高齢者の急性肺炎で留意すべきことは，前述のとおり不動による合併症を避けることである．安静により最大筋力は1週間で15%低下することが知られており，高齢者ではしばしば不可逆的な変化となる．適切な運動療法が必要となる．
- 呼気筋の訓練も大切である．咳嗽力を高め肺炎予防に有効である．
- 摂食嚥下障害に対する訓練は誤嚥再発を防ぐために重要である．
- 食事にかかわる感覚を刺激することは，摂食嚥下の過程での神経伝達が良好になる．通常の嚥下反射神経経路における，温度感覚刺激もこの範疇に入る．
- 温度感覚の末梢受容体は温度感受性TRP（transient receptor potential）受容体であり，それを活性化するさまざまな物質がある．唐辛子の辛み成分であるカプサイシンとミント成分のメンソールは温度刺激と同様な効果を嚥下反射に及ぼす．その他のスパイスとしては，黒胡椒がある．
- アイスマッサージを含むさまざまな手技の組み合わせが摂食嚥下訓練の重要な部分を担っている．

4 慢性閉塞性肺疾患

基本的な知識

概要

- わが国の慢性閉塞性肺疾患（chronic obstructive pulmonary disease；COPD）患者は約530万人とされ，COPDによる死亡者は毎年増加の一途をたどり，2010年以降は1万5,000人を超えている．
- タバコを主とする有害物質を長期に吸入することで生じた肺の炎症性疾患である．呼吸機能検査では正常に回復することのない気流閉塞を示す．
- 気流閉塞は末梢気道病変と気腫性病変がさまざまな割合で複合的に作用することにより起こり，通常は進行性である．

表 9-2 COPD の病期分類

病期		定義
Ⅰ期	軽度の気流閉塞	$\%FEV_1 \geqq 80\%$
Ⅱ期	中等度の気流閉塞	$50\% \leqq \%FEV_1 < 80\%$
Ⅲ期	高度の気流閉塞	$30\% \leqq \%FEV_1 < 50\%$
Ⅳ期	きわめて高度の気流閉塞	$\%FEV_1 < 30\%$

気管支拡張薬吸入後の 1 秒率（FEV_1/FVC）70％未満が必須条件．
〔日本呼吸器学会 COPD ガイドライン第 5 版作成委員会（編）：COPD（慢性閉塞性肺疾患）診断と治療のためのガイドライン 2018［第 5 版］．p50，日本呼吸器学会，2018 より〕

症状と診断

- 臨床的には徐々に生じる労作時の呼吸困難，慢性の咳・痰を特徴とするが，これらの症状に乏しいこともある．
- COPD の診断基準では，①気管支拡張薬投与後のスパイロメトリーで 1 秒率（FEV_1/FVC）が 70％未満であること，②他の気流閉塞をきたしうる疾患を除外することとされている．COPD の病期分類は 1 秒量の％予測値に基づいている（表 9-2）[1]．
- 鑑別診断を要する疾患としては，喘息，びまん性汎細気管支炎，気管支拡張症，肺結核後遺症，間質性肺疾患などがあげられる．長期にわたる喫煙歴，慢性的な咳・喀痰，労作時呼吸困難などがあれば COPD の存在を念頭におく．

治療

- COPD の治療としては，大きく薬物療法と非薬物療法に分けられる．薬物療法の中心は気管支拡張薬であり，抗コリン薬，β_2 刺激薬，メチルキサンチンがある．患者の重症度に応じて段階的に多剤を併用することが推奨される．
- 非薬物療法として，第一に禁煙指導があげられる．喫煙は COPD の最大の原因である．禁煙は呼吸機能の低下を抑制し，死亡率を減少させるため，すべての喫煙者に対し，禁煙指導が行われるべきである．その他の非薬物療法には，患者教育，栄養指導，運動療法，酸素療法などがあげられる．

リハビリテーション診療のポイント

- COPD の急性増悪時のリハビリテーション診療は肺炎に準じる．
- リハビリテーション治療により負のスパイラルからの脱出を図る．
- 労作時呼吸困難により身体活動性の低下をもたらしやすい安定期 COPD 患者に対し，身体活動を促進させるためには運動療法を行う．また，患者教育や栄養管理も運動療法とともに重要である．
- 運動療法は持久力訓練（有酸素運動），筋力増強訓練（レジスタンストレーニング），ADL 訓練などから構成され，プログラムの作成は患者個々人に合わせて適宜変更し，個別に行う．
- COPD に対する運動療法の流れを図 9-2 に示す．プログラム構成は対象や重症度によって異な

安静 → ウォームアップ → 運動療法 → クールダウン → リカバリー

図 9-2　COPD に対する運動療法

る．軽症例では，持久力訓練（有酸素運動）や筋力増強訓練（レジスタンストレーニング）を中心とした高強度負荷の運動療法を実施していく．重症例では低強度の負荷による訓練から始める．また，急性期や周術期でも，状態が不安定なことが多いため，低強度の負荷の運動療法となる．さらに，呼吸器疾患の運動療法は入院，外来，在宅などさまざまな場面で可能であるが，それぞれの設備に合わせたプログラム作成が必要である．

- 患者自身が疾患に対する理解を深め，安定期・増悪期でのセルフマネジメント能力を獲得するための教育も必要であり，運動療法とともに中心的な構成要素とされている．

文献

1) 日本呼吸器学会 COPD ガイドライン第 5 版作成委員会(編)：COPD(慢性閉塞性肺疾患)診断と治療のためのガイドライン 2018．第 5 版，p50，日本呼吸器学会，2018

5 間質性肺炎

基本的な知識

概要

- 間質性肺炎は，「間質」と呼ばれる肺胞（隔）壁での炎症や線維化が病変の主体となり，ガス交換が困難になる疾患である．間質性肺炎の原因としては，粉じん，膠原病，薬剤など多数のものがあげられる．
- 原因不明なものは特発性間質性肺炎（idiopathic interstitial pneumonias；IIPs）と呼ばれている．IIPs は，病理パターンに基づいて特発性肺線維症（idiopathic pulmonary fibrosis；IPF）を筆頭に 8～9 に分類される．
- IIPs のなかでも IPF は頻度が高く，慢性かつ進行性の経過をたどり，高度の線維化が進行して不可逆性の蜂巣肺形成をきたす予後不良かつ原因不明の肺疾患である．
- 間質性肺炎では，呼吸困難の進行とともに活動が徐々に制限されていく．修正 MRC（mMRC）質問票によってその状態を把握することができる（表 9-1）．

症状と診断

- IPF の確定診断には高分解能 CT（high-resolution CT；HRCT）を用い，蜂巣肺の所見を確認する．通常型間質性肺炎（usual interstitial pneumonia；UIP）パターンがみられたら肺生検を行って診断確定につなげる．
- 臨床症状としては，発作時の乾性咳嗽や労作時の呼吸困難がみられることが多い．
- 聴診上は肺底部の捻髪音（fine crackles）が特徴的で，KL-6，SP-D，SP-A などのマーカーは血清検査で高値を示す．画像所見では，胸部単純 X 線でびまん性網状影が両側中下肺野，外側優位に広がる．

- HRCT所見では肺全体でも小葉内でも，不均一な病変が認められる．すなわち，末梢血管の不規則な腫大，小葉間隔壁の肥厚，牽引性気管支拡張，蜂巣肺が混在するすりガラス陰影（ground-glass opacity）がみられる．
- 呼吸機能検査では，一般的に拘束性換気障害が認められ，肺拡散能（carbon monoxide diffusing capacity of lung；DLco）は低下する．肺活量や全肺気量の減少よりも先に確認されることが多い．
- また，IPF患者では運動時の低酸素血症が著しく，安静時動脈血ガスが正常域にあっても運動時には低酸素血症に陥ることがある．

治療

- IPFを治療し，予後を改善することは容易でない．一般的にIPFの治療と管理は多面的・包括的なアプローチで行われる．
- 抗線維化薬であるピルフェニドン，ニンテダニブでは，疾患の悪化抑制が明らかにされている．
- 吸入N-アセチルシステイン療法も期待されている．

リハビリテーション診療のポイント

- 間質性肺炎に対してもリハビリテーション治療は有効であり，呼吸困難や健康関連QOLの改善が報告されている．
- 酸素療法を含めたリハビリテーション治療では，①症状の緩和，②運動耐容能の改善，③健康状態の改善が望める．
- 6分間歩行テストが予測値より低い場合は活動性が低下していると判断できるため，運動療法を行うメリットが大きい．
- 運動療法は，筋力増強訓練（レジスタンストレーニング），持久力訓練（有酸素運動）が中心となる．
- COPDよりも運動時の著しい低酸素血症や回復時間の大幅な遅延がみられるため，運動時の酸素吸入や休憩が必要となることも多い．

（海老原 覚）

各論

10

腎疾患

1 腎臓の解剖と生理

- 腎臓の血管は，動脈の途中で糸球体（glomerulus）といわれる独自の毛細管網をつくり，傍尿細管毛細血管（peritubular capillary）を経て静脈に還流する．糸球体の前には輸入細動脈（afferent arteriole），後ろには輸出細動脈（efferent arteriole）があり，糸球体を挟み，毛細管圧を調節している．
- 糸球体毛細血管は，Bowman 嚢に包まれており，尿細管へとつながっている．尿細管は近位尿細管から，Henle ループ，緻密斑（macula densa），遠位尿細管を経て，集合管に達する．緻密斑で，尿細管は自身の起原である糸球体に接している．
- 糸球体より遠位尿細管までが腎小体〔ネフロン（nephron）〕である．ネフロンの異なった機能を担っている各部位を，ネフロン・セグメント（nephron segment）という．
- 尿細管の細胞は一層の上皮細胞であり，隣の細胞とタイト結合（tight junction）で接している．

2 慢性腎臓病

基本的な知識

概要

- 生活習慣病や高齢化，消炎鎮痛薬などの常用薬などにより慢性腎臓病（chronic kidney disease；CKD）患者は増加の一途をたどり，わが国の CKD 患者数は 1,330 万人と推計されている．特に，70 歳台の 3 人に 1 人，80 歳台の 2 人に 1 人は CKD であり，脳血管疾患や運動器疾患にも CKD の合併は多い．
- 腎機能低下に従って，心血管疾患（cardiovascular disease；CVD）の発症リスクが加速的に高まり，総死亡や総入院の相対危険度も高くなる．

症状と診断

- 初期は無症状の場合が多い．腎機能の低下に伴い，易疲労，腎性貧血，サルコペニア，フレイル，活動量減少，QOL 低下などが認められる．CKD では，呼吸・循環器系，血液・消化器系，運動器系，脳神経系などのさまざまな合併症や複合障害，重複障害を呈しやすい．
- CKD は，①，②のいずれか，または両方が 3 か月以上持続することで診断する．

①尿異常，画像診断，血液，病理で腎障害の存在が明らか．特に 0.15 g/gCr 以上の蛋白尿

表 10-1　慢性腎臓病（CKD）の重症度分類（CGA 分類）

原疾患		蛋白尿区分		A1	A2	A3
糖尿病		尿アルブミン定量（mg/日） 尿アルブミン/Cr 比（mg/gCr）		正常 30 未満	微量アルブミン尿 30～299	顕性アルブミン尿 300 以上
高血圧 腎炎 多発性囊胞腎 移植腎 不明 その他		尿蛋白定量（g/日） 尿蛋白/Cr 比（g/gCr）		正常 0.15 未満	軽度蛋白尿 0.15～0.49	高度蛋白尿 0.50 以上
GFR 区分（mL/分/1.73 m^2）	G1	正常または高値	≧90			
	G2	正常または軽度低下	60～89			
	G3a	軽度～中等度低下	45～59			
	G3b	中等度～高度低下	30～44			
	G4	高度低下	15～29			
	G5	末期腎不全（ESKD）	＜15			

重症度は原疾患・GFR 区分・蛋白尿区分をあわせたステージにより評価する．CKD の重症度は死亡，末期腎不全，心血管死亡発症のリスクを■のステージを基準に，■，■，■の順にステージが上昇ほどリスクは上昇する．（KDIGO CKD guideline 2012 を日本人用に改変）

注：わが国の保険診療では，アルブミン尿の定量測定は，糖尿病または糖尿病早期腎症であって微量アルブミン尿を疑う患者に対し，3 か月に 1 回に限り認められている．糖尿病において，尿定性で 1＋以上の明らかな尿蛋白を認める場合は尿アルブミン測定は保険で認められていないため，治療効果を評価するために定量検査を行う場合は尿蛋白定量を検討する．

〔日本腎臓学会（編）：エビデンスに基づく CKD 診療ガイドライン 2018，東京医学社，2018 より引用〕

（30 mg/gCr 以上のアルブミン尿）の存在が重要

②糸球体濾過量（glomerular filtration rate；GFR）＜60 mL/分/1.73 m^2

- GFR は日常診療では血清クレアチニン値，性別，年齢から日本人の GFR 推算式を用いた推算 GFR（eGFR）として評価する．
- GFR の推算には血清クレアチニン値に基づいて算出される eGFRcreat が頻用される．しかし，長期臥床，るい痩，四肢欠損などでは，血清クレアチニン値は低値となり，eGFR は高く推算される．
- 長期の安静臥床により骨格筋減少がある症例，運動療法による骨格筋量の増加が想定される症例では，骨格筋量に影響を受けないシスタチン C を用いて eGFRcys も測定することが望ましい．
- CKD の重症度は原因（cause：C），腎機能（GFR：G），蛋白尿（アルブミン尿：A）による CGA 分類で評価する（表 10-1）．

治療

- 治療は，「エビデンスに基づく CKD 診療ガイドライン 2018」（日本腎臓学会）などを参考に行う．
- 進行して内科的治療では生命の恒常性の維持が不可能になった状態を，末期腎不全（end stage renal disease；ESRD または end stage kidney disease；ESKD）という．末期腎不全では腎代替療法（透析療法，腎移植）が必要になる．
- CKD でも，身体活動の低下は CVD による死亡リスクを拡大させる．CKD といえばかつては安静にすることが治療の 1 つであったが，近年，保存期 CKD や透析でも「運動制限から運動療法

表 10-2　CKD 患者に推奨される運動療法の処方

	持久力訓練（有酸素運動）	筋力増強訓練（レジスタンストレーニング）	柔軟体操
頻度（Frequency）	3〜5 日/週	2〜3 日/週	2〜3 日/週
強度（Intensity）	中等度強度の有酸素運動［酸素摂取予備能の 40〜59 %，Borg 指数（RPE）6〜20 点（15 点法）の 12〜13 点］	1RM の 65〜75 %［1RM を行うことは勧められず，3RM 以上のテストで 1RM を推定すること］	抵抗を感じたりややきつく感じるところまで伸長する
時間（Time）	持続的な有酸素運動で 20〜60 分/日，しかしこの時間が耐えられないのであれば，3〜5 分間の間欠的運動曝露で計 20〜60 分/日	10〜15 回反復で 1 セット．患者の耐容能と時間に応じて，何セット行ってもよい．大筋群を動かすための 8〜10 種類の異なる運動を選ぶ	関節ごとに 60 秒の静止（10〜30 秒はストレッチ）
種類（Type）	ウォーキング，サイクリング，水泳のような持続的なリズミカルな有酸素運動	マシーン，フリーウエイト，バンドを使用する	静的筋運動

RPE：rating of perceived exertion（自覚的運動強度），1-RM：1 repetition maximum（最大 1 回反復重量）．
運動に際しての特別な配慮
1）血液透析を受けている患者
- 運動は非透析日に行うのが理想的である
- 運動を透析直後に行うと，低血圧のリスクが増えるかもしれない
- 心拍数は運動強度の指標としての信頼性は低いので，RPE を重視する．RPE を軽度（9〜11）から中等度（12〜13）になるようにめざす
- 患者の動静脈シャントに直接体重をかけない限りは，動静脈接合部のある腕で運動を行ってよい．
- 血圧測定は動静脈シャントのない側で行う
- 運動を透析中に行う場合は，低血圧を防止するために，透析の前半で行うべきである．
- 透析中の運動としては，ペダリングやステッピングのような運動を行う．
- 透析中には動静脈接合部のある腕の運動は避ける．

2）腹膜透析を受けている患者
- 持続的携帯型腹膜透析中の患者は，腹腔内に透析液があるうちに運動を試みてもよいが，不快な場合には，運動前に透析液を除去して行うことが勧められる

3）腎移植を受けている患者
- 拒絶反応の期間中は，運動自体は継続して実施してよいが，運動の強度は軽くする

〔日本腎臓リハビリテーション学会（編）：腎臓リハビリテーションガイドライン，南江堂，2018，p35，表 3 より〕

へ」という考え方になっており，運動療法の捉え方が劇的に変化している．

リハビリテーション診療のポイント

- 腎疾患に対するリハビリテーション診療では，腎疾患や透析医療に基づく身体的・精神的影響の軽減，症状の調整，生命予後の改善，心理社会的ならびに職業的な状況の改善などによるよりよい ADL・QOL の獲得を目的としている．
- 具体的には運動療法，食事療法と水分管理，薬物療法，教育，精神・心理的サポートなどを行う長期にわたる包括的なプログラムである．
- 「腎臓リハビリテーションガイドライン 2018 年版」（日本腎臓リハビリテーション学会）に，具体的な運動内容，禁忌，中止基準などがまとめられている（**表 10-2**）．
- 保存期 CKD に対する運動療法で eGFR が改善すること，ウォーキングが 10 年間の全死亡リスクを 33%，透析などの腎代替療法移行率を 21%低下させることが明らかになっている．

- すなわち，運動療法が腎機能改善・透析移行防止のための新たな治療法としての役割が期待されている．
- リハビリテーション治療では，運動療法に加えて，栄養管理〔食事療法（塩分制限，蛋白質制限）と水分管理〕，薬物療法，患者教育，精神・心理的サポートも並行して行う．
- 特に栄養管理では，必要十分なエネルギー摂取に加えて，塩分制限，蛋白質制限（各ステージで上限を目安とする）が必要である．腎機能に応じて対応する．
- CKD での運動能力は個人差が大きいため，具体的な運動療法の実施は個々の身体機能を考慮した上で設定するべきである．
- 極度に激しい運動負荷は腎機能の悪化を招く可能性があり，腎機能が重度低下している場合やネフローゼ症候群などの蛋白尿が多い場合には運動強度の設定を慎重にすべきである．

文献

1) 上月正博(編著)：腎臓リハビリテーション 第 2 版，医歯薬出版，2018
2) 日本腎臓学会(編)：エビデンスに基づく CKD 診療ガイドライン 2018．東京医学社，2018
3) 日本腎臓リハビリテーション学会(編)：腎臓リハビリテーションガイドライン．南江堂，2018

（上月正博）

各論

11

内分泌代謝性疾患

1 糖尿病

基本的な知識

概要

- 糖尿病は，インスリン作用の不足に基づく慢性の高血糖状態を主徴とする代謝疾患群である．この疾患群に共通の特徴はインスリン効果の不足であり，それにより糖，脂質，蛋白質を含むほとんどすべての代謝系に異常をきたす．
- 糖代謝異常の分類は成因分類を主体とし，インスリン作用不足の程度に基づく病態（病期）を併記する．成因は，①1 型，②2 型，③その他の特定の機序・疾患によるもの，④妊娠糖尿病，に分類する．
- 1 型は発症機構として膵β細胞破壊を特徴とする．2 型は，インスリン分泌低下とインスリン感受性の低下（インスリン抵抗性）の両者が発症にかかわる．③は遺伝因子として遺伝子異常が同定されたものと他の疾患・病態に伴うものとに大別する．

症状・診断

- 糖尿病は全身倦怠などの症状および合併症によりさまざまな活動制限が生じてくる．
- 初回検査で，①空腹時血糖値≧126 mg/dL，②75 g 経口ブドウ糖負荷試験（OGTT）2 時間値≧200 mg/dL，③随時血糖値≧200 mg/dL，④HbA1c（NGSP 値）≧6.5％のうちいずれかを認めた場合は，「糖尿病型」と判定する．別の日に再検査を行い，再び「糖尿病型」が確認されれば糖尿病と診断する．

治療

- 薬物投与の有無にかかわらず食事療法・運動療法が治療の基本である．
- 食事療法・運動療法により血糖コントロールが改善しない場合，血糖降下薬やインスリンなどの薬物療法を考慮する．
- 糖尿病性昏睡など緊急時は輸液による血糖の希釈や，はじめからインスリンを使用する．

表 11-1　運動療法の際のメディカルチェック

1. 問診	自覚症状，既往歴，運動歴，服用薬剤，低血糖の頻度や時間帯など
2. 診察	身体計測（身長，体重，身体組成），血圧，脈拍数，心臓の聴診，肺の聴診など
3. 一般検査	胸部単純 X 線，安静時心電図，一般血液検査，尿検査など
4. 網膜症の評価	眼底所見など
5. 神経障害の評価	神経伝導検査，心電図 R-R 間隔変動係数，起立性低血圧，腱反射，足部の知覚・皮膚観察など
6. 動脈硬化性疾患の評価	運動負荷試験，ホルター心電図，心エコー，血管エコー，脈波検査など
7. 運動器障害の評価	腰痛・膝痛の有無，下肢筋力，バランス検査，歩行観察など

〔日本糖尿病学会（編）：糖尿病治療ガイド 2020-2021．文光堂，2020 より〕

リハビリテーション診療のポイント

- 糖尿病性昏睡が生じると訓練などは困難であるが，血糖値のコントロールに努め，順次運動療法を導入していく．
- 運動療法が制限されるのは，①糖尿病の代謝コントロールが極端に悪い場合（空腹時血糖 250 mg/dL 以上，尿ケトン体中等度以上陽性），②増殖性網膜症による新鮮な眼底出血（眼科医と相談），③虚血性心疾患や心肺機能の異常（専門医の意見を求める），④運動器疾患がある場合（専門医の意見を求める），⑤高度の糖尿病自律神経障害，⑥急性感染症，⑦進行した糖尿病性壊疽などである．
- 糖尿病性腎症では糖尿病の運動療法が原則可能であるが，病期や病態により運動療法の程度を調節する．
- 運動療法の開始前に，心血管疾患，糖尿病性網膜症，糖尿病性腎症，神経障害などの合併症や運動器疾患などを含む身体状態を把握し，運動制限の必要性をメディカルチェックする．運動療法の際のメディカルチェックを表 11-1 に示す．
- 心血管疾患のスクリーニングは，一般的には無症状，かつ，行う運動強度が軽度〜中強度（速歩など ADL の範囲内）であれば必要ない．新規に運動療法を開始する場合，普段よりも高運動強度の場合や心血管疾患リスクの高い場合には，リハビリテーション科医によるスクリーニングと必要に応じた運動負荷試験などを行う．
- 自転車エルゴメーター・トレッドミル・散歩などの持久力訓練（有酸素運動），ウエイトトレーニングマシーン・ゴムチューブ・ダンベルなどの筋力増強訓練（レジスタンストレーニング），筋の柔軟性や関節可動域の向上のためのストレッチを組み合わせて行う．
- 高齢者の糖尿病では，バランス運動が生活機能の維持・向上に有用である．
- 持久力訓練（有酸素運動）の運動強度としては①嫌気性代謝閾値（anaerobic threshold；AT），②最大酸素摂取量の 40〜60％または最大心拍数（220－年齢，または実測値）の 50〜70％，③自覚的にややきつい（Borg 指数 13），などを目安とする．
- 運動療法の到達目標として，持久力訓練（有酸素運動）は中強度で週に 150 分かそれ以上，週に 3 回以上，運動をしない日が 2 日以上続かないように行うことが勧められる．筋力増強訓練（レジスタンストレーニング）は連続しない日程で週に 2〜3 回の頻度で行うことが勧められる．
- 持久力訓練（有酸素運動）と筋力増強訓練（レジスタンストレーニング）は，ともに血糖コントロールに有効であり，併用によりさらに効果があがる．
- 運動療法は食後 1～2 時間頃に行うと食後の高血糖が改善する．
- 運動誘発性の低血糖は，インスリンや経口血糖降下薬（とくにスルホニル尿素薬）の治療中に起こりやすく，注意が必要である．

文献

1） 日本糖尿病学会（編）：糖尿病治療ガイド 2020-2021．文光堂，2020

2 肥満症

基本的な知識

概要

- 肥満とは，組織に脂肪が過剰に蓄積した状態で，体格指数（body mass index；BMI＝体重［kg］/身長［m］^{2}）≧25 のものと定義される．肥満というだけでは疾病とは限らない．BMI≧35 以上を高度肥満と定義している．
- BMI は加齢とともに増加傾向となるが，40～64 歳をピークとしてその後は減少する．
- 肥満症とは肥満に起因ないし関連する健康障害を合併するか，その合併が予測される場合で，医学的に減量を必要とする病態をいい，疾患単位として取り扱う．

症状・診断

- 肥満症では体重増加による活動制限に加え，呼吸機能障害や睡眠障害などによる活動制限も加わってくる．
- 肥満（BMI≧25）と判定されたもののうち，関連する健康障害が存在したり，内臓脂肪が蓄積している場合が肥満症と判断される．
- 内臓脂肪の蓄積は，ウエスト周囲長が大きいとき（男性 85 cm/女性 90 cm 以上）に疑われ，腹部 CT（男性・女性ともに 100 cm^2 以上）により確定診断される．これを内臓脂肪型肥満といい，健康障害を伴いやすい高リスク肥満と位置づけられている．

治療

- 食事療法と運動療法が基本である．
- 食行動の異常が伴う場合は認知行動療法が有用である．
- 3～6 か月で現体重の 3%以上の減量目標を設定する．高度肥満症には原則，現体重の 5～10%の減量目標を設定する．
- 肥満症治療食として 25 kcal/kg×標準体重/日以下の摂取カロリーを設定する．高度肥満症には 20～25 kcal/kg×標準体重/日以下の摂取カロリーを設定し，減量が得られない場合には 600 kcal/日以下の超低エネルギー食を考慮する．
- 肥満症の食事療法でも必須アミノ酸を含む蛋白質，ビタミン，ミネラルの十分な摂取が必要であり，フォーミュラ食の活用が有用である．フォーミュラ食は，摂取カロリーの制限を必要とする場合に利用される食品で，肥満の原因となる糖質，脂質を極力抑え，必要十分量の蛋白質，ビタミン，ミネラルなどをバランスよく配合した代替食品である．

- 薬物療法は3か月間の食事療法，運動療法，行動療法で効果がない場合に検討される．現在わが国で使用することができるものはマジンドールとセチリスタットだけであり，セチリスタットは保険未収載である．
- 18〜65歳の原発性肥満で，6か月以上の内科治療により有意な体重減少および肥満関連健康障害の改善が認められない高度肥満症には手術療法（bariatric surgery）も検討される．

リハビリテーション診療のポイント

- 肥満に関連する健康障害の急性期では，それぞれのリハビリテーション診療に準じる．
- 運動療法と食事管理を中心に減量を図り，ADL・QOLを向上させる．
- 運動療法は減量，肥満予防，減量体重の維持に有用である．
- 運動療法は持久力訓練（有酸素運動）を基本として，それに筋力増強訓練（レジスタンストレーニング）を加えて行う．
- 持久力訓練（有酸素運動）は，単独でも食事療法の併用でも，糖質・脂質代謝・血圧の改善や糖尿病の発症予防効果がある．
- 筋力増強訓練（レジスタンストレーニング）は減量中の骨格筋量の減少を抑制し，代謝指標・血圧を改善させる．
- メッツ「METs」（METabolic equivalentsの略語）は運動の強さを表す単位である．代謝エネルギーが安静時に対して何倍に相当するかを示すものである．
- エクササイズ「Ex」（"Exercise"の略）は運動量の単位である．メッツに運動を行った時間（単位，hour）を乗じたものである．
- 安全のため運動療法の時間を少しずつ増やしていくこと，体調が悪いときは無理をしないこと，疾病や痛みはそれぞれに適切な対処を行いながら訓練すること，が肝要である．
- とりわけ肥満症患者は体重負荷により変形性膝関節症を合併しやすく，それに対する配慮が必要である．水中ウォーキングなどは適切な運動療法であり，水中トレッドミルも有用である．
- 運動療法の実施状況を歩数計，活動量計などを用いてチェックするなど，モチベーションを落とさないで継続させる工夫が重要である．
- 高齢者では減量により脂肪量とともに骨格筋量が減少する可能性がある．適切な摂取カロリーを設定し，運動療法に食事療法を併用することにより骨格筋量や身体機能を低下させることなく減量が可能である．
- 運動による消費カロリーは次のように計算する．
  消費カロリー（kcal）＝1.05×メッツ×時間×体重（kg）

文献

1）日本肥満学会（編）：肥満症診療ガイドライン 2016．p.xii，ライフサイエンス出版，2016
2）日本老年医学会（編）：高齢者肥満症診療ガイドライン 2018．日老医誌 55：464-538，2018

3 メタボリックシンドローム

基本的な知識

概要

- メタボリックシンドロームとは，「インスリン抵抗性・動脈硬化惹起性リポ蛋白異常・血圧高値を個人に合併する心血管病易発症状態」である．わが国においては，メタボリックシンドロームは内臓脂肪蓄積がその源流にあるとの立場をとっている．
- 厚生労働省発表の国民健康・栄養調査結果（2019 年）によると，20 歳以上においてメタボリックシンドロームが強く疑われる割合は，男性は 28.2%，女性 10.3%で，予備群は男性が 23.8%，女性が 7.2%であり，メタボリックシンドロームの頻度は加齢とともに増加する．
- 厚生労働省による全国 12 万人の労働者の冠動脈疾患発症データでは，肥満・高血圧症・糖尿病の危険因子を 3 つ持つと，発症リスクのオッズ比が 30 倍以上になるとされている．

症状・診断

- わが国では，ウエスト周囲長が男性 85 cm，女性 90 cm を超え，高血圧・高血糖・脂質異常の 3 つのうち 2 つ以上があてはまるとメタボリックシンドロームと診断し，1 つあてはまれば予備軍とする．肥満を伴うものと非肥満がある．
- 高血圧の基準は収縮期血圧値 130 mmHg 以上・拡張期 85 mmHg 以上または降圧薬内服中となる．
- 高血糖の基準は空腹時血糖値 110 mg/dL 以上または血糖降下薬使用中となる．
- 脂質異常の基準は善玉コレステロール（high density lipoprotein；HDL）値 40 mg/dL 未満・トリグリセライド値 150 mg/dL 以上，または高コレステロール血症治療薬内服中となる．
- この病態は，高血圧症，糖代謝異常，脂質異常といった危険因子が複数重なって，冠動脈疾患や脳血管障害といった心血管疾患のリスクが乗数効果的に高まった状態を示している．

治療

- メタボリックシンドロームの治療では食事療法と運動療法により生活習慣を改善し，体重および内臓脂肪を減少させることが中心となる．
- メタボリックシンドロームの減量目標は治療開始時の体重から 3〜6 か月で 3%以上減少させることである．高度肥満（BMI≧35）では 3〜6 か月で 5〜10%以上の減少が目標で，減量による肥満症の健康障害への改善効果を併せて評価する．
- 生活習慣を改善しても，高血圧症，糖代謝異常，脂質異常がよくならない場合には，薬物療法も考慮する．
- 喫煙は肥満症，糖尿病，高血圧症，脂質異常症を増悪させ，動脈硬化性疾患の危険因子となる．メタボリックシンドロームの治療での生活指導として禁煙を勧める．

リハビリテーション診療のポイント

- 運動療法と食事療法により生活習慣を改善して ADL・QOL を向上させる．
- 減量のポイントは脂肪量の減少であって，骨格筋量は維持されなければならない．また，内臓脂肪が皮下脂肪より多く減少することが重要である．

- メタボリックシンドロームを改善するためには，それまでのエネルギー収支バランスを逆転させ，内臓脂肪の減少を目指すことを基本とする．そのため，食事療法と運動療法により，エネルギー摂取量や脂肪摂取量を減少させることとエネルギー消費量の増大を図ることがポイントになる．
- メタボリックシンドロームに合併した高血圧症に対しては，1日6g未満の食塩摂取に制限することが推奨される．
- 内臓脂肪を確実に減少させるためには週に10エクササイズかそれ以上の運動が必要である．30分間の速歩を週5回行うと10エクササイズ程度になる．
- 歩行できない場合や歩行能力獲得中の場合は，食事療法とADL訓練を組み合わせることにより，内臓脂肪の減少を図る．

文献

1）日本肥満学会(編)：肥満症診療ガイドライン 2016．p.xii，ライフサイエンス出版，2016

（伊藤 修）

各論

12

がん

1 がんに対するリハビリテーション診療

基本的な知識

概要

- 国民の 2 人に 1 人が生涯のうちに悪性腫瘍（がん）に罹患し，3 人に 1 人ががんで死亡する．早期発見や治療法の進歩により生存率が向上し，がん患者の半数以上が治るようになった．がん経験者（サバイバー）は今後，毎年 60 万人ずつ増加すると予測されている．
- がんは不治の病から慢性疾患に様相を変えつつあり，がんはリハビリテーション診療の主要な対象疾患の 1 つになっている．
- がんは遺伝子の構造あるいは機能発現の異常が引き起こす病気であり，がん化を促進する遺伝子の活性化，逆にがん化を抑制するがん抑制遺伝子の不活化により発症する．発がんの原因としては，生活様式，遺伝，アスベストやタバコの煙などに含まれる発がん物質の摂取，ウイルス感染，慢性炎症の持続などの要因が複合して関与する．

症状と診断

- がんは造血器由来のもの（白血病，悪性リンパ腫など），上皮細胞でできる癌腫（肺がん，胃がんなど）および非上皮性細胞からなる肉腫（骨肉腫など）に分類される．癌腫と肉腫をあわせて固形がんという．
- 診断は，血液検査，画像検査，病理検査などを組み合わせて行う．
- がん細胞の増殖形態・進展様式には，局所での増大・浸潤，遠隔臓器への転移，腔内播種（腹膜播種，胸膜播種，髄膜播種など）がある．
- 腫瘍縮小効果，治療後の再発・増悪の期間，生存期間を示す遠隔成績は手術療法を含むすべての治療法の評価に用いられる．

治療

- がんの三大治療法は手術療法，化学療法，放射線療法である．
- 大多数の固形がんでは早期に発見された場合には，手術療法が第一選択となる．根治性を損なうことなく手術侵襲と機能障害を軽減するため，内視鏡治療や体腔鏡視下手術と化学・放射線療法を併用し，切除範囲を小さくして臓器機能を温存する工夫が行われている．

- 化学療法には，抗がん薬，内分泌療法，免疫療法，分子標的薬などがある．がん細胞を直接的または間接的に破壊・減少させ，臓器や全身への負荷（がん悪液質）を軽減することにより効果が現れる．治療効果は，治癒，延命，症状緩和に分けられる．
- 化学療法の重篤な有害事象としては，腎機能障害，心機能障害，間質性肺炎がある．高頻度に生じる有害事象には，悪心・嘔吐，骨髄抑制，末梢神経障害，筋肉痛，関節痛がある．
- 放射線療法には，外部照射と内部照射がある．近年，高線量率小線源遠隔照射，多分割照射，重粒子線治療，陽子線治療が注目されている．手術と同様に局所に対する治療であるが，組織を切除せずに治療することができる．放射線療法の効果は，治癒，症状の緩和に分けられる．
- 放射線療法の有害事象は，照射期間中や直後に発生する急性反応と照射から半年以降に出現する晩期反応に分けられる．
- 急性反応には，放射線宿酔（二日酔い様の消化器症状），脳や気道の浮腫，皮膚炎，口腔・咽頭の粘膜障害，消化管障害などがある．
- 晩期反応には，神経系の障害（脳壊死，脊髄障害，末梢神経障害），骨の障害（骨壊死），口腔・唾液腺の障害（口腔内乾燥症，開口障害），咽頭・喉頭の障害（摂食嚥下障害・嗄声），皮下硬結，リンパ浮腫などがある．

がんのリハビリテーション診療のポイント

- がんの進行もしくはその治療の過程でさまざまな機能障害が生じ，ADL が制限され，QOL が低下する．
- がんのリハビリテーション診療とは，がん治療の一環としてリハビリテーション医療チームにより提供される医学的アプローチである．がん患者の身体的・認知的・心理的な障害を診断・治療することで，活動を育み，自立度を高め，QOL を向上させるものである．
- 障害は，がん自体による障害と治療過程において起こりうる障害とに大別される（**表 12-1**）.
- リハビリテーション診療の内容は病期によって，予防的，回復的，維持的，緩和的の 4 つに分けられる（**図 12-1**）.
- 入院においては，手術や化学・放射線療法などの治療中・後の合併症・障害の予防・軽減，病棟でのセルフケアの自立や退院準備が主な目的となる．
- 外来においては，自宅療養中のがん患者の QOL の維持・向上を目的に，地域の医療機関と連携をとりつつ生活を支援し社会復帰を促進する．
- 2016 年 12 月に成立した「改正がん対策基本法」の第 17 条には，がん患者の療養生活の質の維持向上に関して，「がん患者の状況に応じた良質なリハビリテーションの提供が確保されるようにすること」と謳われている．
- 第 3 期がん対策基本計画においても，ライフステージやがんの特性を考慮した個別化医療の必要性が重点課題となるなかで，がんのリハビリテーション診療は，重要な施策の 1 つとなっている．がんサバイバーが増え続けていくなか，がん医療の診断早期から終末期まで，がんのリハビリテーション診療のニーズはさらに高まっていくことが予想される．

表 12-1 がんのリハビリテーション診療の対象となる障害の種類

・がんそのものによる障害
　1）がんの直接的影響
　　原発性・転移性脳腫瘍：高次脳機能障害，摂食嚥下障害，片麻痺
　　原発性・転移性骨腫瘍：切迫骨折・病的骨折
　　原発性・転移性脊髄・脊椎腫瘍：脊髄圧迫症状（四肢麻痺，対麻痺，膀胱直腸障害）
　　腫瘍の直接浸潤：神経障害（腕神経叢麻痺，腰仙部神経叢麻痺，神経根症）
　　がん性疼痛：侵害受容性（内臓痛・体性痛）疼痛，神経障害性疼痛
　　がん悪液質
　　がん誘発認知機能障害
　2）がんの間接的影響（遠隔効果）
　　がん性末梢神経炎（運動性・感覚性多発性末梢神経炎）：しびれ，運動・感覚神経麻痺
　　悪性腫瘍随伴症候群：小脳性運動失調，筋炎に伴う筋力低下

・がん治療の過程において起こりうる障害
　1）不動・不活動による全身の機能低下
　　化学・放射線療法，造血幹細胞移植：運動耐容能，四肢筋力低下，拘縮
　2）手術
　　骨・軟部腫瘍（患肢温存術後，四肢切断術後）：歩行障害，上肢・下肢切断
　　乳がん（乳房切除・温存術）：肩関節拘縮，癒着性関節包炎
　　乳がん・婦人科がん・泌尿器がん（腋窩・骨盤内リンパ節郭清）：上肢・下肢続発性リンパ浮腫
　　頭頸部がん術後：摂食嚥下障害，構音障害，発声障害
　　頸部リンパ節郭清後：副神経麻痺（僧帽筋の筋力低下・萎縮，翼状肩甲），癒着性関節包炎
　　開胸・開腹術（肺がん，食道がんなどの消化器がん）：呼吸器合併症，摂食嚥下障害
　3）化学療法
　　有害事象：末梢神経障害，筋肉痛，関節痛
　4）放射線療法
　　有害事象：脳壊死，脊髄障害，末梢神経障害，皮下硬結，リンパ浮腫，開口障害，摂食嚥下障害

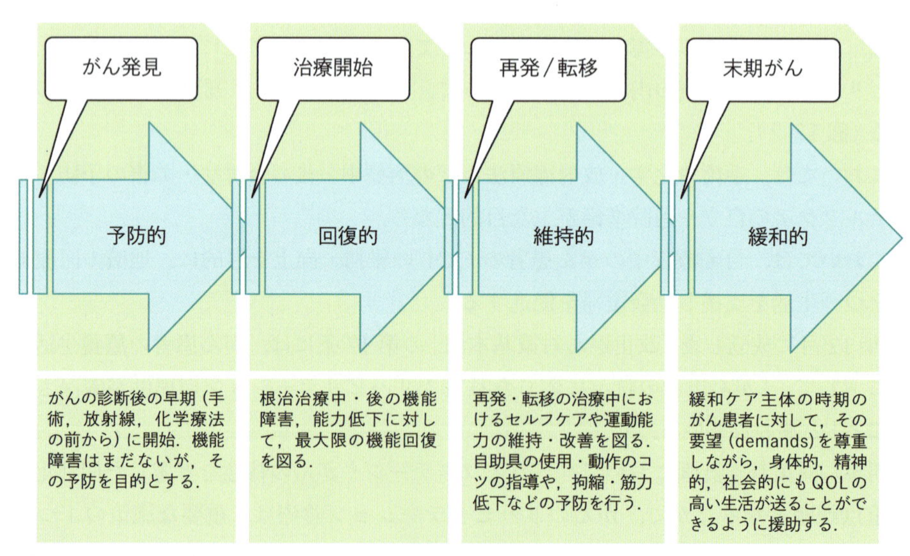

図 12-1 がんのリハビリテーション診療のフェーズ

本図は，がんのリハビリテーションの流れを示すもので，WHO の緩和ケア定義とは異なることに注意（2002 年の WHO の定義では緩和ケアは末期がんに限定されない）．

文献
1) 辻 哲也：がんのリハビリテーション．日本リハビリテーション医学会リハビリテーション医学白書委員会(編)：リハビリテーション医学白書，pp252-261，日本リハビリテーション医学会，2013
2) 辻 哲也：がんのリハビリテーションの概要—がんのリハビリテーション診療総論．辻 哲也(編)：がんのリハビリテーションマニュアル 第2版—周術期から緩和ケアまで，pp23-37，医学書院，2021
3) Dietz JH：Rehabilitation Oncology. John Wiley & Sons, New York, 1981
4) 日本リハビリテーション医学会がんのリハビリテーション策定委員会(編)：がんのリハビリテーション診療ガイドライン第2版．金原出版，2019
5) 日本がんリハビリテーション研究会(編)：がんのリハビリテーションベストプラクティス第2版．金原出版，2020

2 がんの周術期

リハビリテーション診療のポイント

- 術前および術後早期からのリハビリテーション治療により，術後の合併症を予防し，後遺症を最小限にして，スムーズな術後の回復を図ることが重要である．
- 術前の患者は手術とともに術後の障害の種類・程度，日常生活や社会復帰についても不安を抱いていることが多いので，術前にリハビリテーション医学・医療の立場から説明することによりその不安を取り除くことができる．また，術前に患者とリハビリテーション科医および専門の職種が面識をもち，術後のリハビリテーション治療の進め方や必要性を説明しておくことは，術後の診療をスムーズに進めるうえでも有用である．
- 基本的なリハビリテーション診療の方針・内容は，がん以外の患者と大きく変わることはないが，原疾患の進行に伴う機能障害の増悪，告知の状況や精神心理的問題，生命予後に配慮が必要である．術前や術後に補助療法として，化学療法や放射線療法が行われることも多いので，治療のスケジュールを把握し，治療に伴う安静度や容態の変化をある程度予測しつつ，リハビリテーション治療計画を立てていく必要がある．

脳腫瘍

- 腫瘍自体や手術療法により，高次脳機能障害，摂食嚥下障害，片麻痺，失調症など多彩な中枢神経症状が生じうる．
- 全脳照射や化学療法の場合や腫瘍の増大に伴い神経症状が悪化しつつある場合は，脳浮腫の悪化，腫瘍からの出血，痙攣発作，水頭症などによる意識状態や神経症状の変動に注意する．
- 機能障害やADLの評価を治療前から経時的に行い，障害の改善や悪化の程度を把握し，状態に応じて対応する．

頭頸部がん（口腔がん・咽頭がん）

- 舌がんなどの口腔がんの術後には，舌の運動障害により，構音障害や摂食嚥下障害（咀嚼・食塊の形成・咽頭への移送困難）が生じる．
- がんが中咽頭に及ぶと，摂食嚥下の咽頭期における鼻咽腔閉鎖不全，嚥下圧の低下，喉頭挙上障害や輪状咽頭筋の弛緩不全などによって誤嚥が生じる．

図 12-2　電気式人工喉頭
a：種類，b：頸部での使用例.

- 嚥下内視鏡検査・嚥下造影検査で評価しながら，経口摂取へ向けて訓練を進める．舌接触補助床（palatal augmentation prosthesis；PAP）の作製も有用である．

頭頸部がん（喉頭がん）

- 喉頭摘出術後には，声帯が除去されるため代用音声を獲得する訓練が必要となる．代用音声としては，人工喉頭，食道発声，シャント発声がある．
- 術後に創部が安定した後，導入が容易な電気式人工喉頭から開始する．退院時に実用レベルに達するように訓練を行う（図 12-2）．
- 食道発声は食道内に飲み込んだ空気を吐き出し，下咽頭部にある新声門（仮声門）を振動させることで原音を作り，口腔，咽頭，鼻腔などの共鳴・構音器官に伝導させるものである．抑揚のある音声を発声でき器具も不要であるが，習得まで時間を要するため外来での訓練を継続する．
- 肺からの呼気を駆動源とするシャント発声は食道発声よりも習得が容易である．気管食道瘻に一方向弁の voice prosthesis を挿入する方法は，手術手技が比較的簡単で誤嚥も少なく普及しつつある．

頭頸部がん（頸部郭清術）

- 全頸部郭清術により副神経が切除されると僧帽筋が麻痺し，肩関節の屈曲・外転障害・翼状肩甲をきたす．症状として上肢の挙上障害，頸・肩甲帯のしめつけ感を伴う疼痛などが生じる．
- 保存的頸部郭清術や選択的頸部郭清術にて副神経が温存された場合でも，術中操作により，副神経に脱髄や軸索変性が生じて僧帽筋の麻痺に陥ることがある．その場合の神経の回復には半年から 1 年を要する．
- リハビリテーション治療としては，肩甲周囲や頸部の温熱療法，肩・肩甲骨・頸部の関節可動域訓練と筋力増強訓練，筋電バイオフィードバックなどを行う．

開胸・開腹術

- 肺がんや縦隔腫瘍に対する開胸術，消化器系のがんに対する開腹術では，肺炎や無気肺などの呼吸器合併症を生じやすい．周術期に排痰訓練や呼吸機能の訓練などのリハビリテーション治療が必要である．

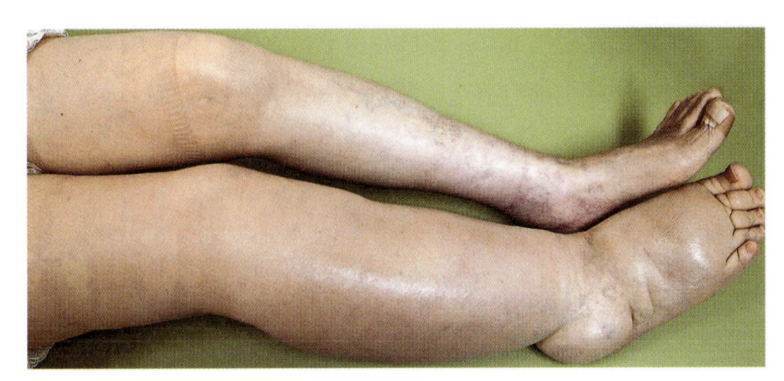

図 12-3　続発性リンパ浮腫（右下肢）

食道がん

- 胸部食道がんに対する開胸・開腹術は，胸部操作（開胸・食道切除・縦隔リンパ節郭清），腹部操作（開腹・腹部リンパ節郭清，胃管形成），頸部操作（頸部リンパ節郭清，食道胃管吻合）が行われるため，身体への侵襲が大きく術後合併症を起こす頻度も高い．呼吸器に対するリハビリテーション治療や口腔ケアが重要である．
- 前頸筋群の切離や反回神経麻痺により，摂食嚥下における咽頭期の障害，あるいは吻合部狭窄による食道期の通過障害が生じやすいことから，摂食嚥下障害への対応も必要である．
- 術前から栄養不良に陥っていることが多く，身体活動も低下しやすいので，栄養管理や運動療法（全身持久力および筋力増強訓練）を手術前から実施する．これらは退院後も継続する．

乳がん

- 手術後に術創部の疼痛のため肩を動かさずにいると，肩関節の拘縮が生じる．特に，腋窩リンパ節郭清実施時には肩の運動障害が出現しやすい．予防が重要である．
- 術後の関節可動域訓練は，創部のドレーンが抜去されるまでは原則，屈曲 90°，外転 45° までの自動関節可動域訓練を行う．抜去後は積極的に他動・自動の関節可動域訓練を行う．
- また，腋窩リンパ節郭清実施時には術後にリンパ浮腫が発症する可能性がある．早期発見が大切になる．
- 浮腫出現時には複合的理学療法（complex physical therapy；CPT）を行う．CPT は患肢にうっ滞した過剰なリンパ液の排液を行う治療法で，スキンケア，圧迫療法，圧迫下での運動，用手的リンパドレナージから構成される．わが国では外来治療が主体のため，CPT に日常生活に対する指導を加えた「リンパ浮腫複合的治療」が標準治療として行われている．

婦人科がん（子宮頸がん，子宮体がん，卵巣がん）

- 骨盤内リンパ節郭清を伴う手術では，下肢のリンパ浮腫（図 12-3）を生じる可能性があるので，その予防と早期発見が重要である．浮腫出現時には，「リンパ浮腫複合的治療」を実施する．

骨・軟部腫瘍術後（患肢温存術後，四肢切断術後）

- 切断術後には，断端管理から義肢装着訓練・義足歩行訓練へと進めるが，術後の化学療法によって訓練が中断されたり，創治癒が遅延しソケットの適合調整などに時間を要したりすることから，訓練には時間を要する．

- 下肢骨腫瘍に対する患肢温存術後では，患肢免荷での立位，平行棒内歩行，両松葉杖歩行の順で訓練を進める．荷重の時期は手術の術式と創部の治癒の具合により決定される．下肢の軟部腫瘍切除後では，患肢の荷重は早期から可能なことが多い．

文献

1） 辻　哲也：がんの周術期リハビリテーションの重要性．日本医事新報 No.4563：73-81，2011
2） Silver JK, et al：Cancer prehabilitation：an opportunity to decrease treatment-related morbidity, increase cancer treatment options, and improve physical and psychological health outcomes. Am J Phys Med Rehabil 92：715-727, 2013
3） 日本リハビリテーション医学会がんのリハビリテーション策定委員会（編）：がんのリハビリテーション診療ガイドライン第2版．金原出版，2019
4） 日本がんリハビリテーション研究会（編）：がんのリハビリテーションベストプラクティス第2版．金原出版，2020

（辻　哲也）

3 がんの化学・放射線療法におけるリハビリテーション診療

基本的な知識

概要

- がんに対する化学・放射線療法や血液がんに対する幹細胞移植療法の進歩による治癒率の向上や生命予後の改善とともに，がんサバイバーが増加している．
- 化学・放射線療法では脱毛，皮膚・粘膜症状，薬剤性肺炎などの臓器障害，末梢神経障害，照射部位の熱傷，高線量照射による皮膚・軟部の壊死，中枢神経（脳・脊髄）麻痺，骨髄抑制などといったさまざまな有害事象が生じる．
- 化学・放射線療法中・療法後のがん患者は，がんそのもの，およびがんの治療に伴う過度安静や有害事象により運動や活動量が低下して身体・精神・心理機能が障害される（図 12-4）．
- 幹細胞移植療法では前治療に伴う過度の安静臥床，全身倦怠や移植後の移植片対宿主病（graft versus host disease；GVHD）に起因する皮膚・粘膜症状，易疲労性，免疫抑制により活動性低下や運動制限を余儀なくされ，筋力や持久力の低下，精神・心理的荒廃などに容易に陥る．
- がん患者は手術療法や化学・放射線療法前後，あるいは治療終了後も身体・精神・心理面の障害や問題が頻繁かつ長期間にわたり認められる．

症状と診断

- 有害事象には治療法の作用機序に関連する特異的なものと，筋力・持久力低下や神経・精神機能低下など非特異的なものがある．
- 治療に伴う過度の安静や不適切な活動制限により筋力低下，関節可動域制限（拘縮），筋力・持久力低下，骨塩量低下（骨粗鬆症）などをきたす．
- 長期臥床は褥瘡や沈下性肺炎，深部静脈血栓症，肺塞栓症などの原因となり，起立性低血圧など循環機能の不動による合併症も引き起こす．
- 食欲不振，便秘・下痢，イレウスなどの消化機能低下や，失禁・失便などの括約筋障害もある．
- 抑うつ，認知機能低下など精神・心理的荒廃は発動性や活動性をさらに低下させる．

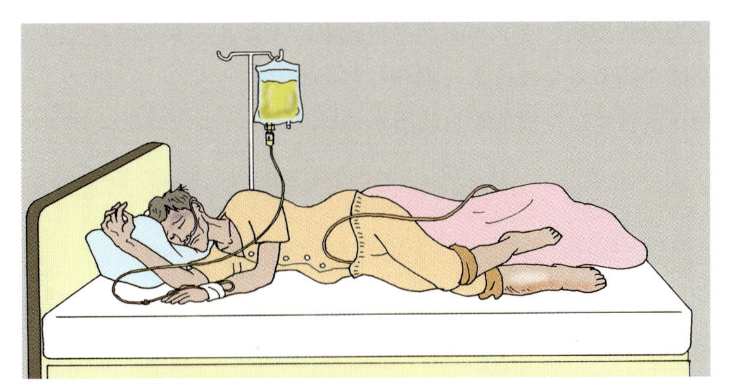

図 12-4　安静により活動量が低下して身体・精神・心理機能が障害された患者

点滴やバルーンによって動作が抑制され，右下腿には浮腫と蜂窩織炎が，左下肢には屈曲拘縮が生じている．

- 過度の安静臥床や不適切な活動制限による合併症はいったん発症すると他の障害を誘発する負（悪化）のスパイラルに陥りやすく，入院中の ADL や手段的 ADL だけでなく，退院後の日常生活の再開，復学・復職，余暇活動への参加にも影響を及ぼして QOL を著しく低下させる．発症予防と早期治療がきわめて重要である．
- 幹細胞移植療法では，前処置時の有害事象や隔離・安静に伴う合併症だけではなく，移植後も感染や GVHD により隔離・安静や活動制限を余儀なくされて，身体・精神・心理機能の荒廃をきたすことが少なくない．
- 薬剤性肺炎や末梢神経障害など臓器特異的な有害事象はそれぞれの検査と診断を行うが，臓器非特異的な精神・心理的荒廃の診断法はないので，治療開始前から治療中はもとより，治療終了後も有害事象・合併症の発症を念頭に置いて早期診断・治療に努める．

治療

- 薬剤性肺炎や末梢神経障害，静脈血栓症，GVHD，感染症，骨髄抑制など臓器特有の有害事象は症状に応じた内科治療やインターベンションを実施する．

リハビリテーション治療のポイント

予防期

- 予防期は治療に向けて過度の安静臥床や不適切な活動制限の不利益と運動や活動の利益を説明する．治療に備えて筋力・体力や活動性の維持と向上，精神の安寧を図る．
- 患者に化学・放射線療法や幹細胞移植療法の有害事象・合併症に伴う安静・臥床の危険性と有害性を説明し，治療終了後の生活再開と社会復帰のためにがん治療と並行した活動維持・運動継続の有用性を十分に理解させる．
- 活動や運動量の維持・継続には他動ストレッチのみやマッサージなど受動的な徒手療法ではなく，自発的な活動や主体的な運動が必要であることも十分に納得させる．
- 自動/他動ストレッチによる軟部組織の柔軟性と関節可動域の維持・改善，重錘やゴムバンドなどを利用した筋力増強訓練，ランニングや自転車エルゴメーターによる持久力の維持・向上を目的とした心肺機能を高める全身持久力訓練などを行う．

- 呼吸機能の維持・改善には，術前から使用が推奨されるインセンティブスパイロメーターが有用である．

治療期・回復期

- 治療期・回復期は運動や活動量の低下に伴う合併症の発症予防と回復に努める．有害事象の軽減目的に物理療法を行う．
- 化学・放射線療法に伴う合併症・有害事象（倦怠，貧血，出血傾向，易感染性など）により運動が制限され活動量が低下している場合には，運動のリスクを評価して可能な範囲でのリラクゼーションや関節可動域訓練，筋力増強訓練，ADL 訓練，歩行訓練・自転車エルゴメーターなどを用いた全身持久力訓練，治療体操などを行う．
- 化学療法による口腔粘膜症状や放射線治療中の熱傷に対する寒冷療法，疼痛や倦怠感に対する鍼治療など物理療法も有効である．
- 抑うつやせん妄，認知機能低下など精神・心理面の問題には音楽療法やカウンセリングなど精神的リラクゼーションを実施する．

生活期

- 生活期は完治/担がんにかかわらず，がんサバイバーとして障害を克服して回復した，あるいは回復途上にある身体・精神・心理機能を維持し向上させるために日々の運動を継続させる（活動を育む）ことが大切である．
- 抑うつや認知機能低下など精神・心理面の問題には，カウンセリングなどを継続する．
- 必要に応じて福祉制度や介護保険制度を利用して環境整備や日常生活用具を導入する．

文献

1) 日本リハビリテーション医学会がんのリハビリテーション診療ガイドライン改訂委員会(編)：第 10 章化学療法・放射線療法．がんのリハビリテーション診療ガイドライン第 2 版，pp220-257，金原出版，2019
2) 日本がんリハビリテーション研究会(編)：第 10 章化学療法・放射線療法．がんのリハビリテーション診療ベストプラクティス第 2 版，pp222-247，金原出版，2019

（佐浦隆一）

4 緩和ケア

基本的な知識

- 緩和ケアは，2002 年に世界保健機関（World Health Organization；WHO）によって，「生命を脅かす疾患による問題に直面している患者とその家族に対して，痛みやその他の身体的問題，心理社会的問題，スピリチュアルな問題を早期に発見し，的確な評価と対処（治療・処置）を行うことによって，苦しみを予防し，和らげることで，QOL を改善するアプローチである」と定義された．
- がん治療の目標は治癒もしくは生命予後の延長であり，緩和ケアの目標はQOLの向上であるが，

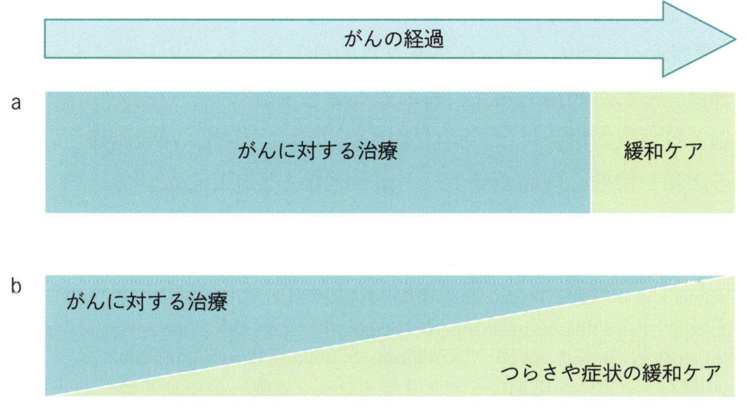

図 12-5　がんの治療と緩和ケアの関係

a：(これまでの考えかた)：がんに対する治療が終了するまで，苦痛などの症状の緩和のための治療は制限し，治療終了後に緩和ケアを行う．
b：(新しい考えかた)：がんに対する治療と並行して緩和ケアを行い，状況に合わせて割合を変えていく．

両者は画然と区別されるものではない．がん治療と緩和ケアが互いに補い合う包括的がん医療モデルを構築する必要がある．がんと診断された時期から緩和ケアが開始され，がんの治療と並行して緩和ケアを行い，状況に合わせて割合を変えていくというモデルである (図 12-5)．

- 緩和ケアチームとは，緩和ケアを専門とする医師や看護師などで構成されるチームである．紹介患者の身体的・社会的・心理的な苦痛を包括的に評価し，必要に応じて疼痛・身体症状の緩和に関する専門家や精神症状の緩和に関する専門家と協力する体制を構築する．
- リハビリテーション診療は，患者の身体機能の維持・回復，社会復帰を主な目的とする．一方，緩和医療は身体・精神症状の緩和を目的としている．両者とも，既存の疾病や臓器中心の医学の枠組みを越えて，患者の QOL に目を向けて対応するという点で親和性が高い．

リハビリテーション診療のポイント

- 緩和ケアが主体となる時期には，疾病の進行もしくはその治療の過程で，高次脳機能障害，摂食嚥下障害，発声障害，運動麻痺，悪液質による筋力低下，筋萎縮，拘縮，四肢長管骨・脊椎の切迫骨折・病的骨折や脊髄圧迫による四肢の運動麻痺，全身の浮腫，胸水・腹水貯留などさまざまな機能障害が生じる．
- それらの障害によって，車いすなどへの移乗動作や歩行，セルフケアなどの ADL に制限が生じ，療養生活の質の低下をきたしてしまう．
- リハビリテーション診療の目的は，「余命の長さにかかわらず，患者とその家族の希望・要望を把握した上で，身体的にも精神的にも負担が少ない ADL の習得とその時期におけるできる限り質の高い生活を実現すること」である．
- 患者およびその家族からリハビリテーション診療に何を望んでいるのかをよく聴取して，要望に見合った適切な対応を，緩和ケアチームと協働して行う必要がある．
- 生命予後が月単位の場合には，潜在的な能力が生かされず，能力以下の ADL となっていることが多い．動作のコツの習得，適切な補装具・日常生活用具の利用，痛みを減らし筋力低下を補う動作などの訓練を行い，残存機能をうまく活かしてADL拡大を図る．

- 「治療がまだ続けられている」という心理支持的役割もある．リハビリテーション治療で何らかの成果が出れば，それが精神的な支えになることも多い．
- 生命予後が週・日単位の場合には，楽に休めるように，疼痛，呼吸困難，全身倦怠感などのさまざまな症状の緩和や精神心理面のサポートが主となるようにしていく．

文献

1） Santiago-Palma J, et al：Palliative care and rehabilitation. Cancer 92(Suppl4)：1049-1052, 2001
2） Tunkel RS, et al：Rehabilitative medicine. In：Berger AM, et al(eds)：Principles and Practice of Palliative Care and Supportive Oncology, 2nd ed, pp968-979, Williams & Wilkins, Philadelphia, 2002
3） 辻　哲也：緩和ケア主体の時期のリハビリテーション診療—リハビリテーション診療の概要．辻　哲也(編)：がんのリハビリテーションマニュアル第2版—周術期から緩和ケアまで，pp344-355，医学書院，2021
4） 辻　哲也：コンサルテーションスキル—リハビリテーション科医からの提言．門田和気，他(編)：緩和医療の基本的知識と作法，pp157-164，メジカルビュー社，2012

（辻 哲也）

5 転移性がん

リハビリテーション診療のポイント

- がん患者において，転移は大きな問題で，生命予後に直結する問題である．
- 厚生労働省の2017年全国がん登録によると，全がん登録者（上皮内がんを含む）の16.4％に遠隔転移があるとされている．
- がんの転移の種類には血行性転移，リンパ行性転移，播種，浸潤の4つがあげられる．
- がん治療の進歩により，転移性がんを持ったまま長期生存する患者が増えている．転移性がんの治療目標においてもより長期にQOLを維持することが重要になっている．
- リハビリテーション診療において特に問題となるのが，脳転移と骨転移であり，本項で解説する．

転移性脳腫瘍

- 転移性脳腫瘍はわが国において年間10万人程度発生していると考えられている．
- 成人では，肺がん，乳がん，腎がん，大腸がん，悪性黒色腫の転移が多い．
- 転移性脳腫瘍があっても長期間生存する例が増加している．化学療法の進歩により原発巣や脳以外の転移巣の制御がよくなっても，脳脊髄関門を通過できない薬剤も多いため，脳転移を制御できない状態（CNS failure）が課題となっている．そのため，転移性脳腫瘍の治療は手術，放射線治療が中心となる．
- 手術療法後のリハビリテーション治療は悪性脳腫瘍の術後リハビリテーション治療に準じる．生命予後や原発巣，ほかの転移巣の状況を確認しながら行う．
- 全脳照射が行われた場合，急性の副作用として，頭痛，悪心嘔吐，食思不振，疲労感などがあり，訓練の阻害因子となる．また長期の副作用として高次脳機能障害や認知機能低下が起こるので注意を要する．このため，長期生存が予想される患者では副作用の少ない定位照射が用いられることが多くなっている．

表 12-2 脊髄の不安定性に対する SINS スコア

パラメーター	点数
部位	
移行部（C0〜C2，C7〜T2，T11〜L1，L5〜S1）	3
可動性がある部位（C3〜C7，L2〜L4）	2
可動性が乏しい部位（T3〜T10）	1
可動性がない部位（S2〜S5）	0
痛み	
持続的	3
時折みられる	1
なし	0
骨病変の性状	
溶骨性	2
混合性	1
造骨性	0

パラメーター	点数
X 線上の脊椎アライメント	
亜脱臼/すべり	4
脊椎変形あり（側弯，後弯）	2
正常	0
椎体の圧潰	
＞50％	3
＜50％	2
圧潰はないが転移が椎体の 50％を超える	1
なし	0
後側方への進展	
両側	3
片側	1
なし	0

Score 0〜6：安定，Score 7〜12：軽度の不安定性，Score 13〜18：不安定.

表 12-3 四肢の骨折リスクを評価する Mirels スコア

点数	1	2	3
場所	上肢	下肢	転子部
疼痛	軽度	中等度	重度
タイプ	造骨性	混合性	溶骨性
大きさ	＜1/3	1/3〜2/3	＞2/3

7 点以下　保存療法
8 点　　　手術療法を考慮
9 点以上　手術療法

転移性骨腫瘍

- 臨床上問題となる骨転移は年間 5〜10 万人発生しているといわれている.
- 骨転移を起こしやすいがんは，乳がん，前立腺がん，肺がん，甲状腺がん，腎がんである.
- がん治療の進歩により，骨転移患者も長期予後が得られるようになったため，患者数の増加とともに，適切なリハビリテーション治療を行い患者 ADL，QOL を維持する必要がある.
- 骨関連事象（skeletal related events；SRE）と呼ばれる重篤な合併症が起こる場合があり，特に病的骨折と脊髄への圧迫による麻痺は重大な ADL 低下を招く．がん患者の訓練の際には，リスク管理として，必ず骨転移の有無を確認する．骨転移がある場合は，適切な画像評価のうえ，病的骨折を起こさないように安静度を設定し訓練を行う.
- 脊椎の不安定性の指標として SINS（spinal instability neoplastic score）がよく用いられ（表 12-2），7 点以上で不安定性が疑われるため専門医へのコンサルトが望ましい.
- 四肢長管骨の骨折リスクの評価として Mirels スコアがよく用いられる（表 12-3）．9 点以上で骨折リスクが高いとされる.
- リハビリテーション治療計画では生命予後も重要なファクターとなる．ゴール設定のためにも生

表 12-4　新片桐スコア

	予後因子	スコア
原発巣の種類	• slow growth ホルモン治療感受性乳がん，ホルモン治療感受性前立腺がん 甲状腺がん，悪性リンパ腫，多発性骨髄腫	0
	• moderate growth 分子標的薬使用肺がん，ホルモン治療抵抗性乳がん，ホルモン治療抵抗性前立腺がん，腎がん，子宮体がん，卵巣がん，肉腫，二重がん	2
	• rapid growth 分子標的薬非使用肺がん，大腸直腸がん，胃がん，膵がん，頭頸部がん，食道がん，胆嚢がん，肝がん，泌尿器がん，悪性黒色腫，原発不明がん，その他	3
内臓または脳転移	なし	0
	結節性転移	1
	播種性転移	2
血液検査異常	• normal	0
	• abnormal（下記のいずれか） LDH＞250 IU/L，CRP＞0.3 mg/dL，Alb≦3.6 g/dL	1
	• critical（下記のいずれか） 補正後血清 Ca≧10.3 mg/dL，T. bil≧1.4 mg/dL，Plt≦10 万/μL	2
ECOG performance status 3〜4		1
過去の化学療法あり		1
多発骨転移		1
合計		__/10

（Katagiri H, et al：New prognostic factors and scoring system for patients with skeletal metastasis. Cancer Med 3：1359-1367, 2014 より）

命予後を予測する必要がある．骨転移では新片桐スコア（**表 12-4**）が頻用される．

• 骨転移キャンサーボードなど集学的かつ多診療科多職種での連携も注目されている．

文献

1）三矢幸一，他：転移性脳腫瘍の集学的治療―QOL 維持を目指した治療戦略．脳疾患 27：539-548，2018
2）森岡秀夫：Ⅲ-7 骨転移とは―骨転移診療ガイドラインのレビューを中心に．酒井良忠，他(編)：チーム医療のためのがんロコモハンドブック，pp215-225，綜合医学社，2021
3）酒井良忠：Ⅳ-11 がん．久保俊一，他(総編集)：生活期のリハビリテーション医療・医学コアテキスト，pp182-188，医学書院，2020

（酒井良忠）

各論

13

摂食嚥下障害

1 摂食嚥下障害に対するリハビリテーション診療

基本的な知識

概要

- 嚥下反射中枢は脳幹にあり，孤束核と延髄網様体の神経によって構成される．この嚥下中枢には三叉神経，舌咽神経，迷走神経を介する咽喉頭の感覚情報と，大脳皮質からの情報が入力される．
- 大脳皮質で嚥下に関連した部位としては感覚運動野，島，帯状回が注目されている．
- 嚥下に関連する筋群としては舌骨上筋群（顎二腹筋，顎舌骨筋，オトガイ舌骨筋，茎突舌骨筋）が重要である（図 13-1）．正常な嚥下においては，舌骨は前上方に移動する．
- 摂食嚥下のプロセスは，①先行期，②口腔期，③咽頭期，④食道期という4つの位相（フェーズ）に分けられる（図 13-2）．
- 摂食嚥下障害の原因は，口腔・咽頭・喉頭・食道の器質的原因（頭頚部がんの術後など）や神経筋疾患（脳血管障害，Parkinson 病など）による機能的原因などに分類されるが，心理的要因も考慮すべきである．

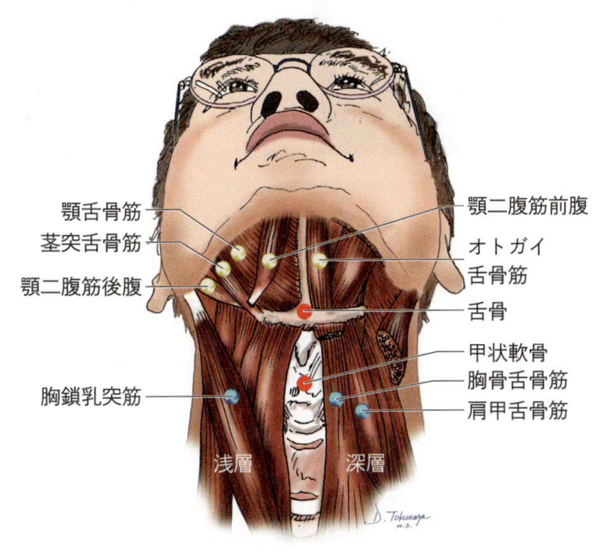

図 13-1 舌骨上筋群

嚥下に関連する筋群として最も重要なものは，舌骨上筋群である．舌骨上筋群は顎二腹筋，顎舌骨筋，オトガイ舌骨筋，茎突舌骨筋の総称で，口腔底を形成し，下顎を下方に引き，嚥下の際に喉頭を引き上げる．
黄色のマーカーは舌骨上筋群を示す．

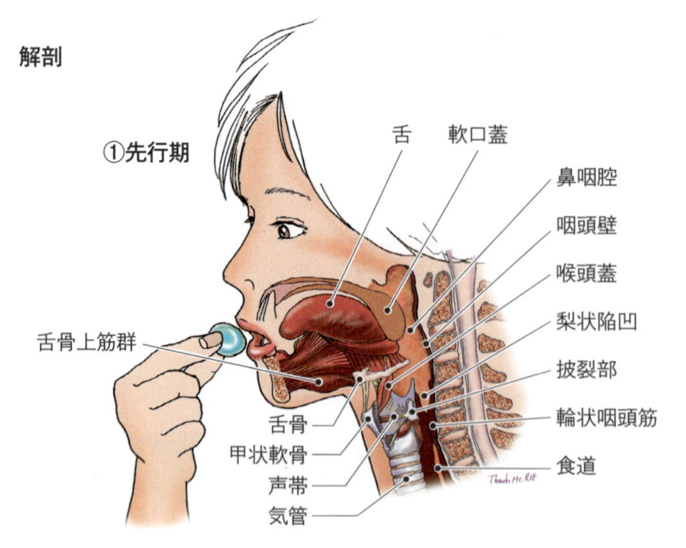

図 13-2 摂食嚥下における4相（フェーズ）

食べ物を咀嚼して嚥下する一連の動きは摂食嚥下と呼ばれ，①先行期，②口腔期，③咽頭期，④食道期，の4つのフェーズに分けられる．①先行期：食物が口腔に入る前の状態である．②口腔期：舌の尖端が上の門歯に当たって，これをアンカーとして，複雑な舌の運動によって，食塊が形成され咽頭に送られる．この状態では鼻咽腔は開いている．③咽頭期：鼻咽腔の閉鎖と同時に，舌骨が甲状軟骨とともに前上方に移動し，食道が開口する．喉頭蓋が閉じて誤嚥を防ぐ．④食道期：食塊が送り込まれると，上食道括約筋が収縮し，食道を閉鎖して喉頭への逆流を防ぎ，胃に送り込む．咽頭期で食塊があった場所は，舌根と喉頭蓋舌面で隙間なく満たされる．

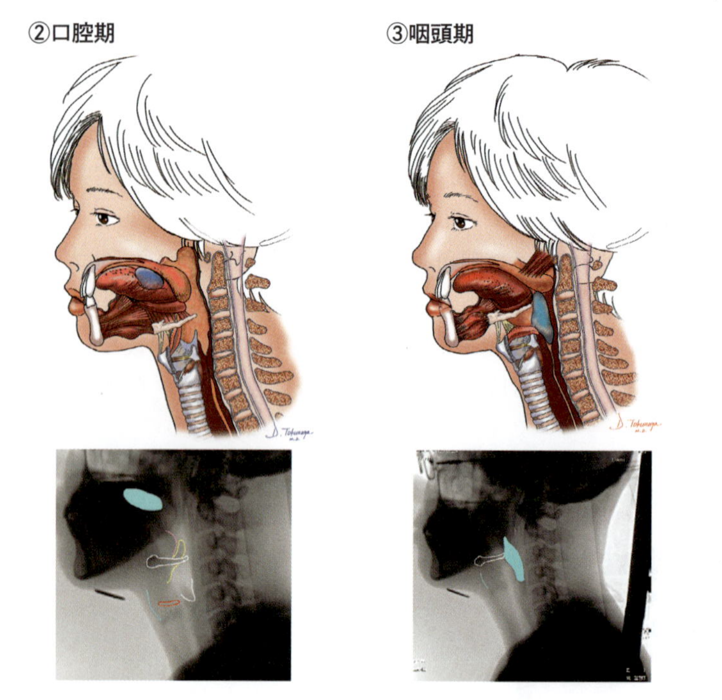

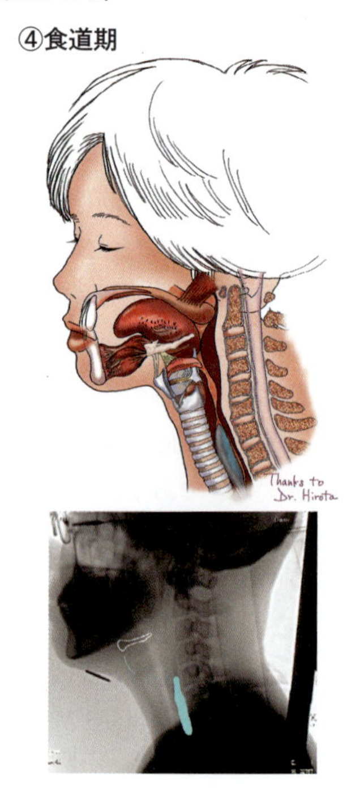

- 頭頸部がんの術後には，口唇閉鎖不全（顔面神経下顎縁枝の障害），咀嚼・口腔内搬送の障害（舌の切除もしくは運動障害），舌根後方運動減弱（舌下神経障害），声門閉鎖不全（反回神経障害），喉頭挙上制限（舌骨上筋群の障害）などがみられる．
- 脳血管障害後の摂食嚥下障害には，球麻痺によるもの（Wallenberg 症候群など）と，仮性球麻痺によるもの（両側性の錐体路障害が原因となるもの）とがある．
- 薬剤性の摂食嚥下障害もみられる．たとえば，ベンゾジアゼピン系薬剤は嚥下反射に悪影響を与え（咽頭筋の協調運動不全をもたらす），筋弛緩薬や抗不安薬は口腔期の動きを阻害する（舌や下顎の筋力を低下させる）．また，抗精神病薬，抗うつ薬，抗ヒスタミン薬，抗コリン薬は口腔乾燥を誘起し，レボドパ，フロセミド，ジルチアゼム，ベラパミル，シスプラチン，テガフールなどは味覚を障害するとされる．

- 健常な高齢者にみられる，加齢による摂食嚥下機能低下は老嚥（presbyphagia）と称される．老嚥の原因としては，加齢に伴う味覚・嗅覚の低下，感覚閾値の低下，唾液分泌量減少，喉頭の位置の低下，咳反射の低下，義歯の不適合，嚥下関連筋の筋力減少，舌圧の低下などがあげられる．
- オーラルフレイルとは，口腔機能の低下あるいは虚弱化をさす用語である．臨床的には滑舌低下，食べこぼし，わずかなむせ，噛めない食品が増える，口腔の乾燥などを呈する．咬合状態の診察，咀嚼能力の評価，舌機能の評価（舌圧測定など），嚥下機能評価，口腔乾燥度の評価などによって診断される．

症状と診断

- 摂食嚥下障害の主な症状としては，食事中のむせや咳，湿性嗄声，口腔乾燥，口腔汚染，発熱，脱水，低栄養，肺炎などがあげられる．
- スクリーニング検査としては反復唾液嚥下テスト（repetitive saliva swallowing test；RSST）や各種水飲みテストが広く用いられている．また，食塊を嚥下する際に咽頭部で生じる嚥下音と嚥下前後の呼吸音を頚部より聴診する頚部聴診法も摂食嚥下機能を簡便に評価できる方法である．
- 摂食嚥下障害の質問紙表としては，摂食嚥下時の自覚症状や体重減少など10項目から構成されるEAT-10などがある．世界的に使用頻度の高い摂食状況を表現する尺度としてはFOIS（functional oral intake scale）がある．
- 近年では，簡便な舌圧測定器で“舌が口蓋前方部とその間で食物を潰す力”である舌圧を測定することが可能となっている．舌圧の低下には，器質的・機能的疾患のほかに，舌の使用頻度の低下，会話頻度の低下，低栄養などが関係するとされる．舌圧が低い患者では，食事の形態調整が必要になることが報告されている．

治療

- 各種の摂食嚥下訓練以外に，環境調整や姿勢の調整，食形態の調整や水分にとろみをつけるなどの工夫が試みられるべきである．
- 摂食嚥下機能を低下させる可能性のある薬物の処方があれば，その中止を検討する．摂食嚥下機能を高める可能性のある薬物もいくつか報告されているが副作用の可能性も考慮して，処方の可否を検討する必要がある．
- 義歯の不適合は摂食嚥下の機能低下の大きな原因となるため，歯科にて適切な義歯の調整が必要な場合もある．
- 認知症に伴う摂食嚥下障害は難渋することが多い．治療可能な認知症の原因（水頭症，硬膜下血腫，脱水など）がないか検討することが必要である．
- 摂食嚥下機能を改善させるための手術（輪状咽頭筋切断術や喉頭挙上術など）が耳鼻咽喉科領域にて実施されている．
- 摂食嚥下障害では経口摂取だけでは十分な栄養摂取が難しいことも多いため，適切な栄養管理も検討する必要がある．
- 摂食嚥下機能の改善が乏しい場合には，機能の改善，もしくは誤嚥の防止を目的とした手術療法が考慮される．前者としては輪状咽頭筋切除術，喉頭挙上術，声帯内方移動術などがあり，後者

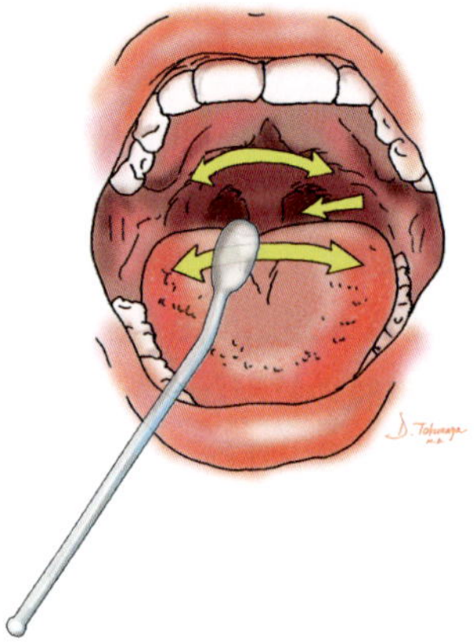

図 13-3 **アイスマッサージ**

冷やした綿棒で舌根部や咽頭後壁をマッサージする．

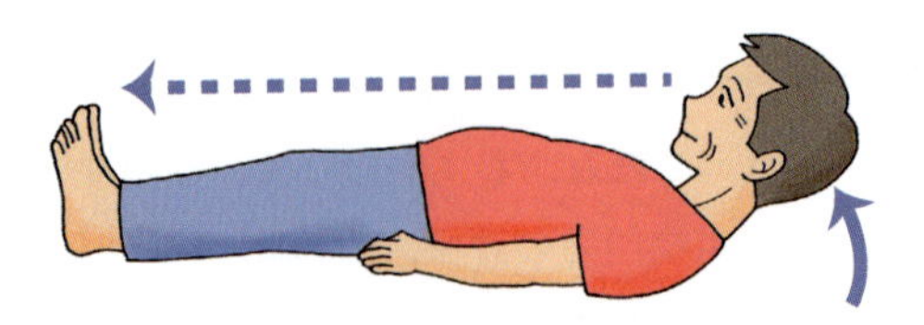

図 13-4 **頭部挙上訓練（シャキア法）**

誤嚥を防ぐための頭部挙上訓練（シャキア法）．仰向けに寝た状態で，頭だけを持ち上げて足の指先を見る．舌骨上筋群などの筋力強化によって，喉頭の前上方運動を改善し，食道入口部の開大を図る．

としては喉頭気管分離・気管食道吻合術，声門閉鎖術，喉頭摘出術などがある．

リハビリテーション診療のポイント

急性期

- 絶食管理は口腔汚染を引き起こし，経口摂取能力をさらに低下させるため，早期に摂食嚥下機能を評価し，早期経口摂取を検討する．
- 口腔ケアを十分に行うことは，誤嚥性肺炎を予防するとともに早期の経口摂取につながる．
- 意識状態，呼吸状態，栄養状態が整っていなければ経口摂取の早期再開は困難なことがあるため，全身管理，栄養管理，早期離床も重要である．
- 太い経鼻胃管は摂食嚥下の阻害因子となるため，できるだけ細い胃管の使用が望ましい．栄養注入の度に口からチューブを挿入し，注入終了後はチューブを抜去する方法（間欠的口腔食道経管栄養法）も検討の余地がある．
- 気管カニューレの存在も嚥下機能の阻害因子となるため，可能であれば早期抜去を検討する．スピーチカニューレを使用すると水分誤嚥を減らすことができる場合がある．

回復期

- 急性期を脱すれば，摂食嚥下に関連する器官の機能向上を目的とした積極的な摂食機能療法が実施可能である．
- 摂食嚥下訓練は食べ物を用いない間接訓練と，食べ物を用いて嚥下手技を行う直接訓練とに分けられるが，回復期では患者の状態に合わせてこれらを適宜行っていく．間接訓練は，意識障害があったりコミュニケーションに問題があっても行えるが，直接訓練を開始する条件としては，患者が口頭指示に従える状態にあることが望ましい．
- 間接訓練としては，アイスマッサージ（図 13-3），頭部挙上訓練［Shaker（シャキア）法］（図 13-4），嚥下おでこ体操（図 13-5），開口-閉口訓練（図 13-6），チューブ嚥下訓練，ブローイング訓練，

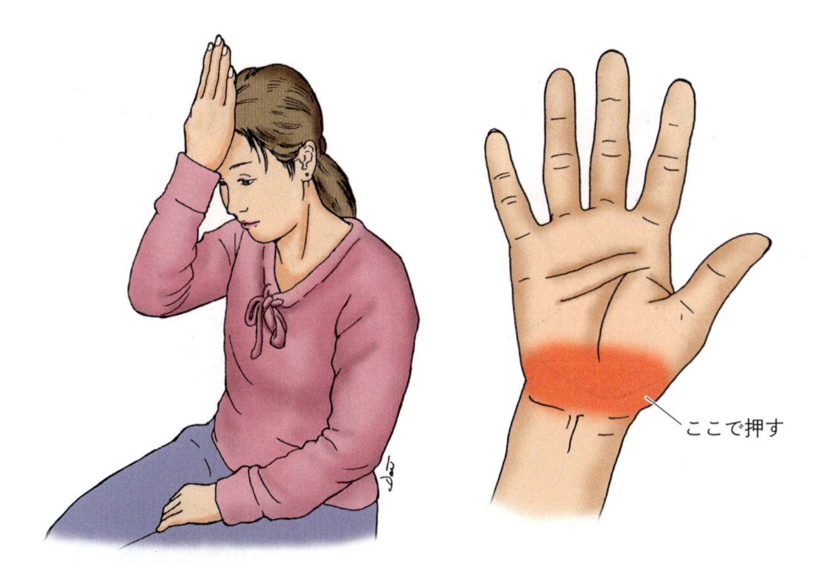

図 13-5 嚥下おでこ体操

額に手を当てて抵抗を加え，おへそを覗き込むように下を向くようにする．

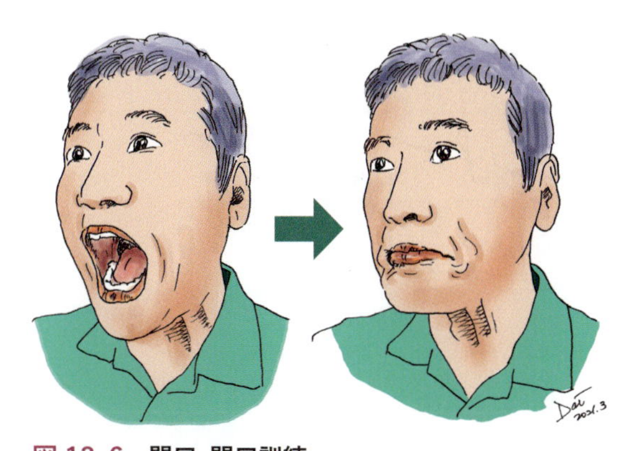

図 13-6 開口-閉口訓練

下顎を上下，前後，左右にゆっくり大きく動かす．

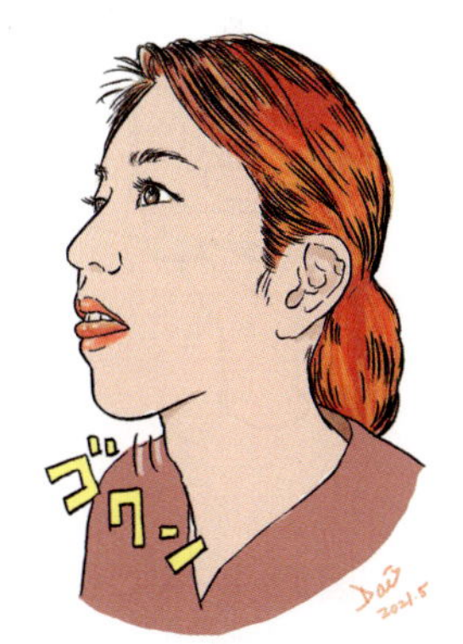

図 13-7 前舌保持嚥下訓練

挺舌した舌を上下切歯で軽く保持した状態で空嚥下を行う．

前舌保持嚥下訓練（図 13-7）などがある．アイスマッサージでは，舌根部や咽頭後壁を冷たい綿棒でマッサージすることで，嚥下反射を促す．頭部挙上訓練［Shaker（シャキア）法］では，仰向けに寝た状態で足を見るように頭だけを持ち上げさせて，喉頭挙上に関する筋群を強化する．

- 全身状態が悪いとの理由で間接訓練を行わないと，不動により摂食嚥下機能がさらに低下する恐れが生じる．
- 直接訓練としては，意識下での嚥下（think swallow），息こらえ嚥下法（図 13-8），頸部回旋法（横向き嚥下），交互嚥下（固形物と流動物を交互にとる），一口量の調整などの手法を用いる．
- 日本摂食嚥下リハビリテーション学会の提唱している嚥下調整食分類を参考にすると，安全な段階的食形態変更が実施可能となる．また，退院・転院の際に経口摂取可能な食形態を確実に伝達することもできる．
- 1か月間以上にわたって経管栄養の継続が必要と予想される場合には，胃瘻造設を検討する．

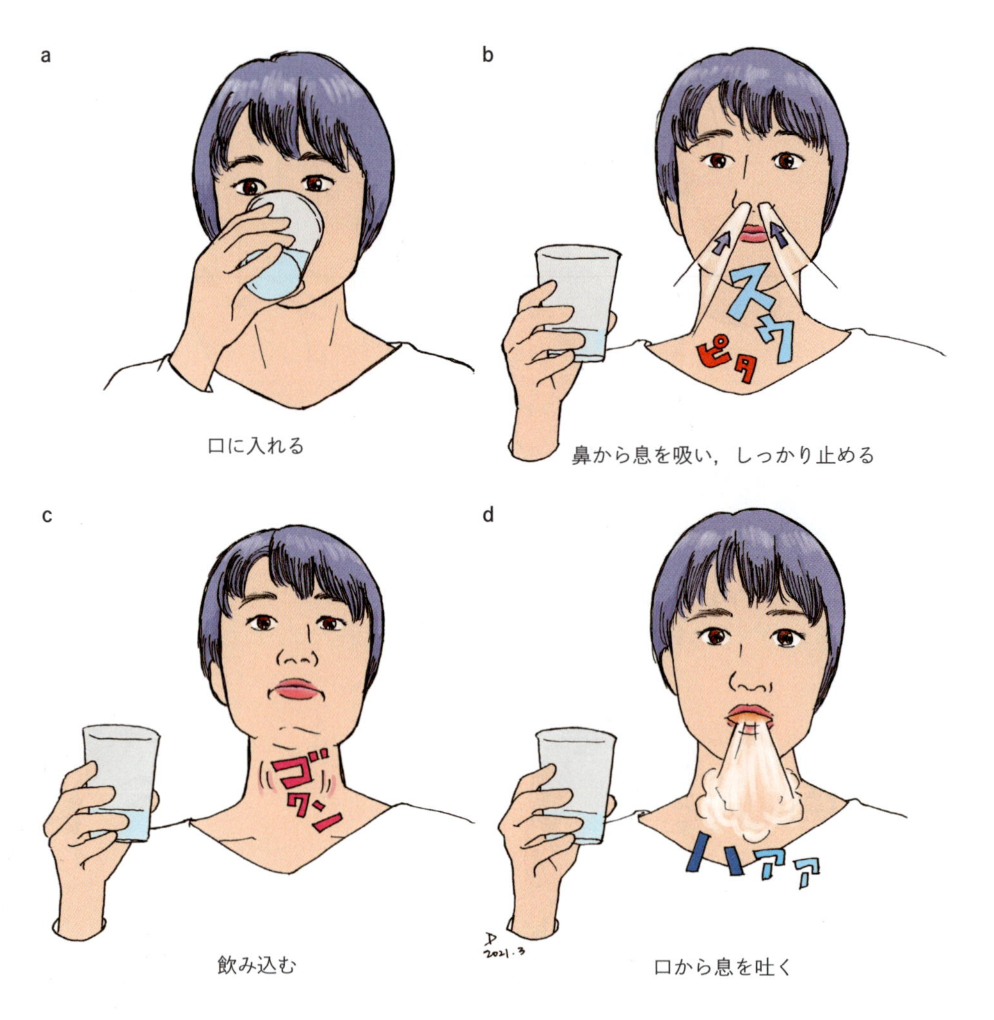

a　口に入れる
b　鼻から息を吸い，しっかり止める
c　飲み込む
d　口から息を吐く

図 13-8　息こらえ嚥下法

飲食物を口に入れ鼻から大きく息を吸い，しっかりと息をこらえ，息を止めた状態で飲食物を嚥下し，嚥下後すぐに勢いよく息を吐くあるいは咳をする.

- 胃瘻栄養の際には，短時間で投与可能な半固形栄養剤を使用することで，摂食嚥下訓練の時間を確保しやすくなる.

生活期

- 老嚥やオーラルフレイルによる摂食嚥下障害の進行を予防するために，適切な食事や訓練，義歯の調整などを行う.
- ひとたび胃瘻を造設した患者であっても，時間経過で経口摂取できるようになることもしばしば経験されるため，あきらめずに時期をおいて摂食嚥下機能の再評価を行う.
- 訪問リハビリテーションとして，定期的に在宅で摂食嚥下訓練（間接訓練および直接訓練，家族への指導など）を行うことも推奨される．ただし，直接訓練を在宅で行う際には，非常時に備えて携帯型の吸引器を用意することが望ましい.

（百崎 良・角田 亘）

各論

14

聴覚障害・前庭障害・顔面神経障害・嗅覚障害・音声障害

1 聴覚障害

基本的な知識

概要

- 外耳・中耳（伝音系）の障害で発症する伝音難聴と内耳・後迷路・聴覚中枢（感音系）の障害で生じる感音難聴，両者が合併する混合性難聴に分類される．
- 伝音難聴の代表的な病態として，慢性化膿性中耳炎，真珠腫性中耳炎，耳硬化症，中耳奇形，耳管開放症などがあり，感音難聴の代表的な病態として，遺伝性難聴，先天性難聴，加齢性（老人性）難聴，突発性難聴，Ménière 病，内耳炎，音響外傷，薬剤性難聴，聴神経腫瘍などがある．
- 難聴の重症度に応じて，軽度～中等度難聴に対しては補聴器装用下で，高度～重度難聴に対しては人工内耳装用下でのリハビリテーション診療が実施される．

症状と診断

- 症状は多彩である．難聴に加えて，耳漏やめまい，耳閉感，耳鳴などが随伴する．
- 純音聴力検査，語音聴力検査で診断を行う．新生児・乳幼児の難聴，機能性難聴に対しては，他覚的聴覚検査〔聴性脳幹反応（auditory brainstem response；ABR）・耳音響放射（otoacoustic emission；OAE）・聴性定常反応（auditory steady state response；ASSR）など〕を実施する．側頭骨の CT および MRI で病変検索を行う．

治療

- 伝音難聴に対しては，鼓室形成術や補聴器装用が適応となる．
- 感音難聴に対しては，補聴器装用や人工内耳手術が適応となる．

リハビリテーション診療のポイント

- 機能の回復を図りながら，活動を賦活し，よりよい ADL・QOL の実現を目指す．
- 補聴器装用下での聴覚障害のリハビリテーション診療は，正確な聴力検査および補聴器適合検査を経て購入された補聴器を装用した上で，「残存する聞こえの能力を最大限引き出す」ために実施される．補聴器利得を調整し，最終の補聴器利得が聴力レベルの半分程度（ハーフゲイン）となるような適合になれば理想的である．

- 聴覚障害に対する訓練は，補聴器装用下および人工内耳装用下の能動的な聴覚訓練（active auditory training；active AT）と受動的な聴覚訓練（passive AT）に大別される．Active AT では良好な言語聴取能の獲得，認知能力の向上，精神活動の充実，社会活動性の維持に関して効果が期待できる．
- 成人の人工内耳による訓練では，人工内耳の術後に電極に流す電気信号を調節する mapping 調整と聴覚検査主体の passive AT にとどまっていることが多い．
- 小児の人工内耳による治療では，医療，療育，そして家族が連携した上で，就学時の高い言語性 IQ の獲得を目指す auditory verbal communication（聴覚音声法）を主体とする active AT が有用である．

2 前庭障害

基本的な知識

概要

- 前庭障害はめまいの原因であり，中枢性と末梢性に大別される．
- 中枢性前庭障害の代表的な病態として，脳血管障害（小脳梗塞・脳幹梗塞・小脳出血など），脳腫瘍，髄膜炎/脳炎，脱随性疾患（脊髄小脳変性症・多発性硬化症など）がある．
- 末梢性前庭障害は，前庭神経あるいは前庭器（前庭・半規管）の障害により生じる．
- 片側性の前庭障害と両側性の前庭障害に分類される．
- 末梢性前庭障害の代表的な病態として，良性発作性頭位めまい症，Ménière 病，前庭神経炎，Ramsay Hunt 症候群，めまいを伴う突発性難聴，薬剤性前庭障害，加齢性前庭障害がある．

症状と診断

- めまいの性状は，回転性めまいと浮動性めまいに分けられる．難聴や耳鳴を随伴することが多い．
- 温度刺激検査（カロリック検査），ビデオヘッドインパルス検査（video head impulse test；v-HIT），前庭誘発筋電位検査（vestibular evoked myogenic potential；VEMP）などの前庭機能検査を実施して，左右の前庭・半規管・前庭神経の機能評価を行う．
- ビデオ眼球運動検査を行い，末梢性・中枢性前庭障害に特徴的な眼振により確定診断に至る．側頭骨の CT および MRI は病変検索に有用である．

治療

- 急性期のめまい治療では，安静，抗めまい薬，制吐薬，炭酸水素ナトリウム（メイロン®注），ステロイドなどの薬物療法が中心である．慢性期は，浸透圧利尿薬，抗めまい薬，選択的セロトニン再取り込み阻害薬などによる薬物療法，生活習慣・食習慣の指導，運動療法などが選択される．

- 保存的治療に抵抗する難治性めまいに対しては，中耳加圧治療，手術療法（内リンパ嚢手術，ゲンタマイシン鼓室内注入療法，前庭神経切断術など）が適応となる．

リハビリテーション診療のポイント

- 中枢性，末梢性，片側性，両側性の区別なく，急性期，回復期，生活期のいずれの段階でも，前庭障害のリハビリテーション診療は有用であり，活動を高めADL・QOLの改善が期待できる．
- 急性期，回復期，生活期のいずれにおいても基本的な訓練に違いはない．頭部と眼球の運動による前庭動眼反射を利用した訓練，臥位・座位・立位での前庭脊髄反射を強化する訓練によって構成されるCawthorne-Cooksey法が用いられる．
- ①頭部や眼球を動かし網膜上での像のズレを引き起こすことにより中枢神経系で適応を引き起こさせ，前庭系の働きを促進することを目的とするadaptation exercise，②めまいが起こる動作を繰り返し行うことによって，慣れを生じさせ，めまい症状が軽減することを目的とするhabituation exercise，③前庭障害後に起こるめまいやふらつきを，視覚や体性感覚などの，前庭感覚以外の感覚で補うことを目的とするsubstitution exerciseの3つの訓練が主体となる．

3 顔面神経障害

基本的な知識

概要

- 第Ⅶ脳神経（顔面神経）が障害されて生じる顔面の表情筋の運動麻痺である．
- ウイルスや細菌感染，外傷，腫瘍，脳出血，自己免疫反応などにより発症する．通常は片側性であるが稀に両側に発症する．
- Bell麻痺（主病因は単純ヘルペスウイルス）が最も高頻度で約60%を占め，次いで水痘-帯状疱疹ウイルスの再活性化により発症するRamsay Hunt症候群が多く15%を占める．
- 腫瘍による麻痺の特徴は進行性で顔面痙攣を伴うことである．

症状と診断

- 顔面表情筋の重度の運動麻痺ではドライアイや味覚障害を伴う．
- Ramsay Hunt症候群は耳介帯状疱疹，難聴，めまいなどを特徴とする．
- 鑑別診断にはCTやMRIなどの画像検査や血液・生化学検査が有用である．

治療

- ウイルス性麻痺ではステロイドと抗ウイルス薬の併用療法が主体となる．
- 高度麻痺例には顔面神経減荷術が適応される．
- 閉眼不全による角膜乾燥を予防するため点眼を行う．

リハビリテーション診療のポイント

- 麻痺が中等度から重度の症例に適応される.
- 急性期（麻痺発症 3 か月以内）：表情筋の筋伸張マッサージを指導する.
- 回復期（麻痺発症 4～12 か月）：病的共同運動や拘縮の予防を目的にバイオフィードバック療法や個別的筋力増強訓練を行う.
- 生活期（麻痺発症 1 年以降）：麻痺の回復が望めず，後遺症が固定する．ボツリヌス療法または眉毛挙上術や選択的眼輪筋切除などの整容を目的とした手術療法が検討される.

4 嗅覚障害

基本的な知識

概要

- 嗅覚障害は，鼻閉による気導性嗅覚障害，嗅神経の傷害による嗅神経性嗅覚障害，頭蓋内病変による中枢性嗅覚障害に分類される.
- 異嗅症には，同じものが以前と異なる匂いがする刺激性異嗅症，常に何かの匂いを感じる自発性異嗅症がある.
- 気導性嗅覚障害は，慢性副鼻腔炎やアレルギー性鼻炎により，嗅神経性嗅覚障害は感冒・頭部外傷・薬物により生じる．また，中枢性嗅覚障害は脳の疾患や手術などで惹起される.

症状と診断

- 詳細な問診，嗅覚検査，CT，MRI などの画像検査により診断を行っていく.
- 嗅覚検査には T & T オルファクトメーターを用いた基準嗅力検査と静脈性嗅覚検査がある.

治療

- 気導性嗅覚障害ではステロイドの内服や点鼻を行う．ポリープを伴う慢性副鼻腔炎には内視鏡下鼻内副鼻腔手術を施行する．感冒後嗅覚障害では当帰芍薬散の内服やステロイドの点鼻を行う.

リハビリテーション診療のポイント

- リハビリテーション治療（嗅覚刺激療法）は感冒後嗅覚障害や外傷性嗅覚障害に効果が期待できる.
- 強い匂いを反復して嗅がせ（嗅覚刺激），嗅球のシナプス（糸球体）に変化を起こさせる.
- バラ，ユーカリ，レモン，クローブの 4 種の嗅素を 1 日 2 回朝晩 10 秒，12 週間嗅ぐ olfactory training（嗅覚刺激療法）を 16 週間継続して行う.

5 音声障害

基本的な知識

概要

- 音声障害は器質性発声障害と機能性発声障害に大別される．原因としては①声帯の器質性疾患，②声帯麻痺，③声帯に著変を認めない障害の3つに分類できる．

症状と診断

- 症状は，声が出ない，かすれ声，がらがら声，ハスキーな声，絞り出す声などさまざまである．
- 評価・検査には，①聴覚印象評価，②内視鏡検査（咽頭ストロボスコピー含む），③空気力学的/発声効率の検査，④音響学的検査，⑤患者自身の主観的検査などがある．

治療

- 原因と病態に応じた保存治療を行う．
- 全身性疾患，心理的疾患・精神疾患に伴う音声障害では基礎疾患の治療を行う．
- 手術療法には喉頭微細手術，喉頭枠組み手術，喉頭内視鏡手術などがある．

リハビリテーション診療のポイント

- 声帯だけでなく，腹腔，声帯，咽頭腔，口腔，鼻腔までの過程を考慮してリハビリテーション治療を組み立てる．呼吸と発声（声帯振動）・共鳴の調整を行う．

（村上信五・土井勝美）

各論

15

スポーツ障害・外傷

1 スポーツ障害・外傷に対するリハビリテーション診療

基本的な知識

- スポーツ活動は，体を動かすという本源的な欲求の充足を図り，競技レベルでは身体能力や技術を極め，レクリエーションレベルでは心身の健康維持・増進によりQOLを高める．メタボリックシンドロームやロコモティブシンドロームの予防にも有用で，健康寿命の延伸にも役立つ．
- スポーツ障害・外傷（図 15-1，表 15-1）に対するリハビリテーション診療では，損

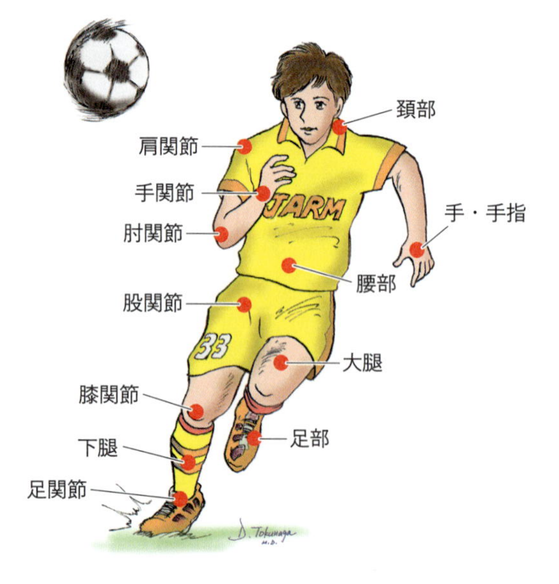

図 15-1　主なスポーツ障害・外傷を起こす部位

表 15-1　主なスポーツ障害・外傷

部位	障害	外傷
頚部		頚髄損傷 Burner 症候群
腰部	腰椎疲労骨折・分離症 腰椎椎間板障害	腰椎横突起骨折
肩関節	リトルリーグ肩 動揺肩 インピンジメント症候群 SLAP 損傷	肩関節脱臼 肩鎖関節脱臼
肘関節	リトルリーグ肘 上腕骨内側・外側上顆炎 上腕骨小頭離断性骨軟骨炎	靱帯損傷
手関節	TFCC 損傷	橈骨遠位端骨折 舟状骨骨折
手・手指		中手骨骨折 靱帯損傷 マレット指
股関節	グロインペイン症候群	骨盤裂離骨折
大腿	大腿骨疲労骨折	大腿四頭筋肉離れ ハムストリングス肉離れ 大腿四頭筋筋挫傷
膝関節	伸展機構障害 腸脛靱帯炎 大腿骨離断性骨軟骨炎	靱帯損傷 半月板損傷 膝蓋骨脱臼
下腿	脛骨疲労骨折 シンスプリント アキレス腱付着部障害	下腿三頭筋肉離れ アキレス腱断裂
足関節	距骨離断性骨軟骨炎 衝突性外骨腫 内果疲労骨折 三角骨障害	靱帯損傷 腓骨筋腱脱臼
足部	外脛骨障害 中足骨疲労骨折 母趾種子骨障害	Lisfranc 靱帯損傷

傷組織の治癒過程を妨げることなく受傷部および受傷部位以外の機能回復を促進し，安全にかつ早期に受傷前レベルのスポーツ活動へ復帰することがゴールとなる．そのためには診断（評価），治療（処方，実施），治療効果判定のすべてにおいて，ゴール達成がポイントになる．

- 日常生活や社会生活への復帰を目指すリハビリテーション診療に加え，スポーツ復帰に特化したアスレティックリハビリテーションが行われる．両者間に明確な境界はなく，通常はリハビリテーション治療の早期から並行して行われる．
- 受傷部位および受傷部位以外の両者に対して，筋力，柔軟性，持久力，固有感覚，敏捷性・スキル，動作・姿勢制御のすべての要素を含んだプログラムを組む．
- 多くのスポーツ動作は複数部位の運動連鎖であり，障害・外傷発生にかかわる身体的なリスク要因が受傷部位以外にあることも少なくない．障害・外傷発生のメカニズムを十分に理解し，身体的なリスク要因の改善に向けたリハビリテーション治療も並行して行う．
- 受傷部位に生じた病態に加え，その病態から生じた受傷部位以外の身体的機能障害，精神的・心理的不安，社会的不利益に対してもリハビリテーション支援を交えた適切なリハビリテーション治療を行う．
- 各段階における訓練内容に関しては，修復過程にある組織にかかる力学的負荷が安全性の上限を超えないように，また，訓練効果が得られる下限を下回らないようにする．
- スポーツ復帰前の最終段階ではスポーツ特異性を考慮して，障害・外傷発生を誘発するスポーツでの動作を理解させ，リスクのある関節肢位・姿勢を回避する動作指導を十分に行う．
- スポーツ復帰後の再受傷予防の観点から外的危険因子の排除にも取り組む．使用用具・環境，練習内容，指導方法の改善に向けた助言・提案を行う．
- スポーツ復帰時期は科学的エビデンスに基づいて決定されることが理想であり，選手には可能な限り復帰へ向けた具体的な達成基準を提示する．また，その根拠を十分に説明することで，復帰への意欲とリハビリテーション治療へのアドヒアランスの維持が得られる．
- スポーツ復帰への達成基準に到達しない段階で復帰を希望する場合には，まず，再受傷や新たな障害・外傷発生のリスクを選手，保護者，指導者に十分に説明を行う．その上で，スポーツ種目・レベル，試合・大会日程，チーム事情，就学状況，最終目標などを考慮して総合的に最終的な復帰時期を決定する．

スポーツ復帰に向けたリハビリテーション診療のポイント

- スポーツ復帰に向けたリハビリテーション診療では，復帰までの各段階において身体機能を評価し，その結果から機能獲得に向けて最適な訓練を決定し実施することが求められる．

筋力

- スポーツ活動からの離脱を余儀なくされるようなスポーツ障害・外傷では，受傷部位はもちろん受傷部位以外にも筋力低下が生じており，その再獲得はスポーツ復帰のために必要不可欠である．
- 可能な限り徒手筋力計や筋力測定装置を用いた筋力測定により定量評価を行い，経時的変化や達成基準までの到達度を選手に分かりやすく提示する．
- 受傷部位が片側の上肢あるいは下肢の場合，健側の筋力を基準とした患側の比（患健比）が最も簡便な指標として用いられる．スポーツ復帰の達成基準は，患健比 80〜90%が目安となる．

- 筋力を間接的に評価する方法として，基本的なスポーツ動作によるパフォーマンステストが用いられる．代表的なものに片脚ホップテストがある．
- 筋力増強訓練を進める際には，単関節運動から多関節運動，等尺性運動から等張性運動，求心性収縮訓練から遠心性収縮訓練，低負荷・高回転から高負荷・低回転へと進める．

関節可動域・柔軟性

- 関節可動域測定，タイトネステスト，関節弛緩性テスト，ストレステストなどで評価する．
- 代表的なタイトネステストに，股関節屈筋群を対象としたThomasテスト，ハムストリングを対象とした指床間距離測定（finger floor distance；FFD），下肢伸展挙上テスト（straight leg raising；SLR），大腿四頭筋を対象とした踵殿間距離測定（hip heel distance；HHD），足関節底屈筋群を対象とした足関節最大背屈角度測定などがある．
- 関節可動域および柔軟性の再獲得には主として運動療法が，補助的に物理療法が行われる．運動療法としては徒手伸長訓練やストレッチが一般的である．
- 関節可動域制限やタイトネスの残存は円滑な運動連鎖を阻害し，隣接部位での二次的スポーツ障害・外傷の発生を助長する．リハビリテーション治療の早期から取り組み，スポーツ復帰前までに十分に改善させておく．

全身持久力

- 有酸素運動である持久力訓練は競技時間が長いスポーツに競技レベルで復帰する際には重要な要素である．
- 呼気ガス分析による無酸素性作業閾値（anaerobic threshold；AT），呼吸性代償開始点（respiratory compensation point；RCP），最大酸素摂取量（$\dot{V}O_2$ max），血中乳酸濃度測定による乳酸閾値（lactate threshold；LT），血中乳酸蓄積開始点（onset blood lactate accumulation；OBLA）などが指標として用いられる．
- 全身持久力訓練の多くは，ATの120％やRCPを基準として負荷設定が行われる．
- 全身持久力の回復が不十分なままでのスポーツ復帰は，平常時には持続的に可能な安全で効率的なスポーツ動作を困難にさせる．スポーツパフォーマンスの低下に加え再受傷リスクの観点からも避けるべきである．

アジリティー，バランス

- アジリティーは運動速度と運動様式を瞬時に変化させる能力であり，バランスは動作課題に対して環境に応じて身体の位置関係を適応させる能力である．
- アジリティーテストでは加速，減速，停止，方向転換などの各動作の所要時間，正確性，再現性を評価する．代表的なものにpro-agility，Tテストがある．
- 代表的な静的バランステストである片脚立位テストでは，身体重心の移動距離やその範囲を測定する．動的バランステストにはstar excursionテスト，Y-balanceテストがあり，リーチ可能な距離を測定する．
- アジリティーの訓練には踏みかえ動作訓練，ラダーを用いた各種ステップ訓練が，バランスの訓練にはバランスディスク上での動作訓練が一般的に行われている．

（津田英一）

各論

16

骨粗鬆症

1 骨粗鬆症に対するリハビリテーション診療

基本的な知識

概要

- 概念：骨粗鬆症は骨の脆弱化状態で，易骨折性によりADL，QOLが低下する．健康寿命を損なう疾患であり，生命予後を左右するとも言われている．
- 定義：骨粗鬆症とは「骨強度の低下を特徴とし，骨折のリスクが増大しやすくなる骨格疾患」と定義されている〔2000年National Institute of Health（NIH）コンセンサス会議，2000年〕．
- 疫学：骨粗鬆症と診断されるのは男性300万人，女性980万人，計1,280万人と推定されている．数値が表すように女性に圧倒的に多い．大腿骨近位部骨折は年間約22万件であり，増加し続けている．
- 成因・病理：骨粗鬆症の成因は，遺伝的素因，加齢，閉経後エストロゲンの減少など多因子による．リモデリングの異常により骨吸収が骨形成を上回り，骨量の減少に至る．
- 骨量は10〜20歳に蓄積され，20〜50歳までは保たれた量を維持し，閉経以後急激に低下する．10〜20歳における骨量の蓄積と閉経後の骨量減少率が骨粗鬆症発症に影響する．
- 骨粗鬆症そのものだけでは活動制限はないが，大きな活動制限が生じる骨折の危険因子として重要である．

診断

- 診断は日本骨代謝学会の原発性骨粗鬆症診断基準によって行い，正常，骨量減少，原発性骨粗鬆症を診断する（図16-1）．
- 続発性骨粗鬆症やその他の疾患を鑑別することが必要である．
- 単純X線検査：胸椎，腰椎2方向（正面，側面）を撮影し，骨折の有無を診断する．単純X線で，はじめて骨折が認識される場合もある．
- 骨密度検査：測定部位（腰椎，大腿骨近位部，橈骨，中手骨）や測定方法〔二重X線吸収法（dual energy X-ray absorptiometry；DXA），定量的CT測定法（quantitated computed tomography；QCT），microdensitometry（MD）法など〕によって基準値が異なることに注意する．DXAによる椎体，大腿骨の測定が最も勧められる．骨密度値の評価は，young adult mean（YAM，若年成人平均値：腰椎では20〜44歳，大腿骨近位部では20〜29歳）を基準にして判定する．定量的超音波法

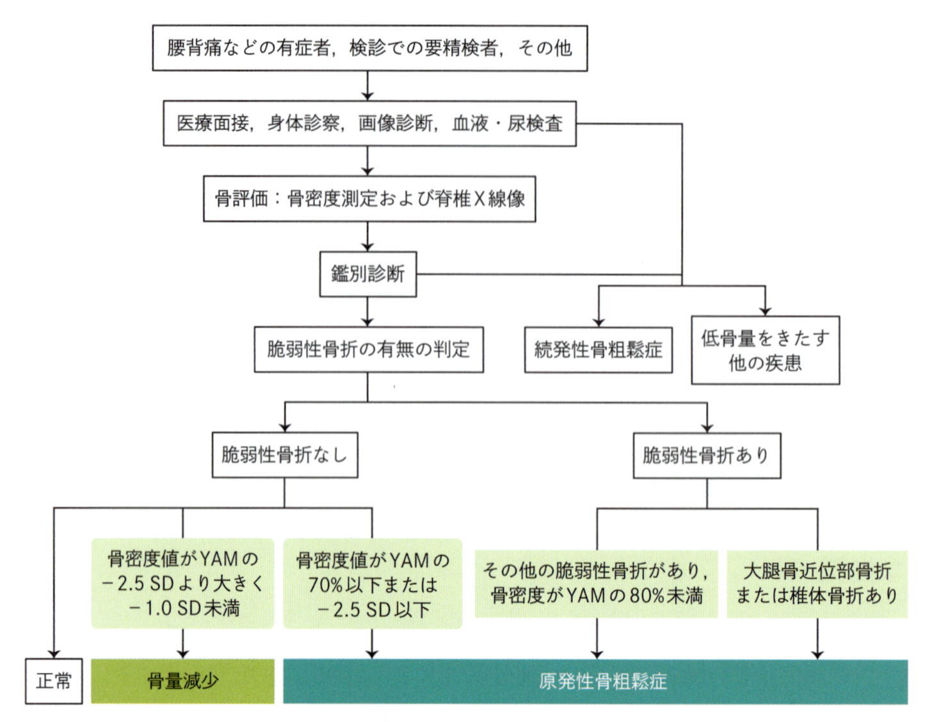

図 16-1　原発性骨粗鬆症の診断手順

YAM：若年成人平均値（腰椎では20〜44歳，大腿骨近位部では20〜29歳）
〔骨粗鬆症の予防と治療ガイドライン2015年度版作成委員会（編）：骨粗鬆症の予防と治療ガイドライン2015年版．p18，ライフサイエンス出版，2015より〕

（quantitative ultrasound；QUS）はスクリーニングに使用できるが，診断には用いられない．

- 血液・尿検査：骨粗鬆症として特異的な血液・尿所見はない．治療中には，血中カルシウム値に注意を要する．
- 骨代謝マーカー：骨吸収マーカーと骨形成マーカーがあり，治療の選択，反応性の評価に用いる．
- 骨折リスク評価にはFRAX（fracture risk assessment tool）が有用である．
- QOL評価：QOLの評価は治療の効果判定に重要である．包括的QOL評価としてSF-36®（MOS 36-item short-form health survey），疾患特異的QOL評価として日本骨代謝学会骨粗鬆症患者QOL評価質問表（Japanese osteoporosis quality of life questionnaire；JOQOL）がある．

治療

- 食事では，カルシウム（800 mg/日以上），ビタミンD，ビタミン類を十分摂取すること，また蛋白質も適切な摂取が必要である．
- 閉経後女性に対する運動療法には骨密度を上昇させる効果があり，転倒を防止して骨折を抑制する．
- 骨粗鬆症治療の主な薬剤は以下のとおりである．

活性型ビタミンD_3製剤

- 腸管ではカルシウム，リンの吸収を促し，腎臓の遠位尿細管でのカルシウム再吸収を高め，副甲状腺ホルモンによるカルシウム再吸収を増強する．筋力増強作用，認知機能の改善，転倒頻度の低下などの作用も報告されている．

ビスホスホネート製剤

- 強力な骨吸収抑制作用を有し，骨密度の増加効果に加え，骨微細構造の破壊抑制を介して骨折の予防効果を発揮する．副作用として，顎骨壊死，非定型大腿骨骨折などがあり，注意を要する．

選択的エストロゲン受容体モジュレータ（selective estrogen receptor modulator；SERM）

- 乳房や子宮に対しては抗エストロゲン作用を示し，骨に対してはエストロゲン様作用を示す．深部静脈血栓症が重要な有害事象であり，臥床が多い場合は用いない．

副甲状腺ホルモン（parathyroid hormone；PTH）：テリパラチド，アバロパラチド

- テリパラチドはPTH分子の活性部分のポリペプチドで，皮下注射の骨形成促進薬で，連日投与製剤（遺伝子組換え）と毎週1回または2回投与製剤（酢酸塩）がある．使用期間は24か月に制限される．
- アバロパラチドはPTHrP（1-34）のN末端類似体で，連日皮下投与する．使用期間は18か月に制限される．
- 原発性・転移性骨腫瘍，高カルシウム血症，副甲状腺機能亢進症，骨Paget病では禁忌である．

抗RANKL抗体：デノスマブ

- RANKL（receptor activator of NF κB ligand）は破骨細胞の分化，活性化および生存に必要なメディエーターであり，抗RANKL抗体は，破骨細胞形成および骨吸収を抑制する．60 mgを6か月に1回皮下注射する．重要な副作用は，低カルシウム血症と顎骨壊死である．

抗スクレロスチン抗体：ロモソズマブ

- スクレロスチンはWNTシグナルをブロックして骨芽細胞の骨形成を抑制すると同時にRANKLを介して骨吸収を促進する糖蛋白である．抗スクレロスチン抗体はスクレロスチンに結合してスクレロスチンを不活化し，骨形成を促進する．1か月に1回の皮下投与製剤で12か月間の使用制限がある（再投与可能）．心血管系事象発生割合の上昇が観察された臨床試験があり注意を要する．

リハビリテーション診療のポイント

- 薬物療法で骨密度を維持・増加させ，運動療法で転倒予防や椎体骨折予防を行う．
- 骨粗鬆症の予防，骨量増加のためには適度な運動負荷が大切である．成長期における運動，スポーツ歴が閉経前後の骨量に反映されるので，成長期の運動，少なくとも18歳以前に強度のある運動を行うことが骨粗鬆症の発症予防に最も効果的である．一般中高年には，歩行を中心とした運動の日常的実施を推奨する．この点において，運動療法の手法が一次予防（健康増進）として役立つ．
- 運動療法の実施にあたっては，心疾患，肺疾患，高血圧などの合併症に注意し，その適応を判定することが重要である．
- 実際の運動療法では，歩く，ジョギング，水泳，自転車といった持久力訓練や筋力増強訓練，水中運動，跳躍運動，片脚起立運動，太極拳なども用いられる．
- 運動の強度としては，最大酸素摂取量（peak$\dot{V}O_2$）の50％程度，脈拍数では，{（220－年齢）－安静時脈拍}×0.6＋安静時脈拍程度の強度が適当である．汗が少し出る程度がよい．
- 運動療法は，筋力の向上，QOLの改善，バランス能力の改善，転倒予防などに有効である．

文献

1） 骨粗鬆症の予防と治療ガイドライン 2015 年度版作成委員会(編)：骨粗鬆症の予防と治療ガイドライン 2015 年度版．ライフサイエンス出版，2015
2） Bawa HS, et al：Anti-osteoporotic therapy after fragility fracture lowers rate of subsequent fracture. J Bone Joint Surg Am 97：1555-1562, 2015
3） 遠藤直人：骨粗鬆症．井樋栄二，他(監修)：標準整形外科学．第 14 版，pp321-330，医学書院，2020

（萩野 浩）

各論

17

サルコペニア・ロコモティブシンドローム・フレイル

1 サルコペニア

病態

- サルコペニアは，筋肉量が減少して筋力低下や，身体機能低下をきたした状態であり，2016年10月国際疾病分類第10版（ICD-10）に収載されて国際的な疾患名となった．
- サルコペニアは，加齢が原因で起こる一次性サルコペニアと加齢以外にも原因がある二次性サルコペニアに分類される．さらに，二次性サルコペニアは，活動に関連するサルコペニア，疾患に関するサルコペニア，栄養に関連するサルコペニアに分類される．
- サルコペニアの原因は1つに特定できることもあれば，明確な原因が特定できない場合もある．高齢者では加齢や体質，生活環境，生活習慣，慢性疾患など，複数の原因が絡み合ってサルコペニアが起こっていることが多く，老年症候群の1つとして捉えられている．

診断

- サルコペニアの診断基準は複数あるが，アジア人向けのAsian Working Group for Sarcopenia（AWGS）が2019年に公表したサルコペニアの診断基準を図17-1に示す．かかりつけ医や地域の医療現場でサルコペニアの診断を可能にするため，簡便な基準が作成されている．この簡便な基準で筋力か身体機能のどちらかで基準に満たない場合は，サルコペニアの可能性ありと診断して，栄養療法や運動療法を始めるよう求めている．また，専門施設が近くにある場合には，確定診断と重症度診断を受けることを推奨している．

2 ロコモティブシンドローム

概念

- ロコモティブシンドローム（ロコモ）は日本整形外科学会が2007年に提唱した概念である．「運動器のいずれか，あるいは複数に障害が起こり，移動機能が低下している状態」と定義され，ロコモが進行すると介護が必要となるリスクが高まる．
- ロコモの原因には，加齢，運動不足，活動量の低下，変形性関節症や変形性脊椎症などの運動器

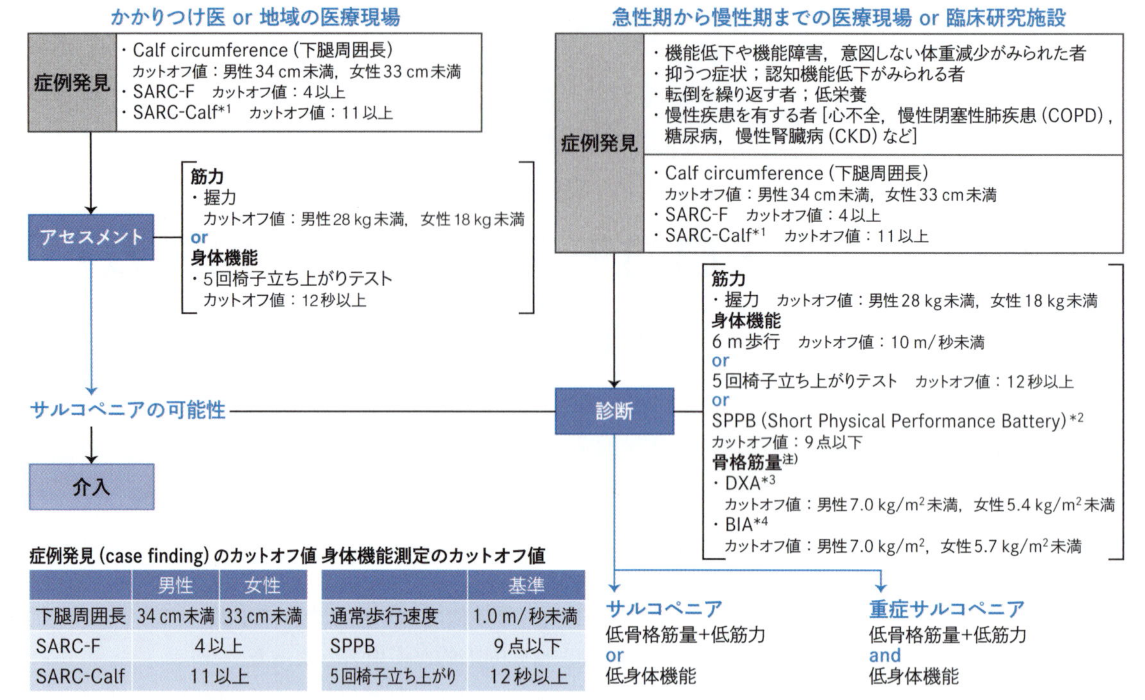

症例発見（case finding）のカットオフ値

	男性	女性
下腿周囲長	34 cm未満	33 cm未満
SARC-F	4以上	
SARC-Calf	11以上	

身体機能測定のカットオフ値

	基準
通常歩行速度	1.0 m/秒未満
SPPB	9点以下
5回椅子立ち上がり	12秒以上

注）骨格筋量については，BMIで補正するFNIH（Foundation for National Institutes of Health）基準も使用可能となっている（ただしDXAのみ）．カットオフ値：男性0.789 kg/BMI未満，女性0.512 kg・BMI未満

*1 SARC-Calf：下腿周囲長とSARC-Fを組み合わせた指標で，下腿周囲長がカットオフ値の場合にスコアを10追加して評価する．

*2 SPPB（Short Physical Performance Battery）：簡易身体機能バッテリーで，測定項目はバランステスト，歩行テスト，椅子立ち上がりテストの3つからなる．各テストを合計し，0〜12点で評価する．0〜6点：低パフォーマンス，7〜9点：標準パフォーマンス，10〜12点：高パフォーマンス

*3 DXA：Dual-energy X-ray Absorptiometry　*4 BIA：Bioelectrical Impedance Analysis

図 17-1　アジアサルコペニアワーキンググループ（AWGS）サルコペニア診断基準 2019

（医事新報 4987 号，p67，日本医事新報社，2019 より）

疾患などがあり，筋力低下やバランス障害，疼痛などが移動能力を低下させる．

判定

- ロコモを疑うには7つの項目からなるロコチェックが用いられる．①片脚立ちで靴下がはけない，②家の中でつまずいたりすべったりする，③階段を上がるのに手すりが必要である，④家のやや重い仕事が困難である，⑤2 kg 程度の買い物をして持ち帰るのが困難である，⑥15 分くらい続けて歩くことができない，⑦横断歩道を青信号で渡りきれない，これらの1つでも当てはまれば，ロコモが疑われる．
- ロコモが疑われた場合，年齢にかかわらず，①立ち上がりテスト，②2 ステップテスト，③ロコモ 25 の 3 つのテスト「ロコモ度テスト」でロコモを判定する．
- ロコモ度 1 は，①どちらか一方の脚で 40 cm の台から立ち上がれないが，両脚で 20 cm の台から立ち上がれる，②2 ステップ値が 1.1 以上 1.3 未満，③ロコモ 25 の結果が 7 点以上 16 点未満，のいずれか 1 つでもあてはまる場合であり，移動機能の低下が始まっている状態である．
- ロコモ度 2 は，①両脚で 20 cm の台から立ち上がれないが，30 cm の台から立ち上がれる，②2 ステップ値が 0.9 以上 1.1 未満，③ロコモ 25 の結果が 16 点以上 24 点未満，のいずれか 1 つで

もあてはまる場合であり，移動機能の低下が進行している状態である．

- ロコモ度3は，①両脚で30 cmの台から立ち上がれない，②2ステップ値が0.9未満，③ロコモ25の結果が24点以上，のいずれか1つでも当てはまる場合であり，移動機能の低下が進行し，社会参加に支障をきたしている状態である．
- 該当したロコモ度のうち，最も移動機能低下が進行している段階を判定結果とし，どの段階にも該当しない場合，ロコモではない．

3 フレイル

概念

- フレイルは「加齢に伴う予備能力低下のため，ストレスに対する回復力が低下した状態」を表す“frailty”の日本語訳として日本老年医学会が提唱した用語である．
- フレイルは，身体的脆弱性（フィジカル・フレイル），精神・心理的脆弱性（メンタル/コグニティブ・フレイル），社会的脆弱性（ソーシャル・フレイル）など，多面的な問題を抱えやすく，ADL低下や死亡を含む健康障害を招きやすいハイリスク状態を意味する．また，フレイルには適切な治療によって再び健常な状態に戻れるという可逆性が包含されている．

判定

- フレイルの判定には，Friedらが提唱した基準が採用されることが多い．Friedらの基準には5項目（①体重減少，②筋力低下，③疲労感，④歩行速度の低下，⑤身体活動の低下）があり，3項目以上該当するとフレイル，1または2項目だけの場合にはプレフレイル，該当項目が無い場合はフレイルではないと判断する．
- Friedらは，フレイルサイクルについても提示している．加齢による食事量の低下や食欲低下は慢性的な栄養不足を引き起こす．慢性的な低栄養は，サルコペニアを進行させ，筋力低下や移動機能の低下に繋がり，さらに栄養不良が進むという悪循環，すなわちフレイルサイクル（図17-2）へと陥る．

4 サルコペニア・ロコモ・フレイルの包含関係

- サルコペニア，ロコモ，フレイルの包含関係を整理すると，フレイルは，身体的，精神・心理的，社会的な側面を包含する広範な概念であり，この中でロコモは身体的フレイルにおいて，運動器の障害による移動機能の低下をきたす病態としての位置を占め，サルコペニアは，その基礎疾患と位置づけられる．
- サルコペニア，ロコモ，フレイルは互いに悪影響を及ぼし合う関係にあるが，ロコモは移動機能の低下を比較的軽い状態から疑うことができる概念である．また，ロコモは広く運動器の脆弱化に関係しており，移動機能の低下は活動量の低下や食欲低下にも繋がる．ロコモが進行し，移動機能の低下によって社会活動に支障をきたす「ロコモ度3」が，身体的フレイルに相当する（図17-3）．

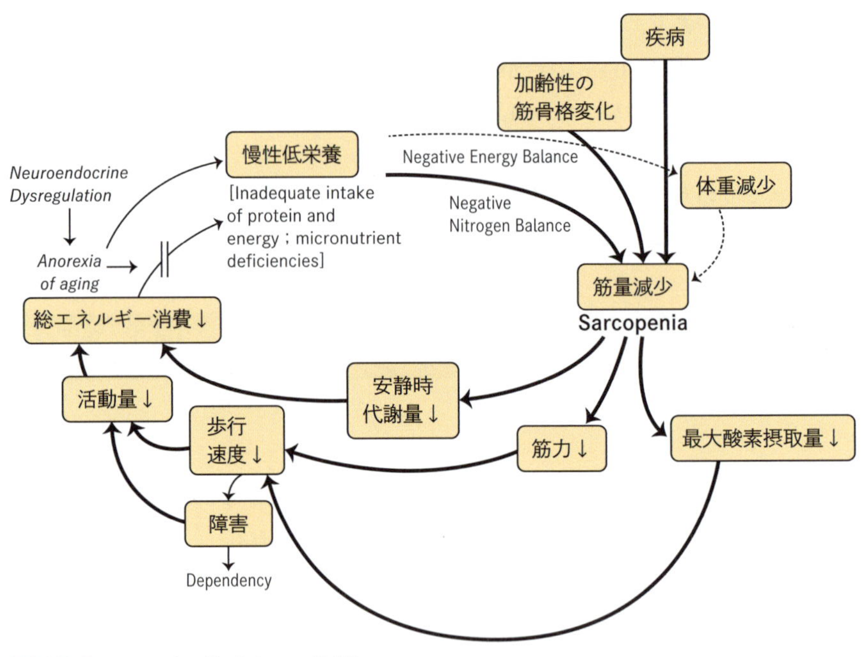

図 17-2 フレイルサイクルの仮説

〔Fried LP, et al：Frailty and failure to thrive. In：Hazzard WR, et al（eds）：Principles of Geriatric Medicine and Gerontology. 4th ed. New York：McGraw Hill；1387-1402, 1998 より改変引用〕

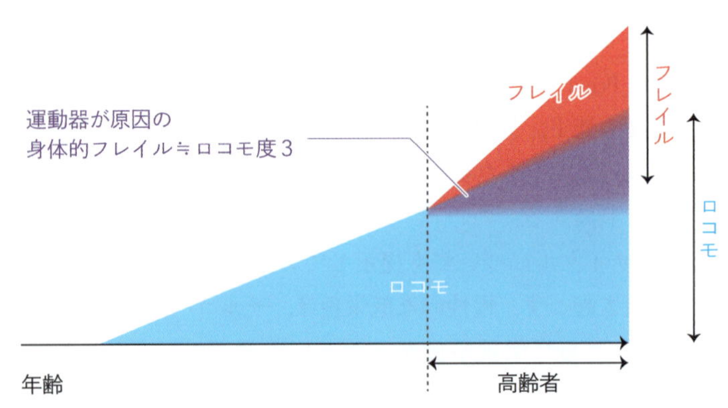

※面積は該当者数を表すものではありません.

図 17-3 ロコモと身体的フレイルとの関係（イメージ図）

（ロコモチャレンジ！ 推進協議会 HP「ロコモ ONLINE」：https://locomo-joa.jp/ より引用）

5 リハビリテーション診療のポイント

- サルコペニア・ロコモ・フレイルが進行すると要介護状態となり，ADL・QOL は低下する．これらを予防するためのリハビリテーション診療としては栄養療法，運動療法，社会での活動が 3 つの大きな柱となる．

栄養療法

- 栄養に関しては，低栄養に陥らないよう注意することが大切である．主菜・副菜は毎食，牛乳・乳製品・果物は毎日欠かさずに摂取すること，骨や筋を強くする食事を摂取することを指導する．

運動療法

- 運動療法としては持久力訓練，筋力増強訓練が代表的であるが，高齢者ではロコモーショントレーニング（ロコトレ），ストレッチ体操などのホームエクササイズを指導し，身体活動量を増やすことが重要である．
- ロコモ度1では，少なくとも後述するロコトレをはじめとするホームエクササイズを習慣づける．
- ロコモ度2では何らかの運動器疾患を発症している可能性が，ロコモ度3では何らかの運動器疾患の治療が必要になっている可能性があるため，専門医の受診が勧められる．
- 運動器疾患がない場合にはロコモ度1の対応に準じるが，運動器疾患がある場合には医学的治療が必要となる．いずれの場合も定期的にロコモ度テストを行い，移動機能の状態をチェックすることが重要である．
- ロコトレとしては，バランス能力を強化する片脚立ちと下肢筋力を強化するスクワットがある．立位や歩行が不安定な人は，机に手や指をついて片脚立ちを行ったり，椅子に腰かけ，机に手をついて立ち座りの動作を繰り返したりするよう指導する．
- この2つのロコトレが基本だが，ロコトレにプラスしてかかとを上げ下げする運動であるヒールレイズや下半身にある複数の筋を連動させるフロントランジを勧める場合もある．
- 高齢者に対するホームエクササイズとしては，緩やかで大きな動きで筋や関節をほぐす軽い体操や，20秒程度時間をかけてゆっくり伸ばすことで筋や関節をほぐすストレッチも勧められる．さらに高齢者では1日に体を動かす量（身体活動量）を増やすことも重要である．

社会での活動

- 社会での活動として趣味やスポーツ，友人との交流，旅行，孫とのふれあい，勉強や教養などの余暇活動も有効であり，満足感や充実感を得ている高齢者も多い．退職後の就労やボランティア活動を通じた社会貢献も大切である．

文献

1) Cruz-Jentoft AJ, et al：Sarcopenia：revised European consensus on definition and diagnosis Age and Ageing 8：16-31, 2019
2) ロコモ ONLINE, https://locomo-joa.jp/
3) Fried LP, et al：Frailty in Older Adults：Evidence for a Phenotype. J Gerontol A Biol Sci Med Sci 56：M146-156, 2001

（三上幸夫・田島文博）

各論

18

認知症，精神疾患

1 認知症

基本的な知識

概要

- DSM-5 (diagnostic and statistical manual of mental disorders-5, 2013 年) では，認知症に関する用語として dementia の代わりに major neurocognitive disorder が用いられ，診断基準が示されている．
- 認知症の原因として，Alzheimer 病，前頭側頭葉変性症，Lewy 小体病，血管性疾患，外傷性脳損傷，アルコール・医薬品の使用，HIV 感染，プリオン病，Parkinson 病，Huntington 病などがあげられる．
- 正常圧水頭症や慢性硬膜下血腫，甲状腺機能低下症やビタミン B_1・B_{12} 欠乏症などによるものは治療可能な認知症 (treatable dementia) とされている．
- 主な認知機能障害として，全般性注意障害，健忘，失語，視・空間認知障害，失行，遂行機能障害などがある．
- 認知症がある場合，転倒リスクが約 8 倍，骨折リスクが約 3 倍高いとされている．
- 認知機能障害のある患者では摂食嚥下機能が低下しており，誤嚥性肺炎の発症リスクが高い．
- 定期的な身体活動を行うと認知症の発症率が低下するとされている．

診断

- 認知症と区別すべき病態・疾患には，加齢に伴う正常な認知機能低下 (生理的健忘)，せん妄，うつ病，学習障害，精神遅滞などがある．
- スクリーニングには MMSE (mini mental state examination) が国際的にも広く用いられ，一般に 23 点以下を認知症の疑いとする．
- 改訂長谷川式簡易知能評価スケール (Hasegawa dementia rating scale-revised；HDS-R) は，MMSE と高い相関があり，一般に 20 点以下を認知症の疑いとする．

治療

- 認知機能の改善と QOL 向上を目的として，薬物療法に各種治療法を組み合わせる．
- Alzheimer 型認知症ではコリンエステラーゼ阻害薬や NMDA 受容体拮抗薬，Lewy 小体型認知症ではコリンエステラーゼ阻害薬が使用される．

- 認知症の精神症状・行動症状（behavioral and psychological symptoms of dementia；BPSD）には，原則として薬物療法より先に認知療法，作業療法，運動療法が行われる．
- 生活能力改善の支援に加え，環境整備や具体的援助などの包括的な対応も必要である．

リハビリテーション診療のポイント

- 認知症患者と介護者双方への支援を組み合わせて行う．
- 認知機能と身体機能の評価に基づいたアプローチを行う．
- 訓練や評価の実施時間や場所をできるだけ一定にする．
- 訓練は慣れた環境で行う．
- 単純な動作の繰り返しや，楽しみながら行えたり慣れ親しんだ内容を取り入れる．
- 認知療法や作業療法では，ADL の改善に主眼を置き，個別の目標を設定し治療していく．介護者へも対応が必要である．
- 運動療法では，持久力訓練，筋力増強訓練，バランス訓練などを組み合わせて，週 2 回～毎日，20～75 分程度のプログラム構成とする．

2 精神疾患

基本的な知識

概要

- 伝統的分類では，外因性精神疾患（脳器質的な病変，身体の病変によって生じるもの；脳腫瘍，外傷性脳損傷，Parkinson 病，Alzheimer 病，感染症，内分泌疾患など），心因性精神疾患（心理的な内面の葛藤，あるいはその人をとりまく環境からくるもの；解離性障害，強迫性障害，ストレス関連障害など），内因性精神疾患（脳の機能異常に基づくが明白な原因が同定されていない何らかの遺伝的な素因が関与していることが想定される疾患；統合失調症，双極性障害など）に大別される．
- 操作的診断基準に基づく分類としては，DSM-5 が広く用いられている（表 18-1）．

治療

- 薬物療法とリハビリテーション治療を組み合わせ，精神的な症状が落ち着いて安定した状態となり，就労や就学などの社会復帰を含めたその人らしい生活を取り戻すことを目指す．
- 薬物療法は，幻覚や妄想，抑うつなど，日常生活に支障をきたす症状を軽減するために用いる．

リハビリテーション診療のポイント

- 易疲労性，集中力低下などによる活動制限の回復を支援し，社会活動への参加を手助けする．
- 神経認知機能の訓練では，自発性の向上を目指す．
- 社会認知機能の訓練では，社会生活を営むための基本的能力，コミュニケーション能力，問題解決能力の改善を目指し，ロールプレイなどを用いる．

表 18-1　DSM-5 の分類

・神経発達症群/神経発達障害群 ・統合失調症スペクトラム障害および他の精神病性障害群 ・双極性障害および関連障害群 ・抑うつ障害群 ・不安症群/不安障害群 ・強迫症および関連症群/強迫性障害および関連障害群 ・心的外傷およびストレス因関連障害群 ・解離症群/解離性障害群 ・身体症状症および関連症群 ・食行動障害および摂食障害群	・排泄症群 ・睡眠-覚醒障害群 ・性機能不全群 ・性別違和 ・秩序破壊的・衝動制御・素行症群 ・物質関連障害および嗜癖性障害群 ・神経認知障害群 ・パーソナリティ障害群 ・パラフィリア障害群 ・他の精神疾患群 ・医薬品誘発性運動症群および他の医薬品有害作用 ・臨床的関与の対象となることのある他の状態

- 作業療法では，個別の訓練による心身機能や能力の回復を図る．また，集団的な訓練などによって具体的な生活をイメージできるようにしていく．
- 精神障害と身体障害の両面を視野に入れた質の高いリハビリテーション治療が必要であり，精神科医との連携，精神疾患に応じた治療が重要である．

文献

1）日本精神神経学会（日本語版用語監修），髙橋三郎，他（監訳）：DSM-5 精神疾患の診断・統計マニュアル．p594，医学書院，2014
2）日本神経学会（監修）：認知症疾患診療ガイドライン 2017．医学書院，2017

（加藤真介）

各論

19

集中治療室におけるリハビリテーション診療

1 集中治療室におけるリハビリテーション診療

- 集中治療室（intensive care unit；ICU）に入院している重症患者は全身状態が不良でありベッド上で安静を強いられることが多く，不動による合併症〔表 1-2（⇒ 12 頁）〕が生じやすい．しかし，ICU 入院中から早期にリハビリテーション治療を開始することによって不動による合併症を予防することができる．また，長期の予後も改善することが明らかにされている．
- ICU に入室中あるいは ICU 退室後に身体機能障害，認知機能障害，精神障害を生じることがあり，集中治療後症候群（post intensive care syndrome；PICS）と呼ばれている．PICS は重症疾患から救命された患者の ADL・QOL を低下させる要因である．早期のリハビリテーション治療は PICS の予防や改善する効果も期待できる．

ICU-acquired weakness（ICU-AW）

- 重症疾患に伴う急速な筋力低下を ICU-acquired weakness（ICU-AW）という．PICS における身体機能障害に最も強くかかわるのが ICU-AW である．
- ICU-AW の病態として CIP（critical illness polyneuropathy）と CIM（critical illness myopathy）がある．CIP では軸索が損傷されるため，神経伝導検査において複合筋活動電位（compound muscle action potential；CMAP），感覚神経活動電位（sensory nerve action potential；SNAP）の振幅低下を認める．
- CIM では筋が損傷されるため，神経伝導検査において SNAP の低下は認めず，CMAP の振幅低下と持続時間の延長を認める．
- 実際には 1 人の患者において CIP と CIM は混在していることが多い．
- ICU-AW の診断には表 19-1 に示すような診断基準が用いられる．この診断基準では，筋力評価として，図 19-1 に示すような Medical Research Council（MRC）scale が使用される．

せん妄

- せん妄は ICU で発症率が高く，PICS における認知機能障害に強くかかわっている．
- せん妄は見逃されやすく，鎮静レベルの評価法である RASS（Richmond agitation-sedation scale）（表 19-2）とせん妄の評価法である CAM-ICU（confusion assessment method for the ICU）（図

表 19-1 ICU-AW の診断基準

下記1かつ2かつ3かつ，4あるいは5の計4つを満たす．

1. 重症疾患罹患後に全身の筋力低下が生じる
2. 筋力低下はびまん性，左右対称性，弛緩性であり，脳神経支配筋は障害されない
3. 24時間以上あけて2回行ったMRC Scaleの合計が48点未満，または検査可能な筋の平均MRC Scaleが4点未満
4. 人工呼吸器に依存している
5. ほかに筋力低下をきたす原因がない

上肢：肩外転→ 肘屈曲→ 手伸展→

下肢：←股屈曲 ←膝伸展 ←足背屈

両側上下肢，計12部位の筋力を評価し点数を合計

点	指示に対する反応
0	筋収縮なし
1	筋収縮はあるが，動きはみられない
2	重力に抗しては動けない
3	重力に抗して動かせる
4	弱い抵抗に対して動かせる
5	強い抵抗に対して動かせる

図 19-1 Medical Research Council (MRC) scale

表 19-2 RASS (Richmond agitation-sedation scale)［鎮静レベルの評価法］

スコア	状態	評価
+4	好戦的な	明らかに好戦的，暴力的でスタッフに対する差し迫った危険
+3	非常に興奮した	チューブやカテーテル類の自己抜去，攻撃的
+2	興奮した	頻繁な非意図的な動作，人工呼吸器ファイティング
+1	落ち着きのない	不安で絶えずそわそわしている，しかし動きは攻撃的でも活発でもない
0	意識清明	
−1	傾眠状態	完全に清明ではないが，呼びかけに10秒以上の開眼およびアイコンタクトで応答する
−2	軽い鎮静状態	呼びかけに10秒未満のアイコンタクトで応答する
−3	中等度鎮静状態	呼びかけに動き，または開眼で応答するがアイコンタクトはない
−4	深い鎮静状態	呼びかけに無反応，しかし身体刺激で動く，または開眼
−5	昏睡	呼びかけにも身体刺激にも無反応

(Sessler CN, et al：The Richmond Agitation Sedation Scale：validity and reliability in adult intensive care unit patients. Am J Respir Crit Care Med 166：1338-1344, 2002 より)

19-2）を用いて早期発見することが重要である．

- せん妄に対して薬物療法は効果に乏しく，運動療法などの早期のリハビリテーション治療が有効と考えられている．

リハビリテーション診療におけるポイント

- 早期離床はPICS予防に効果的であり，ICUにおけるリハビリテーション治療のポイントである．
- リハビリテーション治療施行前に，患者の病態を正確かつ迅速につかみ，生理学的・生化学的変化も把握しておく．
- 訓練中はバイタルサインや呼吸・循環・中枢神経系に関連した症状の変化を観察しながら過負荷を避ける．
- 特に，易出血性患者における関節内・筋肉内出血，深部静脈血栓症を有する患者における肺塞栓症，脳主幹動脈狭窄を有する患者や頭蓋内圧亢進患者における脳灌流圧低下などに気をつける．

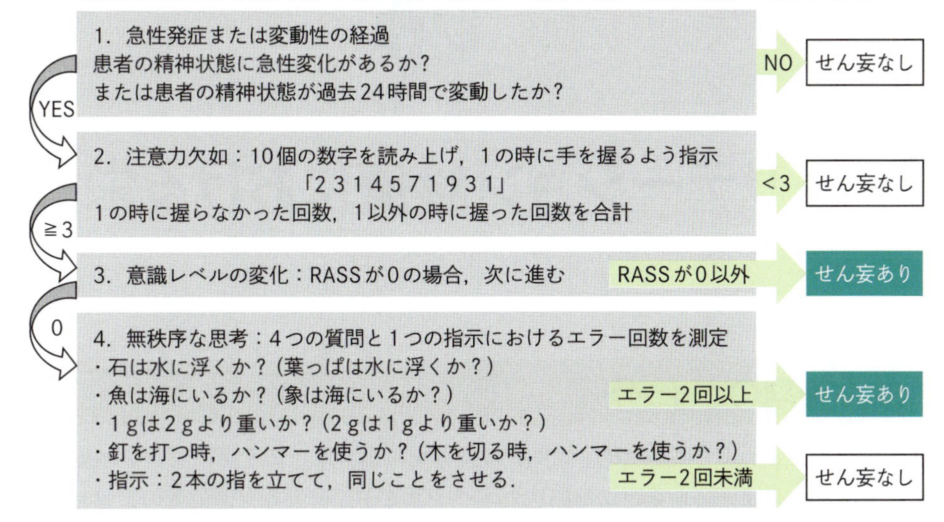

図 19-2 CAM-ICU（confusion assessment method for the ICU）［せん妄の評価法］

（Ely EW, et al：Delirium in mechanically ventilated patients：validity and reliability of the confusion assessment method for the intensive care unit（CAM-ICU）. JAMA 286：2703-2710, 2001 より）

- 人工呼吸管理においては挿管チューブの計画外抜管，VALI（ventilator-associated lung injury），気胸の発生に注意すべきである．

文献

1） Stevens RD, et al：A framework for diagnosing and classifying intensive care unit-acquired weakness. Crit Care Med 37：S299-S308, 2009

2） Kleyweg RP, et al：Interobserver agreement in the assessment of muscle strength and functional abilities in Guillain-Barré syndrome. Muscle Nerve 14：1103-1109, 1991

（新見昌央・安保雅博）

各論

20

リハビリテーション診療における栄養管理

1 栄養管理のポイント

- 活動を賦活し，よりよいADL・QOLの獲得を目指すリハビリテーション診療において，心身機能を高める訓練は最も重要な治療法の1つであるが，低栄養や過栄養の栄養障害がある場合，訓練の実施が困難となる．
- また，低栄養があれば訓練自体の効果も期待できない．低栄養の状態で筋力増強訓練を行うと，筋蛋白の崩壊が促進されて筋力が低下する恐れがある．
- リハビリテーション診療を行うにあたっては，全身状態を良好に保つために，栄養状態を評価し栄養療法を行う栄養管理はきわめて重要なことである．
- リハビリテーション診療における栄養障害では，過栄養より低栄養がより問題となる．
- 低栄養は，栄養のバランスが負に傾くことで体重が減少し，健康障害の危険性が高まった状態を指す．
- 低栄養はその原因から，栄養摂取不足によるもの（飢餓関連低栄養），慢性疾患・炎症によるもの（慢性疾患関連低栄養），急性疾患・炎症や外傷によるもの（急性疾患または外傷関連低栄養）とに大別される．認知機能の低下，活動量の減少によって摂取栄養量が減少することがある．
- リハビリテーション診療の対象となる患者においては，低栄養は比較的高頻度にみられる．回復期リハビリテーション病棟入院患者の約50%は低栄養の状態にあるとの報告がある．
- サルコペニア，ロコモティブシンドローム，フレイルの原因としても，低栄養は重要である．
- リハビリテーション診療における栄養管理としては，①患者の全身状態および病態の評価・診断，②栄養状態の評価・診断を行い，その結果に基づいて③患者各人にとって最適な栄養療法（栄養投与）を行うべきである．
- 栄養状態の評価・診断では，現在の栄養状態（主に低栄養の有無）のみならず，投与されている（もしくは摂取している）エネルギー量と栄養の内容，消費される（実際に必要な）エネルギー量も評価する．
- 栄養状態は適宜フォローアップ評価を行い，その結果に応じて栄養療法の内容も変化させていくのがよい（図 20-1）．
- 栄養状態のフォローアップには血液・生化学検査とともに体重や上腕周囲長，皮下脂肪厚の計測などといった身体測定が有用である．筋肉量の簡便な評価方法は，全身骨格筋量を反映する指標として上腕筋面積（arm muscle area；AMA）の測定があげられる．AMAは上腕周囲長と上腕三頭筋皮下脂肪厚の身体測定値を用いて，AMA（cm^2）＝〔上腕周囲長（cm）－上腕三頭筋皮下脂肪厚

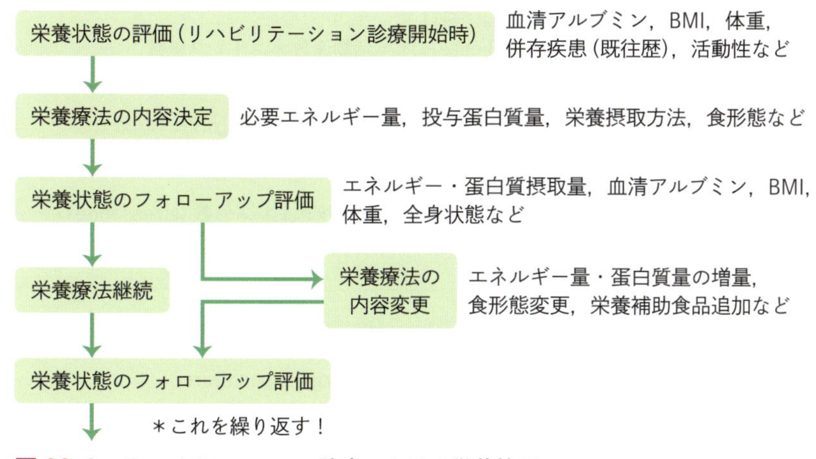

図 20-1　リハビリテーション診療における栄養管理

(mm)×3.14÷10〕÷4 πと算出できる．

- リハビリテーション診療における栄養管理は，リハビリテーション科医，管理栄養士，摂食嚥下機能を評価・治療する言語聴覚士など，多職種が連携して行うのがよい．
- 栄養サポートチーム（nutrition support team；NST）のような多職種による包括的アプローチも有効である．NST の活動内容は施設によりさまざまであるが，週 1 回の回診などを通して，入院患者の栄養障害を系統的に評価し，適切な栄養療法を提言し，再評価するのがよい．NST の提言内容としては栄養投与内容（投与エネルギー量，蛋白質や脂肪，水分の量），栄養投与方法（経口摂取，経管栄養，胃瘻栄養，経静脈栄養，またそれらの併用），食形態（嚥下調整食など）などがあげられる．NST の効果として，栄養状態の改善，合併症の減少，在院日数の短縮，医療費の削減などが報告されている．

（吉村芳弘）

2 栄養管理の実際

栄養状態の評価・診断

- 妥当性の確認されている栄養スクリーニングツールとしては PG-SGA（patient-generated subjective global assessment），MNA-SF（mini nutritional assessment-short form），GNRI（geriatric nutritional risk index），CONUT（controlling nutritional status）などがあげられる．
- PG-SGA は，栄養歴や身体所見の情報から栄養状態を主観的包括的に評価する方法であり，高齢リハビリテーション患者の栄養評価尺度としても妥当性が確認されている．
- MNA-SF は高齢者を対象とした評価尺度で，食事歴，体重減少，BMI（body mass index），疾病の状態，精神状態などから栄養状態を評価するものである．
- MNA-SF は高齢者を対象とした評価尺度で，食事歴，体重減少，BMI，疾病の状態，精神状態などから栄養状態を評価するものである．
- GNRI は高齢者を対象に開発された評価尺度で，14.89×血清アルブミン（g/dL）＋41.7×〔現体重

＊TEE［全エネルギー消費量（kcal/日）］
＝BEE［基礎エネルギー消費量（kcal/日）］×活動係数×ストレス係数

＊BEEはHarris-Benedictの式から算出する．
・男性：66.47＋［13.75×体重（kg）］＋［5.0×身長（cm）］－［6.76×年齢（歳）］
・女性：655.1＋［9.56×体重（kg）］＋［1.85×身長（cm）］－［4.68×年齢（歳）］

＊活動係数（active index）
→寝たきり：1.0～1.1
　ベッド上安静：1.2
　ベッドサイドでの訓練：1.2～1.4
　リハビリテーション室での訓練：1.5～2.0

＊ストレス係数（stress index）
→通常：1.0
　手術：1.1～1.3
　感染症：1.5
　高度熱傷：2.0

TEE：total energy expenditure，BEE：basal energy expenditure

図 20-2　全エネルギー消費量の算出式

（kg）/理想体重（kg）〕と算出する．

- CONUT は血清アルブミン，総リンパ球数，総コレステロールの採血結果から栄養状態を判定する評価ツールである．
- 全エネルギー消費量は基礎エネルギー消費量×活動係数×ストレス係数と表され，運動強度や身体的ストレスが増えることによってエネルギー需要が増す（図 20-2）．
- 栄養状態の評価・診断においては，「現時点，今」においてだけでなく，栄養状態の「時間的な経過」をみる（いかに変化したかをみる）ことが重要である．
- 体重減少や栄養状態の悪化（低栄養の増悪）がみられた場合には，必ずその原因を検索する．

栄養療法

- 算出された全エネルギー消費量（必要量）と現在の栄養状態に基づいて，栄養療法の内容（特に投与すべきエネルギー量）を決定する．
- 急性炎症を有する患者の場合，異化期か同化期かによってエネルギー必要量が異なる．異化期の場合には内因性エネルギーを考慮し，1 日エネルギー摂取量は 6～25 kcal/kg と控えめにする．同化期に移行し筋量の改善が期待できる場合には，侵襲程度に応じたストレス係数を考慮し，エネルギー蓄積量（200～750 kcal）を加味したエネルギー消費量を計算する．
- 炎症が慢性化し悪液質により徐々に栄養状態が悪化する可能性がある場合には，炎症と栄養状態の継続的なモニタリングが必要である．慢性炎症の場合は発熱がみられないことも多く，C 反応性蛋白（CRP）などで炎症のフォローアップを行う．
- 蛋白質の 1 日必要量の目安としては 1 g/kg くらいが一般的であるが，高齢者では蛋白質に対する反応性が低いとされ，その必要量は多くなる．また運動療法を受けている場合も蛋白質必要量は多くなる．高齢者や運動療法を受けている場合には 1.2～1.5 g/kg くらいで計算する．
- ビタミン D が欠乏していれば，その補充を検討してもよい．
- 推定される必要エネルギー量はあくまでも目安であり，適宜の栄養状態の評価は必須である．体重や体組成測定により低栄養の進行がないかチェックすることも検討する．
- 高齢の患者では，食事制限が必要な併存疾患（糖尿病や腎不全）のコントロールと低栄養の管理が両立しない場合もある．基本的には併存疾患のコントロールを考慮した栄養療法が必要であるが，併存疾患の管理より低栄養の管理を優先したほうが健康寿命延伸に寄与する場合もあり，一般的な栄養療法に固執せず，優先順位を加味した包括的な判断が必要となる．

- 栄養障害を有する患者に対しては低栄養の進行を避けるため，訓練によるエネルギー消費量を考慮したエネルギー量を摂取させる必要がある．低栄養状態のまま筋力増強訓練や持久力訓練などの負荷が加わると代謝が亢進し，筋量が減少する．最低限，基礎エネルギー消費量を上回る1日エネルギー摂取量を投与しない限り積極的なリハビリテーション治療は困難である．
- 積極的な離床が困難な場合は，臥位での筋力増強訓練と関節可動域訓練が中心に行われる．このような場合には，筋量減少予防を目的として，バリン，ロイシン，イソロイシンといった分岐鎖アミノ酸（branched chain amino acids；BCAA）の投与を考慮するとよい．またBCAAには筋持久力や筋力を向上させる作用があり，訓練直後の摂取が勧められる．
- 栄養投与の方法としては経口摂取が基本であるが，経口摂取が十分に行えない場合には経静脈栄養や経管栄養の導入を考慮する．経管栄養が長期に及ぶ場合には，胃瘻造設を行うのがよい．
- 腸管が使える場合には経腸栄養は経静脈栄養に優先される．経腸栄養療法の利点として，①腸管粘膜の維持，②免疫能の維持，③代謝反応の亢進の抑制，④消化管の生理機能の維持，⑤長期管理が容易，⑥廉価などがあげられる．
- 胃瘻患者においては，液体栄養剤より半固形栄養剤を使用すると投与時間が短縮されて，十分な訓練量を確保できる場合がある．

（百崎 良・角田 亘）

各論

21

その他の重要事項

1 慢性疼痛（異常知覚を含む）

基本的な知識

- 日本での慢性疼痛の有病率は2012年に22.5%と報告されている．また，運動器慢性疼痛患者の約10%が就学もしくは就労の制限を余儀なくされており，大きな社会問題になっている．
- 2020年7月16日に国際疼痛学会（International Association for the Study of Pain；IASP）は41年ぶりに痛みの定義の改訂を行った．「痛みは，実際の組織損傷もしくは組織損傷が起こりうる状態に付随する，あるいはそれに似た，感覚かつ情動の不快な体験」とされる．
- また，「慢性疼痛は典型的には3か月以上持続する，または通常の治癒期間を超えて持続する痛みである」と定義されている．
- 慢性疼痛に関する最新の分類は2018年に世界保健機関（World Health Organization；WHO）が発表した国際疾病分類（International Statistical Classification of Disease and Related Health Problem；ICD-11）の中に含まれている．ICD-11による分類は慢性疼痛だけでなく，あらゆる疾患を分類するものであり，正確な疫学データの構築や治療法の開発などの目的で進められている．
- その分類の中のMG30.5の慢性神経障害性疼痛（例：慢性疼痛性多発神経障害，慢性中枢後脳梗塞）の説明として，体性感覚神経系の病変または疾患によって引き起こされ，疼痛は，自発痛もしくは痛みを伴う刺激に対する応答の増大（痛覚過敏）であり，また非疼痛性の刺激に対する痛み・異常感覚は，アロディニアと称される．
- 病因が不明な慢性一次性疼痛は5種類に分類され，慢性広範疼痛症や複合性局所疼痛症候群などがこれに含まれる．一方，慢性二次性疼痛は6種類に分類され，慢性がん関連疼痛や慢性神経障害性疼痛などがこれに含まれる．これらの分類はさらにカテゴリー化（https://icd.who.int/browse11/l-m/en）されている（図21-1）．
- 慢性疼痛の病態として，fear-avoidance modelが提唱されている．このモデルは，健康および機能を損なうことが多く，悲観的な解釈（破局的思考）が不安・恐怖を引き起こし，さらにうつ症状や不動による合併症をきたし，負のサイクルに陥るというものである．このような病態に関係する心理的評価法として，破局的思考に対する評価法，抑うつ・不安症状の評価法，痛みとうまく付き合うことができるかの自己効力感の評価法などがある．
- 2021年に発刊された『慢性疼痛診療ガイドライン』は厚生労働行政推進調査事業補助金による研究班が監修し，日本の疼痛に関連する10学会から選出された慢性疼痛診療ガイドライン作成

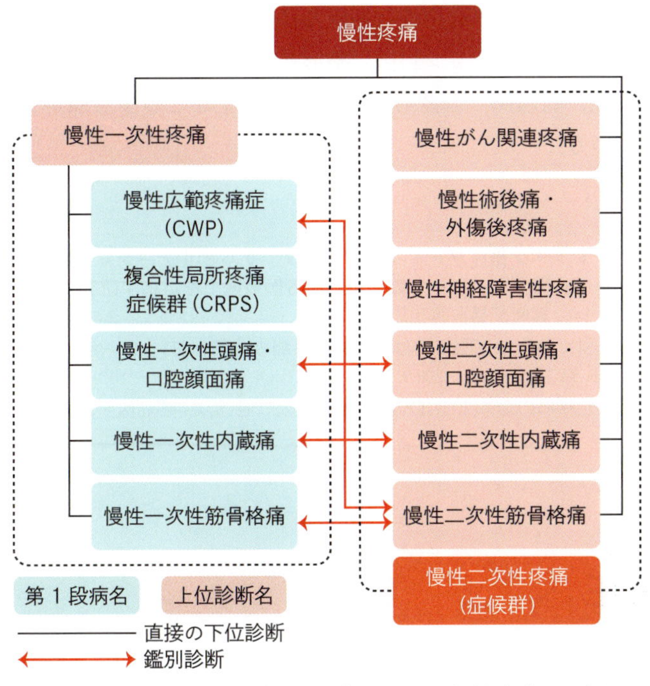

図 21-1　国際疾病分類（ICD-11）における慢性疼痛の分類

ワーキンググループで編集された．

- 慢性疼痛患者の思考パターンに多い「0 か 100 か」の完全主義や「すべき思考」，他者への怒りを潜在させやすい傾向，ペーシング障害などの改善を進める必要がある．

リハビリテーション診療における疼痛管理のポイント

- 急性疼痛に対しては，過剰に安静とすることなく，痛みが我慢できる範囲で運動療法を開始するのがよい．損傷部位の治癒を進めながら，慢性疼痛への移行を防ぐことが重要である．
- 慢性疼痛に対するリハビリテーション診療の目的は，痛みの軽減を図るとともに，身体機能・ADL・QOL の向上や社会活動・生きがいの創出である．
- 「慢性疼痛診療ガイドライン」においては，治療として薬物療法，神経ブロック，手術療法，心理的アプローチ，運動療法，物理療法，装具療法，統合医療，集学的治療があげられている．
- 一般的な運動療法は強く推奨されている．ただし，エビデンスが不十分であり，運動の種類（持久力訓練，筋力増強訓練，ストレッチなど）による効果は明らかではない．
- 認知行動療法は，ある出来事に対する認知（捉え方）と行動を変えることで問題への効果的な対処の仕方を学習させ，その心理教育により患者が自身のカウンセラーとなり症状の予防ができるようにする治療である．これと患者教育を組み合わせた運動療法は強く推奨される．
- 物理療法〔治療的超音波療法，低出力レーザー治療（low level laser therapy；LLLT），経皮的末梢神経電気刺激療法（transcutaneous electrical nerve stimulation；TENS），温熱療法，寒冷療法，牽引療法など〕，徒手療法は慢性疼痛では評価が定まっていない．
- 腰部固定帯，膝装具，頚椎カラーは急性の疼痛を伴う疾患・外傷では用いられるが，慢性疼痛に対しては腰部固定帯，膝装具の有用性は明確ではなく，頚椎カラーは推奨されていない．
- 近年においてはリハビリテーション科医，整形外科医，精神科医，心療内科医のみならず，理学療法士，作業療法士，看護師，公認心理師/臨床心理士などの多職種がチームを形成する集学的治療が推奨されている．

文献

1) 慢性疼痛診療ガイドライン作成ワーキンググループ：リハビリテーション．「慢性疼痛診療システムの均てん化と痛みセンター診療データベースの活用による医療向上を目指す研究」研究班(監)：慢性疼痛診療ガイドライン，pp127-140, 真興交易医書出版部，2021
2) 牛田享宏，他：長引く痛みの克服に向けて：慢性疼痛の分類(ICD-11)や治療モード，治療施設などの分類と臨床利用．Pain Res 33：257-268，2019
3) 牛田享宏，他：慢性疼痛の分類と ICD-11．田口敏彦，他(監)：疼痛医学，pp11-17，医学書院，2020

（木村慎二）

2 起立性低血圧

概要

- 起立性低血圧は，心・血管系の自律神経調節に何らかの機能異常があり，起立時に重力の作用により下半身の静脈系に貯留した血液が心臓に戻りにくくなるために起こる循環不全である．
- 起立によって立ちくらみ，ふらつき，めまい，吐き気，頭痛，全身倦怠感，失神などの症状が生じるが，高齢者や認知症患者では自覚症状がないことも少なくない．
- 自律神経不全に伴う神経原性のものと非神経原性のものに分類される（表 21-1）．
- 脱水や食事などの影響がない状態では自律神経不全患者の血圧は臥位でむしろ高くなり，臥位高血圧と呼ばれる．
- 起立性低血圧は脱水傾向にある午前中に目立ち，夕方以降は軽度であることが多い．

診断

- 起立試験や検査台を他動的に傾斜させて起立させていく head-up tilt 試験が用いられる．
- 一般的な診断基準は，起立または 60° 以上の起立台で頭部を挙上したときに，3 分以内に収縮期血圧が 20 mmHg 以上または拡張期血圧が 10 mmHg 以上低下し持続する状態とされる．

治療の実際（表 21-2）

- 同一疾患によるものであっても症例ごとに病態生理が異なり，同一症例であっても経過とともに病態生理が変容するため，画一的な対応でなくきめ細かなオーダーメイドの対応が必要である．
- 起立性低血圧改善の度合は，原因となる要因の除去と自律神経の残存に依存する．
- 治療にあたっては，血圧の数値の改善のみにとらわれることなく，症状をしっかりと見極めていく．
- 薬物治療は臥位高血圧を惹起するため，夜間臥床時の血圧に注意が必要で，可能なら 24 時間自

表 21-1 起立性低血圧の原因

1. 自律神経障害
- 神経変性疾患
  - 多系統萎縮症
  - Lewy 小体病（Parkinson 病，Lewy 小体型認知症など）
- 自己免疫疾患
- 遺伝性ニューロパチー
- 二次性自律神経不全
  - 糖尿病性自律神経性ニューロパチー
  - 傍腫瘍性自律神経性ニューロパチー
  - 脊髄損傷

2. 非神経性
- 薬剤性，中毒性
  - 薬剤：降圧薬，利尿薬，ニトログリセリン製剤，向精神薬，抗 Parkinson 病薬，など
  - アルコール
- 心拍出量の減少
- 内分泌疾患
- 不動

表 21-2 起立性低血圧の治療

一般的な原則
- 高温環境の回避
- 日中の臥位の回避
- 食事性低血圧の予防（大量の食事，特に炭水化物とアルコールの回避）
- 運動の励行
- 臥位高血圧への対策

薬物治療
- ミドドリン：短時間作用型で効果のエビデンスレベルも高いα_1刺激薬
- ドロキシドパ：ノルアドレナリンの前駆物質で昇圧効果が強いが，長期投与でリスクが高い

非薬物治療
- ゆっくりした起立（段階的運動，ストレッチなどの準備運動）
- 弾性ストッキング
- 腹部緊縛
- 夜間睡眠時の頭部挙上，睡眠時以外の臥床時も頭部の挙上
- 適度の食塩・水分の摂取
- 500 mL の飲水で即時の昇圧効果あり
- 影響する薬剤の中止

動血圧測定を行う．また，長期投与は可能な限り避ける．

- 薬物治療は，昇圧には作用時間が短いミドドリンを日中用い，降圧薬を就寝前に投与するなど血圧の日内変動を考慮して行う．

低血圧を起こした際の対処

- 心臓の高さを基準とし，頭部を下げ，下肢を上げることで対処する．

リハビリテーション診療におけるポイント

起立性低血圧がある場合の訓練の進め方

- 姿勢の変換は，臥位→長座位→端座位と段階的に時間をかけて行う．
- 血圧・心拍モニター下に段階的な座位訓練や tilt table 訓練を行う．
- 長座位を保持した後，血圧低下を生じない短い時間内に起立・立位保持や短距離の歩行を行い，動作後速やかに長座位に戻る訓練を反復する方法もある．
- 下肢の能動的・受動的運動には昇圧効果がある．

文献

1) 荒木信夫，他：起立性低血圧(体位性頻脈症候群も含めて)：標準的神経治療：自律神経症候に対する治療．神経治療 33：658-663，2016
2) Freeman R, et al：Consensus statement on the definition of orthostatic hypotension, neutrally mediated syncope and the postural tachycardia syndrome. Clin Auton Res 21：69-72, 2011
3) 朝比奈正人：自律神経障害はこう診断し治療する．神経治療 33：368-372，2016
4) 横山絵里子：脊髄損傷の自律神経障害．臨床リハ 27：1175-1185，2018

（花山耕三）

3 転倒予防

基本的な知識

- 転倒は，地域在住高齢者に高率に発生し，海外では概ね 3 人に 1 人，わが国では 5 人に 1 人が 1 年間に転倒を経験する．
- 転倒により骨折や頭部外傷などの外傷を生じ，ADL や QOL 低下をきたす．
- 転倒は，不慮の事故死，要介護の主要な原因である．
- 転倒に対する恐怖感（転倒恐怖）により，活動が制限され生活機能が低下しうる．
- 転倒の内的要因には，バランス障害，筋力低下，視力障害，薬剤，疾病の存在などがある．外的要因としては，不適切な履物，段差や滑りやすい床，不適切な照明などの環境，急な移動などがある．
- 転倒リスクの指標として，転倒歴が重要である．
- 転倒後に，改善できる要因がないかを精査することが重要である．
- 急性期や回復期の病院のなかでは，回復期リハビリテーション病棟で高率に転倒が発生する．
- 転倒後には，意識レベル・全身状態のチェック，状況聴取，外傷の有無などを確認する．骨折や頭部外傷を疑う場合は，単純 X 線や頭部 CT などを行う．
- 骨粗鬆症の可能性がある場合には骨密度の検査を行い，骨粗鬆症の診断がつけばその治療を行う．

リハビリテーション診療における転倒予防のポイント

- 転倒予防の基本的戦略は，さまざまな転倒要因について適切に評価し修正することである．
- 包括的に転倒リスクを評価し，個人個人のリスクに対してアプローチする．

- 運動療法は単独でも有効であり，なかでもバランス訓練が優れている．

医療機関や施設におけるポイント

- 入院・入棟後，速やかに適切な転倒リスクの評価を行う．
- 活動性と転倒には関連がある．活動を高めながら転倒を予防することがリハビリテーション治療過程においては重要である．
- 転倒リスクや身体状況に応じた適切な自立度設定，装具・移動手段・歩行補助具の選定，ベッド周りを含めた環境整備を行う．
- 移乗動作が自立する間際は転倒リスクが高い．その時期には特に転倒予防の対応を強化する．
- 運動療法を含むリハビリテーション治療そのものが転倒予防になる．
- 患者・家族への転倒予防に関する教育を行う．
- 睡眠導入薬など薬剤による転倒リスクについて留意をし，必要に応じて薬剤調整を行う．
- 病院や施設の後の在宅環境設定についても転倒予防の視点を取り入れる．

文献

1) 大高洋平：18．老化と障害．C．転倒．千野直一(監修)：現代リハビリテーション医学改訂第4版，pp385-388，金原出版，2017
2) 大高洋平(編著)：回復期リハビリテーションの実践戦略 活動と転倒 リハ効果を最大に，リスクを最小に，医歯薬出版，2016

（大高洋平）

4 不動による合併症（廃用症候群）

基本的な知識

- 身体の不動は，麻痺や疼痛，術後の抑うつ，罹患している疾病などによる一次的（内的）要因と，ギプス固定や医療従事者による安静指示などの環境により活動が制限された二次的（外的）要因によって引き起こされる（表21-3）．
- 不動は筋萎縮や骨萎縮，関節拘縮などの筋骨格系への悪影響だけではなく，循環器，呼吸器，消化器，泌尿器，精神機能など全身に悪影響を及ぼす．廃用症候群とも称される．
- 安静臥床が心身に悪影響を及ぼすのは明らかである．離床や運動負荷は不動による合併症を防ぐのみならず，最終的に到達する身体機能を高め，到達期間を短縮させる．

運動器

- 筋萎縮は，上肢と比べ，下肢の抗重力筋で生じやすい．
- 加齢により40歳台前後を境に1年で1%ほど骨格筋量や筋力が減少することが知られている．安静臥床の初期では1日に1～2%ほど減少する．
- ギプス固定で完全に不動の状態となると，1日の安静で1～4%の筋力低下が起こり，3～5週間で約50%低下する．
- 骨は臥床開始2週間ほどで萎縮が始まる．3週間の安静臥床により骨盤の骨密度が7.3%の有意な減少を認め，さらに20週ほどの安静臥床では30～50%の骨密度減少をきたす．

表 21-3 不動による合併症

器官		現象
運動器	筋	筋萎縮，筋力低下
	骨・関節	骨萎縮，関節拘縮
循環器	心	起立性低血圧，心拍出量低下，心筋菲薄化，左心室終末拡張期容量低下
	血管	深部静脈血栓
呼吸器	肺	最大酸素摂取量低下，沈下性肺炎，無気肺
消化器	消化管	食欲低下，便秘
泌尿器	腎，尿路	血中カルシウム濃度上昇，尿中カルシウム濃度上昇，腎結石，尿路結石，尿路感染
精神		認知機能低下，せん妄
神経		疼痛閾値低下
その他		褥瘡

循環器

- 6週間のベッド上臥床は，健常男性の左心室容量・平均心室壁厚を有意に減少させ，左心室拡張末期容量は2週間の臥床で有意に減少する．
- 臥位で下肢から約700 mLの血液が胸腔内に移動し，心拍出量の増加した状態が心肺容量受容器を通して中枢に伝わる．その結果，抗利尿ホルモンの分泌低下，レニン活性の低下，腎交感神経活動の低下，心房ナトリウム利尿ホルモンの分泌増加が起こり，排尿が増えるため体液量の減少と循環血液量の減少が惹起される．
- 心臓自体の変化と循環血液量の減少のため，3週間の安静臥床により心肺機能の指標である最大酸素摂取量（$\dot{V}O_2$ max）が約30%低下する．
- 深部静脈血栓症や静脈血栓塞栓症のリスクが高まり肺血栓塞栓症を引き起こす原因となる．

呼吸器

- 臥床により腹部臓器に押し上げられ横隔膜は4 cm程挙上し，機能的残気量（functional residual capacity：FRC）を15～20%減少させる．FRCの減少は，肺内シャントの増加や換気血流比の不均衡をもたらし，酸素運搬能の低下をもたらす．
- 臥位では下側となった肺領域にはうっ血，肺胞圧迫，分泌物貯留が生じやすくなり，下側肺障害を招きやすくなる．貯留した分泌物が排出されなければ，細菌が増殖し，沈下性肺炎の原因となる．

消化器，泌尿器

- 安静臥床により食物の消化管通過時間が延長し，便秘の原因となる．
- 不動による骨量減少と骨吸収の亢進により高カルシウム血症，高カルシウム尿症が生じ，尿路結石が生じやすくなる．

精神・神経

- 健常若年男性の20日間の安静臥床実験では，活動性が低下し，混乱した精神状態が認められている．

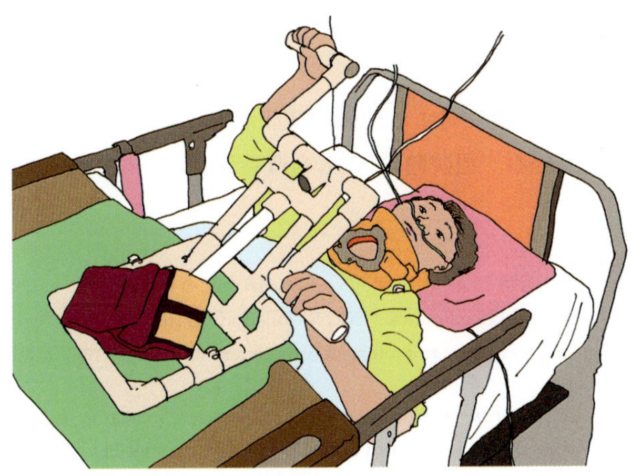

図 21-2 離床できない患者のハンドエルゴメーターを用いた運動療法

• せん妄や抑うつ状態を発症しやすくなり，疼痛閾値が低下する．

リハビリテーション診療におけるポイント

不動の予防とその方法

• 予防が最も重要である．病態に合わせた運動療法を実施し，筋力低下，心肺機能低下，関節拘縮の予防を行う．
• 安静臥床は医学的な理由がない限り避けなければならない．身体にとって安静臥床は無重力環境と似た状態である．宇宙飛行士に宇宙で生じる身体の変化が安静臥床で生じる．循環血液量が減少し起立時の血圧が維持できなくなるばかりではなく，心筋自体も菲薄化してしまう．たとえ離床が困難であっても運動療法は可能である（図 21-2）．
• できる限り早期に離床し，安静臥床時間を減らすため，病棟では看護師や患者家族にも協力を求める．
• ベッドサイドでの立位が困難な場合は，斜面台（tilt table）を用いる．
• 離床後のベッドサイドや病棟での運動療法として，椅子やベッドからの立ち上がり訓練，階段昇降訓練，筋力増強訓練などを行う．
• 長期臥床後に離床する場合，起立性低血圧に注意し，血圧，脈拍の変動だけでなく，患者のふらつきなどの自覚症状にも注意しながら離床を行う．

運動療法の効果

• 最大筋力の 20%程度の筋出力を行っていると筋力低下は起こらない．
• 不動による筋力低下後は，最大収縮を 1 日 1 回行うことで，週 12%程度の増加率で最大筋力の 75%までは筋力が回復する．
• 関節拘縮予防のために関節可動域訓練を実施する．麻痺肢の足関節に対し，1 回 10 分，1 日 2 回，週 5 回の関節可動域訓練を実施すると背屈可動域が維持できる．
• 心肺機能の維持，増強のためには持久力訓練が有効である．

- 持久力訓練によって，最大酸素摂取量（$\dot{V}O_2$ max）が増加する．冠動脈疾患や慢性心不全を伴う場合は生命予後を改善する．
- 人工呼吸器管理下の鎮静患者に対する積極的運動療法（鎮静中断，四肢自動他動運動，ADL 訓練）は，せん妄期間を短縮し，退院時の ADL を改善させる．

文献

1） 美津島隆：廃用症候群の病態とリハビリテーション．国大リハ療士会 35：4-7，2000
2） Frontera WR, et al：Aging of skeletal muscle：a 12-yr longitudinal study. J Appl Physiol 88：1421-1426, 2000
3） Greenleaf JE：Physiological responses to prolonged bed rest and fluid immersion in human. J Appl Physiol 57：619-633, 1984
4） Saltin B, et al：Response to exercise after bed rest and after training. Circulation 38：1-78, 1968
5） Perhonen MA, et al：Cardiac atrophy after bed rest and spaceflight. J Appl Physiol 91：645-653，2001

5 褥瘡

基本的な知識

概要

- 米国褥瘡諮問委員会（National Pressure Ulcer Advisory Panel；NPUAP）は「褥瘡は，身体に加わった外力と骨との間の組織に剪断力と圧迫力が加わることで病変が皮膚から生じ，徐々に深部に達する」と定義している（図 21-3）．
- 褥瘡は皮膚からではなく皮下組織から発生するとの DTI（deep tissue injury）という概念が追加された．2020 年に日本褥瘡学会が提唱する褥瘡状態評価スケール（DESIGN）の評価項目に DTI が追加されている．
- 褥瘡は骨の突起部でその周囲の軟部組織が少ないところに発生しやすく，後頭隆起，肩甲骨部，胸椎棘突起，仙骨，大腿骨大転子，腓骨頭，足関節外果部，踵骨などの直上に好発する．
- 防ぐことができる疾患であり，その発生予防が第 1 である．また，早期発見と早期治療も重要であり，褥瘡好発部位の視診や触診に加えエコーが有用である．
- 褥瘡治療は除圧が原則であり，感染と悪化の予防が重要となる．

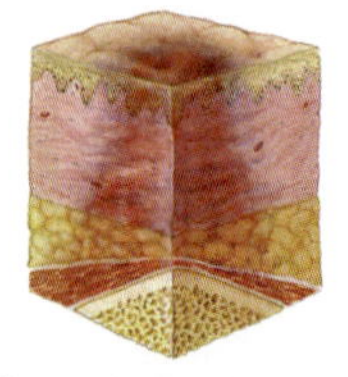

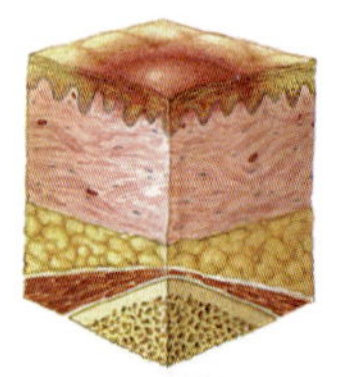

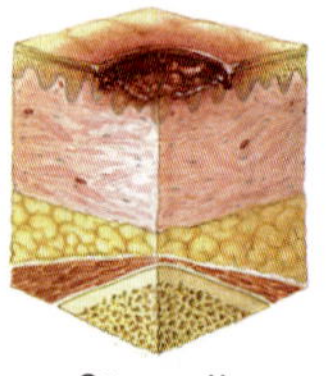

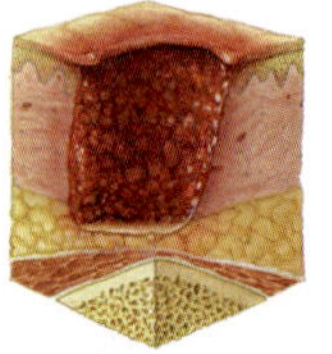

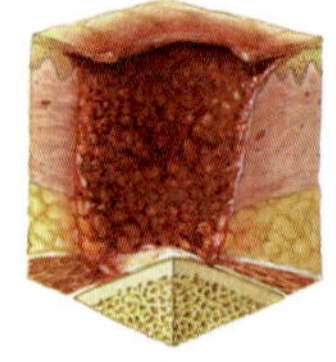

図 21-3 褥瘡の深達度分類
米国褥瘡諮問委員会（NPUAP）による Stage 分類．2007 年新たに deep tissue injury の概念が追加された．

図 21-4 座圧測定

a：座圧測定の実際
b：車いすにおける除圧方法（頚髄損傷患者）

予防

- 褥瘡の予防は大変重要である．長時間に同一姿勢をとらないようにしなければならない．脊髄損傷による対麻痺などで車いす生活を余儀なくされるような患者では除圧方法（プッシュアップ動作）や寝返りなどの ADL 訓練を行う必要がある．
- 常日頃から患者自身が視診を行い，圧迫され続けている部位の有無や皮膚の変色などの確認をすることが重要である．
- シーティング，移乗動作などにおける褥瘡の発生原因を検索し対処する．

診断

- 褥瘡のリスクは，ブレーデンスケール，K 式スケール，OH スケール，厚生労働省危険因子評価票で評価される．これらの評価方法で評価される要因のなかで，自力での体位変換能力，関節拘縮，浮腫は理学療法や作業療法により改善が期待できる．
- 脊髄損傷などで褥瘡好発部位に感覚障害や自律神経障害がある場合は，褥瘡の発生率が高い．より厳密な褥瘡予防対策が必要であり，座圧測定が有効な方法となる（図 21-4a，b）．
- 診断には視診，触診が基本であり，B モードエコーが皮下の状態を観察するのに簡便である（図

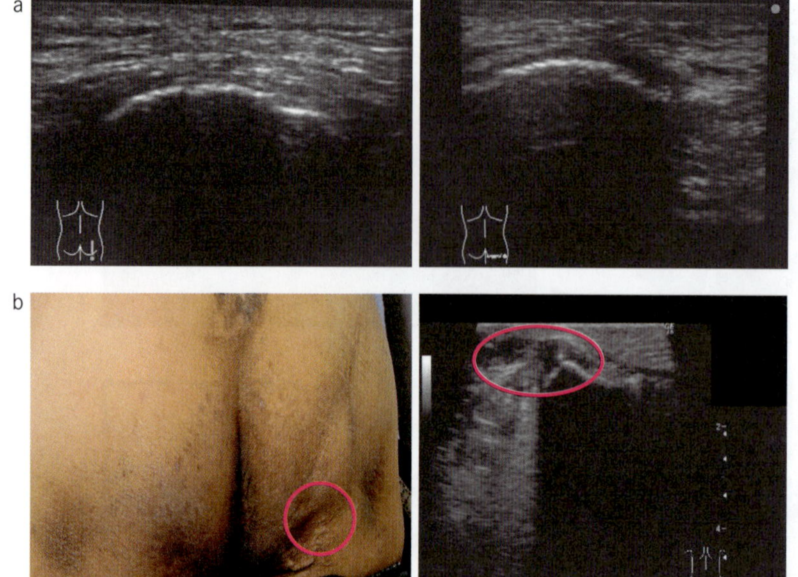

図 21-5 褥瘡におけるエコー

a：褥瘡のない状態（正常）のエコー（B モード）.

b：皮膚には異常がないように見えるが，エコーでは皮下に低吸収域が認められる.

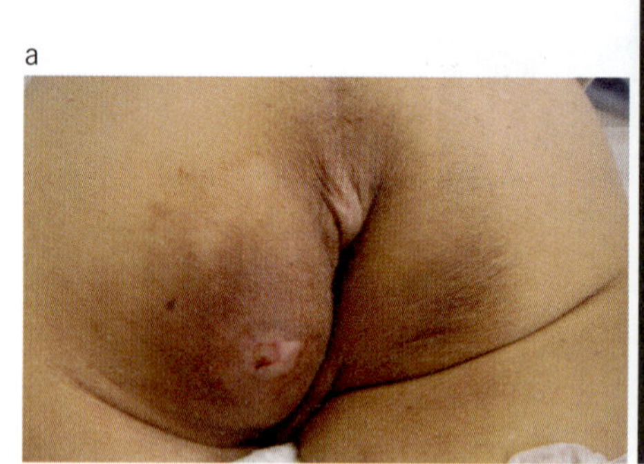

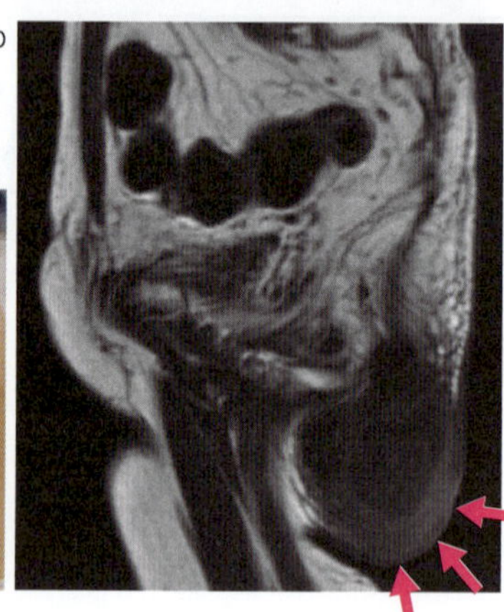

図 21-6 広範囲炎症所見を伴う褥瘡

a：視診上，左臀部に直径 1 cm 程度の肉芽に覆われた褥瘡がある.

b：T1 強調 MR 画像で，皮下の炎症性病変を広範囲に認める.

21-5）．また，褥瘡の深達度や範囲を精査するためには MRI が有用であり，視診や触診で異常がみられない部位にまで感染などにより炎症が波及していることがある（図 21-6）.

治療

- 原則は，除圧，保清，不良肉芽・壊死組織除去である．また，外用薬の投与，被覆材の使用，持続陰圧閉鎖療法，皮弁形成術などを考慮する.
- 栄養管理は必須であり，早期から栄養サポートチーム（nutrition support team；NST）と連携する.
- 病状により臥床が必要な場合は体位変換と除圧を行い，早期離床を目指す.
- 褥瘡がある患者の場合，褥瘡部のさらなる圧迫や剪断力は症状を増悪させるため絶対に避けなければならない.
- 除圧のための臥床が必要な場合も，体圧分散マットレス，除圧性能と姿勢保持を考慮したクッションなどを用い，十分に除圧できているか確認するとともに，筋力低下や関節拘縮の予防に努める.

リハビリテーション診療におけるポイント

- 褥瘡が存在するとリハビリテーション治療の妨げとなる．褥瘡の予防と治療はリハビリテーション診療における大切な項目である．
- 股関節の伸展制限や膝関節伸展制限のある患者では，坐骨部・踵部の褥瘡発生のリスクとなるため，ADL が低下している患者では，下肢の関節可動域訓練を積極的に行う．
- 全身の血流量の増加は褥瘡部への血流も増加させ治癒を促すことから，積極的に運動療法を行う．

文献

1） Kanno N, et al：Low-echoic lesions underneath the skin in subjects with spinal-cord injury. Spinal Cord 47：225-229, 2009
2） 日本褥瘡学会(編)：在宅褥瘡予防・治療ガイドブック．第 3 版，照林社，2015

（梅本安則・田島文博）

6 熱傷，浮腫，皮膚腫瘍

熱傷

基本的な知識

- 熱傷の深度から，Ⅰ～Ⅲ度熱傷に分類する．Ⅰ度熱傷は表皮層の部分的損傷，Ⅱ度熱傷は表皮層全層と真皮層中間までの損傷，Ⅲ度熱傷は真皮層より深層にまで至る損傷を指す．
- 真皮層の深い部分まで損傷が及ぶと，創部を修復させようと線維芽細胞が増殖し，瘢痕拘縮（肥厚性瘢痕．受傷後 3～6 か月で顕著）が生じる（図 21-7）．
- 熱傷範囲の評価は，体表面積（body surface area；BSA）に対する“Ⅱ度とⅢ度熱傷の合計面積”の比率（%BSA）として示されることが多い（Ⅰ度熱傷は評価外となる）．面積の推定方法として「9 の法則（小児では，5 の法則）」が知られている．
- 広範囲の熱傷では，血管透過性亢進によって循環血液量が減少しショック状態になることがある．
- 気道熱傷や広範囲な胸郭熱傷では，呼吸機能の障害（気道閉塞，無気肺，拘束性換気障害）がみられる．

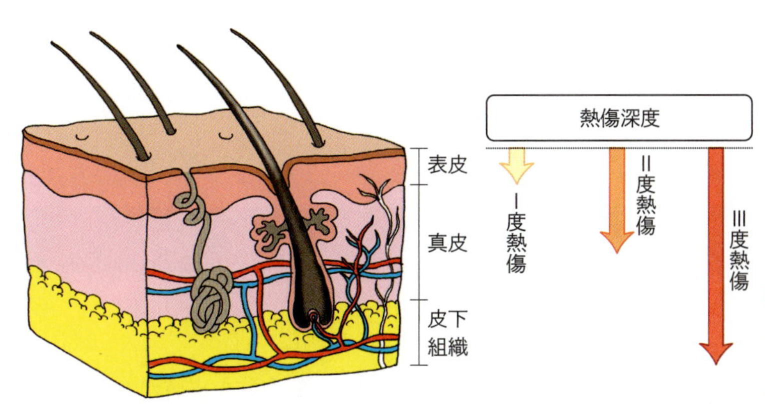

図 21-7 熱傷の深度分類
真皮層の深い部分まで損傷が及ぶと，線維芽細胞が増殖して，瘢痕拘縮が生じる．

リハビリテーション診療におけるポイント

- 急性期から皮膚性拘縮を予防するために機能肢位（良肢位）を保持する．受傷部位が伸展されるような肢位をとるのがよい．浮腫を軽減させるために受傷部位を挙上するのもよい．ただし，座位訓練，起立訓練を積極的に行えない部位もある．
- 関節可動域訓練や筋力増強訓練は，ドレッシングされた状態では，訓練が制限されるため包帯交換や温浴の時間帯にあわせて行うとよい．ただし，植皮を行った部位は，生着を確認できるまでは関節可動域訓練は慎重に行う．
- 瘢痕拘縮を予防するために，スプリントの使用や徒手的なストレッチで持続的な伸張を試みる．
- 解剖学的に皮膚が薄い前頚部や手背部では瘢痕拘縮が生じやすいことに留意する．
- Ⅲ度熱傷では，細菌に対するバリア機能が破綻するため，感染対策を徹底する．易感染性が示唆される場合（糖尿病患者など）には，抗菌薬の予防的全身投与を考慮する．創部消毒の是非は意見が分かれるが，行うのであればポビドンヨードやクロルヘキシジンを用いる．
- 回復期には，起立・歩行訓練，ADL 訓練を積極的に行う．

浮腫

基本的な知識

- 全身性か局所性かを確認したうえで，原因疾患（特に心不全，腎不全，肝不全，内分泌異常など全身性疾患の有無）を診断する．
- 脳血管障害後片麻痺の場合，筋萎縮による筋ポンプ作用の低下，静脈還流の障害，血管運動神経の機能異常などを原因として，麻痺側上下肢に浮腫が出現することがある（遠位部がより顕著）．
- 脳血管障害後の肩手症候群は，痛みを伴う麻痺手の浮腫が主症状であり，交感神経の機能異常が原因とされる．

リハビリテーション診療におけるポイント

- まず患肢の挙上（30 cm 程度）が試みられるべきである（心疾患による浮腫には無効なことが多い）．
- 脳血管障害後の浮腫では，麻痺肢の筋力増強訓練（筋ポンプ作用を高める），徒手的ドレナージ，間欠的空気圧迫法などを試みる．
- 肩手症候群に対しては，ステロイド内服（プレドニゾロン 30 mg/日から）や交感神経節ブロックが試みられる．

皮膚腫瘍

基本的な知識

- 基底細胞がん，有棘細胞がん，悪性黒色腫，Bowen 病，乳房外 Paget 病などの皮膚がんに対しては切除術が施行されるが，一般的に腫瘍の大きさに比して切除後の皮膚欠損部は大きくなる．よって，植皮術もしくは皮弁形成術などの再建術が行われることが多い．

リハビリテーション診療におけるポイント

- 植皮術や皮弁形成術を行った場合は，皮膚の完全な生着をみるまではリハビリテーション治療は開始するべきではない．

（角田 亘）

III. 展望・社会貢献

1 リハビリテーション医療の展開

1 痙縮治療〔ボツリヌス療法・ITB(髄腔内バクロフェン投与)療法〕

基本的な知識

疾患・病態の概念

- 痙縮は，脳血管障害，頭部外傷，脊髄損傷，脳性麻痺などの中枢神経疾患によって生じる，上位運動ニューロン症候群による症候の1つであり，緊張性伸張反射は速度依存性に増加する．

症状と診断

- 痙縮の程度と，疼痛，肢位，関節可動域，上肢機能，歩行，ADLなど，痙縮に伴うさまざまな障害を診断する．障害の原因筋の同定には解剖学，運動学的知識が不可欠である．
- 痙縮の評価法にはMAS（modified Ashworth scale）がある．

治療（図1-1）

- ボツリヌス毒素は，標的筋に注入されたのち神経筋接合部で神経終末に取り込まれて，アセチルコリンの放出阻害にはたらく．痙縮軽減効果は投与後1〜2日から発現し，通常3〜4か月で消失する．反復投与では抗毒素抗体が誘導される可能性に留意し，12週間以上あけて再投与する．
- 髄腔内バクロフェン投与療法［intrathecal bacrofen（ITB）therapy］では，脊髄くも膜下腔へ直接薬物を投与するためのカテーテルおよびポンプを植え込み，バクロフェンを脊髄へ選択的かつ持続

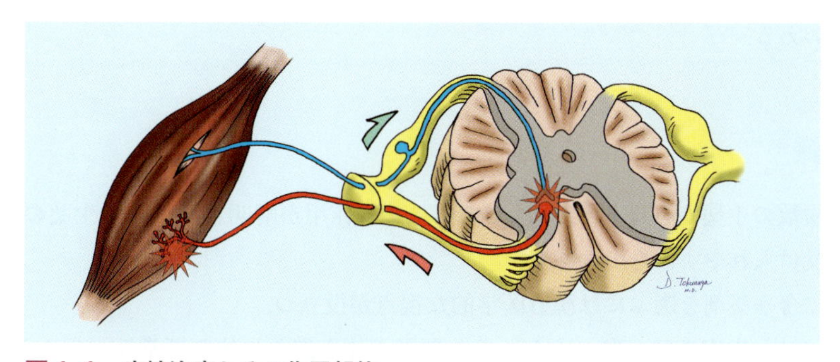

図 1-1　痙縮治療とその作用部位

ITB（髄腔内バクロフェン投与）は可逆的に脊髄レベルで広範囲に作用し，ボツリヌス療法は可逆的・非侵襲的に筋肉レベルで局所的に作用する．

的に作用させる．重度の痙縮，対麻痺や四肢麻痺など広範囲の痙縮に対して効果的である．バクロフェンは血液-脳・脊髄関門を通過しにくいため，経口投与よりも効果は高い．治療開始後の管理は重要であり，離脱症候群には注意を要する．

- 痙縮を，歩行や移乗などの動作に役立てている場合もあり，治療に際し注意を要する．

リハビリテーション診療におけるポイント

- 痙縮治療では，痙縮を抑制しながら各種のリハビリテーション治療を組み合わせていく．ただ痙縮をコントロールするだけでなく「歩行を安定させる」「患側上肢を家事に使えるようにする」「更衣を容易にする」などの目的を明確にし，評価を常に実施しながら治療を行っていく必要がある．

急性期・回復期

- 脳血管障害や脊髄損傷では，多くが弛緩性麻痺から徐々に痙性麻痺へ移行する．
- 生活期に拘縮を伴うと治療は難渋するため，痙縮の早期発見・治療が重要である．

生活期

- 関節可動域訓練や随意運動を容易にするため，痙縮に対し積極的に治療を行う．

文献

1) Mayer NH：Clinicophysiologic concepts of spasticity and motor dysfunction in adults with an upper motoneuron lesion. Muscle Nerve 6：S1-13, 1997
2) Bohannon RW, et al：Interrater reliability of a modified Ashworth scale of muscle spasticity. Phys Ther 67：206-207, 1987

（竹川 徹・池田 巧）

2 漢方とリハビリテーション診療

- 関節痛，関節・組織の腫脹，意欲低下，体力低下，フレイルなどリハビリテーション診療で問題となる症状や病態に漢方薬が役立つ場合がある．
- 漢方薬は不老長寿への願いが込められているとも，兵士などを速やかに回復させるために使われたともいわれている．高齢化や社会復帰に対処するリハビリテーション医学・医療と重なる背景があるといえる．

基本的な知識

- 漢方薬は複数の生薬からなる「合剤」である．薬理作用が解明されている生薬の成分もあり西洋医学的に受け入れやすいものもある．
- より患者に合う薬剤を選ぶには漢方医学的な視点が役立つ．
- 漢方医学では，虚実や気・血・水という 3 要素が体を巡り生体の恒常性が保たれているとされ，感染症やストレス，食事，環境，運動不足などでその過不足や滞りが起きると症状が出現すると考えられている．不足は補い，過剰は取り除き，滞りは巡らせる（表 1-1）[1]．

表 1-1 西洋医学的アプローチと漢方医学的アプローチ

症状と対応する漢方薬の例　これらは一例であり，詳細は漢方医学の成書にあたっていただきたい			
症状	使用の目安	漢方薬	備考
関節痛	腫脹熱感あり	越婢加朮湯	麻黄を含むため虚弱な人は胃もたれ，動悸などで飲めないことがある．
	冷えると痛くなる（温めると楽）	桂枝加朮附湯	成分の附子が強く温める作用を持つ．熱感が強い場合は避ける．
	膝関節症など	防已黄耆湯	水分が多いぽっちゃりとした婦人のイメージ
関節腫脹	整形・形成外科手術後や打撲後の腫脹，片麻痺の手指の腫脹	桂枝茯苓丸，治打撲一方	片麻痺の手指の腫脹で熱感が強い場合は越婢加朮湯もよい．
筋肉痛	こむら返り，ぎっくり腰，椎間板ヘルニア急性期などの筋スパズム	芍薬甘草湯	甘草の含有量が大変多いので頓用やごく少量の投与もしくは短期投与とするほうがよい．
下肢の痛み・しびれ	坐骨神経痛様の痛み，下肢の筋力低下	牛車腎気丸	成分の地黄が胃にもたれて服用できない人もいる．
意欲低下	脳血管障害や脳外傷の後遺症，元気なく易疲労もある．	補中益気湯，人参養栄湯	十全大補湯などもよい．
集中力低下・不眠	そわそわしている．怒りっぽい．興奮気味で眠れない．	抑肝散	怒りは抑肝散投与の目安となる．
誤嚥性肺炎	再発予防	半夏厚朴湯，補中益気湯	脱水時は半夏厚朴湯は要注意．補中益気湯は免疫力強化としてもよい．
便秘症	動作能力が低い場合の機能性便秘	大建中湯	温める作用あり．腸の動きが悪い場合に用いる

気・血・水の概念と症状との結びつき　対応する漢方薬の例					
	概念	過不足など	自覚・他覚所見	対応	生薬や方剤の例
気	生命エネルギーのこと．消耗されたり補充できたりする．活動を推進し，血や水を巡らせる．体を温め，防御作用をもつ．	産生低下や消耗による不足（気虚）	無気力，易疲労，食欲不振，易感染性，内臓の機能低下など	気の補充（補気）	人参，黄耆，白朮，蒼朮，六君子湯，補中益気湯，人参養栄湯，十全大補湯
		気の滞り（気滞，気鬱）	抑うつ，不安感，のどや胸のつかえ感，腹部膨満感など	気を巡らせる	半夏，厚朴，蘇葉，枳実，半夏厚朴湯，柴朴湯，香蘇散
		気の逆行（気逆）	のぼせ，焦燥，イライラ，驚きやすい，発作性の動悸や頭痛など	気を下げる	桂枝，桂枝湯，苓桂朮甘湯，抑肝散
血	現在の血液に似ている．	血の不足（血虚）	皮膚乾燥，髪が抜ける，爪がもろい，こむらがえり，月経過少など	血を補う	当帰，川芎，芍薬，地黄，四物湯，十全大補湯，人参養栄湯
		血のうっ滞や途絶．微小循環障害．（瘀血おけつ）	下腹部痛，便秘，月経異常，目の周りや舌や口唇の暗赤色化，下腹部圧痛，打撲による血腫，皮下の細かい静脈瘤	瘀血を取り除く（駆瘀血）	牡丹皮，桃仁，桂枝茯苓丸，治打撲一方，桃核承気湯，当帰芍薬散
水	脈管外の無色の体液のこと（組織液など）	水が滞り，偏在している状態（水滞）	むくみ，頭重感，頭痛，めまい，耳鳴り，関節腫脹	水の偏在をただす（利水）．利尿とは異なる	茯苓，沢瀉，白朮，蒼朮，猪苓，麻黄，五苓散

患者の体質（虚実）を考慮するとよい	
虚	筋肉量が少ない，体力がなくすぐに食べられなくなる，麻黄製剤が飲めない，冷えを伴いやすい
実	筋肉量が多い，体力がありいろいろあっても食べられる，附子などで動悸やのぼせ症状が出やすい

（森　雄材：図説 漢方処方の構成と適用—エキス剤による中医診療．第2版，医歯薬出版，1998をもとに作成）

- 作用が解明されている漢方薬の例として以下があげられる[2].

  補中益気湯：細胞性免疫など生体防御機構を活性化させる.
  桂枝茯苓丸：全血粘度を低下させ，末梢血管拡張作用をもつ.
  抑肝散：セロトニン・グルタミン酸神経系を介してせん妄や不安を抑える.
  五苓散：アクアポリンを介して水の偏在を是正する.
  芍薬甘草湯：中枢性鎮痛作用と末梢性筋弛緩作用（骨格筋，平滑筋）がある.
  附子：アストロサイトの活性化を抑制して慢性期疼痛を改善させる.
  牛車腎気丸：附子による鎮痛作用のほか，筋萎縮改善効果をもつとされる.

リハビリテーション診療におけるポイント

- 対症療法が原則であるが，症状と処方は必ずしも1対1ではなく患者の反応をみながら処方を変更してよい．患者の体力や病態の熱感・冷感に逆らわないようにする.
- 背景にある気・血・水の過不足や滞りに対応するとより根本的な治療となる.
- 初回投与時は2週間程度で症状を確認する．即効性があるものも多い．肝機能，電解質など定期的な血液検査も行う.

注意点

- 副作用に特に留意が必要な生薬について例をあげる.

  甘草：浮腫，高血圧症，低カリウム血症など偽アルドステロン症．甘草の1日量は6g程度，連用を考えると2.5g程度を目安とするとよい.
  麻黄：悪心，不眠，動悸，高血圧増悪，興奮
  附子：のぼせ，動悸，口や舌のしびれ
  柴胡：膀胱炎様症状
  黄芩：間質性肺炎，肝障害に関与が推定される．間質性肺炎では空咳，発熱，労作時の息切れなどの初期症状に注意する.
  山梔子：長期投与（多くは5年以上）により腸間膜静脈硬化症をきたすことがある．腹痛や下痢・便秘，腹部膨満などに注意する.

文献
1) 森 雄材：図説 漢方処方の構成と適用―エキス剤による中医診療．第2版，医歯薬出版，1998
2) ツムラ株式会社：漢方スクエア（インタビューフォーム引用）（http:www.kampo-s.jp）

（巷野昌子・安保雅博）

3 電気刺激療法

- 電気刺激療法には，筋萎縮予防や痙性のコントロールを目的とした治療的電気刺激（therapeutic electrical stimulation；TES），除痛効果を目的とした経皮的電気神経刺激（transcutaneous electrical nerve stimulation；TENS），上位ニューロン損傷に起因する麻痺筋を電気刺激でコントロールし

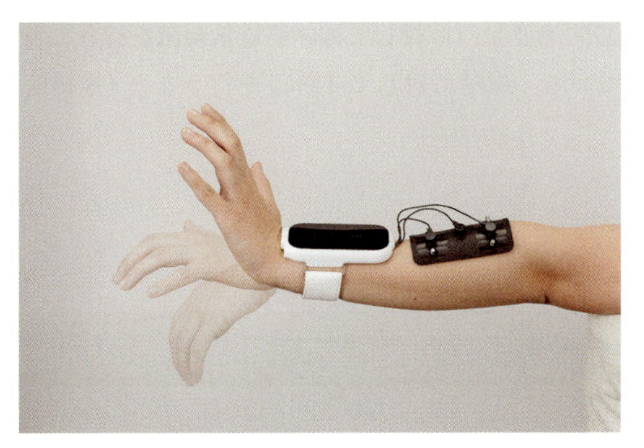

図 1-2　装着型 IVES
（株式会社エスケーエレクトロニクス：WILMO®）

機能向上を図る機能的電気刺激（functional electrical stimulation；FES）などがある．FES を応用したものとして随意運動介助型電気刺激（integrated volitional control electrical stimulator；IVES）がある．

- TES には筋力増強，筋萎縮予防，関節支持効果があり，生理的収縮と違い速筋線維から興奮し疲労しやすい．人工膝関節全置換術（total knee arthroplasty；TKA）後や変形性膝関節症における大腿四頭筋筋力増強，関節リウマチ患者に対する筋萎縮予防，脊髄損傷における不動による筋萎縮の予防や循環動態改善などが期待できる．
- 中枢神経損傷では，正常な末梢神経・筋を利用して筋力を増強し，痙性を抑制する．これには低周波や中周波，干渉波が用いられる．TES による効果的な筋力増強法として，運動時に動作を妨げる拮抗筋を電気で刺激することで得られる筋収縮を運動抵抗とするハイブリッドトレーニングシステムがあげられる．
- TENS は短時間（<0.1 msec）の高周波パルス（100～150 pps）で筋収縮を起こさない知覚レベルの電流により Aβ 線維を選択的に刺激する．低周波 TENS はパルス刺激（<10 pps）により内因性オピオイドを放出させる．変形性膝関節症や腰痛症による疼痛の緩和に有効とされている．また，褥瘡などの創傷治癒を促進する．
- FES は生活動作を補助する．脳血管障害では麻痺側の筋力低下防止や関節機能の向上が図れる．損傷された脳の可塑性や神経ネットワークの再構築を促進する治療法の 1 つとしても位置づけられている．近年，FES は植え込み電極から表面電極を用いたシステムが主流となっている．
- 摂食嚥下障害に対する電気刺激療法には，干渉波電流を用いて咽喉頭の感度を向上させる持続的電気刺激と低周波などによる神経筋電気刺激が用いられる．
- IVES は，脳血管障害などによる麻痺側上下肢の弱い筋電を検出し，それに比例した電気刺激を検出した筋に与えて随意運動を介助する治療法である．麻痺側上肢に 1 日 6 時間以上使用可能な装着型 IVES（図 1-2）も開発されている．
- 電気刺激療法は，CI 療法，ロボットリハビリテーション，ボツリヌス療法，装具療法などと併用することも可能であり，更なる効果が期待できる．
- 「脳卒中治療ガイドライン 2021」では，ADL 向上のために電気刺激療法を行うことは妥当とされている（推奨度 B エビデンスレベル中）．下垂足を呈する脳血管障害患者に対して，歩行機能を改善させるために FES を行うこと（推奨度 B エビデンスレベル高），中等度から重度の上肢麻痺に対して，もしくは肩関節亜脱臼に対して神経筋電気刺激を行うこと（推奨度 B エビデンスレベル中）は妥当とされている．痙縮に対して TENS を行うこと（推奨度 A エビデンスレベル高）は勧められている．

（前田博士・大橋鈴世）

4 非侵襲的脳神経刺激

TMS

- 経頭蓋磁気刺激（transcranial magnetic stimulation；TMS）は，頭部表面に設置したコイルから電磁波を焦点を絞って照射し，脳内局所に遠隔電場を生じさせることで目的の神経細胞を非侵襲的に刺激する技術である．
- その刺激を反復する（repetitive TMS；rTMS）ことで刺激局所の活動性を持続的に変化させられることができ，脳由来のさまざまな症状に対する治療的技術として研究が進められている．
- 5 Hz 以上の高頻度の rTMS（high frequency rTMS；HF-rTMS）は刺激局所の活動性を賦活し，1 Hz 以下の低頻度の rTMS（low frequency rTMS；LF-rTMS）は抑制する．特殊な刺激として複数の刺激パルスを一塊とする TBS（theta burst stimulation）があるが，こちらも賦活性（intermittent TBS；iTBS）と抑制性（continuous TBS；cTBS）の 2 つに分かれる．
- 脳由来症状には，損傷局所の活動性低下により出現するもののみならず，他の部位の機能亢進の結果として出現するものもある．rTMS は相反する 2 つの作用を有するため，そのどちらにも対応が可能である．
- 脳血管障害後の上肢麻痺に対しては，活動性が低下している病巣側上肢運動野を HF-rTMS で直接賦活する方法と，病巣側大脳活動性低下に伴う半球間抑制（interhemispheric inhibition；IHI）のインバランスにより生じた非病巣側上肢運動野の過活動状態を LF-rTMS で抑制する方法が有効である（図 1-3）．
- 特に，慢性期脳血管障害上肢麻痺に対する非病巣側上肢運動野への LF-rTMS の有効性は多施設共同研究で証明されている．ただし，急性期においては IHI のインバランスがまだ十分に生じていないために病巣側上肢運動野に対する HF-rTMS のほうが有効である可能性も指摘されている．
- 下肢の運動野は左右が大脳縦裂内側で近接しているため，病巣側・非病巣側を分けることは困難である．しかし，遠位帯までの巧緻性が重要である上肢と異なり，下肢は近位帯能力が主となる．近位帯は同側支配率が高いため，両側下肢運動野を HF-rTMS でともに賦活する方法が有効である．

tDCS

- TMS と同様に脳の活動性を変化させる手法の 1 つに経頭蓋直流電気刺激（transcranial direct current stimulation；tDCS）がある．弱い直流電流を用いて大脳を賦活または抑制することが可能である．大きな機器を要する rTMS に比し，tDCS のための装置は小型軽量であり，可搬性が高い

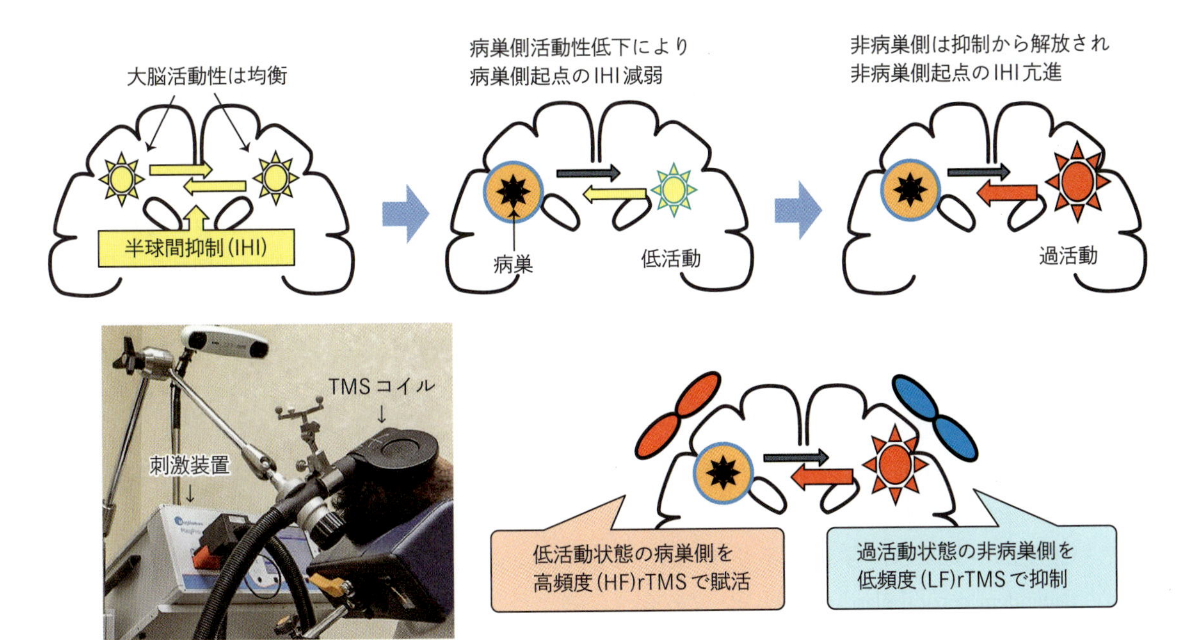

図 1-3 反復性経頭蓋磁気刺激（rTMS）

rTMSは，その刺激頻度によって大脳皮質の活動性に与える影響が異なり，5 Hz以上の高頻度（HF）刺激の場合は大脳皮質を局所的に賦活させ，逆に1 Hz以下の低頻度（LF）刺激であれば，抑制効果を示す．非病巣大脳半球に低頻度磁気刺激を与えることにより，脳血管障害後に生じた大脳半球間抑制のインバランスを解消するプロトコールと集中的なリハビリテーション治療の併用は脳卒中麻痺上肢機能の改善に寄与していることが実証されている．

ためベッドサイドや在宅でも使用することができる．

展望

- rTMSやtDCSは非侵襲性であり患者に対する負担はきわめて小さいうえに，その効果は非常に高い．近年は失語症などの高次脳機能障害や摂食嚥下障害など麻痺症状以外への応用も盛んに研究されている．脳血管障害やParkinson病などの脳疾患だけではなく，脊髄疾患に対する適用についても研究が進められている．

文献

1) Kakuda W, et al：Combination protocol of low-frequency rTMS and intensive occupational therapy for post-stroke upper limb hemiparesis：a 6-year experience of more than 1700 Japanese patients. Transl Stroke Res 7：172-179, 2016

2) Sasaki N, et al：Comparison of the effects of high- and low-frequency repetitive transcranial magnetic stimulation on upper limb hemiparesis in the early phase of stroke. J Stroke Cerebrovasc Dis 22：413-418, 2013

3) Lefaucheur JP, et al：Evidence-based guidelines on the therapeutic use of transcranial direct current stimulation (tDCS). Clin Neurophysiol 128：56-92, 2017

（佐々木信幸・安保雅博）

5 CI療法

CI療法の概要

- CI療法（constraint-induced movement therapy）は，主に回復期以降の脳血管障害の麻痺側上肢に対し機能向上を目的に，非麻痺側上肢を三角巾などで拘束し麻痺側上肢の使用を強制する状況を作り出し，難易度を調整した訓練を短期集中的に実施する治療法である（図1-4）.
- EXCITE（Extremity Constraint-Induced Therapy Evaluation）研究をはじめ多数の大規模無作為化比較試験によりその効果が実証されており，2015年の『脳卒中治療ガイドライン』でグレードA（強く行うことが勧められる）と記載されている.
- CI療法は，ADLを改善するだけでなく，麻痺側上肢の動作の質を改善することで対象者のQOLを向上させる.
- CI療法の効果は，学習性不使用（learned non-use）の克服と使用依存性脳機能再構築（use-dependent cortical plasticity；UDP）である.
- 学習性不使用は，麻痺に加えて運動を抑制するように条件づけられると麻痺肢を使用しない状態になる．麻痺肢の使用での失敗が麻痺肢の使用を抑制し，非麻痺肢の使用での成功が非麻痺肢の使用を強化する悪循環になる．CI療法は強制的に麻痺側上肢の使用を強いるため，悪循環を克服し麻痺側上肢の使用を強化する.
- 拘束する意味は非麻痺側からの非損傷脳への入力を減らすこと，非麻痺側の代償をなくすこと，麻痺側の随意運動を誘導することである.
- UDPは，反復訓練に依存した脳の可塑性，脳機能の再構築である．CI療法で課題を反復訓練し，脳の可塑性を促し機能の回復につながると考えられている.
- 近年，CI療法は，脳性麻痺，小児の脳外傷，失語症，局所性ジストニアなどにも応用されている．また，経頭蓋磁気刺激療法，上肢ロボットリハビリテーション，ボツリヌス療法，仮想現実

図1-4　CI療法

非麻痺側を三角巾で固定.

(virtual reality；VR) などと併用した臨床研究が進められている.

適応と方法

- 覚醒している時間の 90%で非麻痺側上肢を拘束し，2 週のうち 10 日間，1 日 6 時間の訓練を行う．訓練や拘束の時間を修正した CI 療法は，modified CI 療法とされる.
- 適応は，① ADL が自立していること〔歩行の自立 (装具や杖使用可)，セルフケアの自立〕，②麻痺側上肢の随意運動が可能なこと (手関節伸展 20° 以上，親指含む 3 本指の MP 関節伸展が 10° 以上)，③著明な認知・高次脳機能障害がないこと (MMSE 20/30 点以上，失語や失認，失行なし) である.
- 一方，コントロールされていない心疾患，糖尿病，痙攣発作，未破裂動脈瘤などの併存疾患がある場合や，精神疾患や転倒リスクが高い場合は対象から除外される．長時間の麻痺側の拘束に耐えるために肩関節の亜脱臼がないか，あってもごく軽度であること，疼痛はあっても非炎症性であることを確認する．全脳血管障害患者の 1/4 が CI 療法の適応とされる.
- 拘束は三角巾，アームスリング，ミトン型手袋などいずれでもよい.
- ①麻痺側上肢の量的訓練，②反復的課題指向型アプローチ (task oriented)，③訓練で獲得した麻痺側上肢の機能を生活に転移するための行動学的戦略 (transfer package) の 3 つのアプローチを行う.
- Task oriented とは，動作の質よりも課題達成を優先することである．最初から正しい動作を誘導するのではなく，ある程度の難易度に調整した課題を対象者が遂行し達成感を得ることが重要である.
- Transfer package とは，①麻痺側上肢の観察，②麻痺側上肢を生活で使用するための問題解決技法，③行動契約の 3 項目に分けて，日常生活で麻痺側上肢の使用を促すことである.
- 麻痺側上肢の動作の質の評価や，それにかかわる動作の日記をつけることで麻痺側上肢の問題点を患者が抽出できるようになり，どのように麻痺側上肢を実生活で使用すればいいかといった問題を解決する方法を患者に指導できるようになる.
- たとえば，自助具の使用や環境調整で動作の難易度を低減させることで，労力なく麻痺側上肢を使用するようになる.
- CI 療法の実施にあたっては，患者が CI 療法について理解した上で，希望していることが大切である．患者に CI 療法の目的を説明し，麻痺側上肢の訓練の必要性を理解させ，治療期間中およびその後の生活での麻痺側上肢の使用を促す.

リスク管理

- 長時間の拘束でストレスがかかりやすい状況であり，適宜体調の変化を観察し，バイタルサインを測定する．訓練期間中は筋緊張の亢進や疲労の増加に配慮する必要がある.

1) Wolf SL, et al：Effect of constraint-induced movement therapy on upper extremity function 3 to 9 months after stroke：the EXCITE randomized clinical trial. JAMA 296：2095-2104, 2006

2） 道免和久，他：CI 療法のメカニズムと検討課題．道免和久編集：CI 療法-脳卒中リハビリテーションの新たなアプローチ，pp51-66，中山書店，2008
3） Morris DM, et al：Constraint-induced movement therapy：characterizing the intervention protocol. Eura Medicophys 42：257-268, 2006
4） 竹林 崇，他：CI 療法．正門由久(編)：脳卒中-基礎知識から最新リハビリテーションまで，pp516-519，医歯薬出版，2019

（森山利幸・佐伯 覚）

6 ロボット

- 新エネルギー・産業技術総合開発機構（New Energy and Industrial Technology Development Organization；NEDO）は，ロボットを「センサ，知能・制御系，駆動系の 3 つの要素技術を有する，知能化した機械システム」と定義し，その役割を「生産環境における人の作業の代替」「危機環境下での作業代行」「日常生活支援」に大別している．2012（平成 24）年に，経済産業省と厚生労働省が，ロボット技術による介護現場への貢献や新産業創出のため「ロボット技術の介護利用における重点分野」を策定したことから，研究開発が盛んに行われることとなった．医療や福祉の分野に限定しても，日常生活支援の具体的な内容として家事や介護などの支援ロボットを思い浮かべることができる．
- これに対し，リハビリテーション医療におけるロボットの役割は，単なる動作支援ではなく，運動学習の過程を通して，障害された運動機能の向上に対する支援にあると考えられる．具体的には，関節角度や表面筋電などの情報をセンサによって入力（センシング）し，制御プログラムで入力情報を処理，そして，処理結果をモーターなどの駆動として出力し関節運動を支援するといった機構である（図 1-5）．この一連の流れにおいて，数多くの入力情報をもとに精度と自由度の高い出力を実現していくことが，ロボットに求められる課題である．
- 近年，ロボットをリハビリテーション治療に取り入れ，運動機能の向上を認めたとする報告を頻繁に目にするようになった．図 1-6 には，リハビリテーション医療分野において臨床応用されている代表的なロボットを示した．以下に，それぞれの特徴を簡単に紹介する．

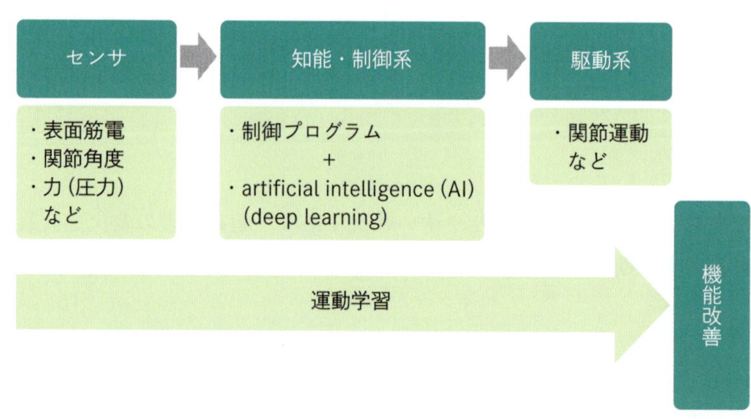

図 1-5 リハビリテーション医療におけるロボットの概念

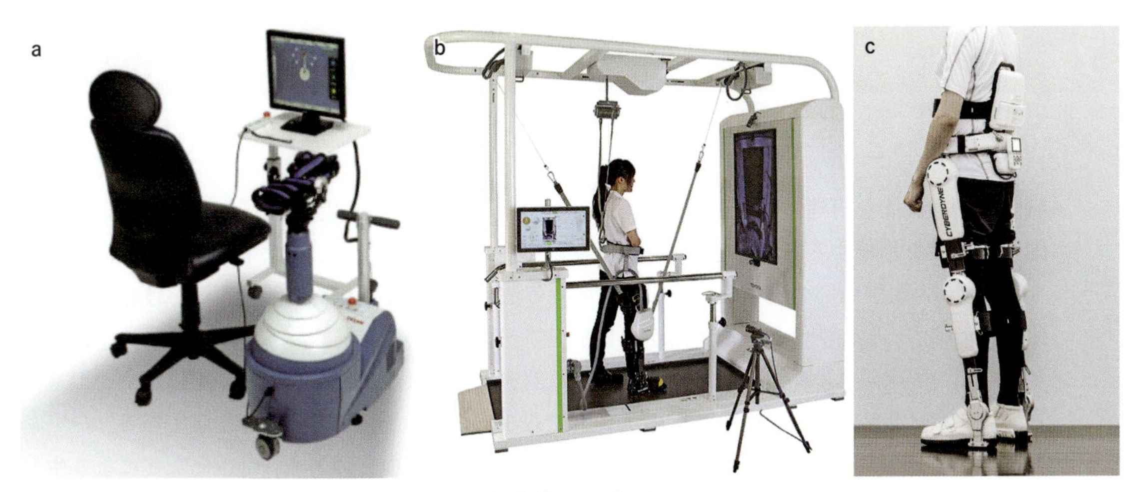

図 1-6 リハビリテーション医療に用いられる代表的なロボット
a：ReoGo®-J（帝人ファーマ株式会社），b：ウェルウォーク®（トヨタ自動車株式会社），c：HAL® 医療用下肢タイプ（CYBERDYNE 株式会社）.

ReoGo®-J

- 脳血管障害などによる上肢機能障害の改善が目的である．設定されたリーチ動作を介助量に応じて反復練習する．視覚フィードバックが可能である．

ウェルウォーク®

- 脳血管障害による歩行障害の改善が目的である．足底荷重量，関節角度，下肢の位置と速度などをセンシングし，膝関節の屈曲と伸展をサポートする．視覚および音声フィードバックが可能である．

HAL® 医療用下肢タイプ

- 下肢機能の低下による歩行障害の改善が目的である．生体電位信号，足底荷重量，体幹傾斜度をセンシングし，下肢の各関節動作を補助し，機能改善を促す．

ここに示した例はごく一部であるが，ロボット活用による機能改善を示す定量的なデータは数多く蓄積されてきている．一方で，対象となる疾患，患者の特性，訓練方法などに関する研究はいまだ不十分な点も多い．ソフトとハードの両面から，さらなる実用的な開発の進展が期待される．

文献

1) Takahashi K, et al：Efficacy of upper extremity robotic therapy in subacute poststroke hemiplegia：an exploratory randomized trial. Stroke 47：1385-1388, 2016
2) 向野雅彦，他：ロボットを用いた歩行練習．MB Med Reha 205：29-33，2017
3) Kubota S, et al：Feasibility of rehabilitation training with a newly developed wearable robot for patients with limited mobility. Arch Phys Med Rehabil 94：1080-1087, 2013

（木村郁夫・安保雅博）

7 再生医療

再生医療とリハビリテーション医療

- 臓器や組織機能を再建する医療技術を総合して「再生医療」と呼ぶ．失われた機能の再生には，細胞や組織を移植することが必要となる．わが国では，2014年11月に「医薬品医療機器等法」ならびに「再生医療等の安全性の確保等に関する法律」が施行されたことをきっかけとして，再生医療に関する製品開発，臨床応用がスピードアップしている．
- 現段階での臨床研究の結果では，回復の程度に差がある．よりよい機能回復や組織再生を促進するにはリハビリテーション医療の併用が有用であり，その重要性の認識が深まっている．
- 一方，リハビリテーション医療から再生医療を見た場合，脳血管障害や脊髄損傷などにより生じた障害自体を回復させ，機能や能力を再獲得し，ADLやQOLを向上させる手段として捉えることができる．
- 再生医療は「活動を育む」リハビリテーション医療の進歩に大きく寄与することが期待されている．

わが国における再生医療の現状

神経再生医療

- 脊髄損傷に対し，自己培養骨髄間葉系幹細胞製剤（ステミラック®注）が，2018年に厚生労働省より条件・期限付きで製造販売が承認され保険適用となった．適応はASIA impairment scale（AIS）のA，B，Cの外傷性脊髄損傷で，受傷後31日以内に骨髄液を採取することが定められている．
- Muse細胞（multilineage-differentiating stress enduring cells）を用いた脊髄再生治療の治験が実施中であり，iPS細胞（人工多能性幹細胞）を用いた脊髄再生治療の臨床研究も開始された．
- 脳梗塞に対しては，骨髄間葉系幹細胞やMuse細胞を用いた神経再生治療の治験が進行中である．
- 認知症やALS（筋萎縮性側索硬化症）を対象とした，骨髄間葉系幹細胞治療の治験も行われている．

軟骨・半月（板）再生医療

- 膝関節軟骨欠損に対し，2013年に自己培養軟骨（ジャック®）が保険適用となった．外傷性軟骨欠損症および離断性骨軟骨炎（変形性膝関節症を除く）で，欠損軟骨の面積が4 cm^2以上の症例が適応となる．
- 滑膜由来間葉系幹細胞を用いたスキャフォールドフリー三次元人工組織による軟骨再生治療の治験が進行中である．
- 半月（板）損傷に対しては，自己培養滑膜幹細胞移植の治験が行われている．

心筋再生医療

- 虚血性心筋症に対して，自己骨格筋由来細胞シート（ハートシート®）が，2015年に厚生労働省より条件・期限付きで承認を得て保険適用となっている．
- 2020年からは，重症心筋症を対象としたiPS細胞由来心筋細胞シート移植の治験が実施されている．

リハビリテーション診療におけるポイント

- 再生治療に訓練を併用すると，機能回復が予想以上に得られる場合がある．
- しかしながら，機能回復の程度と時期の予測は容易ではない．したがって患者の運動・知覚機能や ADL の状態を定期的に観察・記録し，出現した機能を見逃さないことが重要である．
- 運動療法などの訓練の内容や目標を臨機応変に変更することが必要で，退院後の生活を視野に入れた ADL 訓練も進めていく．
- 機能や能力を向上させるためには，適切な装具の処方や電気刺激療法などの活用も検討する．
- 再生治療では，回復の程度や時期などが症例により異なることから，リハビリテーション治療で一律のプロトコールやクリニカルパスの作成が困難である．個々の症例に即した個別の治療プログラムの作成が必要である．

課題と展望

- 現状では，治験や薬事承認などの手続きを経ていない，自由診療としての「再生治療」が多くの施設で行われている．
- 骨髄や脂肪組織由来の幹細胞投与が自費負担で行われているが，その治療成績は十分に明らかにされていない．したがってそれに併用されるリハビリテーション治療の有用性も不明である．「再生医療」の内容や質の担保が求められる．
- 再生治療に併用するリハビリテーション治療の一環として活用される機能的電気刺激（functional electrical stimulation；FES）や運動支援ロボットなどの先端技術の有用性についても検証が必要である．
- 将来展望として，リハビリテーション診療において，障害自体の重症度を下げ，活動性を高める再生治療がしっかり位置づけされることが期待される．

文献

1） Takenaka-Ninagawa N, et al：Regenerative Rehabilitation. Frontiers in Orthopaedic Science：1-20, 2017
2） Thompson W, et al：Understanding mechanobiology：physical therapists as a force in mechanotherapy and musculo-skeletal regenerative rehabilitation. Phys Ther 96：560-569, 2016
3） 本望　修：脳梗塞に対する自己骨髄幹細胞を用いた再生医療―医師主導治験による実用化．日本臨牀 74：649-654，2016
4） 伊藤明良：再生医療におけるリハビリテーション ―再生リハビリテーション．日本基礎理学療法学雑誌 21：2-8, 2018

（山下敏彦）

8 Brain Machine Interface（BMI）

基本的な知識

- BMI（brain machine interface）は脳と機械を直接相互作用させる技術の総称である（図 1-7）．
- BMI は感覚系を介して外界の情報を取り込む「入力型 BMI」と脳活動を判別して外界に働きかける「出力型 BMI」がある．

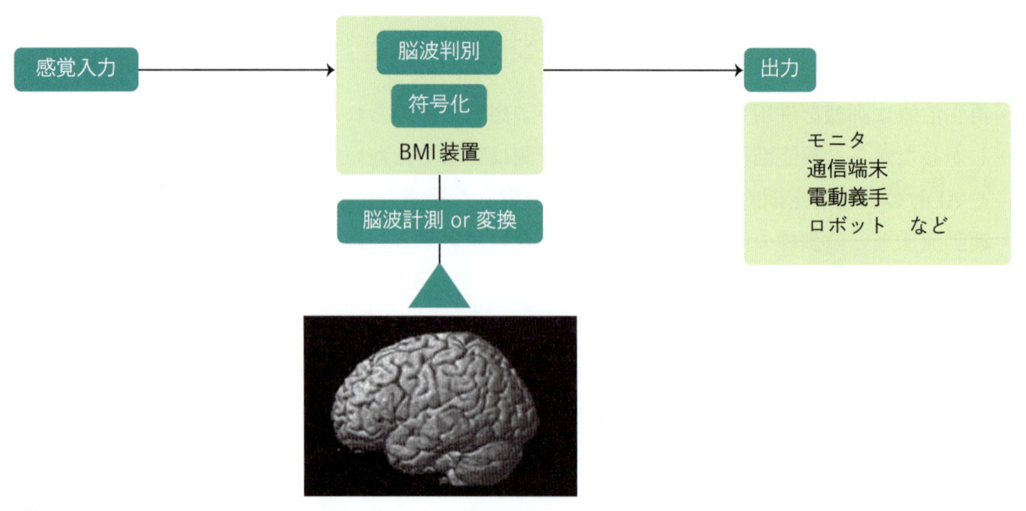

図 1-7　Brain Machine Interface（BMI）の概念図

- その用途に応じて「機能回復型 BMI」と「機能代償型 BMI」に分類される．また脳信号の読み取り方式の違いにより侵襲型と非侵襲型に分類される．

機能回復型BMI

- リハビリテーション診療では随意運動企図などの脳信号を記録し，手足をロボットや電気刺激を用いて動かす「体性感覚フィードバック」と，脳信号を視覚化し，脳活動を変える「ニューロフィードバック」に用いられている．
- 体性感覚フィードバックでは運動企図に合わせて体性感覚入力を行うことにより運動野から当該部位の運動ニューロンに至る一連の回路を強化することが可能であり，実際に運動が困難な重度麻痺患者においても運動機能の改善が可能である．
- ニューロフィードバックにより脳活動を視覚化することにより脳活動の最適化を行い，運動機能の改善を図っている．
- 利用される脳信号には脳波（electroencephalography；EEG），脳磁図（magnetoencephalography；MEG），近赤外線（near-infrared spectroscopy；NIRS），機能的 MRI（functional MRI；fMRI）などがある．
- 脳波による運動企図の判別には事象関連脱同期（event-related desynchronization；ERD）が用いられる．運動企図により体性感覚運動野の活動が増加すると神経細胞の同期が乱れ，8～13 Hz の帯域の脳波成分の減少を認める．脳波を用いた BMI ではこの ERD を用いて運動企図を判別している．
- 重度脳血管障害による片麻痺患者においても，機能回復型 BMI を用いた上肢リハビリテーション治療が行われており，メタアナリシスでは，一定の効果が示唆されている．

機能代償型BMI

- 失われた身体機能を代償するために用いられる．電動義手・電動装具・上肢ロボットの制御，パーソナルコンピュータ，通信端末，家庭用電気製品の制御がある．
- 近年では脳波での電動車いす駆動，自動車運転の試みも行われている．

展望

- BMI を利用したリハビリテーション医療により①脳可塑性誘導による機能回復，②機能代償による ADL，QOL の改善，③社会での活動の拡大，が見込まれる．今後いっそうの研究の発展と開発が望まれる領域である．

文献

1） 原　貴敏，安保雅博：Brain Machine Interface(BMI)．久保俊一(編)：リハビリテーション医学・医療コアテキスト，pp289-290，医学書院，2018
2） Shindo K, et al：Effects of neurofeedback training with an electroencephalogram-based brain-computer interface for hand paralysis in patients with chronic stroke：a preliminary case series study. J Rehabil Med 43：951-957, 2011
3） Cervera MA, et al：Brain-computer interface for post stroke motor rehabilitation：a meta-analysis. Annals of Clinical and Translational Neurology 5：651-663, 2018

（藤原俊之）

9 ICF (International Classification of Functioning, Disability and Health)

基本的な知識

- 1946 年，世界保健機関（WHO）は WHO 憲章において「健康」を「完全な肉体的，精神的および社会的安定の状態であり，単に疾患または病弱の存在しないことではない」と定義した．
- 障害者に限らないすべての人々が平等に社会生活を営む機会をもつための健康観をとらえる新たな枠組みとして 2001 年に国際生活機能分類（International Classification of Functioning, Disability and Health；ICF）が策定され，保健・医療・福祉などの幅広い分野で人々の健康を表す共通言語として用いられることが目的とされた（図 1-8）．
- しかし，ICF は 1,424 項目にも及ぶ膨大な評価項目を有することから，臨床場面で日常的に ICF が普及するまでには至っていない．

ICF コアセット

- ICF の実践的な普及を図るために特定の健康問題，対象者，医療状況に応じた項目を抜粋した ICF コアセットが作成された．2015 年に ICF コアセット日本語版が出版されたことを契機に，わが国でも臨床場面での ICF コアセット活用に注目が集まっている．
- ICF コアセットには包括版，短縮版，一般版の 3 種類があり，評価者は目的に応じてコアセットを選択する．包括版コアセットは，特定の健康問題または特定の医療分野の患者が直面している代表的な問題を反映する．このコアセットは広い範囲のカテゴリーを含むため，医療従事者が患者にとって問題となる機能を見落とさないためのチェックリストとしても利用され，健康問題を

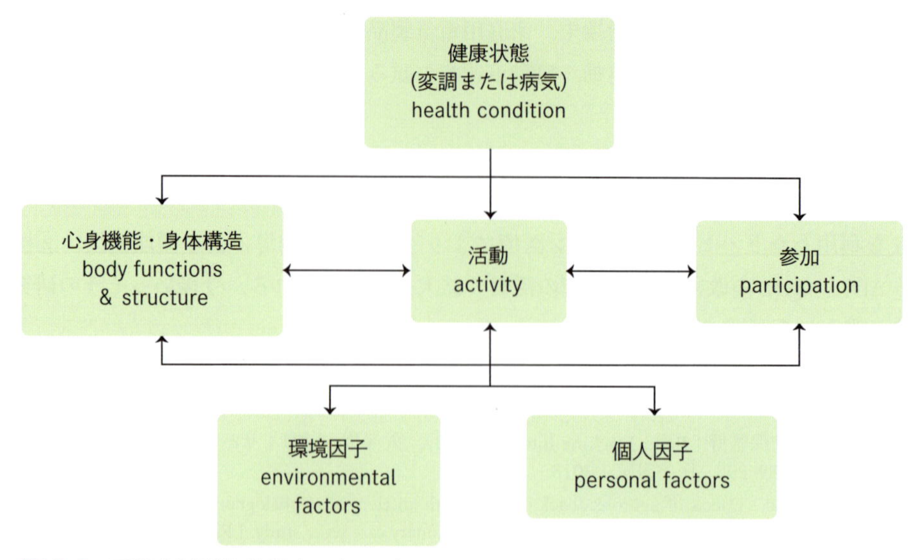

図 1-8　国際生活機能分類（ICF）モデル

持つ者の機能を評価する際に有用となる．短縮版コアセットは包括版 ICF コアセットに基づいて作成され，機能と障害に対する項目を簡便に評価できる．このため疫学，臨床研究などで機能と障害を効率的に評価するのに有用である．一般版セットは疾患別に活用されるコアセットとは別に健康と機能に関する項目を横断的に評価するために作成され，公衆衛生や保健統計などに有用となる．そのなかでも近年，リハビリテーション医学分野ではリハビリテーション医療と親和性の高い項目を抜粋したセットが注目されている．

今後の課題

- 未曾有の超高齢社会を迎えたわが国では「介護」「医療」「予防」「住まい」「生活支援・福祉サービス」が相互に連携した地域包括ケアシステムを構築することが喫緊の課題となっている．保健・医療・福祉の多職種間で使用できる共通の評価ツールとして ICF コアセットが活用されることが期待されている．近年，わが国における ICF コアセットの信頼性，妥当性，反応性，臨床的有用性などに関する報告がなされている．多職種がかかわるリハビリテーション医療の臨床場面での ICF コアセットの活用が期待される．

文献

1）ICF Research Branch（https://www.icf-research-branch.org/）
2）日本リハビリテーション医学会（監訳）：ICF コアセット—臨床実践のためのマニュアル．医歯薬出版，2015
3）Kohler F, et al：Can the ICF be used as a rehabilitation outcome measure? A study looking at the inter-and intra-rater reliability of ICF categories derived from an ADL assessment tool. J Rehabil Med 45：881-887, 2013
4）Kinoshita S, et al：Responsiveness of the functioning and disability parts of the International Classification of Functioning, Disability, and Health core sets in postacute stroke patients. Int J Rehabil Res 40：246-253, 2017

（宮村紘平・安保雅博）

10 COVID-19のリハビリテーション診療

リハビリテーション診療におけるCOVID-19の予防法

- COVID-19（SARS-CoV-2 ウイルス）感染は，主に気道分泌物を介した感染形式をとる．すなわち，微少飛沫またはエアロゾルの吸入，口・鼻・目の粘膜への飛沫の付着，ウイルスが付着した手指による粘膜への接触が主な感染経路である．
- 微少飛沫やエアロゾル，水分が蒸発した飛沫核が，すぐに地面に落下せず，分あるいは時間単位で空気中を漂うことが知られている．
- 感染予防には，換気や密を避けること，マスクで口と鼻を覆うことによるウイルス排出および吸入の予防（ユニバーサルマスキング），手指衛生の徹底を中心としたスタンダードプリコーションが基本となる（表 1-2）．感染リスクに応じて，目のガードや，ガウン，手袋，N95 マスク，キャップなどを加える．

スタンダードプリコーション，エアロゾル産生手技

- スタンダードプリコーションにおいても，患者の体液に曝露するような診療・看護行為において適切な個人防護具（personal protective equipment；PPE）を装着することが求められてきたが，COVID-19 の知識の普及とともに，「エアロゾル産生手技（エアロゾル産生量が増える可能性のある手技）」という概念が普及している．
- エアロゾル産生手技となる医療行為には，気管挿管・抜管のほか，用手換気，誘発採痰などが含まれている．呼吸機能の訓練，摂食嚥下訓練，気管切開症例の訓練などでは，エアロゾル産生が多いことが想定されるので，より配慮した感染予防が求められる．
- 一方で，COVID-19 確定患者における院内の取り扱いでも，エアロゾル産生手技でない場合には，患者のマスクの有無，患者に接する時間の長短，接触の有無等によりPPE の選択も軽重を

表 1-2 スタンダードプリコーション（標準予防策）

すべての患者において，「血液・体液（汗を除く）・分泌物・排泄物・粘膜・損傷皮膚には感染性がある」として対応する考え方

項目	具体的内容
アルコールまたは石けんと流水での手洗いの徹底	①患者への接触前，②清潔操作の前，③血液・体液に曝露された恐れのあるものに触れたとき，④患者への接触後，⑤患者周囲環境への接触後
適切な個人防護用具の使用	• 吸引時やそれに準じる場面でのマスク・アイガード・エプロン・手袋の装着 • 患者の血液・損傷皮膚に接する可能性のある際の手袋の装着
患者ケアに使用した器材・リネンの取り扱い	• 適切な清拭や洗濯のないまま再利用しない．
感染性廃棄物の処理	• 血液・分泌物などの付着したものは感染性廃棄物として処理する．
呼吸器衛生	• SARS（severe acute respiratory syndrome）を機に咳エチケット※1が導入されている • 新型コロナウイルス感染症流行を機に，ユニバーサルマスク※2が提唱されている．

※1 咳エチケット：咳・くしゃみをする際に，マスクやティッシュ，ハンカチ，袖などで口や鼻をおさえること．
※2 ユニバーサルマスク：無症状の人も含めて全員マスクを着用すること．

つけるのが最近の傾向である.

- 詳細はリハビリテーション医学会の感染対策指針を参照されたい（https://www.jarm.or.jp/guideline/index.html）. また, 感染予防のガイドラインは知識の蓄積により更新されており, 厚生労働省のホームページ, 環境感染学会のホームページなどで入手可能である.
- COVID-19 ウイルスは, 脂質二重膜によるエンベロープを持つウイルスなので, アルコール（や石けん）によるエンベロープの破壊が功を奏する. 診療においては, 手指衛生の徹底, マスクの適切な装着, PPE の適切な脱着（特に脱ぐときの配慮）が重要である. 実技を含めたスタッフ研修が望まれる.

COVID-19に罹患した患者に対するリハビリテーション診療

- 急性期におけるリハビリテーション診療は, ①重症症例に対するリハビリテーション診療, ②中等症例に対する呼吸器を中心としたリハビリテーション診療, 発症前からフレイルや不動による合併症（廃用症候群）のリスクを有する症例に対するリハビリテーション診療に分けられる.
- 感染管理や集中治療が不要の時期となると, 回復期のリハビリテーション診療が必要となる場合もある.
- 重症例では, 人工呼吸器離脱支援とともに, ICU（intensive care unit）における集中治療後症候群（post intensive care syndrome；PICS）予防のためのリハビリテーション治療が必要である. 腹臥位療法を, 病棟スタッフと協力して実施することも含まれる.
- 重症症例の回復期や, 中等症症例の治療において, 訓練方法は, 既存の呼吸機能の訓練, 不動による合併症に対する訓練と異なるものではない.
- 間質性肺炎や肺水腫, 無気肺・気胸, 肺の微小血栓や誤嚥性肺炎, 細菌性肺炎, 不動による合併症, ICU-AW（ICU-acquired weakness）の可能性, さらには脳血栓塞栓症, GBS（Guillain-Barré syndrome）のような関連神経疾患などが複合的に存在するため, 注意が必要である.
- 特徴的なのは, 一部の症例で, 酸素飽和度の低下をあまり自覚しない happy hypoxia または silent hypoxaemia や, 軽労作でのバイタルサインの変化（低酸素血症 or/and 頻脈）が顕著な症例があることである.
- その病態としては, 自律神経系の関与が推測されている. 臨床面では, 常にモニターでの心拍・酸素飽和度を確認しつつ訓練を行い, 患者にも指導すること, 適宜酸素を使用してリスク軽減下で運動量を確保することが重要である.

Long-COVIDへのリハビリテーション診療

- さて, COVID-19 では脳梗塞などの合併以外にも, 長期に後遺症が残りうることが知られている. Long-COVID とも称されているが, その中で特に易疲労性と運動耐容能の低下に関してはリハビリテーション治療が有効である.
- 肺を中心とした急性期の多臓器障害の後遺症に不動による合併症の関与, さらには自律神経系の障害の関与も指摘されている. 必ずしも急性期に重症であった患者ばかりではない. また, 流行期にベッド不足により十分なリハビリテーション治療や指導を受けられなかった症例もある.
- Long-COVID においては, 循環器, 呼吸器, 運動器, 神経系および精神心理面などに多面的にリハビリテーションアプローチを行っていく必要がある.
- Long-COVID へのリハビリテーション治療の活用が期待されている.

文献

1） 日本環境感染学会：医療機関における新型コロナウイルス感染症への対応ガイド 第4版．http://www.kankyokansen.org/modules/news/index.php?content_id＝418
2） Barker-Davies RH, et al：The Stanford Hall consensus statement for post-COVID-19 rehabilitation. Br J Sports Med 54：949-959, 2020
3） COVID-19 rapid guideline：managing the long-term effects of COVID-19. NICE guideline. Published：18 December 2020 www.nice.org.uk/guidance/ng188

（藤谷順子）

11 リハビリテーション医学のデジタルトランスフォーメーション

基本的な知識

- デジタルの由来はラテン語で指を意味する「digitus」であり，数を数えるときに指を使っていたことからバラバラの数（＝離散した数）を意味するが，現状，世の中に存在するものや出来事などをコンピュータなどで扱えるデータの形にした状態を指す．
- アナログはギリシャ語の「αναλογία」（比例）に由来し，類似・相似を意味する英語の「analogy」が転じてアナログ（analog）になった．
- デジタルが「バラバラ」であることに対し，アナログは「並べると似ている，関連がある」という意味を持ち，連続性がポイントである．
- デジタル化には，アナログ情報のデジタル化（デジタイゼーション），プロセスのデジタル化（デジタライゼーション），デジタル化による社会の変革（デジタルトランスフォーメーション：DX）の3段階があるが，DXとは「情報技術（IT）の浸透が人々の生活をあらゆる面でよりよい方向に変化させる」という概念（Umeå（ウメオ）大学，Eric Stolterman教授）で語られている．
- デジタイゼーションの例：オーダリング・電子カルテ化，臨床検査・画像データのデジタル化，電子ジャーナル・テキスト，診療・介護情報データベース（DB）構築など
- デジタライゼーションの例：電子カルテ上での患者データ共有と多職種カンファレンスや認証技術を利用した患者誤認防止システム，入院診療パス進行管理，ナビゲーション手術，遠隔手術・診療システムなど
- デジタルトランスフォーメーション（DX）の例：レセプト情報・特定健診等情報データベース（NDBオープンデータ）・科学的介護情報システム（LIFE），ウェラブルデバイスによる個人の日常生活記録（ライフログ），遺伝情報などのビッグデータ解析とAI（人工知能）導入による健康・保健・医療・介護・福祉資源の需給最適化，行動予測と危機管理，新規治療薬・技術開発，AIによる診断補助，生体反応・活動のリアルタイム計測・AI解析による治療技術の向上など

リハビリテーション医学のデジタルトランスフォーメーション（DX）

- 瞬く間に全世界に拡がった新型コロナウイルス感染症（COVID-19）は急激な社会の変革を引き起こしたが，それ以前から医療・医学の世界では猛烈な勢いでDXが進行していた．
- AIやVR（仮想）・AR（拡張）・MR（複合）・SR（代替）実用化，センシング技術向上，5G商用化に伴い，治療・施術者と対象者・デバイス・ロボットなどが双方向性にリアルタイムでつなが

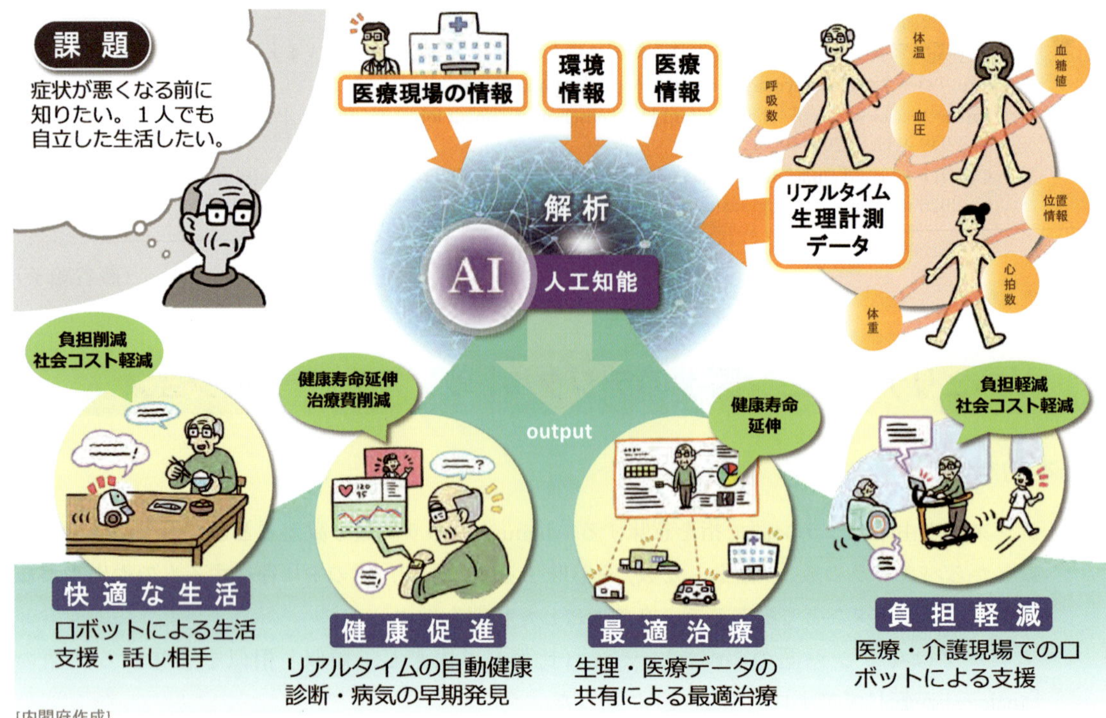

図 1-9　Society 5.0 新たな価値の事例（医療・介護）

（https://www8.cao.go.jp/cstp/society5_0/medical.html より）

り，距離という物理的制約の解消やフィードフォワード/バックを介して手技とアウトカムとの関連が可視化され，遠隔診療・治療やオンラインリハビリテーション診療あるいはリハビリテーション医学・医療のパンドラの箱開封も現実のものとなりつつある．

- 内閣府もサイバー（仮想）空間とフィジカル（現実）空間を高度に融合させたシステムにより，経済発展と社会的課題の解決を両立する人間中心の社会（Society 5.0）を提唱し，事例として医療・介護の未来を示しているが，DX の浸透，AI の実装とともにデータサイエンスや AI の倫理性も問われるようになった（図 1-9）．
- DX の成功にはリアル（現実）やアナログとデジタルが整合性よく組み合わされた効果的な仕組みが必要である．リハビリテーション医療・医療の DX の必要性と重要性，そしてその将来性が広く認知されることを期待したい．

文献

1）日本経済新聞出版（編）：日経 MOOK ヘルスケアの未来．日経 BP 社，2020
2）加藤浩晃：医療 4.0 第 4 次産業革命時代の医療．日経 BP 社，2018
3）佐浦隆一，（他）：【ヘルステックとリハビリテーション医療】リハビリテーション医学・医療のデジタルトランスフォーメーション（DX）．臨床リハ 30：613-618，2021

（佐浦隆一）

社会貢献

1 パラスポーツ(障がい者スポーツ)

パラスポーツとは

- パラスポーツでは，障害からの自立・社会活動・健康維持のために，競技ルールや用具を変更することなどにより，障害者が競技を行うことができる．
- わが国においては，1964年に開催された東京パラリンピックがパラスポーツを知らしめる契機となった．しかし，その認知度は不十分であった．
- 2021年の東京パラリンピックでは，パラスポーツがメディアで大きく取り上げられ，注目を集めるようになり，パラスポーツへの理解が広がった．

パラスポーツの目的

- 障害者にとって，自立した生活を目指すだけでなく，社会活動を行うことは身体的にも精神的にも重要である．スポーツを行うことは，障害者の社会活動に寄与するとともに健康維持の面でも大きく貢献する．
- 障害者は，生活習慣病などを持つことが多く，加齢に伴い脳血管障害や循環器疾患の発症リスクが高くなる．スポーツを継続的に行うことはこれらのリスクを軽減することにつながる．
- 障害者が，新たな障害を予防し，自立を維持していくことは重要である．この点においてもパラスポーツの意義があるといえる．

パラスポーツの種類

- 障害には，視覚障害，聴覚障害，身体障害，知的障害などの区分があり，それぞれの障害特性にあわせて多くの競技がある．
- パラリンピックの競技では，アーチェリー，陸上競技，バドミントン，ボッチャ，カヌー，自転車競技，馬術，5人制サッカー，ゴールボール，柔道，パワーリフティング(図2-1)，ボート，射撃，シッティングバレーボール，水泳，卓球，トライアスロン，車いすバスケットボール，車いすフェンシング，車いすラグビー，車いすテニス，スキー，アイスホッケーなどがある．
- 競技用の車いすや義足の使用，障害の重さを指標にしたクラス分け，などを行うことにより障害

図 2-1 パワーリフティング

図 2-2 ゴールボール

に応じた競技が実施されている.

競技用道具やルールの工夫

- 障害や競技により特別なルールや道具を使用し，障害者が競技を行えるように工夫されている.
- 視覚障害者のスポーツでは，ゴールボールは音のなるボールを使用する（図 2-2）. 柔道では組み合った状態から試合が始まる. また，陸上競技では健常者ガイドランナーとともに走行し，障害者ランナーをつなぐ伴走ロープを使用するなど工夫されている. 走り幅跳びでは，コーラーと呼ばれるサポーターが，声を出し手をたたくなどして，競技者に走行する方向やタイミングを伝えるため，観客も静かに観戦する必要がある.
- 下肢に障害がある選手では，跳躍や短距離走行用の特別な義足を使用したり，車いす使用の選手も陸上，ラグビー，テニスなど競技に合わせて車いすの変更や工夫を行っている（図 2-3）.
- ルールに関する考慮も必要である. 車いすテニスでは 2 バウンドまで認められる. 車いすバスケットボールでは選手の障害程度をポイント化し，出場選手ポイントの合計に制限を設けている. また，ボールを保持した状態で車いすを漕げるのは 2 回までとなっている.

パラスポーツにおける医学的管理

- パラスポーツ選手の診療では，2 面性に注意する必要がある. それはアスリートでありながらも障害者であるということである. アスリートとして高いパフォーマンスを発揮し健康的なイメージがあるものの，障害者であるため多くの医学的注意点がある.
- 感覚障害のある選手であれば，痛みを感じることができないため，初期症状が自覚できず疾病や外傷の発見が遅れることがある.
- 診察では，問診を含め全身を診ることに努め，積極的に画像検査や血液検査などを実施して見落としのないようにしなければならない.
- パラスポーツ選手は，健常のスポーツ選手よりも，生活習慣病などの疾病に罹患しやすい. これらの管理も重要である.

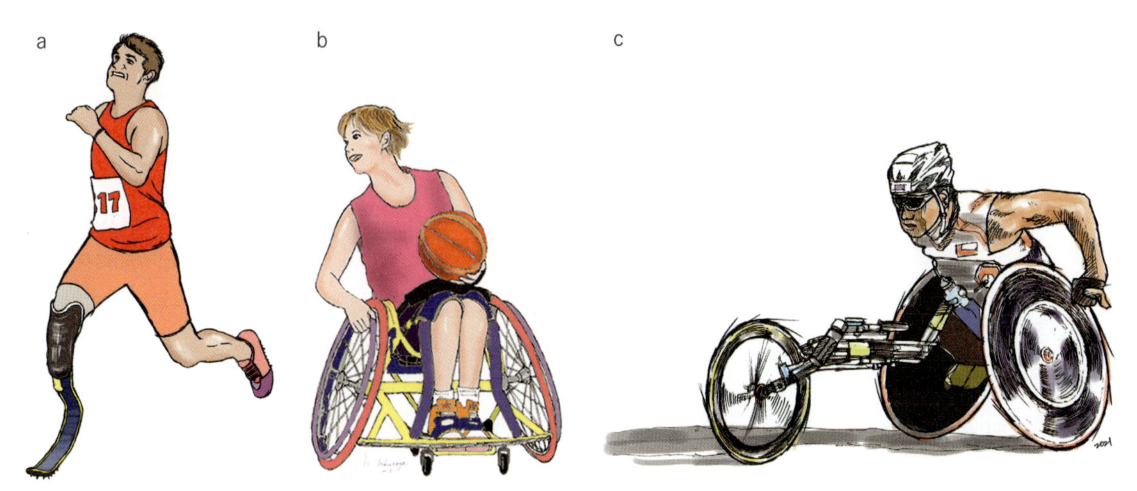

図 2-3 競技用車いすと義足の例

a：スプリンター用の義足：カーボンファイバーなどを含むエネルギー蓄積型走行用足部（通称板バネ）が使用され，これが着地の衝撃緩衝と前へ出るための推進力となる．
b：車いすバスケットボール：すばやく安定した方向転換ができるように車いすの車輪は八の字型に取りつけられている．
c：競技用車いす（レーサー）：前方に1つの車輪，後方に2つの大きな車輪がついており，スピードが出やすいように軽量化されている．

パラスポーツで注意すべき事項

- パラスポーツにはいくつかの注意すべき事項がある．
- ドーピングは健常者と同様に禁止されている不正な薬物使用などであるが，パラスポーツではブースティングと呼ばれる故意に血圧を上昇させる行為なども禁止されている．
- 頚髄損傷の選手が意図的に尿を膀胱にためることで血圧を上昇させスポーツパフォーマンスを上げるブースティングは，脳出血などの発症リスクとなりきわめて危険な行為である．
- また，内服薬や注射薬でなく，カテーテルの保存液や潤滑剤でもドーピングになるケースがあり注意を要する．
- パラスポーツでは，練習や大会会場に関してサポート体制が必要である．視覚障害者は，1人では練習は行えない．車いす選手の練習は体育館などによっては許可されないケースがある．
- 競技場の芝生は車いす選手にとっては移動しづらく，時に競技前に疲労してしまうことがある．健常者にとっては容易なことも障害者にとっては困難なことがある点に注意したい．

パラスポーツの課題

- パラスポーツの目的が，障害からの自立・社会活動・健康維持であることを考えると，パラスポーツは一部のパラアスリートだけが行うものではなく，多くの障害者が日常的な生活の中で取り組めるようにすべきものである．
- そのためには，パラスポーツにかかわる医療スタッフもパラスポーツの意義を一般社会に啓発していく態度が求められる．

（尾川貴洋・田島文博）

2 大規模災害支援

基本的な知識

- 大規模災害とは，自然災害および人的災害により，被害が広範囲にわたり，復興までに長時間を要し，被災地内の努力だけでは解決不可能なほど，著しく地域の生活機能，社会維持機能が障害されるような災害をいう．
- 大規模災害時のリハビリテーション支援は多方面にわたる（表 2-1）．
- わが国ではリハビリテーション関連団体が，一般社団法人 日本災害リハビリテーション支援協会（Japan Disaster Rehabilitation Assistance Team；JRAT）を作り，組織的な支援を行っている（表 2-2）．
- 支援対象は激甚災害に指定される災害を基準とするが，災害の規模と対応する医療資源との不均衡によって，多数の preventable deaths（防ぎえた死）の発生が懸念される局地災害などの場合も対象としている．
- 支援にあたっては，公的機関・組織との連携を重視し業務として派遣され，避難所・在宅・施設などの継続的支援を行い，最終的には地元のリハビリテーション関連施設などのサービスへの移行を目指す（表 2-3）．
- 災害時のリハビリテーション支援は，厚生労働省の「大規模災害における応急救助の指針」，内閣官房の「国土強靭化アクションプラン」にも明記されている．

表 2-1　大規模災害時のリハビリテーション支援

・一般被災者への支援 ・被災病院・施設などへの支援 ・被災専門職への支援 ・被災職能団体など各種団体への支援	・被災行政，保健機関への支援 ・ボランティアなどへの支援 ・後方支援（広義と狭義）

表 2-2　被災直後のリハビリテーション支援の 5 原則

平時に行っていたリハビリテーション医療を守ること
避難所などでの不動による合併症を予防すること
新たに生じた各種障害に対応すること
異なった生活環境での機能低下に対する支援をすること
生活機能向上のための支援をすること

表 2-3　支援継続のためのポイント

災害発生（発災）時，速やかに現地対策本部を立ち上げ，指揮系統を確立する
現地対策本部は全体像を把握し，継続可能な支援計画を策定する
支援チームは，本部の Command & Control（指揮・統制）の下で活動する
各チーム間で支援内容を引き継ぎ，支援内容の継続性を意識する
復興期においては，地域リハビリテーションへの引継ぎを考慮する
継続性を担保するにはロジスティクスが重要である

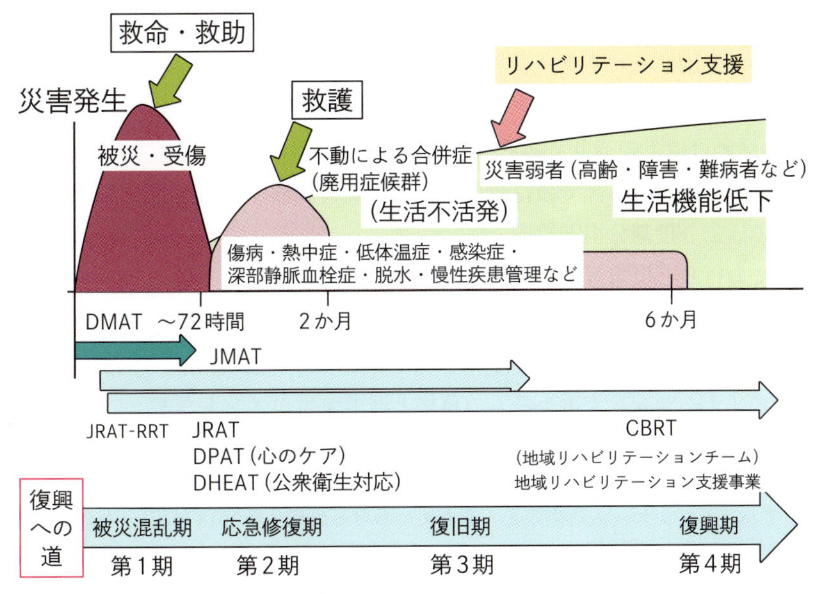

図 2-4 発災時の JRAT の活動

〔大規模災害リハビリテーション支援関連団体協議会(編):災害リハビリテーション標準テキスト.医歯薬出版,2018〕

- 国際的には,大規模災害時に被災地にリハビリテーション医療を提供することが主な任務である.主な対象は,脊髄損傷,頭部外傷,切断などであり,リハビリテーション支援マニュアルが,世界保健機関(WHO)を中心に整備されつつある.
- 避難所の運営などについて,人道憲章の枠組みに基づき,生命を守るための主要な分野における最低限満たされるべき基準を,人道援助を行う非政府組織(NGO)のグループと国際赤十字・赤新月運動が,スフィアハンドブックとしてまとめている.

JRATの活動

平時

- 東日本大震災・熊本地震での支援活動の経験を基にした「災害リハビリテーション標準テキスト」を基本として発災時に備えた準備を平時から行う.
- 地域 JRAT がほぼ全都道府県で設立され,都道府県ごとの体制整備・研修を進めている.
- JRAT-RRT (rapid response team) の養成を行い,発災後の初期対応の充実を図っている.
- JRAT の公的認知度向上・支援体制整備を目的に,政府・関連団体との連携を強化している.

災害発生(発災)時(図 2-4)

- JRAT-RRT が現地の状況を調査し,JRAT 事務局に報告する.
- 中央と現地に対策本部を立ち上げる.JRAT-RRT が現地対策本部の立ち上げを支援する.
- 現地での主な活動内容は以下の通りである.
  ①不活動に対する予防活動
  ②避難所(一次,二次,福祉)の環境評価,整備支援

③福祉用具，歩行補助具などの適用と配布
④必要に応じた個別リハビリテーション治療の実施
⑤応急仮設住宅の初期改修ほか

- JRAT 本部の活動は以下の通りである．
①被災地の災害医療対策本部での行政・その他の災害医療関連団体間の情報伝達と共有
②避難所での活動の役割分担と協働
③国レベルでの行政と災害医療関連団体間の情報伝達と共有
④各災害医療支援団体が協働するなかでの JRAT のポジション確保
⑤ JRAT 構成団体間の情報伝達と共有
⑥災害リハビリテーション支援チームの募集と派遣マネジメントなど

文献

1) スフィアハンドブック―人道憲章と人道支援における最低基準 2018 年版(日本語版)．2018(https://jqam.info/sphere_handbook_2018)
2) 大規模災害リハビリテーション支援関連団体協議会(編)：災害リハビリテーション標準テキスト．医歯薬出版，2018

(加藤真介・冨岡正雄)

リハビリテーション医学・医療便覧

1 用語解説

基本用語・概念	
リハビリテーション診療 (rehabilitation practice)	「活動を育む医学」がリハビリテーション医学である．リハビリテーション医療はリハビリテーション医学という科学的な裏づけのもと実践される．リハビリテーション診療はリハビリテーション医療の中核であり，そのなかには活動の現状を把握し，問題点を明らかにした上で活動の予後予測を行うリハビリテーション診断，活動の予後を最良にするリハビリテーション治療，活動を社会的にサポートするリハビリテーション支援の 3 つのポイントがある．
リハビリテーション診断 (rehabilitation diagnosis) 〔総論表 1-1 (⇒ 5 頁)〕	ヒトの「活動」に着目し，病歴，身体診察，各種の心身機能の評価・検査，ADL・QOL の評価，栄養評価 (栄養管理)，画像検査，血液・生化学検査，電気生理学的検査，生理学的検査，内視鏡検査，排尿機能検査，病理学的検査などを組み合わせ，活動の現状と問題点を把握し，活動の予後予測を行っていくのがリハビリテーション診断である．
リハビリテーション治療 (rehabilitation treatment) 〔総論表 1-1 (⇒ 5 頁)〕	ヒトの「活動」の予後を最良にするために，理学療法 (運動療法，物理療法)，作業療法，言語聴覚療法，摂食嚥下療法，義肢装具療法，認知療法・心理療法，電気刺激療法，磁気刺激療法，ブロック療法，薬物療法，生活指導，排尿・排便管理，栄養療法 (栄養管理)，手術療法などを組み合わせて治療していくのがリハビリテーション治療である．
リハビリテーション支援 (rehabilitation support) 〔総論表 1-1 (⇒ 5 頁)〕	リハビリテーション治療とともに，ヒトの「活動」を環境調整や社会資源の活用によってサポートしていくのがリハビリテーション支援である．家屋 (住宅) 評価・改修，福祉用具，介護老人保健施設や介護老人福祉施設などの支援施設，経済的支援，就学・就労支援，自動車運転再開支援，パラスポーツ (障がい者スポーツ) の支援，法的支援 (介護保険法，障害者総合支援法，身体障害者福祉法など)，災害支援などがある．
リハビリテーションマネジメント (rehabilitation management)	リハビリテーション医学・医療は自立を促す手段として最も有用なものである．介護保険など医療保険の範囲外で行われるリハビリテーションアプローチにも，リハビリテーション医学・医療のエッセンスが活かされるべきである．介護分野での医師の管理によるリハビリテーションアプローチはリハビリテーションマネジメントと呼ばれる．
超高齢社会 (super-aged society)	世界保健機関 (WHO) や国際連合の定義で，高齢化率 (総人口のうち 65 歳以上の高齢者が占める割合) が 21％を超えた社会を指す．日本は 2007 年に超高齢社会になった．
国際障害分類 (International Classification of Impairments, Disabilities and Handicaps；ICIDH)	1980 年に世界保健機関 (WHO) が発表した障害レベルの分類．障害を「機能障害 (impairment)」「能力障害 (disability)」「社会的不利 (handicap)」の 3 つの階層に分類している．2001 年には国際生活機能分類 (ICF) が同じく WHO により採択されている．
健康寿命 (healthy life expectancy)	2000 年に WHO (世界保健機関) が定義した，「健康上の問題で日常生活が制限されることなく生活できる期間」のこと．平均寿命から日常的・継続的な医療・介護が必要な期間を除いたものが健康寿命になる．

ADL (activities of daily living)	ニューヨーク大学のリハビリテーション科医 George Deaver が理学療法士 Mary Eleanor Brown とともに提起した概念で，日本リハビリテーション医学会の 1976 年の定義では「ひとりの人間が独立し生活するために行う基本的な，しかも各人ともに共通に毎日繰り返される一連の身体動作群をいう」となっている．つまり ADL は身辺動作（セルフケア）を指し，家事動作，交通機関利用などの応用的動作を生活関連動作（activities parallel to daily living；APDL）として区別して用いることもある．また排泄，食事，移動，整容，更衣など生命・生活維持に関連した活動を「基本的 ADL」，買い物や食事の支度などを「手段的 ADL（instrumental ADL；IADL）」，両者を合わせ「拡大 ADL」と呼ぶ考えかたもある．また，ADL には禁制やコミュニケーションなど動きを伴う「動作」以外を含めることもある．日本語として「日常生活動作」や「日常生活活動」という用語が使われる．
不動 (immobility, immobilization)	体が動かない状態を示し，非活動性萎縮（disuse atrophy）を含むさまざまな障害につながる．これらの不動による合併症は廃用症候群と呼ばれることがある．自然と動けなくなる immobility と，なんらかの理由で動かさない immobilization の両者を指す概念であるが，臨床的にリハビリテーション医療の対象となるのは後者であることが多い．
リーチ動作 (reaching motion)	物体を取るときや触れるときに行われる重要な動作であり，望む場所に随意的に手を近づけるよう位置づけていく行為．単に手を伸ばして物を取るという運動だけではなく，知覚や認知機能，環境との相互作用も必要となる．リーチ動作が達成されるためには上肢運動の制御だけでなく，上肢運動を適切に行うために体幹や下肢を含めた姿勢の制御が必要である．
心身機能 (body function)	2001 年に WHO（世界保健機関）が発表した「国際生活機能分類（ICF）」の構成要素のなかで，身体の生理的機能（心理的機能を含む）を指す言葉．
参加 (participation)	2001 年に WHO（世界保健機関）が発表した「国際生活機能分類（ICF）」の構成要素のなかで，生活・人生場面へのかかわりを指す言葉．日本リハビリテーション医学会が提唱している「社会での活動」に相当する．
肢体不自由児 (children with physical disabilities)	生まれつき，または出産時の障害，あるいは幼いときの病気や事故などによって，上肢，下肢，脊椎などの運動器に不自由がある児のことで，肢体不自由児の療育に尽力した，東京大学整形外科の高木憲次が作った用語とされる．
療育 (ryoiku, treatment and education)	東京大学整形外科の高木憲次による用語とされる．「療育とは，現代の科学を総動員して不自由な肢体を出来るだけ克服し，それによって幸にも恢復したら『肢体の復活能力』そのものを出来る丈有効に活用させ，以て自活の途の立つように育成することである」（療育 第 1 巻第 1 号，1951）と定義されている．
障害	
麻痺 (paralysis)	神経や筋の障害により身体機能の一部が損なわれる状態．運動神経が障害される運動麻痺と，感覚神経が障害される感覚麻痺があり，障害部位によって中枢神経が障害される中枢性麻痺と末梢神経が障害される末梢性麻痺に分類される．
片麻痺 (hemiplegia) 不全片麻痺 (hemiparesis)	身体の片側上下肢にみられる運動麻痺のこと．完全には運動機能が失われていない場合に不全片麻痺という．脊髄損傷などでみられる両下肢の麻痺を対麻痺，両上下肢の麻痺を四肢麻痺，上下肢のうち一肢だけが麻痺している状態を単麻痺と呼ぶ．片麻痺は身体の左右のどちらかに麻痺のある状態である．脳性麻痺にみられる上肢より下肢に障害が強い四肢の麻痺を両麻痺という．
不随意運動 (involuntary movement)	意図とは無関係に動く異常運動のこと．不随意運動の種類として振戦，ミオクローヌス，ジストニア，ジスキネジア，舞踏運動，バリスムス，アテトーゼなどがある．

構音障害（dysarthria）	言語障害のうち，発音が正しくできない状態のこと．口蓋裂や口腔がん術後などによる器質的構音障害，脳血管障害や神経・筋疾患などによる運動障害性構音障害，構音獲得の遅れや誤った習慣による機能性構音障害，聴覚障害に伴う二次的な発音上の障害による聴覚性構音障害に分類される．
内部障害	身体障害者福祉法では，心臓機能障害，じん臓機能障害，呼吸器機能障害，ぼうこう又は直腸の機能障害，小腸機能障害，ヒト免疫不全ウイルスによる免疫機能障害，肝臓機能障害の7つが内部障害（内部機能障害）に分類される．
廃用症候群（disuse syndrome）	「不動」の説明で述べた，体が動かないことにより生じる，非活動性萎縮を含むさまざまな障害の総称である．Hirschberg らが教科書（Rehabilitation―A Manual for the Care of the Disabled and Elderly, JB Lippincott, 1964）のなかで用いた disuse syndrome という言葉を和訳したものとされている．しかし現在，海外で使用されることはきわめてまれで，また国内では「生活不活発病」という用語を提案する考えもあるなど，適切な用語としては定まっていない．法令では使用される用語である．
Volkmann 拘縮	肘から前腕にかけての外傷により前腕筋群に阻血が生じ，その結果，手関節以遠にみられる拘縮のこと．小児の上腕骨顆上骨折などに伴うことが多く，前腕の屈筋群の阻血により手指の屈曲拘縮が生じる．神経障害を合併することがある．
リハビリテーション診断	
ASIA（American Spinal Injury Association）	米国脊髄障害協会の略で，1973年に設立された．同協会がまとめた脊髄損傷の障害評価法は，脊髄損傷の神経学的および機能的分類のための国際基準となっており，治療効果や予後に関する詳細な評価が行われる．また，機能障害の重症度スケールである ASIA 分類は，Frankel 分類を改変したもので，完全麻痺から正常レベルの A～E まで5段階で評価される．完全損傷のAの定義，不全損傷のCとDの区分（筋力による）が明確となったことから広く用いられている．
関節可動域テスト（range of motion test；ROM test）	運動器疾患では特に重要である．解剖学的基本肢位（ほぼ直立姿勢）を0°として，そこからの可動範囲を測定して記載する．身体の前・後の運動が屈曲・伸展．内・外の運動が内転・外転．垂直軸周りの運動を内旋・外旋と呼称する．各関節の動かせる範囲を知ることができる．
徒手筋力テスト（manual muscle testing；MMT）	徒手によって主要な筋の出力を判定する検査法で，Daniels らが開発した徒手筋力テスト法が広く用いられている．0～5までの6段階で判定する．
筋トーヌス（muscle tonus）	完全に弛緩している筋でも，筋のもつ弾性や刺激に対する神経・筋の反応などによって不随意的にわずかな緊張が存在する．このような筋の持続的な筋収縮を筋トーヌス（筋緊張）という．神経支配されている筋に持続的に生じている一定の緊張状態による張力である．安静時に関節を他動的に動かして筋を伸張する際に生じる抵抗感を指す．筋トーヌスの異常の代表的なものに痙縮と固縮がある．
二点識別覚（two point discrimination）	皮膚に二点同時に刺激を与え，二点として知覚できるかどうかを判断していく．複合感覚．触覚，痛覚といった感覚が正常であるにもかかわらず二点識別覚が障害されている場合，視床より中枢の神経障害が疑われる．
巧緻動作（skilled movement）	物をつまむ，箸を使う，ボタンをかけるなどの複合的な運動機能を必要とする細かな動作．作業療法の対象となる．

VAS (visual analogue scale)	計測したい事象の強度を，100 mm の直線の左端 (0) を「なし」や「該当しない」，右端 (100) を「最大のもの」や「最も該当する」として，現在の状態がどのあたりにあるかを患者・被検者などに示させる評価法．主に疼痛の評価スケールとして使用される．被検者内での再現性が高く経時的な変化の比較には適しているが，被検者間の比較では信頼度が低い．
リハビリテーション治療	
運動学習 (motor learning)	Richard A Schmidt は，運動学習を「熟練パフォーマンスの能力に比較的永続的変化を導く練習や経験に関係した一連の過程」と定義している．一般にはバスケットボールのフリースローの練習なども含むが，リハビリテーション医学・医療では運動療法などによるパフォーマンスの向上に際して用いる用語である．運動学習の理論では，仮想軌道制御仮説，フィードバック誤差学習理論，スキーマ説など多くが提唱されており，統一した見解はない．
関節可動域訓練 (range of motion exercise)	拘縮などによって生じた関節可動域制限に対して，その予防や回復を目的とした訓練．患者自らが行う自動運動，患者自らの運動にリハビリテーション医療チームの専門職などが介助する自動介助運動，専門職などの第三者が行う他動運動，また機器などを用いて行う運動に分けられる．疼痛や拮抗筋の反射性収縮が出現しないようにゆっくりとスムーズに行うことが重要である．筋緊張を和らげ疼痛の閾値を上げるため温熱療法を併用して行うこともある．
筋力増強訓練 (レジスタンストレーニング) (muscle strengthening training)	骨格筋の出力・持久力の維持向上や筋肥大を目的とした運動の総称．目的の骨格筋へ負荷を加えることによって行うものは，レジスタンストレーニング (抵抗運動) とも呼ばれる．負荷の加え方にはさまざまなものがあるが，重力や慣性を利用するもの，ゴムなどによる弾性を利用するもの，油圧や空気圧による抵抗を用いるものが一般的である．
促通 (facilitation)	主に中枢神経障害による運動機能障害に対し，末梢器官への刺激，すなわち感覚入力の操作によって中枢神経系へ影響を及ぼし，機能障害の回復を促進することを目的とした治療手技．促通手技 (ファシリテーションテクニック)，神経生理学的アプローチ，小児領域では神経発達学的治療法と呼ぶこともある．
協調性訓練 (coordination training)	脳血管障害，頭部外傷 (外傷性脳損傷)，脳性麻痺などの中枢性神経障害の患者に対して行われ，個々の筋に対する随意的なコントロールおよび多数の筋による円滑な運動を行えるようにする訓練の総称．正常な運動パターンの促通や，異常な運動パターンの抑制を行う．
補装具 (supportive device)	「障害者などの身体機能を補完または代替し，かつ，その身体への適合を図るように作製されたもの」と定義される．障害者などの身体に装着される．日常生活において，あるいは就労もしくは就学のために長期間にわたり継続して使用される．
回復期リハビリテーション病棟 (convalescent rehabilitation ward)	脳血管障害，大腿骨近位部骨折などの患者に対して，ADL の向上による在宅復帰を目的とした集中的なリハビリテーション診療を行うための病棟・構造・設備，医師およびリハビリテーション専門職の配置，リハビリテーション治療実績などの施設基準がある．回復期リハビリテーション病棟入院料が設定されている．
地域包括ケア病棟 (integrated community care ward)	急性期医療を経過した患者および在宅において療養を行っている患者などの受け入れ，ならびに患者の在宅復帰支援などを行う機能がある．地域包括ケアシステムを支える役割を担う病棟である．施設基準があり，地域包括ケア病棟入院料が設定されている．
開放的運動連鎖 (open kinetic chain；OKC)	四肢の末端が固定されていない状態で行う運動のこと．座位で足底を床につけない状態で行う膝の屈伸などはこれにあたる．
閉鎖的運動連鎖 (closed kinetic chain；CKC)	四肢の末端が固定された状態で行う運動のこと．スクワットにおける股関節や膝関節の運動などがこれにあたる．

用語	解説
RICE 療法	スポーツ外傷などの初期治療の原則で，特に受傷直後にスポーツの現場で行われる．RICE とは，「Rest（安静）」，「Icing（冷却）」，「Compression（圧迫）」，「Elevation（挙上）」の頭文字をつなげたものである．
外的キュー（external cue）	Parkinson 病のすくみ足は，視覚マーカーや聴覚刺激などの外的な刺激によって回復する．この外的刺激を外的キュー（または外的キューイング）と呼ぶ．
リハビリテーション支援（制度・法律・施設ほか）	
介護保険 (long-term care insurance)	市町村が保険者となり，国・都道府県・医療保険者・年金保険者が重層的に支え合って，福祉サービスと一部の医療サービスを提供する制度．従来の福祉措置とは異なり，国民が助け合いの考えに立って保険料を負担し，介護が必要となった高齢者へ介護サービスを提供するという特徴がある．
介護保険法 (long-term care insurance act)	高齢者の増加に伴い，従前の高齢者福祉・医療制度による対応には限界があったため，高齢者の介護を社会全体で支え合うために 2000 年に施行された制度を規定する法律．
要介護認定 (care need certification)	介護サービスの必要度を判断するもの．主治医意見書と認定調査員が行う 74 項目の評価結果をもとにコンピュータで一次判定を行い，それを原案として保健・医療・福祉の学識経験者が二次判定を行う．該当なし，もしくは 7 段階の要介護度（要支援 1・2，要介護 1～5）に分類される．
居宅サービス事業所（in-home service business provider）	居宅にいる利用者にサービスを提供する事業所．都道府県知事の指定を受けた「指定居宅サービス事業所」は，介護保険法上の居宅サービス（訪問介護，訪問入浴介護，訪問看護，訪問リハビリテーション，居宅療養管理指導，通所介護，通所リハビリテーション，短期入所生活介護，短期入所療養介護，特定施設入居者生活介護，福祉用具貸与および特定福祉用具販売の 12 のサービス）を提供できる．なお「居宅」とは，自宅のほか，有料老人ホームなどの施設も含む法律用語で，「在宅」とは区別される．
ケアプラン（plan of care service）	居宅サービス計画，施設サービス計画，介護予防サービス計画の総称．
ケアマネジャー（care manager）	介護支援専門員．要介護者や要支援者からの相談に応じるとともに，要介護者や要支援者が心身の状況に応じた適切なサービスを受けられるよう，ケアプラン（介護サービスなどの提供についての計画）の作成や市町村・サービス事業者・施設などとの連絡調整を行う者であって，要介護者や要支援者が自立した日常生活を営むのに必要な援助に関する専門的知識・技術を有し，介護支援専門員証の交付を受けた者．
介護療養型医療施設（sanatorium medical facility for the elderly requiring long-term care）	介護報酬でまかなわれる療養病床を有する病院，診療所および老人性認知症疾患療養病棟．療養病床は，2018 年度から医療保険に一本化される予定であったが，6 年延長された．病状が安定期にあり，療養上の管理・看護・介護・機能訓練が必要な要介護者に対し，療養上の管理，看護，医学的管理の下における介護その他の世話，および機能訓練その他の必要な医療を行う．
介護医療院（integrated facility for medical and long-term care）	要介護者に対し，「長期療養のための医療」と「日常生活上の世話（介護）」を一体的に提供する（介護保険法上の介護保険施設であるが，医療法上は医療提供施設として法的に位置づける）．地方公共団体，医療法人，社会福祉法人といった非営利法人などが開設主体となる．
介護老人保健施設（老健） (long-term care health facility)	病院と自宅の中間的施設として位置づけられる公共型施設．病状安定期にあり，看護・介護・機能訓練を必要とする要介護者に対し，看護，医学的管理の下に介護および機能訓練，その他の必要な医療，ならびに日常生活上の世話を行う．

介護老人福祉施設 (特別養護老人ホーム，特養) (welfare facility for the elderly)	身体上または精神上著しい障害があるために常時の介護を必要とし，かつ，居宅においてこれを受けることが困難な要介護者に対し，入浴，排泄，食事などの介護その他の日常生活上の世話，機能訓練，健康管理および療養上の世話を行うことを目的とする施設．特別養護老人ホーム(特養)とも呼ぶ．
サービス付き高齢者向け住宅 (senior residence offering services)	高齢者単身・夫婦世帯が居住できる賃貸などによる住まい．バリアフリーなどの高齢者にふさわしい規模・設備と見守りサービスが基準を満たしている必要がある．見守り以外に食事の提供や介護などの生活支援を行う施設もある．ケアの専門家（看護師や介護福祉士など）が少なくとも日中建物に常駐している．
有料老人ホーム (fee-based home for the elderly)	高齢者を入居させ，食事の提供，入浴・排泄・食事などに対する介護の提供，洗濯・掃除などの家事の供与，健康管理を行う施設．月額利用料に加え入居一時金が必要となる施設もある．自立している高齢者のみを対象としている施設もある．設置の際に届出・都道府県知事の指定が必要である．
グループホーム (group home)	認知症の高齢者が専門スタッフの援助を受けながら共同生活を送る小規模の介護施設．
小規模多機能型居宅介護 (multifunctional long-term care in small group home)	自宅生活をする要介護者を対象に，施設への通いを中心として，利用者の自宅への訪問や短期間の宿泊を組み合わせて提供する地域密着型のサービス．障害が中～重度となっても在宅での生活が継続できるように支援する．
軽費老人ホーム (low-cost home for the elderly)	家庭環境，住宅事情などの理由により居宅において生活することが困難な高齢者が無料または低額な料金で入所でき，食事の提供や日常生活上必要な便宜を受ける施設．A型，B型，C型に分けられ，C型をケアハウスと呼ぶ．
ショートステイ（短期入所，short-term admission for daily life long-term care)	短期入所生活介護のこと．介護老人福祉施設などに，常に介護が必要な利用者が短期間入所できる．入浴や食事などの日常生活の支援や機能訓練を提供する．利用者が可能な限り自宅で生活できるように，利用者の状態が悪いときの療養や介護者の負担軽減などを目的に使われる．
レスパイトケア (respite care)	乳幼児や障害児・者，高齢者などを在宅でケアしている家族に代わり，一時的にケアを代替する家族支援サービス．施設への短期入所（ショートステイ）や自宅への介護人派遣などがある．家族が介護から解放される時間をつくり，心身疲労や共倒れなどを防止することが目的である．
デイケア (day care)	通所リハビリテーションのこと．居宅要介護者について，介護老人保健施設，病院，診療所，その他の施設で，心身の機能の維持回復を図り，日常生活の自立を助けるために行われる理学療法，作業療法，その他の必要なリハビリテーション治療を指す．
デイサービス (day service)	通所介護のこと．居宅要介護者について，老人デイサービスセンターなどの施設で入浴，排泄，食事などの介護，その他の日常生活上の世話や機能訓練を行うことを指す．
認知症施策推進総合戦略（新オレンジプラン）〔comprehensive strategy to accelerate dementia measures (new orange plan)〕	認知症の人の意思が尊重され，できる限り住み慣れた地域のよい環境で自分らしく暮らし続けることができる社会の実現を目指して厚生労働省が 2015 年に策定した．
地域包括ケアシステム (community-based integrated care system)	重度な要介護状態となっても住み慣れた地域で自分らしい暮らしを人生の最後まで続けることができるよう，医療・介護・予防・住まい・生活支援が包括的に確保される体制．おおむね 30 分以内に必要なサービスが提供される日常生活圏域を単位として想定している．

障害者総合支援法（general support for persons with disabilities act）	障害者自立支援法を引き継ぎ，2013年に施行された，「障害者の日常生活及び社会生活を総合的に支援する法律」のこと．障害者の地域社会における共生の実現に向けて，障害福祉サービスの充実など障害者の日常生活および社会生活を総合的に支援することを目的としている．対象者に難病患者が含まれ，支援の度合いを示す「障害支援区分」が用いられている．
身体障害者福祉法（act on welfare of physically disabled persons）	身体障害者の自立と社会経済活動への参加を促進するため，身体障害者を援助，保護し，身体障害者の福祉の増進を図ることを目的とし，1949年に施行された法律．身体障害者の等級などが定められている．
障害者虐待防止法（act on the prevention of abuse of persons with disabilities）	2012年に施行され，障害者に対する虐待の禁止，国などの責務，虐待を受けた障害者に対する保護および自立の支援のための措置，養護者に対する支援のための措置などを定める法律．「障害者虐待を受けた」と思われる障害者を発見した者に速やかな通報を義務づけている．
障害者施設等一般病棟（general ward for persons with disability）	児童福祉法に規定する医療型障害児入所施設およびこれらに準じる施設にかかわる一般病棟，ならびに，それと別に厚生労働大臣が定める重度の障害者，筋ジストロフィー患者または難病患者などを主として入院させる病棟に関する施設基準に適合しているものとして保険医療機関が届け出た一般病棟．略して障害者病棟と呼ぶこともある．
身体障害者更生相談所（recovery consultation office for persons with physical disabilities）	医師・身体障害者福祉司・心理判定員・職能判定員などの専門職員が配置され，身体障害者の障害の内容を専門的な立場から判断して，身体障害者手帳の交付，診査・更生相談（医療保健施設への紹介，公共職業安定所への紹介など），更生医療の各種相談判定にあたる施設．各都道府県に最低1か所設置されている．
障害年金（disability pension）	病気や外傷によって一定程度以上の障害が残り，生活や仕事などが制限されるようになった場合に受け取ることができる年金．国民年金に加入していた場合は「障害基礎年金」，厚生年金に加入していた場合は「障害厚生年金」が請求できる．
特別児童扶養手当（special child-rearing allowance）	精神または身体に障害を有する児童（20歳未満）の福祉の増進を図ることを目的とし，児童を家庭で監護，養育している父母などに支給される手当．
特別障害者手当（special disability welfare allowance）	精神または身体に著しく重度の障害を有し，日常生活において常時特別の介護を必要とする特別障害者に支給され，福祉の増進を図ることを目的としている．
高額療養費制度（high-cost medical expense benefit）	1か月の医療費の自己負担額が一定の額を超えた場合，本人の請求に基づいて超えた分の払い戻しを受けることができる制度．自己負担額は収入によって規定されている．
傷病手当金（disability allowance）	療養のために仕事を4日以上休んで給与の支払いがない場合，標準報酬の6割が1年6か月の範囲で支給される制度．
成年後見制度（adult guardianship system）	認知症，知的障害，精神障害などにより判断能力が不十分な者について，本人の権利を守る援助者を選ぶ制度．本人以外に家族，親族，検察官，市町村長などが申し立てをでき，家庭裁判所が決定する．
難病法（law for the patients with intractable disease）	正式名称を「難病の患者に対する医療等に関する法律」といい，2015年に施行された，難病の患者に対する医療費助成などに関する法律．
生活保護（government allowance for low-income family）	生活に困窮するものに対し，その困窮の程度に応じて必要な保護を行い，健康で文化的な最低限度の生活を保障するとともに，自立を助長することを目的とする制度．

（緒方直史・井口はるひ）

2 リハビリテーション診療における評価法・検査法

脳血管障害，頭部外傷（外傷性脳損傷）	
JCS（Japan coma scale, ジャパンコーマスケール）	わが国で使われている意識障害の分類で，覚醒度で 3 段階，その内容でさらに 3 段階に分けられている．
GCS（Glasgow coma scale, グラスゴーコーマスケール）	意識障害の評価法で，開眼の状態（E），言語による応答（V），運動による応答（M）の 3 項目からなる．
NIHSS（National Institutes of Health stroke scale）	脳血管障害の重症度を定量的に評価する簡便なスケールであり，国際的に普及している．点数が高いほど重症である．意識，注視，視野，顔面麻痺，上肢運動，下肢運動，失調，感覚，言語，構音障害，消去/無視の 11 項目それぞれを 0 点から 2〜4 点で評価する．ベッドサイドでの評価が十分に可能である．各項目の合計点は 42 点で，症状がなければ 0 点となる．
JSS（Japan stroke scale, 脳卒中重症度スケール）	日本脳卒中学会が考案した脳血管障害の重症度の評価法である．意識，言語，無視，視野欠損または半盲，眼球運動障害，瞳孔異常，顔面麻痺，足底反射，感覚系，運動系（手，上肢，下肢）の 12 項目から構成される．各評価項目に重みづけがされているため，最終的に得られる重症度スコアが比例尺度となる．
SIAS（stroke impairment assessment set）	脳血管障害による多面的な機能障害を総合的に判定する評価法である．各項目が単一のテストによってのみ評価される．非麻痺側の運動機能の評価を一部含むことが特徴的である．打腱器，握力計，メジャーさえあれば，いかなる状況でも短時間で評価が可能である．合計点の満点（最重症）は 76 点で，症状がなければ 0 点となる．
Hunt & Kosnik の重症度分類	くも膜下出血患者の重症度分類で，Grade 0（未破裂動脈瘤）から Grade V（深昏睡状態で除脳硬直を示し，瀕死の様相を示す）の 6 段階評価である．原則として Grade Ⅰ〜Ⅲでは早期に再出血予防処置を行い，Grade V においては再出血予防処置の適応はない．
Brunnstrom stage	脳血管障害後の片麻痺の評価法として広く利用されている．片麻痺が「随意運動なし→連合反応→共同運動→分離運動→協調運動」のような回復段階をたどるという仮定を基にしているが，順序通りに回復するとは限らない．
ARAT（action research arm test）	脳血管障害後の上肢機能の評価法として広く使用されている．道具を用いた機能評価法で，4 つのサブテスト（grasp，grip，pinch，gross movement）と，計 19 の項目で構成されている．それぞれの動作に対する完遂度とその時間に基づいて採点し，評価時間が短縮できる工夫もされている．
Fugl-Meyer 脳卒中後感覚運動機能回復度評価法（Fugl-Meyer assessment of sensorimotor recovery after stroke）	脳血管障害の急性期から慢性期までを対象とする機能に関する定量的評価法で，運動機能が 100 点満点，その他を含めて 226 点を満点とする．運動麻痺の回復度，バランス，感覚，関節可動域および疼痛を定量的に評価する．
改訂 Ashworth スケール（modified Ashworth scale）	最も広く用いられている痙縮の評価法である．0〜4 に 1+ を加えた 6 段階で，徒手的に評価する．
MMSE（mini mental state examination, ミニメンタルステートテスト）	脳機能の全般的評価法で，見当識，記銘，注意と計算，再生，言語の要素を含む 11 項目で構成されている．23/30 点以下であれば認知機能低下があるものと判定される．
HDS-R（Hasegawa dementia scale-revised, 改訂長谷川式簡易知能評価スケール）	簡易な認知機能の評価法で，運動性検査を含まない．30 点満点で，20 点以下が認知機能の低下が疑われる．

WAIS-III (Wechsler adult intelligence scale-third edition, ウェクスラー成人知能検査)	全般的知能を測る評価法であり，WAIS-IIIは16歳0か月〜89歳11か月までが適応される．言語性の7検査，動作性の7検査からなり，言語性IQ (VIQ)，動作性IQ (PIQ)，全検査IQ (FIQ) を求めることができる．
FAB (frontal assessment battery)	前頭前野機能を総合的に簡便にみる検査法である．概念化課題，知的柔軟性課題，行動プログラム（運動系列）課題，行動プログラム（葛藤指示）課題，行動プログラム (Go/No-Go) 課題，把握行動の6つの下位項目で構成されている．満点は18点．所要時間は約10分．
標準言語性対連合学習検査 (standard verbal paired-associate learning；S-PA)	日本高次脳機能障害学会により開発された検査であり，言語性記憶を評価することができる．対語（有関係対語と無関係対語）の記憶が試されるが，対語の選択は時代に即したものとなっている．対語のセットは，等しい難易度のものが3セット用意されている．健常者の平均値に基づいて，年齢別の判定基準が確立されている．
三宅式記銘力検査	言語性記憶の簡便な検査法である．対になった言葉の組み合わせ（対語）を10対記憶させて，それをどれくらい再生できるかで評価する．まずは有関係対語について，次いで無関係対語について評価する．
Reyの複雑図形再生課題 (Rey complex figure test)	視覚性記憶の検査法であるが，構成能力や注意力も結果に反映される．はじめに複雑な図形を模写させて，その後に見本を伏せた状態でそれを一定時間後に再生（遅延再生）させる．
Wechsler記憶検査改訂版 (Wechsler memory scale-revised；WMS-R)	国際的に最もよく用いられている総合的な記憶検査法である．短期記憶と長期記憶，言語性記憶と非言語性記憶，即時記憶と遅延記憶など，記憶力をさまざまな側面から評価する．13の下位項目から構成されている．
Rivermead行動記憶検査 (Rivermead behavioral memory test)	日常生活に類似の状況を作り出し，実際に記憶を使う場面（姓名・持ち物・約束・絵・物語・顔写真の記憶など）を想定して行う記憶検査法である．
PASAT (paced auditory serial addition test)	注意機能の検査法である．1〜9の1桁の数字を音声で連続して提示し，前後の数字の和を順次口頭で患者に回答させる．実際には，情報処理能力と記憶能力の両者が反映される．
TMT (trail making test)	注意障害のスクリーニングテストである．ランダムに配置された数字もしくはかな文字を順番に線で結んでいくように被検者に指示し，完遂するまでの所要時間を計測する．
標準注意検査法 (clinical assessment for attention；CAT)	日本高次脳機能障害学会が開発した，注意障害の標準的な検査法である．Span，抹消・検出検査，symbol digit modalities test，記憶更新検査，PASAT，上中下検査，continuous performance testの7つの課題から構成される．
標準失語症検査 (standard language test of aphasia；SLTA)	わが国で開発された総合的な失語症の検査法であり，失語症の有無，重症度，タイプを診断することができる．言語の「話す」「聴く」「読む」「書く」「計算」の5つの側面を26の下位項目で評価する．各項目の成績は原則的に6段階で評価される．評価結果は検査プロフィールとして表される．
WAB失語症検査日本語版 (Western aphasia battery)	失語症の鑑別診断のための検査法である．自発語，話し言葉の理解，復唱，呼称，読字，書字，行為，構成・視空間行為・計算の8領域のそれぞれを評価する．言語性検査のみならず非言語性検査も含まれていることが特徴である．
行動性無視検査 (behavioral inattention test；BIT)	半側空間無視に対する体系的かつ標準的な検査法である．線分抹消，文字抹消，模写，線分二等分，描画などからなる通常検査と，日常生活を想定した課題からなる行動検査によって構成される．

SRQ-D (self-rating questionnaire for depression)	軽症うつ病発見のために行う簡易な検査法である．表にある18項目の該当欄に○印を記入する．計算は「いいえ」が0点，「ときどき」が1点，「しばしば」が2点，「つねに」が3点とする．ただし，質問2，4，6，8，10，12に関しては加点しない．10点以下：ほとんど問題なし，10〜15点：境界，16点以上：軽症うつ病と判定され，簡便に抑うつ的な精神状況となっているのか判断できる．
運動器疾患，脊髄損傷	
TUG (timed up and go test)	簡便に施行できる高齢者の移動能力評価テストで，椅子から立ち上がり，「無理のない」ペースで3m先で方向転換し，椅子に戻って腰掛ける時間を計測する．20秒以内であれば屋外外出可能レベル，30秒以上かかる場合は要介助レベルとされる．
ODI (Oswestry disability index, 日本語版ODI)	腰痛による日常生活の障害について患者自身が10項目の日常生活を0（支障なし）〜5（支障あり）の6段階で評価する．
RMDQ (Roland and Morris disability questionnaire)	腰痛によって生じるADL制限について24項目を，はい（1点），いいえ（0点）で回答する．0〜13点を軽度，14〜24点を重度とする．
Harris hip score	変形性股関節症の手術前後の股関節機能評価法の1つで，疼痛44点，機能47点，変形4点，可動域5点からなる．
JKOM (Japanese knee osteoarthritis measure)	変形性膝関節症患者用のQOL評価法で，疼痛とこわばり，日常生活機能，全般的活動，健康状態の計25項目に自記式で回答し，100点が満点となる．
日本骨代謝学会骨粗鬆症患者QOL評価質問表（JOQOL）(2000年版)	質問紙による骨粗鬆症患者のQOL評価法である．疼痛（5問），ADL（16問），娯楽・社会的活動（5問），総合的健康度（3問），姿勢・体型（4問），転倒・心理的要素（5問），総括（1問）の全7領域，合計39問からなる．
WOMAC (Western Ontario and McMaster Universities osteoarthritis index)	変形性膝・股関節症患者用のQOL評価法で，疼痛項目（5項目），機能項目（17項目）からなり，総点は，疼痛点数：〔1－（右または左の加算点数－5)/20〕×100と機能点数：〔1－(加算点数－17)/68〕×100を合計する．
米国膝学会膝評価表 (The Knee Society score)	人工膝関節全置換術の術後評価法である．客観的状態，満足度，期待度，活動性の4つの評価項目からなり，合計点は0〜100点となる．
FES (finger escape sign)	Myelopathy handをGrade 0〜4の5段階で評価する．Grade 1（指を伸展して内転すると小指が離れていく），Grade 2（手指を伸展した状態で内転することができない），Grade 3（環指の内転も困難），Grade 4（母指・示指以外の指は伸展できない）である．
最大反復回数 (repetition maximum；RM)	最大筋力の簡便な評価法である．ある負荷運動の最大反復回数（repetition maximum；RM）から最大筋力を推定する．「○ RM」とは，「○回反復可能な最大の負荷」を意味する．
機能的上肢到達検査 (functional reach test；FRT)	立位で肩関節90°屈曲，肘・手・指関節を伸展した状態の上肢を，前方に最大限伸ばす．開始肢位での上肢先端の点と最大に伸ばした際の到達点の水平距離をcm単位で測定する．バランス能力の検査法である．
Bergバランススケール (Berg balance scale；BBS)	機能的バランス能力の評価法である．座位，立位での静的姿勢保持や動的バランスなど，臨床的によく用いられる動作を評価項目とする．合計点は0〜56点である．
10m歩行テスト (10-meter walk test)	通常の速度および最大の速度で10mを直線的に歩き，それに要する時間（10m歩行時間）とその際の速度（10m歩行速度）を測定・算出する．通常は測定を行う10mの前後に3mずつの助走路を設定する．健常高齢者であれば，10m最大歩行速度は1.0m/秒以上となる．
簡易上肢機能検査 (simple test for evaluating hand function；STEF)	わが国で行われている上肢機能検査法で，各10点満点の10種類のサブテストからなる．年齢階級別に得点と年齢ごとの正常域を比較する．

spinal cord independence measure (SCIM)	脊髄損傷者のための ADL 評価法である．呼吸，ベッド上姿勢変換，褥瘡予防動作，屋外の移動，車いすへの移乗などの全部で 17 の運動項目からなり，合計スコアは 0〜100 点である．
国際禁制学会分類，下部尿路機能分類〔International Continence Society (ICS), lower urinary tract function〕	排尿障害の病態を膀胱機能と尿道機能に分けて，それぞれ蓄尿期，排尿期で尿流動態検査所見に基づき分類したものである．
神経・筋疾患	
UPDRS (unified Parkinson's disease rating scale)	Parkinson 病の重症度の評価法である．精神機能（認知機能障害，うつ病など），ADL，運動能力（歩行，振戦，固縮，無動，姿勢反射障害など），治療の合併症（ジスキネジア，日内変動など）の 4 領域について評価する．点数が高いほど症状が重篤となる．
ICARS (international cooperative ataxia rating scale)	小脳性運動失調についての半定量的な評価法．姿勢および歩行障害 7 項目，四肢の協調運動 7 項目，構音障害 2 項目，眼球運動障害 3 項目の計 19 項目から構成される．点数が高いほど失調症状が強い．
SARA (scale for the assessment and rating of ataxia)	ICARS よりも簡便な小脳性運動失調の評価法である．歩行，立位，座位，言語，指追い試験，鼻-指試験，手の回内外運動，踵-脛試験の 8 項目で評価される．
Hughes 機能的重症度分類 (Hughes functional grade scale)	Guillain-Barré 症候群の機能障害の評価法である．治療効果の判定などに用いられる．Grade 0（正常）から Grade 6（死亡）の 7 段階で評価される．
小児疾患	
Sharrard 分類による下肢麻痺と歩行能力	二分脊椎児の脊髄障害重症度について，障害部位を 6 つ，麻痺レベルを 8 つのカテゴリーに分類する．
GMFCS (gross motor function classification system)	粗大運動能力による脳性麻痺の分類．生後 18 か月〜12 歳の小児に用いられ，実際の自発運動を評価する．
子どもの能力低下評価法 (pediatric evaluation of disability inventory；PEDI)	幼児・小児の社会生活能力の変化を観察する評価法であり，生後 6 か月〜7 歳 6 か月児の社会生活能力に関してセルフケア，移動，社会的機能を点数化する．
関節リウマチ	
上肢障害評価表 (the disabilities of the arm, shoulder and hand outcome questionnaire；DASH)	日常生活における上肢全体の能力低下の自己質問紙評価法．関節リウマチ，手外科，頚椎疾患など上肢障害を有する多くの疾患で用いられる．
DAS-28 (disease activity score-28)	肩，肘，膝，手，指関節など全身 28 関節の圧痛関節数と腫脹関節数，CRP (mg/dL) もしくは ESR (mm/時) および患者による評価 (VAS など) から算出される関節リウマチの疾患活動性を示す指標．使用される血液検査により DAS-28-CRP と DAS-28-ESR ある．
CDAI (clinical disease activity index)/SDAI (simplified disease activity index)	関節リウマチの疾患活動性を示す指標. CDAI＝圧痛関節数＋腫脹関節数＋患者による全般評価（VAS）＋医師による全般評価（VAS） SDAI＝CDAI＋CRP (mg/dL)
関節リウマチの 3 つの寛解	①臨床的寛解：炎症（関節の痛み，腫れ）と自覚症状がなくなった状態．DAS-28 や CDAI/SDAI で判定する，②構造的寛解：単純 X 線で関節破壊の進行が止まっている状態，③機能的寛解：J-HAQ (health assessment questionnaire 日本語版)-DI が 0.5 以下で ADL に支障がない状態
循環器疾患，呼吸器疾患	
6 分間歩行テスト (six-minute walk test)	簡便な持久力評価法であり，6 分間の最大歩行距離を測定する．男性は 60 歳台後半で平均 623 m，70 歳台で 573 m，女性は 60 歳台後半で 573 m，70 歳台で 527 m と報告されている．

修正 Borg 指数	患者自身が呼吸困難を判定する自覚的運動強度評価法である．特徴はポイント 4 がポイント 2 の 2 倍，ポイント 8 はポイント 4 の 2 倍といった強度評価が可能な点にある．また，電話や口頭での調査も可能なので，VAS よりも記録しやすいという利点がある．あてはまる 6〜20 のポイントに 10 をかけると，そのときの心拍数に相当している．そのため，6 分間歩行試験などの運動負荷試験や運動療法における呼吸困難の評価にも有用とされている．
Hugh-Jones 分類 (Hugh-Jones exercise test/grade)	運動時における呼吸困難の指標であり，I（同年齢の健常者とほとんど同様），II（坂道の上り，階段の昇降は健常者並みにはできない），III（健常者並みには歩けないが，自分のペースでなら 1.6 km 以上歩ける），IV（休みながらでなければ 50 m 以上歩けない），V（会話，衣類の着脱にも息切れを感じ，外出できない）に分類する．
NYHA 心機能分類（New York Heart Association classification）	心不全患者の自覚症状に基づき，I 度（日常生活で疲れ，動悸，呼吸困難や狭心症症状は生じない），II 度（身体活動は軽度に制限されるが，安静では無症状），III 度（身体活動は高度に制限されるが，安静では無症状），IV度（安静でも疲れ，少しの身体活動で症状増悪）に分類される．
Fontaine 分類 (Fontaine classification)	閉塞性動脈硬化症（arteriosclerosis obliterans；ASO）によって生じる下肢症状を I 度：無症状（下肢の冷感，色調変化）から，IV度：下肢の皮膚潰瘍・壊疽に分類する．
足関節上腕血圧比（ankle brachial index；ABI）	足関節部の収縮期血圧（ankle）と上腕部の収縮期血圧（brachial）の比で，正常は 0.9〜1.3 となる．
METs（metabolic equivalents）	運動強度の単位で，運動時の酸素需要量が安静時の酸素摂取量の何倍に相当するかを表す．
腎疾患	
糸球体濾過量 (glomerular filtration rate；GFR)	GFR は糸球体から老廃物を尿へ排泄する能力を示しており，数値が小さいほど，腎の排泄機能が低下していることを表す．GFR を調べるには 24 時間内因性クレアチニン・クリアランスによる方法，血清クレアチニン値を用いた計算式によって求める推算糸球体濾過量（eGFR），新たな GFR マーカーであるシスタチン C から求める方法などがある．クレアチニン・クリアランスは，腎臓が 1 分間に血液からどれだけの量のクレアチニンを排除しているかを調べる方法であり，eGFR よりも精度が高い検査として用いられていたが，腎前性，腎後性因子によっても低下し，またネフローゼ症候群では高値を示すことがあり，年齢，筋量，運動などの影響を受けるので注意が必要である．
CGA 分類	慢性に経過する腎疾患である慢性腎臓病（chronic kidney disease；CKD）の重症度を原疾患（Cause：C），腎機能（GFR：G），蛋白尿（アルブミン尿：A）によって分類するもの．糖尿病においては，尿アルブミン量と GFR，その他の疾患では尿蛋白尿と GFR を用いる．
摂食嚥下障害	
EAT-10 (eating assessment tool-10)	摂食嚥下障害のスクリーニング質問票である．10 項目の質問で構成されており，それぞれが 5 段階（0 点：問題なし〜4 点：ひどく問題）で回答される．合計点が 3 点以上の場合に，異常があると判定される．
FOIS（functional oral intake scale）	食事の“摂取の状況”を 7 段階で評価する．経管栄養から経口摂取までを一元化した評価法であり，実際の“食事摂取の状況”に基づいている．嚥下内視鏡検査（VE）や嚥下造影検査（VF）の所見は必要としない．
簡易栄養状態評価表短縮版 (mini nutritional assessment-short form；MNA-SF)	栄養状態の簡易な評価法である．食事量減少と体重減少の程度，歩行能力，急性疾患であるか否か，精神的・神経的問題の有無，BMI（もしくはふくらはぎの周囲長）に基づいて評価される．12 点以上であれば低栄養はないものと判定される（満点は 14 点）．

GNRI (geriatric nutritional risk index)	高齢者を対象とした，栄養状態の評価法．血清アルブミン値，現体重，理想体重（身長から決定される）の3つの項目で算出される値であり，98点以下の場合に低栄養リスクがあるものと判定される．
CONUT (controlling nutritional status)	血清アルブミン値，総リンパ球数，総コレステロール値から算出される栄養状態の評価法．特に身体計測を行うことなく，採血結果のみから算出可能である．
反復唾液嚥下テスト (repetitive saliva swallowing test；RSST)	臨床上，広く用いられている摂食嚥下機能の評価法．道具や食物を用いないため，安全にかつ簡便に施行可能である．実際には，自分の“つば”を繰り返し飲み込むように指示する（空嚥下を繰り返させる）．そして「30秒間で何回飲み込むことができたか」を数える．30秒以内に正常な嚥下が3回できれば，「正常」と判定する．
改訂水飲みテスト (modified water swallowing test；MWST)	少量の冷水の嚥下を観察する，摂食嚥下機能の評価法．嚥下反射とむせの有無，呼吸状態などを観察して，5段階で評価する．実際には，冷水3 mLを口腔前庭に注いでから，それを嚥下するように指示する．
食物テスト (food test；FT)	ティースプーン1杯程度（4 g）のプリン状の食物の摂食嚥下の状態を1～5の5段階で評価する．
がん	
ECOG performance status	ECOG (Eastern Cooperative Oncology Group) が決めたがん患者のADLの評価法．
EORTC QLQ-C30 (European Organization for Research and Treatment of Cancer QLQ-C30)	がん患者のQOLの自記式評価法で，総合的QOL，5つの機能スケール，9つの症状スケールからなる．
栄養管理	
NST栄養サポートチーム (nutrition support team；NST)	医師，看護師，歯科医師，歯科衛生士，管理栄養士，薬剤師，理学療法士，作業療法士，言語聴覚士など，多職種が協力して，安全かつ有効な栄養管理を行うための医療チームである．質の高いNST活動を行うためには，NSTのメンバーがそれぞれの職種の専門性に応じて，栄養管理に関する高度の知識や技術を習得しておく必要がある．
GLIM (global leadership initiative on malnutrition) 基準	2018年に公開された世界初の低栄養診断国際基準である．低栄養スクリーニングによるリスク判定と，現症（phenotypic criteria），病因（etiologic criteria）の評価により低栄養を判定する．低栄養のスクリーニングには，妥当性の確認された評価法を用いる．現症の評価には体重減少，体組成分析を用いた筋肉量の減少の項目がある．病因の評価には栄養の摂取量と疾患の種類の項目がある．低栄養は現症で1つ以上，病因で1つ以上の項目があれば診断される．
二重エネルギーX線吸収測定法 [dual energy X-ray absorptiometry；DEXA (DXA)]	体組成分析の方法の1つである．エネルギーレベルの異なる2種類のX線を照射し，X線が体内を通過する際の減衰率から体成分を骨と軟部組織に分けて定量する．また，軟部組織における脂肪量と除脂肪量の割合も，2種類のエネルギーレベルにおける両組織の2種類のX線の質量減衰係数の比から求めることができる．全身DEXA (DXA) では部位別の体組成分析が可能である．
生体電気インピーダンス分析法 (bioelectrical impedance analysis；BIA)	体内に微弱な電流を流し，その電気的インピーダンスを利用して水分量，体脂肪，筋量を算出する方法である．多周波の部位別測定により，全身および部位別の体組成分析を行うことが可能である．
疼痛	
VAS (visual analogue scale)	主に疼痛の評価スケールとして使用される．詳細は378頁を参照．
NRS (numerical rating scale, 数値的評価スケール)	痛みの強さを0（痛みなし）～10（今まで体験したなかで最も強い痛み）までの11段階で表現させる．

MPQ（McGill pain questionnaire, マクギル疼痛質問票）	痛みの部位，性質，時間的変化，強さを総合的に評価する自記式質問票で，合計点は0～78点である．
PDI（pain disability index）	疼痛によるADL低下を家庭での役割，余暇活動，社会生活，就労，性的活動，身辺動作，生命維持の7つの項目で評価する．
ADL・QOL関連	
Barthel指数	1965年にBarthelらによって開発されたADLの評価法．ADLの機能的評価を数値化したもの．全10項目（食事，移乗，整容，トイレ，入浴，移動，階段昇降，更衣，排便管理，排尿管理）で構成され，「できるADL」を各項目の自立度に応じて15～0点で採点し，満点は100点で最低点は0点となる．FIMに比べて点数が大まかであり，細かいADLの能力を把握しにくい．
FIM（functional independence measure, 機能的自立度評価法）	1983年にGrangerらによって開発されたADLの評価法．対象年齢は7歳以上．日常生活上の「できる動作」より，むしろ「している動作」を評価する．評価項目は，運動項目13項目（セルフケア，排泄コントロール，移乗，移動の能力）と認知項目5項目（コミュニケーション能力と社会的認知能力）の計18項目で，各項目を1～7点の7段階で評価し，満点は126点で点数が高いほど機能がよい．
HAQ（Stanford health assessment questionnaire, スタンフォード健康評価質問票）	患者自身による能力低下の評価法である．食事，排泄，歩行など8つのカテゴリーの能力低下の程度を4段階（各カテゴリー指数の平均値）で示すdisability index（HAQ-P1）とpain scaleからなるshort HAQが一般的である．日本語版のJ-HAQがある．
Euro-QOL（EQ-5D）	包括的な健康に関連したQOL（health-related quality of life；HRQOL）を測定する評価法として用いられる．5項目法（5 dimension；5D）と視覚評価法（VAS）の2部から構成される．医療の経済的評価にも用いられる．
SF-36（MOS 36-item short-form health survey）	健康関連QOLの評価法である．疾患の種類に限定されない包括的評価法であり，①身体機能（physical functioning；PF），②日常役割機能（身体）（role physical；RP），③身体の痛み（bodily pain；BP），④全体的健康感（general health perceptions；GH），⑤活力（vitality；VT），⑥社会生活機能（social functioning；SF），⑦日常役割機能（精神）（role emotional；RE），⑧心の健康（mental health；MH）の8つの健康概念を評価している．
HUI（the health utilities index）	健康状態と健康に関連するQOL（HRQOL）を質問票により評価する．
WHO/QOL（World Health Organization/quality of life assessment）	世界保健機関（WHO）により開発された身体，心理，社会関係，環境の包括的なQOLの評価法で，疫学調査にも用いられる．
CHART（Craig handicap assessment and reporting technique）	生活活動に重点をおいた社会的不利についての客観的な評価法．身体的自立，移動，時間の過ごし方，社会的統合，経済的自立の5領域からなる．
ミネソタ式多面的人格検査（Minnesota multiphasic personality inventory；MMPI）	質問票を用いた，年齢や疾患を限定しない性格・人格検査法．
HADS（hospital anxiety and depression scale）	入院や通院の身体症状を有する患者を対象に，身体症状の影響を排除して抑うつや不安などの感情障害を評価する．
Bradenスケール（Braden scale）	褥瘡の発生のリスクを予測するために，知覚，湿潤，活動性，可動性，栄養状態，摩擦を評価する．
vitality index	Tobaらによって開発された評価法である．日常生活での行動を起床・意思疎通・食事・排泄・活動の5項目で評価し，高齢者の意欲を客観的に把握する．各項目はそれぞれ0～2点まで配点された3つの選択肢からなり，満点は10点となる．カットオフ値とされる点数は7点である．意欲に応じたリハビリテーション治療を提供する判断材料となる．

Katz index	入浴，更衣，トイレの使用，移動，排尿・排便，食事の6つの領域のADLに関して自立・介助の2段階で評価する．自立に関して，A～Gの7段階の指標により階層式に把握できる．6つの機能が自立ならばAであり，6つの機能すべてが介助レベルの場合はGという判定となる．
Lawtonの尺度	高齢者を対象としている．「電話」，「買い物」，「交通手段」，「服薬管理」，「財産管理」，「家事」，「食事の準備」，「洗濯」からなる8項目（男性は前から5項目）を各項目について3～5段階で評価する．得点が高いほど生活自立度が高いことを示す．
老研式活動能力指標	高齢者が対象の評価法である．「バスや電車の利用」，「買い物」，「食事の用意」，「請求書の支払い」，「預金・貯金の出し入れ」，「書類記入」，「新聞を読む」，「本や雑誌を読む」，「健康についての関心」，「友人宅への訪問」，「相談に乗る」，「お見舞いに行く」，「若い人に話しかける」の13項目の質問からなる．はい・いいえで答えて点数が高いほど生活自立度が高いことを示す．また，一部拡大ADLの評価も含まれている．
DASC-21 (dementia assessment sheet for community-based integrated care system-21 items)	導入のA，B項目と1～21の評価項目からなる地域包括ケアシステムにおける認知症の評価法である．簡単で短時間に「認知機能」と「生活機能」の障害を評価することができる．暮らしに密着したわかりやすい項目であることから，認知症の疑いがある対象者や家族にも理解しやすく，認知症患者を支援する専門職と家族との共通言語として活用することが可能である．

（加藤真介・角田 亘）

3 関節可動域表示ならびに測定法

（日本整形外科学会，日本足の外科学会，日本リハビリテーション医学会制定）

「関節可動域表示ならびに測定法」に関する改訂

1. 足部における関節可動域表示ならびに測定法の改訂（2022年4月1日から発効）が，日本整形外科学会，日本リハビリテーション医学会，日本足の外科学会の3学会合同で実施されている．本テキストの記載は改訂に沿って行われている．
2. 足関節・足部における「外がえしと内がえし」および「回外と回内」に関する改訂
   - 外がえしと内がえし：足関節・足部に関する前額面の運動で，足底が外方を向く動きが外がえし，足底が内方を向く動きが内がえしである．
   - 回外と回内：底屈，内転，内がえしからなる複合運動が回外，背屈，外転，外がえしからなる複合運動が回内である．
   - ただし，母趾・趾に関しては，前額面における運動で，母趾・趾の軸を中心にして趾腹が内方を向く動きが回外，趾腹が外方を向く動きが回内である．
3. 足関節・足部に関する矢状面の運動に関する改訂
   - 底屈と背屈：足底への動きを底屈，足背への動きを背屈とし，屈曲と伸展は使用しないこととする．
   - ただし，母趾・趾に関しては，足底への動きが屈曲，足背への動きが伸展である．
4. 足関節・足部の内転・外転運動の基本軸と移動軸に関する改訂
   - 基本軸：第2中足骨長軸とする．従って，基本軸，移動軸ともに第2中足骨長軸となる．

注）1995年改訂で3平面での複合運動とされていた「外がえし eversion/内がえし inversion」は2022年改訂で前額面での運動と定義され，1995年改訂で前額面での運動とされていた「回外 supination/回内 pronation」は2022年改訂で3平面での複合運動と定義される．

（松瀬博夫・菅本一臣）

上肢測定

部位名	運動方向	参考可動域角度	基本軸	移動軸	測定肢位および注意点	参考図
肩甲帯 shoulder girdle	屈曲 flexion	0-20	両側の肩峰を結ぶ線	頭頂と肩峰を結ぶ線		屈曲 0° 伸展
	伸展 extension	0-20				
	挙上 elevation	0-20	両側の肩峰を結ぶ線	肩峰と胸骨上縁を結ぶ線	背面から測定する.	挙上 0° 引き下げ
	引き下げ（下制） depression	0-10				
肩 shoulder （肩甲帯の動きを含む）	屈曲（前方挙上） forward flexion	0-180	肩峰を通る床への垂直線（立位または座位）	上腕骨	上腕は中間位とする. 体幹が動かないように固定する. 脊柱が前後屈しないように注意する.	屈曲 伸展 0°
	伸展（後方挙上） backward extension	0-50				
	外転（側方挙上） abduction	0-180	肩峰を通る床への垂直線（立位または座位）	上腕骨	体幹の側屈が起こらないように 90° 以上になったら前腕を回外することを原則とする. ⇨［VI. その他の検査法］参照	外転 内転 0°
	内転 adduction	0				
	外旋 external rotation	0-60	肘を通る前額面への垂直線	尺骨	上腕を体幹に接して，肘関節を前方 90° に屈曲した肢位で行う. 前腕は中間位とする. ⇨［VI. その他の検査法］参照	外旋 内旋 0°
	内旋 internal rotation	0-80				
	水平屈曲 horizontal flexion (horizontal adduction)	0-135	肩峰を通る矢状面への垂直線	上腕骨	肩関節を 90° 外転位とする.	水平伸展 0° 水平屈曲
	水平伸展 horizontal extension (horizontal abduction)	0-30				
肘 elbow	屈曲 flexion	0-145	上腕骨	橈骨	前腕は回外位とする.	屈曲 伸展 0°
	伸展 extension	0-5				

部位名	運動方向	参考可動域角度	基本軸	移動軸	測定肢位および注意点	参考図
前腕 forearm	回内 pronation	0-90	上腕骨	手指を伸展した手掌面	肩の回旋が入らないように肘を 90° に屈曲する.	0° 回外 回内
	回外 supination	0-90				
手 wrist	屈曲 (掌屈) flexion (palmar flexion)	0-90	橈骨	第 2 中手骨	前腕は中間位とする.	伸展 0° 屈曲
	伸展 (背屈) extension (dorsiflexion)	0-70				
	橈屈 radial deviation	0-25	前腕の中央線	第 3 中手骨	前腕を回内位で行う.	0° 橈屈 尺屈
	尺屈 ulnar deviation	0-55				

手指測定

部位名	運動方向	参考可動域角度	基本軸	移動軸	測定肢位および注意点	参考図
母指 thumb	橈側外転 radial abduction	0-60	示指 (橈骨の延長上)	母指	運動は手掌面とする. 以下の手指の運動は, 原則として手指の背側に角度計をあてる.	橈側外転 0° 尺側内転
	尺側内転 ulnar adduction	0				
	掌側外転 palmar abduction	0-90			運動は手掌面に直角な面とする.	掌側外転 0° 掌側内転
	掌側内転 palmar adduction	0				
	屈曲 (MCP) flexion	0-60	第 1 中手骨	第 1 基節骨		伸展 0° 屈曲
	伸展 (MCP) extension	0-10				
	屈曲 (IP) flexion	0-80	第 1 基節骨	第 1 末節骨		伸展 0° 屈曲
	伸展 (IP) extension	0-10				

(次頁につづく)

（前頁よりつづく）

部位名	運動方向	参考可動域角度	基本軸	移動軸	測定肢位および注意点	参考図
指 fingers	屈曲（MCP） flexion	0–90	第2～5中手骨	第2～5基節骨	⇨［VI. その他の検査法］参照	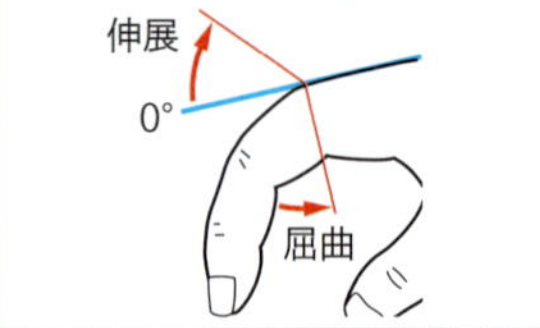
	伸展（MCP） extension	0–45				
	屈曲（PIP） flexion	0–100	第2～5基節骨	第2～5中節骨		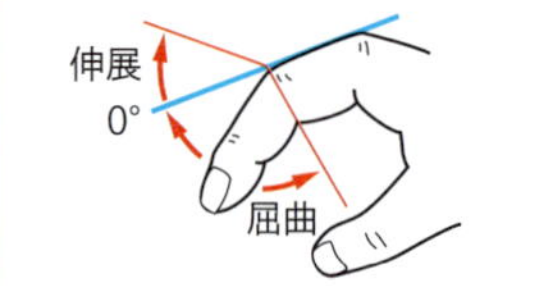
	伸展（PIP） extension	0				
指 fingers	屈曲（DIP） flexion	80	第2～5中節骨	第2～5末節骨	DIPは10°の過伸展をとりうる．	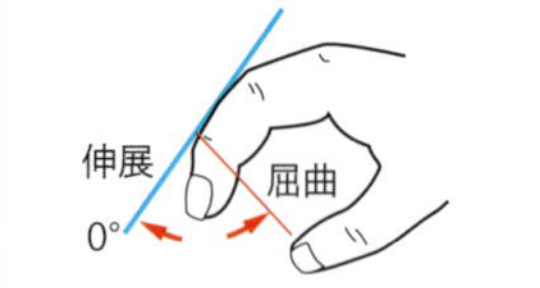
	伸展（DIP） extension	0				
	外転 abduction		第3中手骨延長線	第2，4，5指軸	中指の運動は橈側外転，尺側外転とする． ⇨［VI. その他の検査法］参照	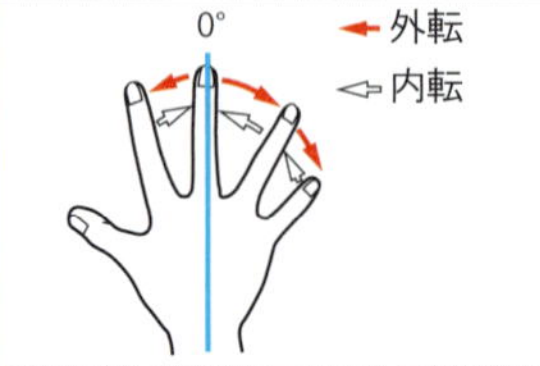
	内転 adduction					

下肢測定

部位名	運動方向	参考可動域角度	基本軸	移動軸	測定肢位および注意点	参考図
股 hip	屈曲 flexion	0–125	体幹と平行な線	大腿骨（大転子と大腿骨外顆の中心を結ぶ線）	骨盤と脊柱を十分に固定する． 屈曲は背臥位，膝屈曲位で行う． 伸展は腹臥位，膝伸展位で行う．	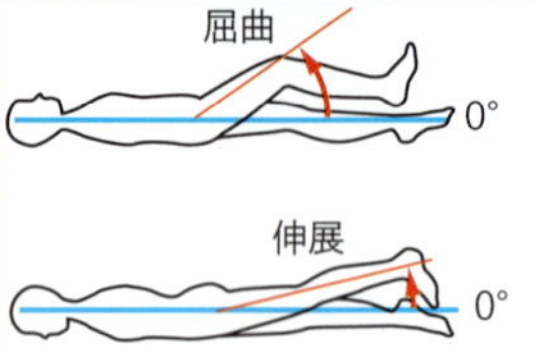
	伸展 extension	0–15				
股 hip	外転 abduction	0–45	両側の上前腸骨棘を結ぶ線への垂直線	大腿中央線（上前腸骨棘より膝蓋骨中心を結ぶ線）	背臥位で骨盤を固定する． 下肢は外旋しないようにする． 内転の場合は，反対側の下肢を屈曲挙上してその下を通して内転させる．	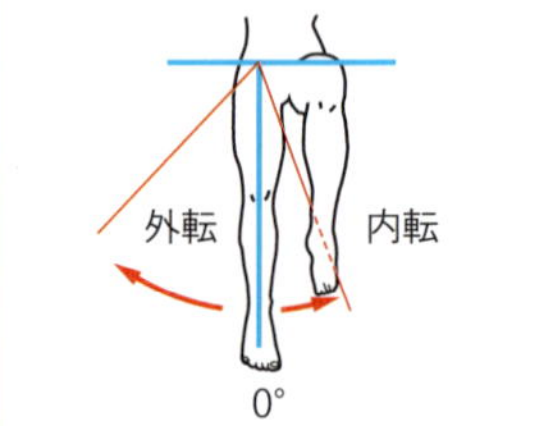
	内転 adduction	0–20				
	外旋 external rotation	0–45	膝蓋骨より下ろした垂直線	下腿中央線（膝蓋骨中心より足関節内外果中央を結ぶ線）	背臥位で，股関節と膝関節を90°屈曲位にして行う． 骨盤の代償を少なくする．	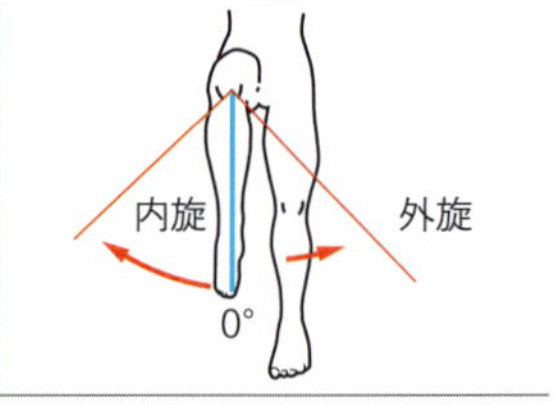
	内旋 internal rotation	0–45				
膝 knee	屈曲 flexion	0–130	大腿骨	腓骨（腓骨頭と外果を結ぶ線）	屈曲は股関節を屈曲位で行う．	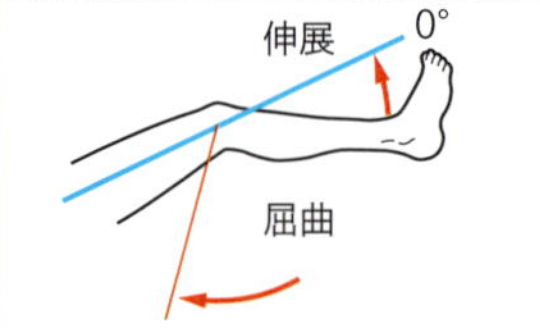
	伸展 extension	0				

部位名	運動方向	参考可動域角度	基本軸	移動軸	測定肢位および注意点	参考図
足関節・足部 foot and ankle	外転 abduction	0-10	第2中足骨長軸	第2中足骨長軸	膝関節を屈曲位，足関節を0°で行う.	外転 内転 0°
	内転 adduction	0-20				
	背屈 dorsiflexion	0-20	矢状面における腓骨長軸への垂直線	足底面	膝関節を屈曲位で行う.	背屈 0° 底屈
	底屈 plantar flexion	0-45				
	内がえし inversion	0-30	前額面における下腿軸への垂直線	足底面	膝関節を屈曲位，足関節を0°で行う.	外がえし 内がえし 0°
	外がえし eversion	0-20				
第1趾，母趾 great toe, big toe	屈曲（MTP） flexion	0-35	第1中足骨	第1基節骨	以下の第1趾，母趾，趾の運動は，原則として趾の背側に角度計をあてる.	伸展 0° 屈曲
	伸展（MTP） extension	0-60				
	屈曲（IP） flexion	0-60	第1基節骨	第1末節骨		0° 伸展 屈曲
	伸展（IP） extension	0				
趾 toe, lesser toe	屈曲（MTP） flexion	0-35	第2～5中足骨	第2～5基節骨		伸展 0° 屈曲
	伸展（MTP） extension	0-40				
	屈曲（PIP） flexion	0-35	第2～5基節骨	第2～5中節骨		0° 伸展 屈曲
	伸展（PIP） extension	0				
	屈曲（DIP） flexion	0-50	第2～5中節骨	第2～5末節骨		伸展 0° 屈曲
	伸展（DIP） extension	0				

体幹測定

部位名	運動方向		参考可動域角度	基本軸	移動軸	測定肢位および注意点	参考図
頚部 cervical spines	屈曲（前屈） flexion		0-60	肩峰を通る床への垂直線	外耳孔と頭頂を結ぶ線	頭部体幹の側面で行う． 原則として腰かけ座位とする．	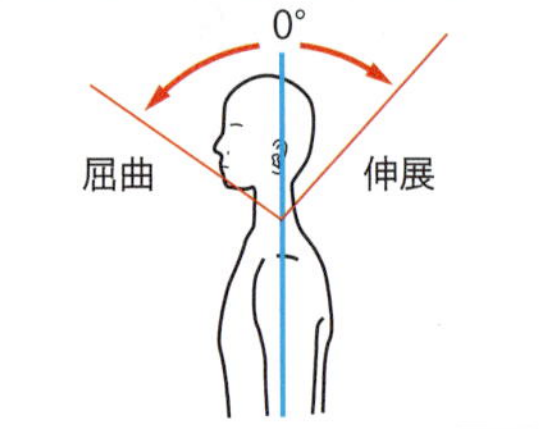
	伸展（後屈） extension		0-50				
	回旋 rotation	左回旋	0-60	両側の肩峰を結ぶ線への垂直線	鼻梁と後頭結節を結ぶ線	腰かけ座位で行う．	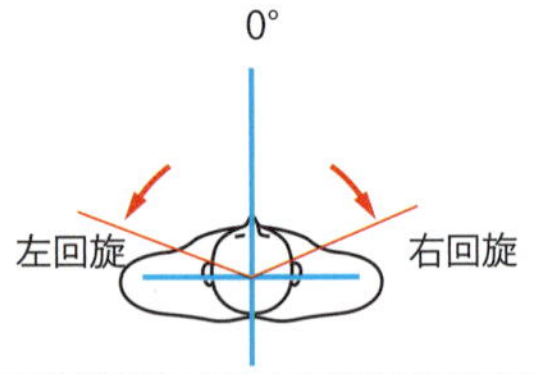
		右回旋	0-60				
	側屈 lateral bending	左側屈	0-50	第7頚椎棘突起と第1仙椎の棘突起を結ぶ線	頭頂と第7頚椎棘突起を結ぶ線	体幹の背面で行う． 腰かけ座位とする．	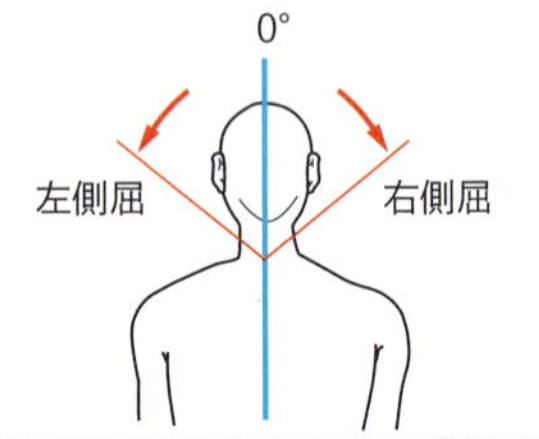
		右側屈	0-50				
胸腰部 thoracic and lumbar spines	屈曲（前屈） flexion		0-45	仙骨後面	第1胸椎棘突起と第5腰椎棘突起を結ぶ線	体幹側面より行う． 立位，腰かけ座位または側臥位で行う． 股関節の運動が入らないように行う． ⇨［VI. その他の検査法］参照	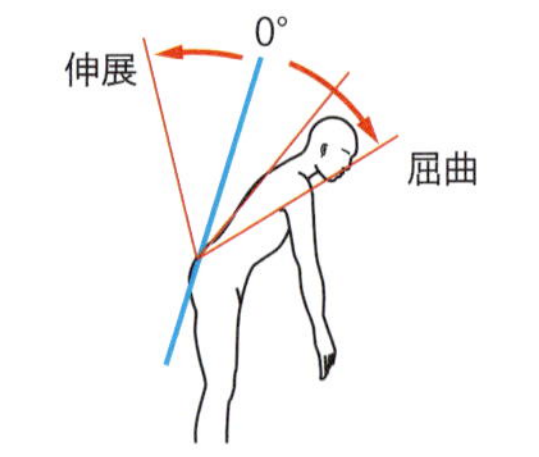
	伸展（後屈） extension		0-30				
	回旋 rotation		0-40	両側の後上腸骨棘を結ぶ線	両側の肩峰を結ぶ線	座位で骨盤を固定して行う．	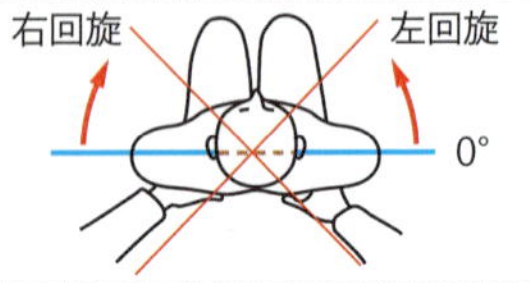
			0-40				
胸腰部 thoracic and lumbar spines	側屈 lateral bending		0-50	ヤコビー（Jacoby）線の中点に立てた垂直線	第1胸椎棘突起と第5腰椎棘突起を結ぶ線	体幹の背面で行う． 腰かけ座位または立位で行う．	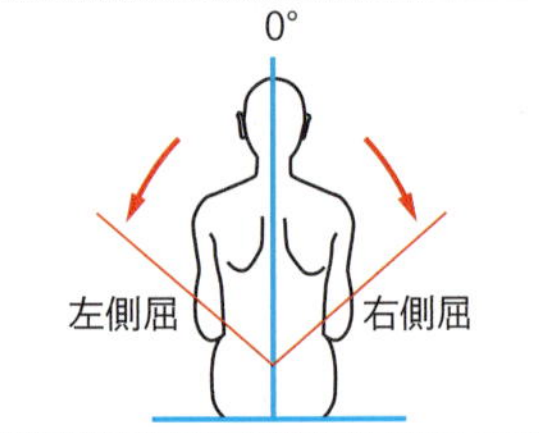
			0-50				

その他の検査法

部位名	運動方向	参考可動域角度	基本軸	移動軸	測定肢位および注意点	参考図
肩 shoulder (肩甲骨の動きを含む)	外旋 external rotation	0-90	肘を通る前額面への垂直線	尺骨	前腕は中間位とする． 肩関節は 90° 外転し，かつ肘関節は 90° 屈曲した肢位で行う．	外旋 0° 内旋
	内旋 internal rotation	0-70				
	内転 adduction	0-75	肩峰を通る床への垂直線	上腕骨	20° または 45° 肩関節屈曲位で行う． 立位で行う．	内転 0°
母指 thumb	対立 opposition				母指先端と小指基部（または先端）との距離（cm）で表示する．	
指 fingers	外転 abduction		第 3 中手骨延長線	2，4，5 指軸	中指先端と 2，4，5 指先端との距離（cm）で表示する．	
	内転 adduction					
	屈曲 flexion				指尖と近位手掌皮線（proximal palmar crease）または遠位手掌皮線（distal palmar crease）との距離（cm）で表示する．	
胸腰部 thoracic and lumbar spines	屈曲 flexion				最大屈曲は，指先と床との間の距離（cm）で表示する．	

顎関節計測

顎関節 temporo-mandibular joint	開口位で上顎の正中線で上歯と下歯の先端との間の距離（cm）で表示する． 左右偏位（lateral deviation）は上顎の正中線を軸として下歯列の動きの距離を左右とも cm で表示する． 参考値は上下第 1 切歯列対向縁線間の距離 5.0 cm，左右偏位は 1.0 cm である．

（Jpn J Rehabil Med 58：1188-1200, 2021 より抜粋して掲載）

索引

記号・欧文

数

A

B

C

J

K

L

M

Q

R

S

T

U

V

X

Y

Z

和文

あ

こ

つ

は

ひ

み

む

め

も

や

ゆ

よ

ら

り

れ

ろ

わ